TRAVAUX DE LINGUISTIQUE QUANTITATIVE

publiés sous la direction de Charles Muller

12

LE VOCABULAIRE
DES TRAGÉDIES DE JEAN RACINE

Charles BERNET

LE VOCABULAIRE DES TRAGÉDIES DE JEAN RACINE

Analyse statistique

SLATKINE – CHAMPION

GENÈVE – PARIS

1983

© SLATKINE, Genève 1983

ISBN 2-05-100484-6

La connaissance objective immédiate, du fait même qu'elle est qualitative, est nécessairement fautive. Elle charge fatalement l'objet d'impressions subjectives. On se tromperait d'ailleurs si l'on pensait qu'une connaissance quantitative échappe en principe aux dangers de la connaissance qualitative. La grandeur n'est pas automatiquement objective.

Gaston BACHELARD

L'oeuvre de Racine est un monument national.
Universellement connue, commentée et étudiée depuis trois siècles,
elle n'a jamais découragé les critiques, au contraire. On peut
donc se demander s'il subsiste quelque zone obscure. C'est avec
la conviction que la statistique lexicale était susceptible d'apporter non pas une interprétation nouvelle mais un éclairage
différent que ce travail a été entrepris.

Cet ouvrage est une nouvelle version d'une thèse
de 3e cycle soutenue en 1977 au Centre de Philologie et de Littératures romanes de l'Université de Strasbourg. Il est publié
aujourd'hui sous une forme allégée et, le temps aidant, remaniée.
Un effort particulier a été fait pour rendre la démarche quantitative accessible aux non-spécialistes. Les tableaux numériques
et lexicaux ont, pour la plupart, subsisté car il a paru utile
de diffuser des données d'une part pour satisfaire l'intérêt des
linguistes statisticiens et d'autre part à l'intention des amis
de Racine qui pourront y trouver matière à réflexion.

Monsieur Charles Muller, à qui je rends hommage
pour sa bienveillance et sa disponibilité, a dirigé mon travail.
Son fichier mécanographique du vocabulaire de Corneille m'a permis
d'aborder dans une perspective renouvelée le "parallèle" entre nos
deux grands classiques. Monsieur le Recteur Paul Imbs et Mademoi-
selle Noémi Hepp ont bien voulu me faire d'utiles suggestions lors
de la soutenance ; ils en verront ici et là des effets.

Je remercie Monsieur Joseph Florsch, du Centre de
Calcul de l'Université Louis Pasteur à Strasbourg, pour avoir mis
au point la plupart des programmes d'ordinateur qui ont servi de
base à l'exploitation statistique et Madame Michèle Sauvageot qui
a réalisé la dactylographie ici reproduite.

PREMIERE PARTIE : PRELIMINAIRES

CHAPITRE I

STATISTIQUE, STYLISTIQUE ET ETUDE D'UN VOCABULAIRE

Aujourd'hui la statistique est fréquemment utilisée dans l'étude des vocabulaires d'auteurs. Cependant certains éprouvent à son égard une méfiance inconsidérée alors que d'autres pourraient lui accorder un crédit qu'elle ne mérite pas. Il importe donc avant toute chose de livrer quelques réflexions méthodologiques.

1. Les fondements de la statistique lexicale

Etudier le vocabulaire d'un point de vue probabiliste, c'est accepter le postulat suivant : le vocabulaire d'un texte ou d'un ensemble de textes est assimilable à un processus aléatoire et les mots-occurrences se distribuent suivant le modèle du schéma d'urne.

Cela implique que toutes les occurrences soient d'une part équivalentes et d'autre part indépendantes les unes des autres.

Il peut sembler discutable, a priori, de considérer que toutes les occurrences ont la même valeur. Par exemple, sur le plan lexicologique, l'unique attestation dans l'ensemble des onze tragédies du vocable *inclémence*, mot apparu au XVIe siècle, goûté des Précieux qui l'ont diffusé, est plus caractéristique et plus révélatrice que les trente-neuf occurrences de *rigueur*, qui n'est pas un terme aussi marqué culturellement. De même, sur le plan thématique, les six occurrences du verbe *feindre* dans *Britannicus* sont infiniment plus significatives (en raison du climat de ruse de la pièce) que, notamment, les quatre-vingt quatorze occurrences du verbe *faire*. De plus, les occurrences d'un terme donné n'ont pas non plus toujours le même poids. Ainsi, la valeur d'*adieu* n'est pas la même dans les passages suivants :

- "La reine vient. *Adieu* : fais tout ce que j'ai dit".
(Antiochus à Arsace. *Bérénice*, v. 134)

Il s'agit là simplement d'une formule de congé à la fin d'une scène.

- "Pour la dernière fois, *adieu*, Seigneur".
(Bérénice à Titus. Dernier vers de la pièce)

Ici, c'est aussi une formule de congé mais c'est en plus l'expression de la décision finale de la reine, qui *dénoue* enfin le drame.

La notion de valeur est attachée à l'analyse du contenu (stylistique, sémantique et lexicologique), et l'on peut admettre qu'une étude quantitative se place en-deçà de toute considération sur le contenu. Ces remarques ne constituent pas des arguments irrévocables contre la statistique lexicale. Celle-ci considère les lexèmes en tant que signifiants, sans tenir compte de

leur contenu dénotatif ou connotatif. Il est donc légitime qu'elle nivelle
toutes les occurrences, d'autant plus qu'elle ne prétend pas se substituer
aux autres méthodes d'analyse des textes.

        Il pourrait être préjudiciable, en revanche, d'admettre que les
occurrences sont indépendantes les unes des autres car cela n'est pas
conforme à la réalité. Il y a avant tout des contraintes syntaxiques, mais
il y a aussi des contraintes qu'on pourrait qualifier de textuelles telles
que, d'une part, les vocables appartenant au même champ sémantique apparaissent plus volontiers regroupés dans la même partie d'un texte que disséminés
aléatoirement ; d'autre part, la deuxième occurrence d'un vocable se trouve,
beaucoup plus souvent que le schéma d'urne ne le laisserait prévoir, à proximité de la première. Les phénomènes de redondance et de répétition qui provoquent ce qu'on appelle la *spécialisation lexicale* sont des caractères essentiels du discours.

        Par conséquent, par l'une de ses bases au moins, la statistique
lexicale est en contradiction avec son objet. Et l'on ne peut pas suivre
P. Guiraud lorsqu'il affirme que, dans le discours, "tout se passe numéri-
quement comme si les signes avaient été tirés au hasard" (1). Il ne faut
donc pas attendre de la statistique qu'elle nous fournisse un modèle linguistique, mais elle est susceptible, malgré tout, de rendre des services plus
modestes.

        Dans la suite de cette recherche, le calcul des probabilités et la
statistique proprement dite seront utilisés d'une part pour construire des
modèles en fonction de l'hypothèse aléatoire, d'autre part pour apprécier
l'ampleur des écarts entre ces modèles et la réalité. Nous considérerons
toujours le schéma d'urne comme une hypothèse nulle, utilisée uniquement en
tant que référence arbitraire et fictive - et expressément reconnue comme
telle - pour apprécier jusqu'à quel point les données observées s'en écartent
comme il est normal qu'elles le fassent.

        Par ailleurs, lorsque nous nous aventurerons hors de la statistique
classique pour utiliser des modèles (généralement empiriques) propres à la
statistique lexicale, nous indiquerons toujours quels en sont les présupposés
et les implications et, subséquemment, les limites d'application.

2. Statistique lexicale et stylistique

        La stylistique vise à étudier - selon des méthodes diverses - le
style du discours ; le style étant, dans l'acception la plus neutre du terme,
la manière d'exprimer la pensée par l'intermédiaire de la langue.

        Selon un point de vue qui prévaut souvent de nos jours, la stylis-
tique doit s'efforcer de "coller" au discours qu'elle analyse et tenter d'en
rendre compte uniquement à l'aide de traits (ou d'unités) qui lui sont imma-
nents, ceux-ci étant dégagés notamment à partir des réseaux de connotations
qui s'organisent en lui et construisent, en quelque sorte, sa langue (son
code) propre.

_____

(1) P. GUIRAUD, *Problèmes et méthodes de la statistique linguistique*, Paris,
    P.U.F., 1960, p. 20.

La statistique lexicale, au contraire, extrait les occurrences du
discours, ce qui revient à dire qu'elle les dépouille de leur contexte, et
les prend en compte sous la forme de lemmes définis en fonction d'une norme
donnée une fois pour toutes. Il y a par conséquent une coupure, un décalage,
entre les données qui font l'objet d'un traitement quantitatif et le discours
duquel elles procèdent : "Le signe en tant que type [lemme] dont les occurrences sont transformées en "population statistique" anonyme, n'a plus rien
à voir avec la chaîne parlée ou écrite réelle et individuelle et (...) par
conséquent, le type n'existe que dans la dimension paradigmatique de ses
classes de fréquence" (1). Cette coupure est inhérente à la méthode. Et il
ne paraît pas réaliste d'envisager de choisir une unité de comptage qui tra-
duise bien le fonctionnement de chaque texte étudié car la statistique est,
par sa nature même, comparative (2).

Par la manière dont elle définit et traite les données, la statistique lexicale ne se situe donc pas au même niveau que cette stylistique.
Cependant, les deux disciplines sont connexes dans la mesure où l'une apporte
des informations d'ordre lexicologique sur des textes, que l'autre pourrait
intégrer au moins partiellement et interpréter à l'aide de ses propres procédures d'analyse.

Selon un autre point de vue, la stylistique est "la science des
écarts linguistiques" (3) et, à ce titre, elle trouverait dans la statistique
une auxiliaire adaptée dans la mesure où elle porte sur des faits de style
quantifiables.

La question est, bien entendu, de déterminer la norme par rapport
à laquelle l'écart devrait être évalué. Plusieurs choix sont possibles :
"pour certains, la norme est tout simplement l'usage commun ; pour d'autres,
ce serait l'expression neutre, dépourvue de valeur affective ; pour d'autres
encore, elle consisterait en une sorte de moyenne des usages particuliers" (4).

On ne discutera pas des mérites respectifs de ces trois possibilités. Il importe cependant de noter que les deux premières sont avant tout
qualitatives alors que la troisième est à la fois qualitative et quantitative
et autorise donc seule l'emploi de la statistique. C'est de cette dernière
que relèvent, par exemple, les études de P. Guiraud sur les mots-clés de plusieurs oeuvres littéraires (5). Ses analyses aboutissent à des conclusions
telles que celle-ci : *ange* et *parfum* sont déclarés être des mots-clés des
Fleurs du Mal parce que, figurant parmi les vocables les plus répétés de
l'oeuvre, leur fréquence y est significativement plus élevée que la norme de

(1) K. HEGER, "L'analyse sémantique du signe linguistique", *Langue Française*,
    4, 1969, p. 51.

(2) Cf. Y. BARDY, "A propos des enquêtes statistiques en stylistique", *Revue
    des langues romanes*, 1, 1975, pp. 234-241.

(3) J. COHEN, *La structure du langage poétique*, Paris, Flammarion, 1966, p. 15.

(4) P. DELBOUILLE, "A propos de la définition du fait de style", *Cahiers d'ana-
    lyse textuelle*, 2, 1960, p. 94.

(5) P. GUIRAUD, *Les caractères statistiques du vocabulaire*, Paris, P.U.F.,
    1954, pp. 100-105.

référence - la liste de Vander Beke (1 200 000 occurrences) - ne permettrait
de le prévoir pour un style moyen.

Les travaux de P. Guiraud ont été controversés non pas tellement
à cause de l'emploi de méthodes quantitatives, car la qualité et la quantité
ne sont pas inévitablement les termes d'une alternative, mais surtout en raison de la conception du style sur laquelle ils reposent. Il est vrai que, si
l'analyse ne retient que les faits de style déviants, elle se condamne à
laisser dans l'ombre un certain nombre de faits signifiants, car le style est
plus que la somme des écarts perceptibles. Mais il paraît cependant peu contestable que le relevé et l'interprétation des écarts sont un point de départ
solide pour une étude stylistique.

Les recherches de Ch. Muller, qui ont introduit la dénomination de
statistique lexicale, ne se placent pas d'emblée sur le terrain de la stylistique de Guiraud. Elles se présentent comme des études quantitatives du
vocabulaire, menées systématiquement sur une oeuvre ou un auteur, et n'ont
absolument pas la prétention de fonder une stylistique, mais seulement de
faire apparaître des écarts dont on ne sait pas par avance s'ils correspondent à des faits de style (c'est à la philologie d'en décider (1)). La norme
qui sert de référence n'est pas cette moyenne d'usages particuliers - toujours
discutable - fournie par Henmon (2) ou Vander Beke (3), mais elle est donnée
par la structure de l'ensemble considéré (*L'Illusion Comique* dans l'*Essai* et
l'ensemble de l'oeuvre théâtrale de Corneille dans l'*Etude* (4)), et les écarts
apparaissent dans les sous-ensembles.

3. Objectifs de cette étude

On se propose d'étudier le vocabulaire de Racine du seul point de
vue quantitatif et à l'aide des méthodes de la statistique lexicale telles
qu'elles ont été présentées dans les travaux de Ch. Muller et de quelques-uns
de ses élèves. Par conséquent, cette recherche n'est pas à proprement parler
une étude de style.

La statistique ne peut pas atteindre directement à des considérations d'ordre esthétique : "Nous avons beau compter les pas de la déesse, en
noter la fréquence et la longueur moyenne, nous n'en tirons pas le secret de
sa grâce instantanée" disait Valéry (5). L'étendue ou l'originalité du vocabulaire, par exemple, ne sont jamais des indices de sa qualité.

En se limitant à un seul aspect du langage - le vocabulaire - abordé,
de plus, d'un point de vue numérique, on court évidemment le risque d'une
certaine cécité sur le tout. Aussi, au terme de nos analyses, les conclusions

---

(1) Cf. Ch. MULLER, *Essai de statistique lexicale*, Paris, Klincksieck, p. 5.

(2) V.A.C. HENMON, "A french book based on the count of 400 000 running words",
    Bureau of educationnal Research Bulletin, 3, University of Wisconsin, 1924.

(3) G.E. VANDER BEKE, *French Word Book*, New York, Macmillan co., 1929.

(4) Ch. MULLER, *Etude de statistique lexicale. Le Vocabulaire du théâtre de
    Corneille*, Paris, Larousse, 1967, 380 p.

(5) P. VALERY, *Variété III*, Paris, Gallimard, 1936, p. 42.

qui ne pourront être acceptées sans un examen plus approfondi prendront souvent la forme d'hypothèses, même si elles semblent très vraisemblables au premier abord.

La statistique lexicale est encore une discipline où tout ne va pas de soi et dont certains procédés sont au stade expérimental. Notre premier objectif sera d'utiliser nos données pour effectuer quelques expériences à propos de questions sujettes à discussion, telles que l'évaluation de la richesse du vocabulaire, la validité de certains modèles de distribution des fréquences et la pertinence de plusieurs indices stylistiques.

L'examen des questions "techniques" détermine évidemment la validité des conclusions auxquelles on pourra aboutir. Par conséquent, il est indispensable de leur accorder une place minimale.

L'objet de l'étude n'en sera pas délaissé pour autant. Le deuxième objectif sera de dégager certains caractères formels permettant de comparer d'une part les onze tragédies de Racine entre elles (et, grâce aux données apportées par Ch. Muller, avec les tragédies de Corneille) et d'autre part les parties lyriques avec les parties dramatiques à l'intérieur d'*Esther* et d'*Athalie*. On essaiera en outre de voir si certains de ces caractères évoluent avec le temps.

Ces caractères sont d'abord quantitatifs, mais tous apportent, à des degrés divers et de façon plus ou moins certaine, des informations qualitatives. Ils se répartissent en quatre catégories. Certains concernent le vocabulaire proprement dit : la richesse du vocabulaire, les effectifs des hapax (indicateurs de l'originalité interne du vocabulaire), les effectifs de la sous-fréquence 1 (indicateurs de la non-répétition des vocables). Un autre va au-delà de l'observable : c'est le calcul du "lexique" des pièces, qui révèle en quelque sorte leur potentiel lexical. Sur un plan différent, en-dehors de la lexicologie, il y a d'une part la distribution des parties du discours qui fait apparaître des analogies et des oppositions dans l'écriture des pièces, et d'autre part, plus près de la stylistique signalétique (1), trois indices qui pourraient révéler indirectement des faits de style.

Le dernier objectif sera d'aborder, toujours de manière comparative, le contenu lexical - et non le contenu sémantique - des pièces. Il s'agira surtout d'observer la répartition des vocables de façon à répertorier le "vocabulaire caractéristique"

- de chaque tragédie de Racine par rapport à l'ensemble qu'elles constituent,
- des passages lyriques par rapport aux passages dramatiques dans les tragédies sacrées,

---

(1) Cf. G. MOUNIN, article "Stylistique" in *Encyclopaedia Universalis*, t. 15, Paris, 1973, pp. 466-468, qui emploie ce terme à propos de la stylistique componentielle, illustrée notamment par les travaux de Sedelow (SEDELOW S-Y, "Stylistic Analysis", *Automated Language Processing*, V, 1967) ; voir aussi E.L. MOERCK, "An objective, statistical description of style", *Linguistics*, 108, 1973, pp. 50-59.

- de l'ensemble des tragédies de Racine par rapport à l'ensemble de celles de Corneille.

On verra que la procédure adoptée fournit une masse de faits considérables, dont l'analyse détaillée dépasserait largement le cadre d'une recherche d'ensemble. Nous nous orienterons donc vers l'établissement d'une sorte d'index qui puisse servir d'outil de travail pour des études plus particulières.

Pour terminer, nous ferons le bilan de nos résultats pour chaque pièce de Racine, pour le parallèle entre Corneille et Racine, et nous présenterons nos conclusions sur la méthode elle-même.

Il ne paraît pas indispensable de présenter dès maintenant les instruments statistiques qui seront employés par la suite. Pour ceux qui reviendront le plus souvent : le test de Pearson (ou X^2), l'écart réduit et le coefficient de corrélation de Spearman, qui sont très largement utilisés dans toutes les sciences humaines, nous renvoyons aux manuels de statistique. Les autres feront toujours l'objet d'une brève présentation lors de leur premier emploi.

Mais avant de passer aux manipulations statistiques, il faut examiner les questions lexicologiques relatives au dépouillement des textes et présenter brièvement les oeuvres de Corneille et Racine.

CHAPITRE II

PRELIMINAIRES LEXICOLOGIQUES

Procéder à l'indexation d'un texte, c'est opter pour une certaine définition du lexique et de ses éléments.

Le lexique, en tant qu'ensemble d'éléments linguistiques, doit se définir d'une part suivant la nature des éléments qui le composent, d'autre part suivant son extension.

1. Les éléments lexicaux

Il serait téméraire, dans l'état actuel de la recherche linguistique, de vouloir proposer une définition indiscutable de l'unité lexicale. Quelle que soit l'option choisie pour ce travail, nous sommes sûr de trouver peu d'approbation et beaucoup d'opposition.

Trois options sont possibles suivant qu'on s'oriente vers le morphème - la plus petite unité isolable porteuse de sens - vers la lexie - la plus haute unité codée inférieure à la phrase - ou vers le mot graphique - suite de graphèmes précédée et suivie de blancs.

Habituellement, la statistique lexicale porte, parfois avec quelques aménagements, sur le mot graphique, mais les autres possibilités ne doivent pas être écartées a priori. On pourrait être tenté de choisir le morphème comme unité lexicale (1). En effet, si l'on relève sur cette notion quelques divergences entre les écoles linguistiques, son existence en tant qu'unité et sa fécondité dans l'analyse des langues ne sont pas contestées. Il s'agit d'une unité minimale et dans toutes les branches de la linguistique ce sont les unités minimales qui sont les mieux définies, les notions devenant plus imprécises à mesure qu'on s'éloigne du niveau initial. Par ailleurs, son identification dans la chaîne du discours, pour problématique qu'elle soit, pourrait se faire essentiellement à l'aide de tests formels, donc sans grand recours à l'intuition.

Mais, justement parce qu'il est un élément minimal, le morphème est souvent rejeté par les lexicologues à un niveau infralexical, la lexicologie portant ordinairement sur des unités construites - le mot ou la lexie - qui sont de fait et par tradition "les unités socio-culturelles de la langue" (2). Il faut observer qu'il y a réellement, dans le travail que nous entreprenons, une distance importante entre le mot (ou la lexie) et le morphème : la liste des mots d'un texte est beaucoup plus proche du contenu de ce texte qu'une liste de morphèmes. Décomposer un texte en morphèmes serait aller jusqu'à la limite extrême de l'émiettement de son contenu lexico-sémantique.

---

(1) Cette idée n'est pas rare dans la linguistique anglo-saxonne. Certains lexicologues français la signalent ou la discutent, par exemple A. REY, "Les bases théoriques de la description lexicographique du français : tendances actuelles", *Tralili*, VI, 1, 1968, pp. 58-59 et J. REY-DEBOVE, "Structures du lexique", *Méta*, 18, 1-2, 1973, p. 53.

(2) A. REY, loc. cit., p. 59.

Il est donc souhaitable de fixer son choix sur une unité plus
grande, d'autant plus qu'avec le morphème notre étude s'isolerait des travaux de statistique lexicale antérieure car, à coup sûr, les résultats ne
seraient pas comparables.

La lexie serait l'unité idéale pour notre recherche, B. Pottier
la définit comme l'unité de comportement linguistique (1) ; c'est l'unité
fonctionnelle signifiante de discours. Ses dimensions sont variables : elle
coïncide souvent avec le mot graphique (lexies simples : *jour, père* ; lexies
composées : *aujourd'hui, beau-père*), mais elle peut correspondre à une séquence de mots plus ou moins figée (lexies complexes : *champ de bataille,
prendre la fuite, à peine, pourvu que*).

La lexie présenterait un avantage certain car c'est à son niveau
que la notion de catégorie grammaticale prend tout son sens : il est peu satisfaisant, même dans la langue du 17e siècle, d'analyser les éléments de
séquences telles que *tenir lieu de, pourvu que*, ou *à travers* qui, prises globalement, ont respectivement valeur de verbe, de conjonction et de préposition. Le choix de la lexie comme unité lexicale pourrait donc permettre de
compléter l'étude quantitative par des indications statistiques d'ordre gram-
matical tout à fait incontestables. Malheureusement, l'identification des
lexies n'est pas toujours aisée. Plusieurs critères ont été proposés pour
déceler les lexies complexes :

- Sur le plan formel, B. Pottier (2) indique la non-autonomie d'au
moins un des éléments (à l'*envi*, au *fur* et à mesure) ou la non-séparabilité
(*champ de bataille, après tout*). Mais ces critères ne permettent d'identifier
avec certitude que des séquences totalement figées. Il est plus malaisé de
repérer les séquences discontinues (*mettre* (quelque chose) *en cendres, fouler*
(quelque chose, quelqu'un) *aux pieds*), voire les séquences semi-figées (*sans
doute, sans aucun doute, sans nul doute ; détourner les yeux, détourner la
face ; répandre, verser des pleurs, des larmes*).

- Sur le plan du contenu, on a avancé qu'il y avait lexie lorsqu'une
séquence de mots était comprise globalement par le sujet parlant. Sans insister sur le caractère intuitionniste d'une telle démarche, il faut noter que
bien des cas peuvent rester ambigus, notamment dans les textes littéraires :
noire trahison, peuple saint, Dieu vivant, pour ne citer que quelques séquences
fréquentes dans les tragédies de Racine.

Le fait est qu'il est difficile de tracer une distinction nette
entre des associations simplement fréquentes ou en voie de lexicalisation et
des tournures totalement figées (3), d'autant plus qu'il s'agit, dans cette
étude, d'opérer sur un état ancien de la langue, ce qui rend suspect tout
recours au "sentiment linguistique".

---

(1) B. POTTIER, *Présentation de la linguistique. Fondements d'une théorie*,
    Paris, Klincksieck, 1967, p. 17.

(2) ID. ibid., p. 17.

(3) Les lexicologues sont conscients de la continuité qui existe entre les deux
    extrêmes, puisqu'ils parlent parfois de *mots-tandem* : association de plu-
    sieurs mots qui se situe entre la formule toute faite (la lexie) et le
    cliché.

Une des conséquences de la difficulté d'identification des lexies complexes est que personne ne les a jamais recensées. Or, au seuil de l'indexation d'un texte, l'idéal serait de pouvoir s'appuyer sur un inventaire cohérent, linguistiquement recevable, qui puisse être à la fois le constant recours et le garant d'un dépouillement aisé et sûr. Comme il serait utopique de vouloir mettre soi-même en chantier, en guise de préalable à une recherche de statistique lexicale, un travail d'une telle ampleur, il faut abandonner l'idée de prendre la lexie comme unité d'analyse.

Les seuls inventaires dont on dispose actuellement sont les dictionnaires, dont les entrées sont pour la plupart des mots graphiques (1). Dans les travaux de statistique lexicale, l'usage oscille entre les simples index de formes, sans distinction des homographes ni regroupement des formes fléchies, qui ne demandent donc aucune intervention sur les données brutes, et les index de mots lemmatisés, qui s'inspirent souvent de la macro-structure d'un dictionnaire. Ni les uns ni les autres ne sont satisfaisants, mais il est indéniable que les seconds sont plus proches de l'idéal à atteindre, et attestent d'un respect plus grand de la réalité lexicale.

Selon les linguistes, il est préférable de travailler sur des unités fonctionnelles telles que les lexies mais, dans la pratique de la lexicologie quantitative, on s'accommode souvent de l'unité purement formelle qu'est le mot. La distance qui sépare ces deux attitudes, si elle est fondamentale en théorie, n'est peut-être pas aussi importante en pratique qu'elle le paraît car les lexies correspondent le plus souvent au mot graphique. Le poids quantitatif des lexies complexes n'est vraisemblablement pas suffisant pour rendre les études statistiques erronées ou indignes d'intérêt. Par ailleurs, s'il en est besoin, la notion de lexie complexe peut être réintroduite en cours de recherche pour corriger certaines conclusions.

En tout état de cause, le choix du mot graphique comme unité de traitement n'est pas une solution de facilité : c'est le seul moyen, aujourd'hui, de mener une étude de statistique lexicale.

2. L'extension du lexique

Dans sa conception la plus extensive, et la plus générale, le lexique comprend tous les signes de la langue, donc, selon le point de vue adopté ici, tous les mots. Cependant les noms propres ne sont généralement pas reconnus comme éléments lexicaux. Ils ne sont pas considérés comme porteurs de signification, car leur fonction reconnue est dénotative et référentielle ; ils ne peuvent s'appliquer, pour la plupart, qu'à une chose ou une personne particulière et comme l'indique J. Rey-Debove, leur ensemble peut se caractériser "comme interlingual et achronique" (2).

---

(1) Nous renvoyons à une analyse plus approfondie portant sur les entrées des dictionnaires (Ch. BERNET, *Etude statistique du vocabulaire de Racine*, pp. 280-297, thèse de 3e cycle, Strasbourg, 1977).

(2) J. REY-DEBOVE, *Etude linguistique et sémiotique des dictionnaires français contemporains*, The Hague/Paris, Mouton, 1971, p. 54.

Bien qu'ils constituent une classe fermée, les noms propres ont des rapports avec le lexique commun auquel ils peuvent s'intégrer de deux maniè- res : soit en prenant plus d'extension, c'est-à-dire en se conceptualisant de manière à pouvoir s'appliquer à toute une classe d'êtres ou d'objets (*cale- pin, harpagon, tulle*), soit par dérivation lorsque les dérivés eux-mêmes perdent leur référence unique (*cornélien, pindariser, satanique*). Inversement un nom commun peut s'employer comme nom propre en cas de personnification (la *Piété* dans le prologue d'*Esther*).

Ces phénomènes peuvent être une source d'embarras pour le lexico- logue. Le passage entre l'emploi métaphorique d'un nom propre et sa lexicali- sation est insensible (par exemple *un Narcisse, une Cassandre*) et le critère de la majuscule auquel on recourt parfois n'est pas probant. Dans certains contextes, les dérivés eux-mêmes sont ambigus ou ambivalents, la référence unique et le sens conceptualisé peuvent coexister (*le doute cartésien, la linguistique guillaumienne*).

Dans les études statistiques, et plus généralement dans toute recherche portant sur des énoncés, les noms propres et leurs dérivés posent un problème supplémentaire : quel que soit leur statut linguistique, on ne peut nier qu'ils font partie du discours. Il n'est donc pas question de les éliminer entièrement, d'autant plus que leur comportement statistique n'est pas sans intérêt pour la connaissance des textes.

Il faut donc les conserver dans les listes de fréquence, mais en se réservant la possibilité de les exclure afin qu'ils ne perturbent pas les observations portant sur les unités lexicales définies dans un sens restreint.

Parmi les éléments du lexique commun, certains sont avant tout fonctionnels, dépendants de la structure grammaticale et de la situation de communication, et d'autres sont plus indépendants du système de la langue et jouissent d'une certaine autonomie sémantique. Aussi le terme de *lexique* désigne-t-il ou bien l'ensemble de tous les mots fonctionnels ou non-fonction- nels, ou bien, dans une acception plus restrictive, uniquement les mots non-fonctionnels.

Ces conceptions du lexique ne sont pas nécessairement en concurrence. L'une peut parfaitement intégrer l'autre en opérant une distinction entre les deux catégories de mots, qu'on trouve diversement dénommées : mots vides/mots pleins, ou mots-outils/mots forts ou encore mots "grammaticaux"/mots "lexi- caux". Il y a lieu de mentionner et d'approfondir cette distinction ici car les travaux de statistique sont toujours amenés en cours de route, et surtout lorsqu'il s'agit d'observer les parties du discours, à se poser le problème.

Sur ce point, l'attitude la plus simple consiste à reprendre telles quelles les catégories de la grammaire traditionnelle, les mots forts compre- nant les verbes, substantifs, adjectifs et adverbes, et les mots-outils englo- bant tout le reste : articles, conjonctions, prépositions et pronoms. Il est clair qu'une telle bipartition n'est pas satisfaisante. On observe notamment que les verbes, les adjectifs et les adverbes constituent des classes hétéro- gènes.

Il suffit de deux critères, utilisés conjointement, pour reconnaître les mots fonctionnels : d'une part ils appartiennent à des séries fermées, et d'autre part ils ne sont pas sémantiquement analysables hors contexte, par conséquent les dictionnaires ne peuvent pas en donner la paraphrase synonymique.

Dans la classe des verbes, on est donc amené à distinguer les verbes dits "à sens plein" des auxiliaires et des semi-auxiliaires aspectuels et modaux.

La classe des adjectifs, relativement bien délimitée par les caractéristiques de dépendance unilatérale par rapport au nom et de variabilité en genre et en nombre, est cependant hétérogène après application de nos deux critères car ceux qui ont pour fonction de caractériser ou de qualifier (adjectifs qualificatifs) appartiennent à une série ouverte et sont sémantiquement analysables hors contexte, tandis que ceux qui ont pour fonction d'actualiser, de déterminer ou de quantifier (notamment adjectifs démonstratifs, indéfinis, interrogatifs, numéraux et possessifs) appartiennent à des séries fermées.

L'adverbe est traditionnellement défini comme partie du discours invariable et dont l'incidence porte sur un verbe, un adjectif, un autre adverbe, ou encore sur toute une phrase. La distinction s'impose entre les adverbes fonctionnels liés aux modalités de la formulation ou à la situation de communication (adverbes d'affirmation, de négation, de lieu, de temps, etc.) et les adverbes dits "de manière" qui sont les seuls à appartenir à une classe ouverte - on peut toujours en créer soit en employant un adjectif adverbialement, soit par dérivation en ajoutant le suffixe *-ment* à un adjectif - et qui sont sémantiquement analysables hors contexte. Certains linguistes groupent en une seule classe les adjectifs qualificatifs et les adverbes de manière (1) ; le bien-fondé de cette attitude est indéniable : le plus souvent ils entretiennent des liens morphologiques et transformationnels (une conduite *courageuse* ; se conduire *courageusement*) et des linguistes (2) vont jusqu'à les considérer comme des variantes contextuelles de la même partie du discours.

Si le partage doit se faire entre les mots grammaticaux et les mots lexicaux, il conviendrait qu'il regroupe, autant que possible, d'une part les noms communs, les verbes à sens plein, les adjectifs qualificatifs et les adverbes de manière (mots lexicaux) et d'autre part tous les mots ayant des fonctions de détermination, de quantification, de relation : les auxiliaires, les substituts, etc. (mots grammaticaux).

On pourrait trouver d'excellents arguments pour limiter le lexique aux mots non-fonctionnels. Mais les récents travaux de statistique lexicale ont prouvé qu'il était profitable de travailler sur tous les mots afin de ne pas laisser dans l'ombre des faits révélateurs : les variations de fréquence de certains mots de relation sont parfois du plus haut intérêt. C'est pourquoi dans ce travail tous les mots du lexique commun seront intégrés, chaque catégorie faisant l'objet d'un traitement distinct dès que nécessaire.

---

(1) Notamment Ch. MULLER, *Etude de statistique lexicale. Le vocabulaire du théâtre de Corneille*, Paris, Larousse, 1967, p. 111.

(2) J. LYONS, *Linguistique générale. Introduction à la linguistique théorique*, Paris, Larousse, 1970, p. 250.

CHAPITRE III

LE THEATRE TRAGIQUE DE RACINE ET DE CORNEILLE

1. Racine

        La fortune de Racine est un cas unique dans la littérature fran-
çaise. Son oeuvre a été analysée et interprétée par tous les grands courants
de la critique. Elle a été à plusieurs reprises l'occasion d'expérimenter
des méthodes nouvelles et parfois aussi le "champ de bataille" (1) d'écoles
rivales. Cependant elle n'a pas encore fait l'objet d'une étude quantitative
d'ensemble. Le fait est surprenant. Peut-être cela s'explique-t-il par quelque scrupule ? Il se peut que le fait de disséquer une langue dont la pureté
et l'élégance sont unanimement reconnues paraisse brutal. Mais on espère
montrer par la suite que cette méthode n'implique pas qu'on soit insensible
aux charmes du style.

        Notre étude porte sur l'ensemble des tragédies.

        On dispose de deux groupes de pièces d'importance inégale :

Tragédies profanes   Tragédies sacrées

  La Thébaïde   Esther

  Alexandre   Athalie

  Andromaque

  Britannicus

  Bérénice

  Bajazet

  Mithridate

  Iphigénie

  Phèdre

        A priori chaque groupe est cohérent au moins sur deux plans :

        - celui de la nature des pièces (profanes ou sacrées). Ce qui
n'exclut pas des différences internes relatives à la composition dramatique
(Esther a un prologue, trois actes au lieu de cinq, un triple changement de
décor et une action qui dure trois jours), aux thèmes ou à l'esthétique (de
ce point de vue on considère souvent que la carrière de Racine commence seulement avec Andromaque).

_____

(1) J.-J. ROUBINE, Lectures de Racine, Paris, Armand Colin, 1971, p. 5.

        - celui de la chronologie (cf. tableau p. 25) : moins de treize
ans séparent la première représentation de *La Thébaïde* (20 juin 1664) de
celle de *Phèdre* (1er janvier 1677). Entre ces deux dates, Racine crée une
pièce presque tous les ans. Il y a cependant un intervalle de 23 mois entre
Alexandre et *Andromaque* et un autre de 28 mois - qui a fait couler beaucoup
d'encre - entre *Iphigénie* et *Phèdre*. En 1677, après (l'échec de) *Phèdre*,
Racine se marie, devient historiographe du roi, "se convertit" et renonce au
théâtre. Il n'y revient que douze ans plus tard, sur la demande de Mme de
Maintenon, avec ses tragédies sacrées destinées aux demoiselles de Saint-Cyr :
Esther qui, semble-t-il, devait à l'origine être un opéra (1), est représen-
tée pour la première fois le 26 janvier 1689 et *Athalie* est "répétée" (2)
pour la première fois le 5 janvier 1691.

        Les outils de travail dont on dispose actuellement ne donnent pas
d'informations quantitatives directement exploitables pour l'analyse des
divisions internes des pièces (actes, scènes, rôles). On a cependant jugé
utile d'isoler les "parties lyriques" des tragédies sacrées afin d'examiner
en quoi elles se distinguent des "parties dramatiques". On appellera L(*Esth*)
et L(*Ath*) les parties lyriques et D(*Esth*) et D(*Ath*) les parties dramatiques.
Les passages considérés comme lyriques sont tous ceux qui sont déclamés ou
chantés par le choeur (ou par d'autres personnages lorsque le choeur est sur
la scène) :

            Passages lyriques isolés : L(*Esth*) et L(*Ath*)

	Situation dans la pièce			Nombre de vers
	I,2	v. 115-154	inclus	40 v.
	I,5	v. 293-372	"	80 v.
Esther	II,8	v. 713-824	"	112 v.
	III,3	v. 934-1015	"	82 v.
	III,9	v. 1200-1286	"	87 v.
				401 v.
	I,4	v. 311-374	inclus	64 v.
	II,9	v. 751-844	"	94 v.
Athalie	III,7 (partie)	v. 1135-1174	"	40 v.
	III,8	v. 1187-1236	"	50 v.
	IV,6	v. 1463-1509	"	47 v.
				295 v.

        Le prologue d'*Esther* a fait lui aussi l'objet d'un index particulier,
mais il est trop court (70 vers) pour faire l'objet d'un traitement statistique séparé.

---

(1) Dangeau note dans son journal en août 1688 : "Racine par l'ordre de Mme de
    Maintenon, fait un opéra dont le sujet est Esther et Assuérus ; il sera
    chanté et récité par les petites filles de Saint-Cyr. Tout ne sera point
    en musique. C'est un nommé Moreau qui fera les airs" dans R. PICARD,
    Corpus Racinianum, Paris, Belles-Lettres, 1956, p. 181.

(2) Le terme est de Louis Racine.

        Précisons enfin que l'édition qui sert de base à ce travail est
celle de P. Mesnard (1), qui donne le texte de 1697 révisé par Racine. Il
n'est donc pas possible de rendre compte du premier état des pièces. Afin
de remédier à cet inconvénient, on a fait un relevé de tous les vocables (2)
qui n'apparaissent que dans les variantes, mais sans en indiquer la fréquence.

Chronologie CORNEILLE et RACINE

Médée	1634-35		
Le Cid	1637		
Horace	1640		
Cinna	1640-41		
Polyeucte	1641-42		
Pompée	1642-43		
Rodogune	1644-45		
Théodore	1645		
Héraclius	1646-47		
Nicomède	1650-51		
Pertharite	1651-52		
Oedipe	1659		
Sertorius	1662		
Sophonisbe	1663		
		La Thébaïde	1664
Othon	1664		
		Alexandre le Grand	1665
Agésilas	1666		
Attila	1667		
		Andromaque	1667
		Britannicus	1669
		Bérénice	1670
		Bajazet	1672
		Mithridate	1673
		Iphigénie	1674
Suréna	1674		
		Phèdre	1677
		Esther	1689
		Athalie	1691

2. Corneille

        C'est l'existence de l'*Etude* de Ch. Muller sur les trente-deux
pièces de Corneille qui a déterminé le thème de cette recherche. Nous n'é-
chapperons donc pas au célèbre parallèle entre les deux grands classiques.

_____

(1) J. RACINE, *Oeuvres complètes*, éd. P. Mesnard, Paris, Hachette ("Les Grands
    écrivains de la France"), 1865-1873, 8 vol.

(2) Voir note 4 p. 36.

Comparée à celle de Racine, la carrière de Corneille paraît très
longue ; elle couvre presque un demi-siècle. Ch. Muller y distingue trois
périodes séparées par des interruptions de l'activité théâtrale : de *Mélite*
au *Cid* (1629-1637), d'*Horace* à *Pertharite* (1640-1651) et d'*Oedipe* à *Suréna*
(1659-1674). La dernière seule est partiellement contemporaine de l'oeuvre
de Racine.

En ce qui concerne le genre des pièces, nous reprenons la classification de l'*Etude* tout en notant, comme son auteur, qu'elle peut être
discutée. Les tragédies (1) qui nous intéressent plus particulièrement sont
donc au nombre de dix-huit (cf. tableau p. 25) ; les pièces féériques
(*Andromède* et la *Toison d'Or*), les comédies héroïques (*Don Sanche*, *Tite et
Bérénice* et *Pulchérie*) et une tragi-comédie (*Clitandre*) en sont exclues. *Le
Cid* y est inclus (2).

On pourrait penser que nous sommes plus restrictif pour Corneille
que pour Racine puisque d'un côté on rejette des pièces dont certaines se
distinguent peu des dix-huit tragédies, alors que de l'autre on admet *Esther*
et *Athalie*. Nos choix sont justifiés par le fait que les tragédies sacrées
s'inscrivent indiscutablement dans l'évolution du genre, tandis que les
pièces à machines annoncent l'opéra, et les comédies héroïques le drame moderne. Par ailleurs, le lyrisme - qui est le caractère distinctif le plus
marquant des tragédies sacrées - n'est pas absent des tragédies de Corneille
les monologues lyriques sont fréquents dans les pièces antérieures à 1650 (3)
et certains prennent la forme de stances : stances d'Egée (*Médée*, IV, 4), de
Rodrigue et de l'Infante (*Le Cid*, I, 6 et V, 2), de Polyeucte (*Polyeucte*, IV,
2) et d'Héraclius (*Héraclius*, V, 1).

La somme des tragédies des deux auteurs constitue un ensemble de
vingt-neuf pièces qui va de *Médée* (1635) à *Athalie* (1691), et couvre la période la plus brillante de la tragédie régulière. Quoique cet ensemble soit
important, nous ne pensons pas être en droit de le considérer comme un échan-
tillon représentatif. Par conséquent, nous n'en tirerons aucune généralisation
relative au genre tragique au 17e siècle. Nos conclusions se limiteront à
Corneille et Racine.

---

(1) Le texte qui a servi de base aux travaux de Ch. Muller est celui que Corneille a laissé au moment de sa mort : P. CORNEILLE, *Oeuvres*, éd. Ch.
Marty-Laveaux, Paris, Hachette ("Les Grands écrivains de la France"),
1862-1868, 12 vol. et un album.

(2) En ce qui concerne le traitement différent de *Clitandre* et du *Cid*, nous
faisons nôtres les arguments de Ch. Muller (*Etude*, pp. 24-25). Les deux
pièces ont d'abord paru sous le titre de tragi-comédie et n'ont reçu
l'appellation de tragédie qu'après coup. *Clitandre* n'a rien de commun avec
les tragédies et n'est jamais cité dans les *Discours sur le poème dramatique*, *Le Cid* en revanche y est constamment mentionné, sans y être séparé
des autres tragédies.

(3) Voir P. BARRIERE, "Le lyrisme dans la tragédie cornélienne", *Revue d'histoire littéraire de la France*, 35, 1928, p. 25.

CHAPITRE IV

LA NORME DE DEPOUILLEMENT

Le dépouillement des onze tragédies de Racine s'est fait en deux temps successifs : 1) découpage en unités élémentaires de texte (mots) 2) regroupement et classement des unités élémentaires de vocabulaire (vocables).

A vrai dire, la première étape était en grande partie réalisée à l'avance puisqu'on disposait des index de formes ainsi que des concordances mis au point par le Centre d'Etude du Vocabulaire Français de Besançon (1).

Il restait à faire quelques dépouillements complémentaires :

- Pour *Esther*, le Centre de Besançon n'avait indexé que la pièce proprement dite, sans le Prologue ; jugeant que celui-ci était une partie intégrante de la pièce, un index a été établi "à la main".
- En outre, comme nous souhaitions séparer les parties lyriques des parties dramatiques dans les tragédies sacrées, il a fallu faire un dépouillement manuel complet de tous les passages lyriques.

Par ailleurs, il était indispensable d'harmoniser le traitement des unités de texte. La présentation varie parfois d'un index à l'autre ; dans certains d'entre eux les composants des locutions sont dissociés et figurent chacun à leur place alphabétique, alors que dans d'autres - celui d'*Andromaque* notamment - de nombreuses locutions figurent en tant que telles : *à bon droit, grâce(s) au ciel, plût aux dieux, tout le monde*, etc. Pour uniformiser tout cela, nous avons adopté la solution la plus radicale, consistant à donner leur autonomie aux éléments de toutes les locutions rencontrées.

Enfin, et c'était la tâche la plus délicate, il fallait modifier dans certains cas les index en fonction de la norme de dépouillement choisie (2).

---

(1) - B. QUEMADA (sous la dir. de), *Index des textes littéraires français*, Besançon, Centre d'étude du vocabulaire français - Faculté des lettres et sciences humaines, s.d. Pièces de Racine (d'après l'éd. dite des Grands écrivains de la France) : *Alexandre le Grand*, 273 p. ; *Andromaque*, 297 p. ; *Athalie*, 303 p. ; *Bajazet*, 303 p. ; *Bérénice*, 263 p. ; *Britannicus*, 305 p. ; *Esther*, 207 p. ; *Iphigénie*, 312 p. ; *Mithridate*, 298 p. ; *Phèdre*, 284 p. ; *Les Plaideurs*, 159 p. ; *La Thébaïde*, 272 p.
- B. QUEMADA (sous la dir. de), *Concordances, index et relevés statistiques de J. Racine, Phèdre*, Paris, Larousse ("Documents pour l'étude de la langue littéraire"), s.d., 114 p.
Il existe aussi des index publiés sous la direction de R.-L. Wagner et P. Guiraud, que nous n'avons pas utilisés car ils sont moins sûrs que les précédents. Nous n'avons utilisé la concordance de Freeman et Batson que pour les derniers contrôles.
- B.-C. FREEMAN, A. BATSON, *Concordance du théâtre et des Poésies de Jean Racine*, Ithaca, Cornell University Press, 1968, 2 vol., 1483 p.
(2) Il n'était pas utile de faire un contrôle systématique des index pour y corriger d'éventuelles erreurs. Une seule coquille, rencontrée par hasard, a été relevée : *spectres* apparaît dans l'index d'*Alexandre* avec référence au vers 207, où il s'agit en réalité de *sceptres* : "Et vos *sceptres* (...) tomberaient de nos mains".

Conformément aux conclusions de nos préliminaires lexicologiques, la norme de dépouillement repose sur le principe de base déjà adopté par Ch. Muller dans son *Etude* sur le vocabulaire de Corneille :

1 mot = 1 unité graphique.

Cette égalité est la règle générale, mais il y a quelques cas particuliers sur lesquels nous serons brefs.

L'apostrophe et le trait d'union peuvent ou bien se placer entre deux mots autonomes ou bien relier deux éléments d'une seule unité lexicale. Pour les cas limites (*qu'est-ce, vous-même*), on s'est reporté à la nomenclature du *D.G.*, qui fournit une référence acceptable pour le traitement des séquences lexicalisées. En cas de désaccord entre le *D.G.* et la lemmatisation de Ch. Muller on a accordé la préférence à cette dernière : ainsi *sur-le-champ* et *tout-puissant* n'ont pas d'entrée dans le *D.G.* mais figurent comme lemmes dans notre dépouillement. Pour éviter l'arbitraire du dictionnaire, tous les noms de nombre reliés par un trait d'union ont été analysés : *quatre-vingts* (qui apparaît dans *Athalie*) a été scindé en deux unités de la même manière que *six mille* (qu'on relève dans *La Thébaïde*).

Il arrive, une seule fois dans notre dépouillement, que le mot soit constitué de plusieurs unités graphiques non reliées par le trait d'union ou l'apostrophe : dans la locution conjonctive *parce que*, dont le premier élément n'a pas d'existence autonome.

Inversement, il arrive aussi que l'unité graphique corresponde à plusieurs mots : les formes contractes *au, aux, du* et *des* (sauf lorsqu'il est article indéfini) ont été analysées pour des occurrences de *à + le*, ou de *de + le*. *Dont*, qui avait des emplois très variés dans l'usage classique, n'a pas été traité comme une forme contracte.

Les index étant ainsi remaniés, on pouvait passer à la seconde étape : la lemmatisation, qui consiste à regrouper sous une même rubrique les mots représentant les mêmes vocables. Le principe de base est de regrouper tous les mots sous des vocables figurant soit dans l'index de l'*Etude* du vocabulaire de Corneille, soit, à défaut, dans le *D.G.*

On est amené à exécuter deux opérations inverses : regrouper les formes hétérographes d'un même vocable et séparer les formes homographes de vocables différents.

Pour la première opération le regroupement des formes fléchies ne crée pas de grosses difficultés hormis lorsqu'il s'agit de participes.
   - On a groupé les variantes graphiques de certains vocables (*rejaillir* et *rejaillir, avec* et *avecque, jusque* et *jusques,* etc.) ; en outre, les occurrences des interjections *eh* et *hé* ont été réunies.
   - Lorsqu'une forme masculine et une forme féminine désignent un couple, on peut hésiter sur le nombre de vocables ; la forme féminine peut être une variante fléchie de la forme masculine ou un vocable à part entière. Pour *sultan* et *sultane* qui apparaissent dans *Bajazet*, nous avons fait deux lemmes différents (ce qui est conforme à la nomenclature du *D.G.*) pour garder la symétrie avec les couples *prince/princesse, roi/reine*).

La séparation des formes homographes de vocables différents est
une question plus complexe. Elle intervient soit dans les cas de polyvalence sémantique, soit dans les cas de polyvalence syntaxique. La difficulté
essentielle est d'établir la limite entre les phénomènes d'homonymie et de
polysémie ; les solutions adoptées par les dictionnaires ne sont jamais
satisfaisantes et les critères qu'on peut tirer des théories linguistiques
sont toujours contestables. Nous avons donc suivi la norme de Ch. Muller.
Dans les cas de polyvalence sémantique, elle se conforme presque toujours
à la nomenclature du *D.G.* Cependant Ch. Muller accorde parfois plusieurs
lemmes à des mots qui n'ont qu'une entrée dans le dictionnaire (*air 1, air 2 ;
état 1* et *état 2* par exemple) ; ces modifications ont été intégrées dans
notre propre dépouillement. Inversement, on a rencontré deux vocables qui
n'avaient qu'un lemme dans le dépouillement de Ch. Muller et plusieurs entrées dans le *D.G.* : *parer* et *sujet*. Nous avons sur ce point suivi le *D.G.*
pour notre lemmatisation.

Dans le cas de polyvalence syntaxique, il est plus difficile de
parvenir à un traitement en tous points identique à celui de Ch. Muller. Les
emplois adverbiaux de l'adjectif, la substantivation de l'adjectif ou de
l'infinitif et l'adjectivation du participe présent nous ont créé quelques
cas embarrassants (*un oeil brûlant de rage, La Thébaïde*, v. 1321 ; *au sortir
de, Phèdre*, v. 1104, par exemple). Pour le participe passé adjectivé et subs-
tantivé, nous avons repris les deux critères sémantiques de l'*Etude* sur
Corneille (p. 33) : "Le participe exprime-t-il encore le résultat d'une action ?
Ses limites sémantiques concordent-elles avec celles du verbe ?", tout en
sachant qu'ils étaient très sélectifs et conduisaient inévitablement à faire
figurer des adjectifs sous le verbe.

Malgré les difficultés rencontrées, nous pensons avoir suivi d'aussi
près que possible la norme qui nous sert de référence en recourant constamment à l'index de l'*Etude*, et, si besoin était, au contexte dans les tragédies
de Corneille.

La lemmatisation des mots grammaticaux est un des points les plus
délicats de tout dépouillement. Nous avons adopté comme principe directeur
d'accorder plus d'importance à la catégorie grammaticale qu'aux flexions.
Ainsi les occurrences des formes *le, la, les,* ont été réparties sous deux
lemmes différents : *le* article et *le* pronom. Le plus souvent les formes dis-
tinctives du genre et du nombre ont été réunies : pour l'adjectif démonstratif
(lemme *ce*), on a groupé les occurrences de *ce, cet, cette* et *ces* ; pour le
pronom possessif, on a rassemblé sous le lemme *mien* les occurrences de *mien,
mienne, miens* et *miennes*, et de même pour *tien, sien*, etc. Dans le traitement des pronoms personnels, on peut obtenir des résultats différents suivant
qu'on privilégie la forme ou la fonction. Comme Ch. Muller, on a opéré les
regroupements selon la forme graphique.

Exemple : traitement de la troisième personne du singulier et du
pluriel.

	SINGULIER		PLURIEL	
	Masculin	Féminin	Masculin	Féminin
Sujet	Il		Ils	
		Elle		Elles
Complément	Le	La	Les	Les
	Lui	Lui	Leur	Leur
		Elle	Eux	Elles

Les espaces délimités englobent les formes traitées sous un lemme unique.
Le résultat peut paraître contestable puisqu'on groupe des formes fonction-
nellement et syntaxiquement très différentes : un masculin singulier et un
masculin pluriel (*il* et *ils*), un masculin singulier et un féminin singulier
(*lui*), des pronoms sujets et des pronoms compléments (*elle* et *elles*), etc.
En réalité, les regroupements auraient été tout aussi arbitraires si on les
avait fondés sur la fonction ou sur tout autre critère. A tout prendre, il
valait mieux partir de la forme (c'est ce que font généralement les dictionnaires), quitte à réviser le classement après coup pour étudier tel ou tel
point particulier.

        Il faut noter enfin que les homographies ont pour la plupart été
résolues, même lorsqu'elles concernaient des formes à haute fréquence telles
que *ce* (adj. et pron.), *en* (prép. et adv.), *le* (ainsi que *la* et *les* ; art.
et pron.) et *si* (adv. et conj.). En revanche on a renoncé, mais seulement
dans un premier temps, à départager les occurrences de *que*.

        Le traitement des noms propres, qui ont un statut sémantique parti-
culier, a, lui aussi, posé quelques problèmes au moment de la lemmatisation.
Il y a parfois de réelles difficultés de délimitation : entrent dans la catégorie des noms propres des substantifs qui, graphiquement, ont une majuscule
à l'initiale et qui, sémantiquement, se réfèrent à un être, un objet, ou à
une catégorie d'êtres ou d'objets spécifiques et uniques, ainsi que les adjectifs qui en sont dérivés. De nombreux cas limites étaient déjà résolus par
Ch. Muller (*Parque(s)*, *Furie(s)* sont considérés comme des noms propres, de
même que *Occident* et *Orient*), d'autres demandaient à l'être : des allégories,
des personnifications (la *Piété*, l'*Intérêt*, la *Jalousie* dans le prologue
d'*Esther*) ou des déifications (le *Soleil* dans *Phèdre*), qui apparaissent plus
volontiers chez Racine que chez Corneille. On a estimé que malgré la majuscule, la marge entre le nom propre et le nom commun était très faible et que
tout cela était à regrouper avec le vocabulaire commun. Pour trois mots figurant dans Corneille nous avons adopté une solution opposée à celle de Ch.
Muller car, chez Racine, les contextes dans lesquels ils apparaissent étaient
très différents :

        - le mot *juif* qui a une occurrence sans majuscule à l'initiale dans
Le Menteur (v. 1177, "More, *juif* ou chrétien, vous n'épargnez personne"), est
traité comme appartenant au vocabulaire commun ; dans Racine ce mot apparaît
dans trois pièces différentes, généralement avec la majuscule, dans son sens
ethnique et religieux ; il n'y a donc pas lieu de le traiter autrement
qu'*Africain*, *Ottoman* ou *Philistin* qui sont groupés avec les noms propres.

        - *Vizir*, qui apparaît dans *L'Illusion Comique* ("le Grand Vizir"),
est naturellement considéré comme un nom propre par Ch. Muller. Dans *Bajazet*
("Crois-tu qu'ils me suivraient encore avec plaisir,/Et qu'ils reconnaîtraient
la voix de leur *visir* (sic)") il est sans aucun doute employé comme nom commun
et enregistré comme tel dans notre relevé.

        - *Vestales*, qui figure dans *Clitandre* (v. 1570 : "Souffrez que pour
pleurer mes actions brutales/Je fasse ma retraite avecque les *Vestales*") est
traité comme un nom propre par Ch. Muller certainement parce que provenant
d'un dérivé de *Vesta* (déesse du foyer domestique). Nous considérons ce mot

comme un nom commun d'une part parce qu'il n'est pas ressenti en français
comme un dérivé de nom propre, et d'autre part pour ne pas être entraîné à
faire figurer des cas analogues (*lévite* par exemple) parmi les noms propres.

Comme pour le vocabulaire commun, il faut parfois grouper les formes hétérographes et séparer les formes homographes. En dehors des flexions
d'adjectifs et substantifs "ethniques" (par exemple *Troyenne* - 5 occurrences
dans *Andromaque*, et *Troyens* - 8 occurrences dans *Andromaque* et 3 dans *Iphigénie* - groupés sous le lemme *Troyen*) le regroupement concerne essentiellement des variantes graphiques : *Athène* est groupé avec *Athènes*, *Mycène* avec
Mycènes, *Claudius* avec *Claude*. Il y a aussi le cas du pluriel des noms de
personne : l'occurrence de *Nérons* (*Britannicus*, v. 38 : "La fierté des *Nérons*
qu'il puise dans mon flanc") a été groupée avec le singulier *Néron* car le
mot, désignant la famille d'Agrippine, reste un "patronyme" ; il ne s'agit
ni d'une extension de sens ni d'une antonomase ; en revanche, pour *Césars*,
on a fait une entrée pour le singulier (qui se réfère exclusivement à la personne) et une autre pour le pluriel (qui se réfère à la fonction).

Les homographes ont toujours été distingués : *Inde* "pays" et *Inde*
"fleuve Indus" dans *Alexandre*, *Ismaël* "fils d'Abraham" et *Ismaël* "personnage
de la tragédie", de même qu'*Israël* "peuple juif" et *Israël* "personnage biblique" dans *Athalie*.

Enfin, contrairement à Ch. Muller, on a séparé les dénominations
homographes de personnages secondaires car les cas d'homographies sont plus
rares chez Racine que chez Corneille et ne posent aucun problème : *Arcas*
"domestique de Mithridate" est distingué d'*Arcas* "domestique d'Agamemnon".

En bref on peut dire que la norme de dépouillement est "très ana-
lytique en ce qui concerne la délimitation du mot, et très synthétique pour
celle du vocable" (*Etude*, p. 29), ce qui est particulièrement propice au traitement statistique des données quantitatives. Notre dépouillement repose sur
une norme qui est indiscutablement simple et qui a été appliquée aux textes
sans aucune variation, les rares modifications par rapport à la norme de Ch.
Muller ayant toutes été reportées sur le fichier mécanographique de Corneille
avant le traitement des données.

Le dépouillement a abouti, initialement, à l'établissement d'un
index alphabétique lemmatisé pour chacune des 11 pièces ainsi que pour certaines parties de pièce : le Prologue d'*Esther*, les Choeurs d'*Esther* et les
Choeurs d'*Athalie*.

Ensuite, en réunissant les 14 index particuliers, on a dressé un
index alphabétique d'ensemble où chaque vocable est suivi de sa fréquence
dans chaque pièce ou partie de pièce, ainsi que de sa fréquence totale. On
pouvait alors passer à la mécanographie en perforant une carte par lemme. Il
y a 3263 vocables mais seulement 3262 cartes car *que* n'a qu'une carte dans
le fichier mais compte pour deux vocables.

Il était alors possible d'effectuer sur ordinateur les programmes
nécessaires à notre recherche.

CHAPITRE V

LES DONNEES QUANTITATIVES

Notre document de base, fourni par l'ordinateur, est l'index
statistique du vocabulaire de Racine qui constitue l'annexe 2 de cet ouvrage.

Un premier traitement a permis de recueillir ce que nous appelle-
rons les données quantitatives fondamentales. Un second a consisté à établir
la liste de distribution des fréquences de chaque pièce, partie de pièce ou
ensemble de pièces. Nous ne donnons ici qu'une seule liste intégrale, celle
de l'ensemble des onze tragédies de Racine (annexe 1). Le début des autres
est analysé au chapitre X. Elles seront toutes examinées en temps et lieu.

Les résultats du premier traitement figurent sur les tableaux
pp. 40-41 (pour Racine) et pp. 42-43 (pour Corneille). Les symboles utilisés
sont les suivants :

A = nombre d'*alexandrins*.
N = nombre de mots-occurrences.
V = nombre de vocables.
V_1 = nombre de vocables de fréquence 1.
Vh = nombre de hapax (vocables ayant la fréquence 1 chez Racine
     et chez Corneille).
Ve = nombre de vocables exclusifs (vocables n'apparaissant que
     dans une pièce quelle que soit leur fréquence).
r = rang. Par convention les valeurs seront classées par ordre
    croissant. Les classements seront utiles pour le calcul d'un
    coefficient de corrélation des rangs.

Ces données appellent quelques remarques.

Les valeurs de A ont été calculées parce que les vers, n'étant pas
tous isomètres, ne permettent pas de comparer la longueur des pièces avec
précision. Les alexandrins sont les plus nombreux, mais on rencontre aussi
des décasyllabes, des octosyllabes et même des vers plus courts dans plusieurs pièces, notamment dans les tragédies sacrées. On a fait la somme des
syllabes de ces vers et divisé le nombre obtenu par douze, ce qui était censé
nous donner l'équivalent en "alexandrins" (1).

A et N sont deux évaluations concurrentes de la longueur des textes. N repose sur le mot, et A, en fin de compte, sur la syllabe. Chez chaque
auteur, les classements des tragédies selon A et N diffèrent quelque peu car
la longueur des mots (en syllabes) varie entre les pièces. Le rapport N/A
(indice de longueur des mots) sera étudié avec d'autres indices statistiques.

_____

(1) Voir infra pp. 38-39.

Les tragédies de Racine sont presque toutes plus courtes (en mots et en "alexandrins") que celles de Corneille :

	Corneille (18 tragédies)	Racine (10 tragédies) (1)
Longueur moyenne (A)	1834	1667
Etalement des valeurs (A)	1620-1994	1506-1795
Longueur moyenne (N)	16853	14773
Etalement des valeurs (N)	14255-18647	13261-15818

L'étalement des valeurs met en évidence un décalage sensible entre les deux auteurs. D'après les valeurs moyennes, les tragédies de Racine ont environ 170 alexandrins et 2000 mots-occurrences de moins que celles de Corneille : il n'est pas nécessaire de recourir à un test statistique pour se persuader que les différences sont significatives.

On notera que Racine respecte plus fidèlement que son rival les directives des théoriciens contemporains : D'Aubignac (2) indique, en 1657, qu'un acte devrait avoir "environ 300 vers", soit 1500 vers pour une tragédie. Corneille dépasse très largement ce chiffre, même (et surtout) dans les pièces postérieures à cette date.

Les valeurs de V ne sont pas directement comparables entre elles car l'étendue du vocabulaire d'un texte est dépendante de sa longueur : $V = f(N)$. On examinera les rapports entre N et V en étudiant la richesse du vocabulaire. Mais, dès maintenant, l'observation des données nous permet de dégager certaines tendances.

Les classements des pièces selon les valeurs de V et de N ne sont pas semblables. Le coefficient de corrélation de Spearman permet de mesurer globalement l'ampleur des différences.

Calcul du coefficient pour les 11 pièces de Racine

	r(N)	r(V)	d^2
La Thébaïde	3	1	4
Alexandre	4	2	4
Andromaque	6	3	9
Britannicus	9	8	1
Bérénice	2	4	4
Bajazet	8	5	9
Mithridate	7	6	1
Iphigénie	11	7	4
Phèdre	5	10	25
Esther	1	9	64
Athalie	10	11	1

$$\rho = 1 - \frac{6 \Sigma d^2}{n(n^2-1)} = 1 - \frac{828}{1320} = + 0,37$$

(pour $\nu = 9$, la probabilité d'atteindre ou de dépasser un coefficient de 0,37 par le seul jeu du hasard est supérieur à 0,10 ; comme nous prenons pour limite $p = 0,05$, la corrélation n'est pas établie).

$$\Sigma\ d^2 = 138$$

(1) *Esther*, qui n'a que trois actes, n'a pas été prise en compte. Sa présence aurait encore accentué les différences entre les deux auteurs.

(2) D'AUBIGNAC, *La Pratique du théâtre*, 1. III, ch. V, p. 124, cité dans J. SCHERER, *La Dramaturgie classique en France*, Paris, Nizet, s.d., p. 196.

Le même calcul effectué pour les 18 pièces de Corneille donne $\rho =$ + 0,25 (ν = 16, p $>$ 0,10), et pour l'ensemble des 29 tragédies : $\rho =$ + 0,18 (ν = 27, p $>$ 0,10). Aucun des coefficients n'indique une dépendance significative des classements (ni d'ailleurs une indépendance absolue). Si les valeurs de V dépendaient uniquement de celles de N, les coefficients devraient atteindre + 1,00. Comme ce n'est - et de loin - pas le cas, nous pouvons affirmer que, dans les pièces des deux auteurs, les différences de richesse du vocabulaire tendent à neutraliser les effets de la longueur.

En outre, lorsqu'on oppose les classements selon N et V à l'ordre chronologique, on obtient les résultats suivants :

N et chronologie

	N et chronologie	
Corneille	ρ = + 0,45 (p $\approx$ 0,05)	ρ = - 0,60 (p $\approx$ 0,01)
Racine	ρ = + 0,26 (p $>$ 0,10)	ρ = + 0,90 (p $<$ 0,01)

Chez Corneille, le vocabulaire est de moins en moins étendu (corrélation négative et significative entre V et la chronologie) à mesure que les pièces se suivent, alors que les pièces ont tendance à s'allonger (corrélation positive, et presque significative, entre N et la chronologie).

Chez Racine, au contraire, le vocabulaire est de plus en plus étendu (corrélation positive, et très significative, pour V et la chronologie), alors que la longueur des pièces ne se modifie pas de façon significative avec le temps.

Cela laisse supposer que les deux auteurs ont évolué de façon inverse. Nous approfondirons cette question plus loin avec des outils statistiques plus précis.

Les valeurs de V_1, Vh et Ve n'apportent pas de révélations immédiates. V_1 servira surtout lorsqu'il sera question de la structure quantitative du vocabulaire. Vh et Ve permettront d'aborder le contenu lexical.

L'étendue du vocabulaire de Racine

Notre dépouillement aura au moins un mérite : celui d'apporter un dénombrement précis.

L'extrême sobriété du vocabulaire de Racine semblait un fait acquis depuis longtemps, probablement depuis la fin du 19e siècle, et n'a été remis en question que récemment, à partir de 1955, avec la parution des premiers index de P. Guiraud et R.-L. Wagner (1).

Selon une idée reçue, qui survit encore aujourd'hui, Racine aurait employé entre 800 et 1200 vocables dans l'ensemble de ses tragédies (2) et

---

(1) R.-L. WAGNER et P. GUIRAUD (sous la dir. de), *Recherches et documents pour servir à l'histoire du vocabulaire poétique français. Index du vocabulaire du théâtre classique.*

(2) Le premier de ces chiffres est très connu, certainement parce qu'il a eu la caution d'André MARIE, ministre de l'Education Nationale de 1951 à 1954.

environ 1400 dans l'ensemble de son oeuvre (1). D'autres évaluations, plus
généreuses, ont contribué à redresser les perspectives. Il faut mentionner
d'abord celle de J.-G. Cahen, qui avait probablement constitué à la main un
fichier pour ses recherches : "deux mille mots sans cesse répétés ont suffi
à Racine pour composer ses 18000 vers [les tragédies]" (2). On en rencontre
une autre dans un "Dictionnaire du savoir moderne" (*La Communication*) (3),
en marge de l'article MOT : "Racine et ses 2800 mots, Kipling et ses 11800
mots". On ne sait malheureusement pas d'où proviennent ces chiffres. S'agit-il,
pour Racine, du vocabulaire de toute l'oeuvre ? Ou du théâtre ? Ou seulement
des tragédies ? S'il ne s'agissait que des tragédies, le nombre proposé serait
assez proche du nôtre, à condition toutefois de ne pas tenir compte des noms
propres et des adjectifs dérivés.

        Les valeurs de V qui sont indiquées sur le tableau p. 40 ne sont
valables que pour l'édition des tragédies de 1697. Afin de tenir compte de
leur état antérieur, nous pouvons leur ajouter les vocables qui n'apparaissent que dans les variantes (4). On obtient alors les effectifs suivants :

	vocabulaire commun	noms propres	total
Tragédies profanes	2626	252	2878
11 tragédies	2941	333	3274

        Si l'on ajoute aussi les vocables absents des tragédies, qui fi-
gurent dans les *Plaideurs* (403 pour le vocabulaire commun et 42 pour les
noms propres, soit 445 en tout) (5), on obtient pour l'ensemble du théâtre
de Racine, variantes comprises :

	vocabulaire commun	noms propres	total
12 pièces	3344	375	3719

---

(1) Encore mentionné récemment : "... Racine, lequel n'a utilisé pour toute
    son oeuvre que quatorze cents mots. Ils ont été dénombrés par Darmesteter
    et Ferdinand Brunot...", James de COQUET, le *Figaro* du 3. 11. 1975. Nous
    n'avons pas trouvé la référence exacte chez les auteurs cités.

(2) J.-G. CAHEN, "Le Vocabulaire de Racine", *Revue de linguistique romane*,
    XVI, n° 59-64, 1940-45, 1946, p. 18.

(3) A. MOLES (sous la dir. de), assisté de Cl. ZELTMANN, *La Communication*,
    Paris, Denoël, 1971, p. 403.

(4) Il s'agit de : amer (*La Thébaïde*), ample (*Bérénice*), avorter (*La Thébaï-
    de*), Bactrien (*Alexandre*), chiffre (*Bérénice*), enjoindre (*Bajazet*), gra-
    cieux (*La Thébaïde*), hautement (*Alexandre*), réserve (*La Thébaïde*), tacher
    (*La Thébaïde*) et tiédeur (*La Thébaïde*).

(5) Pour notre dépouillement complémentaire des *Plaideurs*, voir remarque
    ci-après.

Le vocabulaire de Racine est donc beaucoup plus étendu qu'on ne
le dit généralement. Est-il riche pour autant ? Il semble pauvre lorsqu'on
le compare à celui de certains textes littéraires modernes : *Electre* de
Giraudoux (V = 2967) comprend autant de vocables que l'ensemble des tragédies profanes ; et *La Folle de Chaillot* (V = 3312) presque autant que l'ensemble des onze tragédies (1). Mais l'étendue de son vocabulaire ne peut
être apprécié qu'en fonction des usages du 17e siècle et des contraintes
liées aux genres littéraires. Une comparaison avec Corneille n'est pas possible ici car elle demande la mise en oeuvre d'un appareil statistique
complexe qui sera présenté plus loin.

Remarque sur le dépouillement complémentaire des *Plaideurs*

Nous ne donnerons pas la liste des vocables des *Plaideurs* qui
n'apparaissent pas dans les tragédies, quelques indications devraient suf-
fire.

La norme de dépouillement est celle qui a été présentée au chapitre IV. Cependant la difficulté d'identifier et de limiter le mot apparaît
dans quelques cas sous des formes que la tragédie ne connaît pas : présence
de termes latins ou grecs, de mots déformés ou tronqués. Il s'agit de phénomènes parasites qui ont, pour la plupart, amené un rejet pur et simple -
donc l'absence de nos comptages.

- Ainsi, il n'est pas tenu compte des mots déformés : *Babyboniens* (Ba-
byloniens) v. 681, *Démocrite* (Démocratique) v. 683, *Dépotique* (Despotique)
v. 683, *Lorrains* (Romains) v. 683, *Nacédoniens* (Macédoniens) v. 682 et *Ser-
pans* (Persans) v. 682.

- Ni des mots tronqués : *métem*(psychose) v. 700, (*métem*)*psychose* v. 700
et 701 ; à plus forte raison lorsqu'il s'agit d'un mot étranger : *in
Prompt*(uarium) v. 754.

- Parmi les mots étrangers, sont rejetés ceux qui entrent dans les cita-
tions de Lucain : *Victrix causa diis placuit, sed victa Catoni* v. 742 et
d'Ovide : *Unus erat toto naturae vultus in orbe,/Quem Graeci dixere chaos,
rudis indigestaque moles* v. 809 & 810.

De même pour *autem* v. 758 ; *item* v. 448 ; *paragrapho* v. 777 ; *pri-
mo, peri Politicon* v. 745.

En revanche *et caetera* v. 401 a été conservé, de même que les
dénominations réelles ou fictives d'oeuvres, de paragraphes ou de lois :
Caponibus v. 777 ; *De vi* v. 777 ; *Si quis canis* v. 776, chaque dénomination
étant comptabilisée pour un vocable.

---

(1) Ces données sont empruntées à E. BRUNET, "Le Traitement des faits linguistiques et stylistiques sur ordinateur", p. 112 *in* : J. DAVID et R. MARTIN
(eds), *Statistique et linguistique*, Paris, Klincksieck, 1974, 164 p.
La norme de dépouillement de Brunet est celle du T.L.F., qui est moins
synthétique que la nôtre. Il faudrait probablement retrancher une centaine
d'unités à ses effectifs pour les ramener à nos dimensions.

Remarque sur la mesure des textes en alexandrins

        L'alexandrin est le mètre habituel des tragédies classiques,
mais il n'est pas rare que certains passages comprennent des vers plus
courts (les vers libres d'*Agésilas*, les parties chantées d'*Esther* et
Athalie, par exemple). Comme Ch. Muller l'a fait avant nous, nous considérons ces vers comme des fractions d'alexandrins. Ainsi un octosyllabe
vaut 0,667 alexandrins et un décasyllabe 0,833. Il peut paraître choquant
de procéder ainsi, car ce faisant, nous nous plaçons sur un plan strictement quantitatif, non pertinent d'un point de vue métrique et littéraire.
Nous ignorons volontairement qu'il y a des oppositions qualitatives entre
les différents mètres ; on sait en effet que les tétrasyllabes, les octosyllabes et les alexandrins, par exemple, ne sont pas employés dans les
mêmes circonstances pour exprimer les mêmes choses : à chaque mètre correspond un genre ou un ton différent. Néanmoins si l'on veut bien admettre
que notre préoccupation est simplement d'adopter une unité de mesure fondée
sur la syllabe et qui permette une comparaison immédiate de la longueur des
pièces, notre attitude est parfaitement fondée, d'autant plus que l'écra-
sante majorité des vers d'une tragédie est constituée d'alexandrins.

        Nous donnons ci-dessous quelques indications sur les tragédies
sacrées qui, parmi les pièces de Racine, sont celles qui contiennent le
plus de vers autres que des alexandrins :

	Nombre de syllabes par vers						Nombre total de vers concernés	de syllabes concernées	Equivalence en "alexandrins"
	4	5	6	7	8	10			
Esther	9	2	34	35	94	70	244	1947	162,25
Athalie	2	–	15	18	88	36	159	1288	107,33
Total	11	2	49	53	182	106	403	3235	269,58

Longueur des textes

	en vers	en "alexandrins"	
Esther	1356	1274,25	≃ 1274
L(Esther)	401	319,25	≃ 319
D(Esther) avec le prologue	955	955	
Prologue	70	70	
Athalie	1816	1764,33	≃ 1764
L(Athalie)	295	243,33	≃ 243
D(Athalie)	1521	1521	

        On observe que les parties lyriques seules sont affectées par
notre comptage, mais elles le sont assez profondément car le nombre d'a-
lexandrins "reconstitués" d'*Esther* équivaut approximativement à 3 scènes
de cette pièce, celui d'*Athalie* équivaut à 2 scènes.

Pour les 11 tragédies de Racine on obtient les résultats
suivants :

Longueur

	en vers		en "alexandrins reconstitués"	
La Thébaïde	1516	>	1510	(1509,83)
Alexandre	1548	=	1548	
Andromaque	1648	=	1648	
Britannicus	1768	=	1768	
Bérénice	1506	=	1506	
Bajazet	1748	>	1747	(1746,50)
Mithridate	1698	=	1698	
Iphigénie	1796	>	1795	(1795,33)
Phèdre	1654	=	1654	
Esther	1356	>	1274	(1274,25)
Athalie	1816	>	1764	(1764,23)

Certaines pièces sont écrites intégralement en alexandrins
(*Alexandre le Grand*, *Andromaque*, *Bérénice*, etc.). Pour la plupart des
autres les différences entre le nombre de vers et le nombre d'"alexandrins reconstitués" sont très petites (*La Thébaïde*, *Bajazet* et *Iphigénie*).
Les seuls écarts importants concernent donc les tragédies sacrées.

RACINE. DONNEES QUANTITATIVES

	A	r	N	r	V vocab. commun	V noms propres	V	r
La Thébaïde	1510	3	13828	3	1225	19	1244	1
Alexandre	1548	4	13907	4	1230	25	1255	2
Andromaque	1648	5	15086	6	1238	31	1269	3
Britannicus	1768	10	15431	9	1481	34	1515	8
Bérénice	1506	2	13261	2	1247	34	1281	4
Bajazet	1747	8	15335	8	1356	25	1381	5
Mithridate	1698	7	15144	7	1383	41	1424	6
Iphigénie	1795	11	15818	11	1429	53	1482	7
·Phèdre	1654	6	14415	5	1586	56	1642	10
Esther (avec le prologue)	1274	1	11169	1	1510	43	1553	9
Athalie	1764	9	15505	10	1677	65	1742	11
Prologue d'Esther	70		603		282	3	285	
L(Esth)	319		2811		712	10	722	
D(Esth) (avec le prologue)	955		8358		1316	40	1356	
L(Ath)	243		2138		550	16	566	
D(Ath)	1521		13367		1583	62	1645	
Tragédies profanes	14874		132225		2616	251	2867	
Tragédies sacrées	3039		26674		2066	97	2163	
11 tragédies	17912		158899		2931	332	3263	

Les valeurs de A sont arrondies.

RACINE. DONNEES QUANTITATIVES (suite)

	V_1 vocab. commun	V_1 noms propres	V_1	Vh vocab. commun	Ve vocab. commun
La Thébaïde	431	4	435	26	35
Alexandre	397	9	406	29	34
Andromaque	413	7	420	19	21
Britannicus	524	10	534	63	74
Bérénice	457	15	472	21	25
Bajazet	458	9	467	37	43
Mithridate	490	15	505	25	27
Iphigénie	488	18	506	34	39
Phèdre	588	29	617	103	116
Esther	629	21	650	88	105
Athalie	645	27	672	124	159
Prologue d'Esther	211	2	213		
L(Esth)	382	3	385		
D(Esth)	589	19	608		
L(Ath)	323	9	332		
D(Ath)	641	28	669		
Tragédies profanes	500	82	582		
Tragédies sacrées	655	41	696		
11 tragédies	569	111	680		

CORNEILLE. DONNEES QUANTITATIVES

18 TRAGEDIES

	A	r	N	r	V sans noms propres	V noms propres	V	r
Médée	1620	1	14255	1	1661	56	1717	18
Le Cid	1825	9	16689	8	1497	22	1519	10
Horace	1782	4	16501	4	1469	25	1494	7
Cinna	1780	3	16167	3	1514	61	1575	14
Polyeucte	1807	6	16510	5	1582	28	1610	16
Pompée	1812	7	16557	6	1574	45	1619	17
Rodogune	1843	11	16867	9	1479	21	1500	9
Théodore	1882	14	17173	14	1475	23	1498	8
Héraclius	1901	15	17464	15	1464	23	1487	6
Nicomède	1854	12,5	16972	11	1495	34	1529	12
Pertharite	1854	12,5	17168	13	1412	14	1426	3
Oedipe	1994	18	18647	18	1535	49	1584	15
Sertorius	1920	16	17711	16	1511	42	1553	13
Sophonisbe	1822	8	16891	10	1395	36	1431	4
Othon	1832	10	17018	12	1468	54	1522	11
Agésilas	1960	17	18258	17	1385	27	1412	2
Attila	1788	5	15942	2	1433	43	1476	5
Suréna	1738	2	16563	7	1364	21	1385	1
Tout	33014		303353		3561	458	4019	

CORNEILLE. DONNEES QUANTITATIVES (suite)

18 TRAGEDIES

	V_1 vocab. commun	V_1 noms propres	V_1
Médée	678	31	709
Le Cid	540	8	548
Horace	538	12	550
Cinna	537	36	573
Polyeucte	604	13	617
Pompée	586	16	602
Rodogune	550	6	556
Théodore	520	4	524
Héraclius	532	8	540
Nicomède	556	15	571
Pertharite	477	3	480
Oedipe	547	21	568
Sertorius	546	20	566
Sophonisbe	497	10	507
Othon	567	27	594
Agésilas	512	7	519
Attila	558	19	577
Suréna	492	5	497
Tout	707	159	866

DEUXIEME PARTIE : ANALYSE QUANTITATIVE

VI   - LA DISTRIBUTION DES PARTIES DU DISCOURS

VII - LA RICHESSE DU VOCABULAIRE

VIII - L'ACCROISSEMENT DU VOCABULAIRE

IX   - LES VOCABLES DE FREQUENCE 1

X   - QUELQUES APPROCHES DE LA STRUCTURE LEXICALE

XI   - AU-DELA DU VOCABULAIRE, LE LEXIQUE DES PIECES

XII - TROIS INDICES STYLISTIQUES

XIII - VERS LE CONTENU LEXICAL

CHAPITRE VI

LA DISTRIBUTION DES PARTIES DU DISCOURS

La question des parties du discours a déjà été abordée au chapitre II. Nous verrons ici comment leur étude quantitative s'intègre dans
notre recherche, puis nous observerons les variations de leur fréquence
dans le corpus.

On observe dans les manuels de grammaire et les ouvrages de
linguistique des divergences (1) quelquefois assez nettes dans les défi-
nitions et les délimitations des parties du discours, car les critères de
reconnaissance sont variables : ils s'appuient parfois sur le sens, parfois sur la distribution, dans certains cas sur les relations logiques, ou
encore conjointement sur plusieurs points de vue. Les désaccords concernent surtout le nombre des classes ou leurs subdivisions, mais, si l'on
reste en-deçà d'un certain niveau d'analyse, le classement de la grammaire
traditionnelle n'est pas profondément remis en question. Pour des raisons
d'économie et d'efficacité nous le prendrons comme référence.

A cause de nos choix méthodologiques au moment de la lemmatisation, des contraintes du comptage et de l'étendue des textes à traiter, la
répartition des occurrences dans les différentes classes est effectuée
moyennant certaines simplifications - donc sur le plan quantitatif moyennant certaines approximations - par rapport aux catégories réelles.

Comme notre dépouillement repose sur le mot graphique nous devons
considérer qu'une partie du discours n'a ni plus ni moins d'extension qu'un
mot (2). Toutes les locutions ou périphrases sont donc réduites à leurs
constituants. Ainsi *après que* qui devrait compter, selon de nombreux gram-
mairiens, pour une seule occurrence (de conjonction), nous donne bien une
occurrence de conjonction (*que*) mais aussi une occurrence de préposition
(*après*) (3) ; de même dans *j'ai vu* on compte deux occurrences de verbes
alors qu'il n'y en a qu'une seule.

---

(1) On dispose cependant de bonnes mises au point. Par exemple l'étude de
    E. BUYSSENS, *Les catégories grammaticales du français*, Bruxelles, Edi-
    tions de l'Université, 1975, 94 p.

(2) G. BARTH a fait lui aussi des comptages, sur cette base, dans ses
    *Recherches sur la fréquence et la valeur des parties du discours en
    français, en anglais et en espagnol* (Paris, Didier, 1961, 135 p.) appa-
    remment sans que cela nuise à l'intérêt de ses résultats.

(3) Dans ce cas précis, certains linguistes sont d'accord avec notre décou-
    page, par exemple B. Pottier : "Après les prépositions qui sont suivies
    d'un syntagme nominal, la conjonction *que* permet, par son rôle de nomi-
    nalisateur, d'introduire un syntagme verbal. "J'irai après ton départ".
    "J'irai après que tu seras parti". Il s'ensuit qu'il y a lieu de renon-
    cer à voir dans *après que* (et autres groupements similaires) des "locu-
    tions conjonctives" et il n'y a en fait qu'une préposition suivie d'un
    nominalisateur". *Systématique des éléments de relation*, Paris, Klincksieck,
    1962, p. 72.

Dans l'index (annexe 2, p. 237) certains lemmes regroupent des
occurrences appartenant à des classes différentes. Ainsi sous *peu*, il y a
des emplois nominaux et adverbiaux :

"Le *peu* que je suis" *Bajazet* v. 472.
"Je connais *peu* l'amour" *Bajazet* v. 1409.

sous *autre*, des adjectifs indéfinis et des pronoms :

"Et quel *autre* intérêt contre lui vous anime" *Mithridate* v. 31.
"Ils s'animent l'un l'*autre*" *Alexandre* v. 127.

sous *mortel*, des adjectifs qualificatifs et des substantifs :

"De mille coups *mortels* il détourne l'orage" *La Thébaïde* v. 1334.
"Moins connu des *mortels* je me cacherois mieux" *Phèdre* v. 1611.

sous *intéresser*, des formes verbales et des participes en emploi adjectif :

"Les grâces, les honneurs par moi seule versés,
M'attiraient des mortels les voeux *intéressés*"
                                        Britannicus v. 885-886.
"Vous-même en leur réponse êtes *intéressée*"
                                        Esther v. 706.

Les derniers exemples posent une fois encore la question de la
limite entre le participe passé à valeur verbale ou adjective devant laquelle le linguiste est toujours hésitant. Il existe quelques critères qui
ne sont pas suffisamment opérants dans une étude statistique car ils ne
permettent de dégager que quelques cas sûrs et laissent subsister un très
grand nombre de cas douteux.

Dans cette recherche, nous avons dû renoncer à répartir sous le
verbe et l'adjectif les occurrences des participes passés. Le corollaire
est qu'il a fallu renoncer aussi à distinguer les emplois attributifs et
les emplois d'auxiliaire du verbe *être*.

En revanche, nous avons tenté de résoudre les autres cas de polycatégorie autant que faire se pouvait et dans la mesure où nous estimions
que cela était susceptible d'apporter plus de sûreté à nos résultats. Cela
nous a donc conduit à revenir çà et là sur notre lemmatisation première en
fonction du comportement combinatoire des vocables dans les textes.

Les classes qui font l'objet d'un traitement quantitatif sont :
- Les classes de "mots lexicaux" ; noms propres, noms communs, adjectifs et adverbes de manière, verbes. Compte tenu de ce qui a été dit plus
haut des noms propres, on pourrait être surpris de les voir figurer dans
cette classe. Cependant, s'il est vrai qu'en tant que vocables, sur le plan
sémantique, ils se distinguent indéniablement de tous les autres mots, sur
le plan syntaxique, en tant qu'occurrences, ils fonctionnent comme les substantifs. Dans l'étude des occurrences des parties du discours il n'y a donc
aucun inconvénient à les traiter comme les autres substantifs.
- Les appellatifs et interjections.
- Les mots "fonctionnels" constituent un groupe qui sera étudié d'a-
bord globalement et ensuite analytiquement. Il a paru utile, pour nuancer
l'analyse, de traiter séparément cinq classes issues de ce groupe : les
pronoms, les adverbes autres que les adverbes de manière, les conjonctions,
les prépositions et les déterminants.

La composition de chaque classe est présentée en appendice à la fin
de ce chapitre (p. 81). Il a paru utile de fournir une description détaillée
car c'est un domaine où les données quantitatives disponibles sont rares et,
parmi celles qui existent, certaines ne sont pas utilisables dans des comparaisons faute d'informations suffisantes sur le contenu effectif des
classes.

Catégories grammaticales. Effectifs

	noms propres	noms communs	n. communs + n. propres + pronoms	adj.	verbes	mots fonc- tionnels	appell. et interj.
La Thébaïde	184	2175	4758	674	2756	7581	387
Alexandre	229	2200	4752	619	2819	7665	348
Andromaque	401	2154	5466	505	3216	8353	435
Britannicus	414	2375	5583	586	3155	8411	461
Bérénice	293	2016	4696	583	2731	7149	442
Bajazet	281	2260	5372	747	3260	8308	461
Mithridate	310	2268	5267	730	3081	8248	465
Iphigénie	360	2550	5675	701	3250	8502	442
Phèdre	267	2432	4955	906	3001	7427	359
Esther	255	2153	3841	739	2003	5703	300
Athalie	517	2853	5448	919	2809	8008	372
Total des 11 pièces	3511	25436	55813	7709	32081	85355	4472
L(Esth)	62	597	960	209	489	1381	69
L(Ath)	74	431	748	158	340	1061	71
D(Esth)	193	1556	2881	530	1514	4322	231
D(Ath)	443	2422	4700	761	2469	6947	301

Les comptages qui font intervenir la syntaxe sont encore plus
problématiques que ceux qui relèvent exclusivement de la lexicologie. La
nature même de ce que l'on comptabilise exige donc des approximations sans
lesquelles il est impossible d'effectuer le moindre calcul statistique.
Aux difficultés d'ordre linguistique s'ajoutent celles qui proviennent de
la dimension du corpus. Un sondage aurait fait peut-être apporté des
résultats acceptables, mais, une première lemmatisation étant réalisée, il
a paru plus judicieux de l'utiliser en faisant les ajustements qui parais-
saient s'imposer plutôt que de procéder par échantillonnage. Malgré d'iné-
vitables imperfections, notre dépouillement définitif est, à notre connaissance, et compte tenu de son étendue, le premier qui atteigne une telle
précision.

Il y a une limite à cette étude, dont les conséquences seront
perceptibles surtout au moment de conclure : la répartition des parties du
discours dans un texte est la résultante de facteurs très divers. Il ne
serait pas possible de parvenir à une explication satisfaisante sans remon-
ter aux contraintes et aux choix sémantiques, syntaxiques, phonologiques,
prosodiques ou même littéraires. Toutes ces considérations ne pourront pas
être retenues ici. On sera donc amené à dresser un constat qui, parfois,
renoncera à chercher les causes profondes.

1. Questions de méthode

L'analyse statistique consistera à comparer des effectifs observés avec des effectifs calculés.
On commencera par construire un modèle théorique.

Dans celui qui est adopté ici on pose en hypothèse que la répartition des parties du discours est stable. Etant donné un ensemble de
pièces dans lequel chaque partie du discours représente une certaine proportion du nombre total d'occurrences, on calcule des effectifs théoriques
en estimant que cette proportion devrait être la même dans toutes les
pièces appartenant à l'ensemble considéré.

En fait, on verra que la distribution des parties du discours
varie d'une pièce à l'autre. Le modèle ne prétend pas être un reflet de
la réalité, il fournit en quelque sorte des valeurs moyennes à partir
desquelles on mesure des écarts - dont certains peuvent être significatifs -
et c'est ce qui nous importe. Les écarts entre les effectifs observés et
les effectifs calculés seront d'autant plus significatifs que l'ensemble
des pièces qui sert de référence est plus hétérogène, et inversement. Par
conséquent il faudra jouer sur la constitution des ensembles pour aboutir
à des observations plus ou moins fines.

D'abord on calcule des effectifs théoriques pour chacune des
onze tragédies de Racine à partir de la répartition observée dans l'ensemble constitué par la somme de leurs occurrences.
Exemple : calcul de l'effectif théorique des noms propres dans *La
Thébaïde*. Sachant qu'il y a 3511 occurrences de noms propres sur un nombre
total de 158899 mots-occurrences, on détermine la probabilité d'apparition
des noms propres :
p = 0,022096. En fonction de la longueur de *La Thébaïde* (N = 13828)
le modèle prévoit 305,54 noms propres. L'effectif réel est de 184 ; l'écart
est donc égal à - 121,54.

C'est presque toujours pour les tragédies sacrées que les écarts
entre le modèle et la réalité sont les plus grands. Pour y gagner en homo-
généité, il est nécessaire de constituer deux ensembles distincts : l'un
comprenant les neuf tragédies profanes et l'autre les deux tragédies sacrées. Dans l'ensemble des tragédies profanes on calcule des effectifs
théoriques pour chaque pièce ; dans l'ensemble des tragédies sacrées d'abord
pour chaque pièce puis pour chaque sous-ensemble : L(*Esth*), L(*Ath*), D(*Esth*)
et D(*Ath*).
Exemples :
- calcul de l'effectif théorique des noms propres dans *La Thébaïde*
avec les tragédies profanes comme ensemble de référence. L'ensemble des
neuf pièces compte un total de 132225 mots-occurrences dont 2739 noms propres ; donc p = 0,020715.
Effectif théorique = 286,44 ; effectif réel = 184 ; écart = - 102,44.
L'écart est moins grand que lors du calcul précédent.

- calcul de l'effectif théorique des noms propres dans *Esther*. L'ensemble des deux tragédies sacrées compte un total de 26674 occurrences dont
772 noms propres, donc p = 0,028942.
Effectif théorique = 323,25 ; effectif réel = 255 ; écart = - 68,25.

- calcul de l'effectif théorique des noms propres dans L(*Ath*). La probabilité est la même : p = 0,028942.
Effectif théorique = 61,88 ; effectif réel = 74 ; écart = + 12,12.

Ces modèles sont toujours construits en tenant compte de tous les mots. Il a paru intéressant d'en construire, comme l'ont déjà fait d'autres chercheurs, qui soient fondés uniquement sur la longueur évaluée en mots lexicaux afin de comparer les résultats obtenus par les deux méthodes. Cette fois nous n'avons effectué aucun calcul à partir de la répartition dans l'ensemble des onze pièces, mais uniquement à partir des neuf tragédies profanes et des deux tragédies sacrées.

Exemples :
- calcul de l'effectif théorique des noms propres dans *La Thébaïde*, l'ensemble de référence étant constitué des 9 tragédies profanes.
Nombre d'occurrences de mots "lexicaux" dans les 9 pièces : 56469.
Nombre d'occurrences de noms propres dans les 9 pièces : 2739.
p = 0,048504.
Effectif théorique = 280,74 ; effectif réel = 184 ; écart = - 96,74.

- calcul de l'effectif théorique des noms propres dans *Esther*.
Nombre d'occurrences de mots "lexicaux" dans les 2 tragédies sacrées : 12241.
Nombre d'occurrences de noms propres dans les 2 tragédies sacrées : 772.
p = 0,063067.
Effectif théorique = 324,54 ; effectif réel = 255 ; écart = - 69,54.

- calcul de l'effectif des noms propres dans L(*Ath*). La probabilité est la même que ci-dessus : p = 0,063067.
Effectif théorique = 63,26 ; effectif réel = 74 ; écart = + 10,74.

Afin de déterminer si les écarts entre les effectifs observés et les effectifs calculés sont significatifs, on utilisera deux procédés différents : le calcul de l'écart réduit et le test de Pearson.

On admet généralement en statistique lexicale qu'un écart est significatif lorsqu'il a moins de 5 chances sur 100 d'être dû au hasard, mais, comme nos comptages comportent quelques approximations, le seuil sera repoussé à 2 chances sur 100. Autrement dit, on n'aura qu'une chance sur 50 de se tromper en considérant un écart comme significatif.

L'écart réduit (z = écart absolu/écart type) sera calculé pour toute différence constatée entre un effectif observé et un effectif théorique (soit près de 500 fois sur nos données). Avec le seuil choisi, on admettra qu'un écart est significatif lorsque z $\geqslant$ 2,33.

Pour calculer l'écart réduit, il faut connaître l'écart type. A défaut d'écarts types expérimentaux, dont le calcul serait très long, nous aurons recours à des écarts types théoriques : $\sigma = \sqrt{npq}$. Mais cette formule ne correspond à la réalité que si la probabilité p est constante. Or on sait qu'elle varie (plus ou moins selon les parties du discours) d'une pièce à l'autre et aussi à l'intérieur des pièces. Ainsi lorsqu'on tient compte de tous les mots, la probabilité de la partie du discours la plus instable, les noms propres, varie entre p = 0,013306 (*La Thébaïde*) et p = 0,033344

(*Athalie*) alors que la probabilité dans les onze pièces est p = 0,022096. Il est donc tout à fait improbable que la répartition des noms propres suive une loi normale. Mais une telle différence est un cas extrême. L'écart type théorique est une approximation, plus ou moins proche de la réalité selon les cas.

Les écarts réduits concernant la plupart des classes de mots, obtenus à l'aide des différents modèles qui ont été présentés, figurent pp. 70 à 73. Les signes (+) ou (-) indiquent si l'écart absolu est positif ou négatif, i.e. si l'effectif observé est plus grand que l'effectif calculé. Il ne sera pas possible, ni même souhaitable, de s'attarder longuement sur tous les chiffres figurant dans ces tableaux. Nous ne commenterons que ceux qui apportent des informations paraissant essentielles.

Le test de Pearson est d'abord employé pour obtenir des renseignements sur la répartition de chaque partie du discours entre les pièces. Avec deux chances sur 100 d'être dus au hasard, les écarts sont significatifs pour $X^2 \geqslant 21,161$ avec 10 d.d.l. (calculs portant sur les onze pièces), $X^2 \geqslant 18,168$ avec 8 d.d.l. (calculs portant sur les neuf tragédies profanes), etc.

A l'aide de ce test on détermine quelles sont les parties du discours qui sont les plus instables. Les résultats figurent p. 78.

Chaque valeur de X^2 est accompagnée d'une indication du niveau de probabilité du type $0,9 > p > 0,7$ ou $0,001 > p$. La première signifie que la valeur atteinte a entre 70 et 90 chances sur 100 d'être due au hasard, la seconde qu'elle a moins d'une chance sur 1000.

Les valeurs soulignées correspondent aux écarts qui sont considérés comme significatifs.

Le même test est utilisé pour comparer la distribution des parties du discours dans les pièces prises deux à deux.

Exemple :

	La Thébaïde			Athalie		
	réel	théorique	X^2	réel	théorique	X^2
subst. +} n. p. }	2359	2700,73	43,240	3370	3028,27	38,563
adj. et} adv. }	673	749,08	7,727	916	839,92	6,891
verbes	2756	2623,42	6,700	2809	2941,58	5,976
appellatifs} et interj. }	387	357,80	2,383	372	401,19	2,124
mots fonctionnels} (dont numéraux) }	7653	7396,97	8,862	8038	8294,04	7,904
	13828	13828,00	68,912	15505	15505,00	61,458

Total des X^2 = 130,370 ; avec 4 d.d.l. 0,001 > p.

Les effectifs théoriques sont calculés en fonction de la somme des effectifs réels de chaque classe dans les deux pièces considérées. Après avoir effectué les 55 comparaisons binaires on pourra dégager des affinités formelles et des oppositions entre certaines pièces. Selon les valeurs du X^2 on pourra déterminer si les pièces sont plutôt semblables ou plutôt différentes. Les résultats bruts figurent sur le tableau p. 79 .

Un premier examen nous amène à faire plusieurs remarques d'ordre méthodologique sur les modèles.

a) Modèles construits en fonction des 11 pièces (modèles I), en fonction des 9 tragédies profanes (modèles II) et en fonction des 2 tragédies sacrées (modèles III), les comptages incluant tous les mots

En observant les écarts réduits des 11 pièces, on constate, dans la plupart des cas, des valeurs extrêmes pour les tragédies sacrées - les valeurs révèlent un déficit important, dans chacune des deux pièces, pour certaines parties du discours (verbes, mots fonctionnels, pronoms, adverbes autres que les adverbes de manière) et, au contraire, un excédent important pour d'autres (substantifs, adjectifs et adverbes de manière, déterminants, prépositions). Les tragédies sacrées ont des caractères communs qui les différencient de l'ensemble des tragédies profanes. Il s'ensuit que, tenant compte de ces deux pièces dans les modèles de type I, les écarts entre les effectifs théoriques et les effectifs réels sont, pour la plupart, plus grands que lorsque le modèle est de type II.

Comme l'ampleur des écarts absolus se répercute sur la valeur des écarts réduits, ces derniers sont eux aussi plus élevés lorsqu'on recourt à un modèle de type I.

Le graphique relatif aux pronoms (p. 74) présente un exemple concret. La proportion des pronoms est beaucoup plus faible dans *Esther* et *Athalie* que dans toutes les autres tragédies. Conformément à ce qu'on doit attendre, la courbe Ia est globalement plus éloignée de l'abscisse que la courbe Ib. Sur la courbe Ia il y a 6 pièces (parmi les tragédies profanes) qui ont des écarts réduits supérieurs à (+) 2,33 ou inférieurs à (-) 2,33 ; sur la courbe Ib, en revanche, il n'y en a que 4. On vérifie donc que les écarts significatifs sont plus nombreux lorsqu'on emploie le modèle I.

On pourrait faire les mêmes observations sur toutes les parties du discours. Par conséquent, dans notre interprétation nous n'accorderons pas le même poids aux écarts réduits suivant qu'ils sont calculés à partir d'un type de modèle ou d'un autre. Il sera prudent de n'utiliser ceux qui ont été obtenus à l'aide de l'ensemble des 11 pièces que pour situer les unes par rapport aux autres et classer toutes les tragédies, sans accorder trop d'importance au fait qu'ils sont significatifs ou non. En revanche, on considérera avec une attention toute particulière les renseignements fournis par les écarts réduits obtenus d'une part à l'aide des modèles reposant sur les seules tragédies profanes et d'autre part à l'aide des modèles reposant sur les seules tragédies sacrées.

b) <u>Modèles construits en fonction d'un comptage incluant tous les mots (modèles A) et modèles construits en fonction des "mots lexicaux" seuls (modèles B)</u>

Parfois les résultats s'opposent assez nettement. Exemple :
- Le test de Pearson appliqué aux verbes conduit à des conclusions opposées suivant qu'on utilise un modèle ou un autre. Lorsqu'on tient compte de tous les mots le X^2 s'établit, pour les tragédies profanes, à 11,733, valeur qui a plus de 10 chances sur 100 d'être obtenue par le hasard. Par conséquent, il faudrait conclure que la distribution des occurrences verbales n'est pas significativement irrégulière. Mais lorsque le même calcul est effectué en fonction des "mots lexicaux" seuls, le X^2 atteint 28,846 et $p < 0,001$. Donc la répartition doit être considérée comme significativement irrégulière.

- Les écarts réduits eux aussi apportent à plusieurs reprises des renseignements différents. Ainsi pour les noms communs, il y a 7 écarts réduits significatifs (sur 11) avec le modèle A et 5 seulement avec le modèle B. Ce n'est donc pas toujours le même modèle qui accentue le plus les écarts.

On perçoit mieux la cause des divergences en examinant les courbes des écarts réduits. Sur le graphique p.74 figurent les courbes obtenues à l'aide des deux modèles pour les noms communs ; et sur le graphique p. 75 les courbes concernant les verbes. Dans chaque cas les courbes A et B sont d'allure assez semblable, mais l'ampleur des écarts est plus ou moins grande selon le modèle adopté.

Il est aisé de montrer que les écarts entre les courbes A et B sont liés aux rapports que chaque classe entretient avec les "mots fonctionnels" qui fournissent plus de la moitié des occurrences de n'importe quel texte ($p = 0,537$ dans les 11 tragédies de Racine) :

Entre les classements des pièces selon la proportion de substantifs et selon la proportion des "mots fonctionnels", la corrélation est négative (et significative). Le coefficient de Spearman atteint $- \underline{0,70}$. Cela explique que les modèles A, qui intègrent les mots fonctionnels, aggravent les écarts.

Pour les verbes, le coefficient de corrélation avec le classement selon la proportion des mots fonctionnels est positif. Le coefficient s'établit à $+ 0,23$. Et, bien entendu, le modèle A s'écarte moins de la distribution réelle que le modèle B.

Certains chercheurs ont utilisé les modèles de type B parce qu'ils estimaient que la proportion des "mots fonctionnels" était toujours la même dans les textes. Les exemples ci-dessus laissent pressentir que cela n'est pas toujours vrai. On montrera d'ailleurs plus loin que leur distribution dans les pièces de Racine est très irrégulière. D'autres au contraire ont eu recours à ces modèles car ils estiment que le poids des mots fonctionnels provoque des distorsions. Il est vrai que la présence des mots fonctionnels "modifie" assez nettement les données, mais d'un point de vue linguistique il paraît arbitraire d'isoler certains mots alors que les

autres sont tout aussi nécessaires à la constitution des textes. Dans le
discours toutes les catégories sont interdépendantes : les déterminants
sont liés aux substantifs, les adverbes principalement aux verbes et aux
adjectifs, etc. Par conséquent les modèles A sont les plus satisfaisants.
Nos commentaires s'appuieront exclusivement sur ces derniers.

2. Les catégories nominales

a) Les noms propres

- D'après le test de Pearson (tableau p.78) la répartition des occurrences de noms propres entre les pièces ou parties de pièces est nettement
irrégulière quels que soient les ensembles étudiés : la probabilité d'alea
est toujours inférieure à une chance sur 1000.

- Les écarts réduits (obtenus avec les modèles III) montrent que les
écarts sont significatifs pour les deux tragédies sacrées : *Esther* est déficitaire et *Athalie* excédentaire. A l'intérieur des deux pièces c'est
toujours dans la partie dramatique que les écarts sont les plus élevés.

La différence entre *Esther* et *Athalie* est d'autant plus frappante
que ces deux pièces sont assez semblables par la forme dramatique et le
contenu. Il y a 65 noms propres différents dans *Athalie* et 43 seulement
dans *Esther*. Et les noms propres désignant les personnages qui apparaissent
sur scène apportent 34,5 % des occurrences dans *Esther* et 27,3 % seulement
dans *Athalie* (où deux personnages ne sont jamais nommés : Agar et Salomith
- cela ne se produit dans aucune autre pièce). L'excès dans *Athalie* provient
en partie du fait que l'histoire et la tradition judaïque y tiennent une
plus grande place. En outre la présence divine y est beaucoup plus marquée,
notamment par la répétition fréquente du vocable *Dieu*. Remarquons qu'il
suffit d'éliminer du comptage *David* (1 occurrence dans *Esther* et 38 dans
Athalie) et *Dieu* (59 occurrences contre 149) pour que la répartition ne soit
plus significativement irrégulière ; on obtient alors les écarts réduits
suivants : (-) 1,69 pour *Esther* et (+) 1,44 pour *Athalie*.

- Le classement des pièces à l'aide des 11 écarts réduits (modèles I)
ne révèle pas de lien de dépendance entre la proportion de noms propres et
la chronologie. Le coefficient de Spearman n'atteint que + 0,45 : il a donc
plus de 10 chances sur 100 d'être dû au hasard. La courbe des noms propres
(graphique p. 76) est celle d'une évolution en dents de scie. Deux groupes
de pièces se dégagent parmi celles qui s'écartent le plus de l'abscisse :

— d'une part *Andromaque*, *Britannicus* (et *Athalie*)
— d'autre part *La Thébaïde*, *Alexandre*, *Bajazet* et *Phèdre*.

Les écarts réduits sont significatifs pour *Andromaque* et *Britannicus* qui
sont excédentaires, et pour *La Thébaïde* et *Alexandre* qui sont déficitaires.

Dans *Andromaque* et *Britannicus* la proportion des occurrences qui
dénomment les personnages de chaque pièce s'élève respectivement à 46,4 %
et 56 % ; cependant d'autres vocables sont souvent répétés : dans *Andromaque* :
Grec (44 occurrences), *Hector* (40), *Grèce* (25), *Troie* (25), *Epire* (19) ; dans
Britannicus : *Rome* (35), *César(s)* (32), *Claudius* (20). Il faut noter que c'est
dans ces deux pièces que la fréquence moyenne des noms propres est la plus
élevée : 12,94 et 12,18. C'est la référence fréquente au contexte et aux
antécédents historiques (ou légendaires) et politiques qui provoque l'excédent.

Dans les pièces du deuxième groupe, le déficit en noms propres paraît avoir des causes plus diverses.

La Thébaïde et *Alexandre* sont les premières pièces de Racine. L'action y a beaucoup plus d'importance que la couleur locale. C'est par la suite seulement, lorsqu'il se posera en rival de Corneille en tant qu'auteur de tragédies historiques, qu'il utilisera plus intensivement les noms propres. Ici, l'essentiel des occurrences sert à dénommer les personnages des pièces : 70,1 % dans la première et 80,4 % dans la seconde. Ces pourcentages dépassent ceux de toutes les autres tragédies.

Le déficit de *Bajazet* et de *Phèdre* est important quoique non significatif : dans *Bajazet*, Racine choisit délibérément de ne pas insister sur le caractère "exotique" de son sujet.

L'emploi des noms propres dans *Phèdre* est très particulier. Il y a relativement peu d'occurrences malgré un nombre assez élevé de vocables. La fréquence moyenne est la plus faible de toutes : 4,77 (contre 9,16 pour *Alexandre*, 9,68 pour *La Thébaïde* et 11,24 pour *Bajazet*) ; il est vrai que 29 noms propres n'apparaissent qu'une seule fois (il n'y en a que 4 dans *La Thébaïde* et 9 dans *Alexandre* et *Bajazet*). En somme, le déficit des occurrences est compensé par la diversité des vocables.

b) Les noms communs

- Dans l'ensemble, la distribution des noms communs est moins irrégulière que celle des noms propres. Le X^2 est significatif dans les ensembles des 11 pièces et des 9 pièces, mais pas pour les tragédies sacrées où il s'établit à 2,654, valeur qui a entre 10 et 30 chances sur 100 d'être atteinte par le seul jeu du hasard. Entre *Esther* et *Athalie* il n'y a donc pas de différences aussi tranchées pour les noms communs que pour les noms propres.

- Le classement des 11 pièces (selon les écarts réduits calculés d'après le modèle I) semble lié à la chronologie : le coefficient de Spearman (+ 0,59) est juste au-delà de la limite à partir de laquelle on peut le considérer comme significatif. Par conséquent la proportion des noms communs par rapport à la somme des occurrences a tendance à augmenter à mesure que les pièces se suivent. Mais il ne s'agit bien que d'une tendance. La courbe (p. 74) montre que la progression n'est pas du tout constante pour les pièces antérieures à *Mithridate*. En fait, la croissance n'est manifeste que dans la série des cinq dernières pièces.

Ce qui apparaît tout à fait clairement, en revanche, c'est la singularité des tragédies sacrées dans lesquelles l'excédent est très important. L'examen des écarts réduits relatifs aux parties constituantes des pièces montre que la proportion des noms communs est beaucoup plus élevée dans les passages lyriques que dans les passages dramatiques. Il semble donc que la différence de genre influe sur la fréquence des noms communs.

On aboutira à des observations plus fines en examinant les rapports que les noms communs entretiennent avec d'autres classes de mots.

S. Faïk a observé (1), à partir d'une enquête portant sur des
échantillons tirés de 18 romans de 6 auteurs du 20e siècle, que la proportion des déterminants est approximativement complémentaire de celle des
pronoms, c'est-à-dire que la répartition de la somme des deux classes tend
à être stable. Par conséquent, si l'on vérifie que les déterminants varient
comme les substantifs, la catégorie nominale aurait à peu près toujours la
même proportion dans les textes.

Dans les pièces de Racine, les déterminants et les noms communs
se distribuent de façon voisine : le coefficient de corrélation entre les
deux classements atteint + 0,99, ce qui indique une dépendance très forte.
Les courbes des écarts réduits (p. 74) accusent de légères différences,
notamment pour *Bérénice* et *Athalie*. Mais cela ne permet pas de remettre en
question la validité des observations de S. Faïk. Lorsqu'on oppose les classements des pièces selon les écarts réduits (modèles I) obtenus pour les
noms communs d'une part et les pronoms d'autre part, le coefficient de
corrélation est négatif et significatif (- 0,93 et - 0,82 pour le cumul
des noms communs et des noms propres opposé aux pronoms). Les deux classes
de mots sont donc dans une relation de dépendance inverse.

Le dessin des courbes des écarts réduits qui semblent presque
symétriques pourrait d'ailleurs renforcer cette impression. Mais la distribution n'est pas en tous points semblable de part et d'autre de l'abscisse.

Le cumul de toutes les classes nominales (noms communs, noms propres, pronoms) ne se répartit pas entre les pièces de façon rigoureusement
uniforme. Le X^2 calculé pour les 11 pièces atteint 23,228 avec 0,02 > p >
0,01. Il se situe donc à proximité du seuil de signification. Celui des
9 tragédies profanes est légèrement moins favorable : X^2 = 21,34, avec
p ≈ 0,01. Cela montre que la complémentarité entre les classes est plus
manifeste à l'intérieur des tragédies sacrées. D'ailleurs dans ces dernières,
le X^2 est faible : 1,04, avec p ≈ 0,30. Quel que soit l'ensemble de pièces
considéré, on ne peut rejeter catégoriquement l'hypothèse nulle.

La courbe des écarts réduits des classes cumulées (p. 76) varie
quelque peu autour de l'abscisse (les écarts sont d'ailleurs significatifs
pour *Alexandre*, *Andromaque* et *Britannicus* (cf. le tableau p. 71), mais elle
est beaucoup plus régulière que celle des trois classes prises séparément.

En bref, on ne peut pas affirmer que les effectifs des classes
substantives sont très étroitement complémentaires. Mais la distribution
de leur somme est relativement stable dans les pièces de Racine. Et si l'on
en croit le coefficient de Spearman, les substantifs et les pronoms seraient
réciproquement dépendants.

Puisque nous rencontrons des tendances semblables à celles que
S. Faïk a mises en évidence, il faut se demander s'il ne s'agit pas là d'une
constante linguistique. Cela paraît d'autant plus probable que les observations portent sur des textes de genres différents. A l'intérieur même des

---

(1) S. FAÏK, "Neutralisation de phénomènes parasites dans les calculs de
   fréquence", *Etudes de Linguistique Appliquée*, Nelle Série, n° 6, 1972,
   pp. 19-36.

tragédies sacrées, où deux "genres" se côtoient, la somme des noms communs, des noms propres et des pronoms n'est pas significativement instable (aucun écart réduit du modèle III - tableau p. 71 n'est significatif), alors que les parties lyriques sont très nettement excédentaires en noms communs (tableau p. 70) et déficitaires en pronoms (tableau p. 73), et inversement pour les parties dramatiques. Néanmoins il faudrait poursuivre la recherche sur d'autres textes avant de tirer des conclusions définitives.

Lorsqu'on oppose le classement des pièces selon les écarts réduits de la classe nominale à l'ordre chronologique, le coefficient de corrélation (ρ = 0,00) indique une indépendance complète des deux paramètres. Le rôle du temps est donc nul.

Les tragédies sacrées, qui ont des positions extrêmes pour les pronoms et les noms communs, ne se distinguent pas des autres pièces : les écarts réduits les placent dans des positions médianes, aux 4e et 7e rangs.

Parmi les pièces qui s'écartent le plus d'une distribution normale, on dégage deux séries :
 - celles qui ont un excès important de nominaux : *Andromaque* et *Britannicus* (dont les écarts réduits dépassent le seuil de (+) 2,33) ainsi qu'*Iphigénie* (dont l'écart est légèrement en-deçà du seuil).
 - celles qui ont un gros déficit de nominaux : *Alexandre* (écart réduit (-) 2,38) ainsi que *La Thébaïde*, *Phèdre* et *Esther* (écart réduit situé entre (-) 1,59 et (-) 1,91). Ces écarts pourraient laisser supposer une certaine parenté à l'intérieur de chaque groupe.

P. Guiraud (1) a mentionné depuis longtemps une analogie entre les pièces qui constituent le premier ensemble : par la proportion moyenne d'adjectifs qualificatifs, *Iphigénie* paraîtrait plus proche de *Britannicus* et d'*Andromaque* que des pièces qui la précèdent immédiatement dans l'ordre chronologique. Cette constatation l'avait conduit à exhumer, sans la confirmer, une hypothèse de Masson-Forestier (2), qui, s'appuyant sur des arguments historiques et graphologiques, estimait que la rédaction d'*Iphigénie* était antérieure à celle de *Bérénice*. Nos observations sur les nominaux ne nous permettent pas non plus de confirmer cette hypothèse, d'autant plus que l'excédent des trois pièces ne provient pas des mêmes causes, comme le montre un examen détaillé des écarts réduits (modèle II) :

	noms propres	noms communs	pronoms	noms propres + noms communs + pronoms
Andromaque	(+) 5,06	(-) 3,99	(+) 5,23	(+) 2,67
Britannicus	(+) 5,33	(-) 0,21	(+) 1,42	(+) 2,57
Iphigénie	(+) 1,81	(+) 2,33	(+) 1,97	(+) 2,02

---

(1) P. GUIRAUD, *Problèmes et Méthodes de la statistique linguistique*, Paris P.U.F., 1960, p. 26.

(2) A. MASSON-FORESTIER, *Autour d'un Racine ignoré*, Paris, Mercure de France, 1910, 442 p.

Dans *Iphigénie* toutes les catégories sont excédentaires (plus ou
moins selon les cas) alors que dans *Andromaque* et *Britannicus* il y en a une
(celle des noms communs) qui est déficitaire. Dans *Andromaque* les réparti-
tions de toutes les catégories sont très irrégulières, alors que dans *Britannicus* il n'y a que l'excédent des noms propres qui soit très important ;
ces deux pièces ont cependant plus de caractères communs entre elles qu'avec
la troisième.

La composition du second ensemble pourrait donner quelque consis-
tance à l'hypothèse selon laquelle on retrouve dans les dernières pièces
des traits propres aux premières. Mais l'examen des écarts réduits met en
évidence des oppositions très nettes.

Ecarts réduits (modèle I) :

	noms propres	noms communs	pronoms	noms propres + noms communs + pronoms
La Thébaïde	(-) 7,03	(-) 0,89	(+) 1,35	(-) 1,79
Alexandre	(-) 4,51	(-) 0,61	(-) 0,67	(-) 2,38
Phèdre	(-) 2,92	(+) 2,83	(-) 4,06	(-) 1,91
Esther	(+) 0,53	(+) 9,42	(-) 11,44	(-) 1,59

Dans *Alexandre* toutes les catégories sont déficitaires, alors que
dans les autres pièces il y en a une ou même deux qui sont excédentaires.
La Thébaïde est la seule pièce qui soit excédentaire en pronoms. *Phèdre* et
Esther sont toutes deux significativement déficitaires en pronoms et excédentaires en noms communs, mais les écarts de la seconde sont beaucoup plus
significatifs que ceux de la première ; par ailleurs les noms propres sont
bien plus rares dans *Phèdre* que dans *Esther*.

Compte tenu des divergences internes de chaque série, on ne peut
pas affirmer qu'il y a une parenté entre les pièces présentant des similitudes uniquement pour les nominaux.

3. Les adjectifs qualificatifs et adverbes de manière

Dans les études quantitatives on accorde généralement une importance privilégiée aux variations de la fréquence des adjectifs et des adverbes car c'est, semble-t-il, la classe la plus flottante - dont l'emploi est
souvent facultatif en discours - et la plus sensible aux variations du style.
- Le X^2 montre que, dans l'oeuvre de Racine, cette classe est effectivement la plus instable. Mais, à vrai dire, elle ne l'est guère plus que celle
des noms propres.

La distribution est très irrégulière dans l'ensemble des 11 pièces
(X^2 = 290,154 ; 0,001 > p) ainsi que dans les 9 tragédies profanes
(X^2 = 171,917 ; 0,001 > p). Elle n'est pas significativement instable lorsqu'on oppose les deux tragédies sacrées (X^2 = 4,869 ; 0,05 > p > 0,02) ; en
revanche, pour les parties constituantes de ces pièces, le seuil est très
largement dépassé (X^2 = 17,552 ; 0,001 > p) ; cela laisse prévoir des différences notables entre les passages lyriques et les passages dramatiques.

Pour les tragédies sacrées, les écarts réduits (modèles III)
confirment qu'il n'y a pas de différences significatives entre *Esther* et
Athalie prises globalement, bien que la fréquence des adjectifs et adverbes
soit plus élevée dans la première que dans la seconde. Par ailleurs, la
proportion de cette classe de mots varie effectivement en fonction du genre
littéraire : les passages lyriques sont nettement excédentaires alors que
les passages dramatiques ne le sont pas.

- Dans le classement des pièces selon les 11 écarts réduits (modèles I),
les tragédies sacrées ont, comme pour les substantifs, une position extrême :
elles se distinguent très nettement de la plupart des tragédies profanes,
sauf de *Phèdre*, par un gros excédent d'adjectifs et d'adverbes. Cela provient, au moins partiellement, des parties lyriques.

Le coefficient de corrélation des rangs avec l'ordre chronologique
est très légèrement en-deçà du seuil (ρ = + 0,57). On peut cependant admettre
que la proportion des adjectifs et adverbes tend à croître à mesure que les
pièces se suivent. Cette tendance est d'ailleurs beaucoup plus nette lorsqu'on ne tient pas compte de *La Thébaïde* et d'*Alexandre* : le coefficient
s'établit alors à + 0,88 et la dépendance statistique est tout à fait évi-
dente. Nos observations sont semblables à celles de P. Guiraud (1) qui
constate que la fréquence des adjectifs qualificatifs croît sensiblement
d'*Andromaque* à *Athalie*, avec un accident notable pour *Iphigénie*. Cela nous
ramène à l'hypothèse de Masson-Forestier.

En fait la proportion d'adjectifs ne progresse pas de façon absolument régulière avec la chronologie. L'observation de la courbe p. 76
montre que l'écart d'*Iphigénie* n'est pas un accident isolé : la croissance
est effective jusqu'à *Bajazet*, ensuite il y a un léger recul pour *Mithridate*, suivi d'une forte baisse pour *Iphigénie*. Par conséquent, même d'un
point de vue chronologique, le déficit d'*Iphigénie* est en quelque sorte
annoncé et préparé par celui de *Mithridate*. La distribution des adjectifs
et des adverbes n'apporte donc pas un argument de poids en faveur de l'hypothèse mentionnée.

Le graphique de la p. 76 montre que la courbe des écarts réduits
a quelque ressemblance avec celle des noms communs. Cela n'a rien de surprenant. Si l'emploi des adjectifs (en qualité d'épithète - c'est le cas
le plus fréquent) est souvent facultatif, il est cependant subordonné à la
présence de substantifs. Le coefficient de Spearman calculé sur le classement des deux classes de mots s'établit à + 0,65. Avec une probabilité voisine de 2 chances sur 100, il est significatif.

On observera que, si la corrélation est positive avec les noms
communs, elle est négative avec les pronoms (ρ = -0,79). Cela est conforme
à ce qu'on peut attendre en raison de la complémentarité des deux classes
nominales.

Selon toute vraisemblance, la fréquence des adjectifs et des
adverbes est d'autant plus basse que le style est plus dépouillé, plus
sobre, et inversement.

_____

(1) P. GUIRAUD, *Problèmes et Méthodes de la statistique linguistique*, Paris,
P.U.F., 1960, p. 26.

Parmi les pièces qui s'écartent significativement du modèle, il y a d'abord celles qui auraient un style plus dépouillé que les autres : *Andromaque* et *Britannicus* - c'est-à-dire les deux premiers chefs d'oeuvre, dont les écarts réduits (modèles II) atteignent des valeurs hautement significatives. Ces pièces sont aussi au nombre de celles qui ont le taux de répétition d'adjectifs et d'adverbes le plus bas (la fréquence moyenne $\bar{f}$ = N/V de la classe varie entre 2,75 pour *Britannicus* et 3,55 pour *Alexandre* ; dans *Andromaque* $\bar{f}$ = 3,04). Comme *Andromaque* est plus déficitaire que *Britannicus*, on doit conclure que, dans cette pièce, les adjectifs et adverbes sont à la fois moins fréquents en tant qu'occurrences et moins variés en tant que vocables. Par conséquent, quel que soit le point de vue que l'on adopte, *Andromaque* est plus pauvre (plus sobre) que *Britannicus*.

Trois pièces auraient un style nettement moins dépouillé que les autres, ce sont les trois dernières : *Phèdre*, *Esther* et *Athalie*. L'écart réduit de la première (modèle II) atteint (+) 9,88 et celui des deux autres (modèle I) respectivement (+) 8,60 et (+) 6,23. La fréquence moyenne dans ces pièces est respectivement de 3,10, 2,91 et 3,26. Dans *Phèdre* et *Athalie* le taux de répétition est plutôt moyen alors que dans *Esther* il est plutôt faible. Cette dernière pièce est donc à la fois celle qui a les adjectifs et adverbes les plus nombreux et les plus diversifiés ; c'est la moins sobre.

4. Les verbes

L'analyse des variations de la fréquence du verbe a peu d'intérêt lorsqu'on n'a pas d'informations sur la phrase. Nous nous bornerons donc à quelques observations succinctes.

Chez Racine, c'est la catégorie grammaticale la moins instable :
- Le X^2 n'est significatif ni pour l'ensemble des tragédies profanes, ni pour celui des tragédies sacrées ; en revanche il l'est pour les onze pièces. Par conséquent il n'y a de différences importantes qu'en fonction du "genre littéraire".
- Les écarts réduits (modèles II et III) ne dépassent jamais le seuil de signification quelles que soient les pièces considérées. Cependant, à l'intérieur des tragédies sacrées, il y a un écart significatif pour L(*Ath*). Les passages lyriques sont plutôt déficitaires.
- La courbe des écarts réduits du modèle I (p. 75) ne s'éloigne très significativement de l'abscisse que pour *Esther* et *Athalie*, qui se distinguent par un déficit assez considérable. Il s'agit là, vraisemblablement, d'une des caractéristiques du genre lyrique.

Comme les effectifs cumulent les verbes auxiliaires et les "verbes lexicaux", on peut légitimement douter de la validité de nos observations car il se pourrait que les écarts ne proviennent que de l'emploi plus ou moins fréquent des temps composés. Afin de remédier à cet inconvénient, nous avons effectué les mêmes calculs en éliminant toutes les occurrences des verbes *avoir* et *être*. Ce faisant, des emplois "lexicaux" sont exclus, mais il paraît raisonnable d'estimer qu'ils ne représentent pas une proportion appréciable des effectifs.

Les X^2 des trois ensembles de pièces sont un peu plus élevés que ceux qui ont été obtenus avant l'élimination des deux verbes, mais pas suffisamment pour en modifier la signification.

Les écarts réduits ne diffèrent pas beaucoup des précédents :
les deux courbes divergent très peu pour les tragédies profanes et se re-
couvrent presque pour les tragédies sacrées. Par conséquent, rien ne remet
en question nos observations, au contraire : le verbe est bien la catégorie
qui se répartit de la façon la plus régulière.

5. Les mots fonctionnels

L'opposition mots lexicaux/mots fonctionnels n'est pas celle de
deux blocs monolithiques autonomes et indépendants : on a montré qu'il y
avait un lien corrélatif entre les déterminants et les substantifs, et un
lien de dépendance inverse entre ces derniers et les pronoms. On peut
ajouter que les prépositions paraissent statistiquement dépendantes des
substantifs (le coefficient de corrélation entre les classements des 11
pièces selon les écarts réduits atteint + 0,59), et que les adverbes dépendent des verbes : la corrélation entre les classements des 11 pièces
selon les écarts réduits des adverbes et des verbes (sans *être* et *avoir*)
n'est pas prouvée statistiquement car le seuil de 5 chances sur 100 n'est
pas tout à fait atteint (ρ = + 0,55 ; donc la probabilité d'alea est d'environ 6 à 7 chances sur 100). Mais on peut admettre qu'elle existe quand
même car les pièces très déficitaires en verbes le sont aussi en adverbes
(par exemple *Esther* et *Athalie*) et de même pour des pièces excédentaires
(par exemple *Andromaque*).

L'examen des tests statistiques portant sur l'ensemble des mots
fonctionnels apporte peu de renseignements directement exploitables. Pour
en tirer des informations sûres, il est indispensable de tenir compte du
comportement de diverses catégories de mots qui constituent la classe.

Il ne suffit d'ailleurs pas que les écarts entre les effectifs
réels et les effectifs théoriques soient insignifiants pour que l'on puisse
conclure que tous les mots fonctionnels se répartissent de façon régulière.
Cela peut se produire malgré des variations internes très fortes. Ainsi,
dans *Bajazet*, l'écart réduit obtenu avec le modèle II est presque nul
(-) 0,02 alors qu'il y a des divergences significatives qui se neutralisent
entre les effectifs réels et le modèle pour les pronoms et les déterminants : les écarts réduits atteignent respectivement (+) 2,66 et (-) 2,45.

Les différentes catégories se répartissent en deux groupes opposés. Certaines subissent des variations similaires, sinon semblables, à
celles de l'ensemble de la classe et d'autres varient plutôt de façon inverse. C'est ce qui se dégage de l'examen des courbes des écarts réduits
calculés d'après le modèle I (graphiques p. 74 et p. 77), et des coefficients de corrélation calculés à partir des classements des 11 pièces :

	pronoms	adverbes	conjonctions	prépositions	déterminants
mots fonc-tionnels	+ 0,60	+ 0,73	+ 0,86	- 0,30	- 0,68
pronoms		+ 0,62	+ 0,47	- 0,53	- 0,94
adverbes			+ 0,60	- 0,32	- 0,78
conjonctions				- 0,41	- 0,57
prépositions					+ 0,60

Le partage entre les coefficients positifs et négatifs est très net : la corrélation est positive entre l'ensemble des mots fonctionnels et les catégories des pronoms, adverbes et conjonctions. D'ailleurs ces dernières ont entre elles, à deux reprises, des rapports de dépendance statistique indiscutables. Les prépositions et les déterminants s'opposent à l'ensemble de la classe d'une part, et aux trois autres catégories d'autre part.

Le groupe des pronoms, adverbes et conjonctions est en quelque sorte l'élément moteur de la classe. Le groupe des prépositions et des déterminants pèse en sens inverse, car il varie, comme on l'a vu, avec certaines classes de mots lexicaux (notamment avec les substantifs).

D'après les valeurs atteintes par le X^2, la répartition de l'ensemble entre les 11 pièces (et même entre les 9 tragédies profanes) est significativement irrégulière. C'est aussi le cas pour toutes les catégories prises séparément.

En fait, la proportion des mots fonctionnels dans les pièces décroît de *La Thébaïde* à *Athalie*. Le coefficient de Spearman calculé sur le classement des écarts réduits opposé à l'ordre chronologique indique une corrélation inverse très significative ($\rho = -0,90$). Les catégories qui accusent une dépendance statistique significative à l'égard de la chronologie sont d'une part les conjonctions ($\rho = -0,84$) et les adverbes ($\rho = -0,82$) dont la proportion diminue et d'autre part les déterminants ($\rho = +0,61$) dont la proportion augmente.

Cela permet de penser que l'écriture de Racine s'est modifié progressivement, la proportion de certains mots grammaticaux (i.e. surtout des mots de relation) s'affaiblissant tandis que celle des substantifs augmentait.

Avec le modèle I, il y a 6 écarts réduits qui sont significatifs : trois pièces sont très excédentaires en mots fonctionnels, ce sont les premières (*La Thébaïde, Alexandre* et *Andromaque*) et trois autres sont très déficitaires, les trois dernières (*Phèdre, Esther* et *Athalie*). Connaissant la dépendance de la classe à l'égard de la chronologie, on pouvait s'attendre à une constatation de cet ordre.

Lorsqu'on passe à l'examen des catégories, on observe que les excédents proviennent de causes très différentes.

	La Thébaïde	*Alexandre*	*Andromaque*
catégories significativement excédentaires	adverbes conjonctions	adverbes conjonctions prépositions	pronoms adverbes
catégories significativement déficitaires	prépositions	—	déterminants

Le seul point commun aux trois pièces est l'excédent des adverbes.

C'est essentiellement par la proportion de mots de relation (conjonctions et prépositions) que les pièces s'opposent. Autrement dit, malgré certaines similitudes, il doit y avoir entre elles de notables différences au niveau de l'enchaînement syntaxique.

Les pièces très déficitaires en mots fonctionnels, en revanche, ont plus de traits communs :

	Phèdre	*Esther*	*Athalie*
catégories significativement déficitaires	pronoms conjonctions	pronoms conjonctions adverbes	pronoms conjonctions adverbes
catégories significativement excédentaires	—	déterminants prépositions	déterminants prépositions

La distribution des catégories dans *Phèdre* s'écarte moins radicalement du modèle que celle des deux tragédies sacrées. Dans celles-ci les écarts réduits de toutes les catégories dépassent largement le seuil de signification. Il semble que les mots fonctionnels y soient employés d'une manière tout à fait spécifique.

Les résultats obtenus à l'aide du modèle III montrent qu'il n'y a pas de différences très importantes dans *Esther* et *Athalie*. Cependant les pronoms sont déficitaires dans les passages lyriques alors qu'ils seraient plutôt excédentaires dans les passages dramatiques. C'est un corollaire de la tendance inverse des substantifs.

Dans les pièces intermédiaires, la classe des mots fonctionnels n'est jamais significativement instable. Cependant il y a des variations internes notables : de *Britannicus* à *Mithridate* inclusivement, les pronoms sont toujours significativement en excédent et les déterminants en déficit.

En fait ce phénomène existe déjà dans *Andromaque*, mais ni dans *La Thébaïde* ni dans *Alexandre*. Après *Mithridate*, *Iphigénie* marque le point de rupture (ou d'équilibre) au-delà duquel c'est l'inverse.

Nous ne disposons pas ici de toutes les données - sur les faits de syntaxe en particulier - qui seraient nécessaires pour tirer des conclusions exhaustives sur les mots fonctionnels et leurs emplois. Néanmoins, notre examen, pour sommaire qu'il soit, permet de montrer qu'il y a une évolution qui va de pair avec la chronologie. Deux aspects marquants de cette évolution méritent d'être retenus :
  - d'une part la diminution de la proportion des pronoms au bénéfice des déterminants (i.e. des substantifs) est telle qu'elle oppose très nettement les trois dernières pièces à la plupart de celles qui les précèdent.
  - d'autre part la diminution de la proportion des mots de relation (des conjonctions notamment) laisse supposer que la construction de la phrase a tendance à se simplifier à mesure que les pièces se suivent.

6. Les appellatifs et interjections

L'interjection est la manifestation linguistique de la fonction expressive ou émotive du langage. L'appellation est, dans certains emplois, une expression de la fonction conative et dans d'autres une expression de la fonction phatique (1).

Bien que le recours aux fonctions émotives et phatiques soit rare dans la langue tragique de l'époque classique, la classe des appellatifs et des interjections présente un certain intérêt stylistique. Elle devrait permettre d'évaluer l'empreinte de l'émotivité, de la passion, dans l'écriture même, et par là de faire des hypothèses sur la spontanéité du dialogue.

Précisons cependant qu'il serait imprudent de tirer des conclusions, à partir des fréquences observées, sur l'expression des passions en général, qui est susceptible de prendre toutes sortes d'autres formes. Au niveau syntaxique, l'exclamation par exemple se traduit aussi par des phrases introduites par *combien, que, quel,* etc. ou par des phrases où le verbe est omis : " Bajazet interdit ! Atalide étonnée !" (*Bajazet* v. 1069) ; il n'est pas tenu compte de ces phénomènes ici.

La répartition des effectifs de la classe entre les pièces n'est pas homogène : les X^2 obtenus à partir des modèles I et II sont significatifs (p $<$ 0,001). A l'inverse de ce qu'on a constaté pour les mots fonctionnels, la distribution n'est pas significativement dépendante de la chronologie : le coefficient de Spearman n'atteint que - 0,39.

La courbe des écarts réduits (graphique p. 77) croît d'abord jusqu'à *Bérénice* et décroît ensuite. Racine a d'abord évolué vers une écriture de plus en plus proche de l'expression commune et a ensuite adopté progressivement un ton moins spontané, plus typiquement tragique et poétique.

Selon P. France (2), le lyrisme use plus de l'interjection que le drame. Cela se vérifie partiellement chez Racine.

A l'intérieur des tragédies sacrées le seul écart significatif concerne les choeurs d'*Athalie* qui sont excédentaires ; cela provient en partie des invocations à Dieu :

"Combien de temps, *Seigneur,* combien de temps encore
"Verrons-nous contre toi les méchants s'élever ?"
v. 810-811.

et en partie de quelques occurrences de *Hé !* et de *Hélas !* :

"*Hé,* pourrions-nous, Seigneur, nous séparer de vous"
v. 1110.

"*Hélas !* sous le couteau d'une mère cruelle
"Te verrons-nous tomber une seconde fois ?"
v. 1492-1493.

Mais les tragédies sacrées prises globalement sont plutôt déficitaires. Cela provient de la relative rareté de l'interjection *Ah !* et de l'appellatif *Madame.*

---

(1) R. JAKOBSON, *Essai de linguistique générale (La poétique),* Paris, Ed. de Minuit, 1963, pp. 214-217.

(2) P. FRANCE, *Racine's rhetoric,* Oxford, Clarendon press, 1965, p. 167.

Les pièces qui s'écartent significativement des effectifs théoriques sont les suivantes :

	Pièces excédentaires	Pièces déficitaires	
modèles II	*Bérénice*	*Alexandre*	*Phèdre*
modèles I	*Bérénice*	*Phèdre*	*Athalie*

Le déficit d'*Alexandre* d'une part et celui de *Phèdre* et *Athalie*
d'autre part ne renvoient pas aux mêmes propriétés stylistiques. La première pièce est certainement celle qui a le style le plus apprêté alors
que les deux autres auraient plutôt un style plus "pur", plus poétique.

Deux interjections sont particulièrement excédentaires dans
Bérénice : *adieu* - cela provient du thème de la pièce - et *hélas* - qui
est, il faut le noter, le dernier mot de la pièce :

Bérénice : "Pour la dernière fois, adieu, Seigneur.
Antiochus :   *"Hélas !"* v. 1506.

Mais la fréquence de ces deux mots ne suffit pas à provoquer
l'excédent de la classe : *Bérénice* est la pièce où la langue tragique se
rapproche le plus de l'expression commune de la passion.

Lorsque nous ferons la synthèse de toutes les informations re-
cueillies pour chaque pièce, nous reviendrons sur celles qui se distinguent
particulièrement par la répartition de telle ou telle partie du discours.

On se bornera ici à quelques remarques d'ordre général :
- Les pièces qui ont le plus petit nombre d'écarts significatifs sont
Mithridate et *Iphigénie*. La première est légèrement déficitaire en noms
communs et la seconde en adjectifs et adverbes, mais elles ne se distinguent en aucune autre occasion. D'après la répartition des parties du discours on peut donc considérer qu'elles se rapprochent d'un "état moyen" de
la tragédie racinienne.

Celles qui présentent le plus grand nombre d'écarts sont d'une
part *Andromaque* (et dans une certaine mesure *Britannicus*) et d'autre part
Phèdre, Esther et *Athalie*. Ces deux groupes s'opposent sur presque tous les
points et pourraient figurer, selon le point de vue qui est le nôtre ici,
les deux pôles de l'écriture de Racine.

- En ce qui concerne les genres, nous avons noté que, dans les tragédies sacrées, les passages lyriques se singularisent à plusieurs reprises.
D'une part ils sont déficitaires en verbes et en mots fonctionnels (et
plus particulièrement en pronoms et en conjonctions) ; cela s'explique certainement par le fait que les chœurs, contrairement aux passages dramatiques, ne contiennent ni narrations, ni délibérations, ni argumentation.
D'autre part ils sont excédentaires en noms communs (cela n'est vraisemblablement dû qu'au déficit des pronoms) et surtout en adjectifs, qui sont en
quelque sorte les "ornements" caractéristiques du genre.

Il reste cependant à vérifier si ces écarts sont constants dans
la poésie lyrique.

7. Comparaison des pièces deux à deux

Jusqu'ici l'analyse a été menée à partir d'observations concernant la répartition des parties du discours, prises les unes après les autres, à l'intérieur des différents ensembles de pièces. Nous changeons de point de vue. Les pièces sont comparées deux à deux en fonction de la distribution des catégories à l'intérieur de chacune d'entre elles. Cela doit permettre, tout en reprenant de façon synthétique les conclusions qui précèdent, de situer toutes les pièces les unes par rapport aux autres.

L'ensemble des occurrences de chaque tragédie est réparti parmi les cinq classes suivantes : substantifs (dont noms propres)/adjectifs et adverbes de manière/verbes/appellatifs et interjections/mots fonctionnels (+ numéraux). Comme cela a été indiqué plus haut, les comparaisons sont effectuées à l'aide du X^2 (tableau p. 79).

Sur les 55 tests il y a 43 X^2 qui sont significatifs. A priori, donc, les 11 tragédies de Racine ne forment pas un ensemble homogène.

On a tenté de représenter graphiquement (p. 80) les informations données par le test de Pearson afin de faire apparaître plus concrètement les relations de similitudes et d'opposition des 11 pièces. En principe il est impossible de construire un graphe dans un espace à deux dimensions à partir d'un tableau à double entrée tel que celui dont on dispose. La représentation ne peut donc pas correspondre rigoureusement aux valeurs calculées. La situation respective des pièces à l'intérieur du nuage central est très proche de la réalité mais la distance des pièces extérieures (*Phèdre, Esther* et *Athalie* notamment) par rapport à l'une ou l'autre des pièces de ce nuage n'est pas toujours conforme aux chiffres. Les pièces reliées par des segments de droites sont celles entre lesquelles il n'y a pas de différences significatives. C'est par exemple le cas pour *Britannicus, Bérénice* et *Iphigénie*. On considérera qu'il y a un certain degré de similarité entre elles (plus ou moins net suivant la distance qui les sépare).

De proche en proche, sept tragédies profanes sont liées les unes aux autres : *Britannicus* a certains traits communs avec *Bérénice*, qui en a d'autres avec *Mithridate*, qui en a d'autres avec *Alexandre*, etc. *Andromaque* et *Phèdre* sont isolées. Et les deux tragédies sacrées qui se situent très à l'écart, sont très proches l'une de l'autre.

On constate que certaines similitudes vont de pair avec la chronologie. C'est vrai notamment pour la séquence *Britannicus-Bérénice/Bérénice-Bajazet-Mithridate*. Par contre il en va autrement pour *Alexandre*, par exemple, qui se révèle plus proche de *Mithridate* que d'*Andromaque*, ou pour *Iphigénie*, plus proche de pièces bien antérieures telles qu'*Alexandre, Britannicus* et *Bérénice*, que de *Mithridate* et de *Phèdre*. Il faut admettre maintenant qu'*Iphigénie* est, par certains caractères formels, plus proche des premières pièces de Racine que des dernières.

Si l'on ne retient que les caractéristiques les plus saillantes de la distribution dans chaque tragédie, on obtient le tableau suivant :

beaucoup de verbes beaucoup de mots fonctionnels	*Andromaque*	peu d'adjectifs et adverbes de manière
	Britannicus *Iphigénie* *Bérénice*	peu d'adjectifs et adverbes de manière
beaucoup de mots fonctionnels	*Alexandre* *La Thébaïde*	peu de substantifs (dans *Alexandre* et *La Thébaïde* ce sont surtout les noms
beaucoup de verbes	*Mithridate* *Bajazet*	propres qui sont défici- taires).
peu de mots fonc- tionnels peu de verbes	*Phèdre* *Esther* *Athalie*	beaucoup d'adjectifs et adverbes de manière beaucoup de substantifs.

Le point de rupture le plus important se situe juste avant *Phèdre*.
Dans les huit premières pièces les adjectifs et adverbes de manière et/ou
les substantifs sont plutôt déficitaires et les mots fonctionnels sont
parfois excédentaires. (On sait par ailleurs que les déterminants y sont
plutôt en excédent et les pronoms en déficit). Dans les trois dernières,
c'est exactement l'inverse.

La différence de genre (tragédies profanes - vs - tragédies sacrées) n'explique que partiellement l'opposition à cause de la présence
de *Phèdre* dans le deuxième groupe. Peut-être est-ce parce qu'elle a certains caractères formels propres aux textes lyriques que *Phèdre* semble moins
différente des tragédies sacrées que des tragédies profanes qui l'ont précédée ?

A l'intérieur de chaque groupe certaines pièces se distinguent
des autres, non par un renversement des distributions, mais par une accen-
tuation de tendances communes. Ainsi, dans le premier groupe, *Andromaque*
se singularise en cumulant et en intensifiant tous les caractères remarquables des sept autres pièces et s'oppose ainsi plus fortement aux pièces du
deuxième groupe. Dans le second groupe, *Esther* et *Athalie* reprennent, mais
de façon beaucoup plus accentuée, les particularités de la distribution de
Phèdre. Comme il n'y a pas de différences fondamentales, on peut considérer
qu'au niveau de l'emploi des parties du discours *Phèdre* annonce et préfigure
les tragédies sacrées.

Pour conclure, nous indiquerons que, compte tenu des observations
qui précèdent, il paraît fondé de distinguer, dans la suite des tragédies,
six sous-ensembles distincts (quatre pour les huit premières et deux pour
les trois dernières). Entre deux ensembles successifs il y a toujours une
modification plus ou moins profonde de la distribution des parties du discours, et donc de l'écriture ou du style :

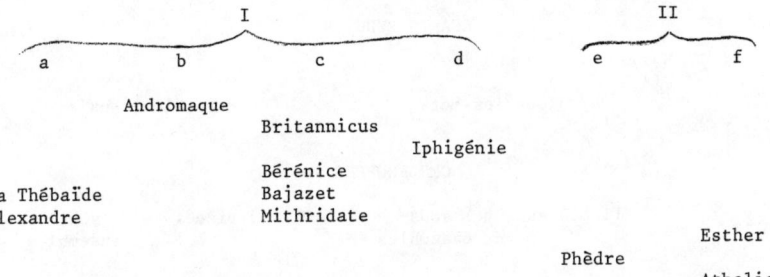

La répartition des pièces dans ces ensembles paraît d'autant plus significative que la critique et l'histoire littéraire aboutissent à des résultats analogues à partir de considérations tout à fait différentes.

Ainsi il y a une rupture ou plutôt un décalage d'ordre esthétique (ou thématique)
- entre les deux premières pièces qui sont construites sur des modèles de tragédies de l'époque et *Andromaque*, fortement marquée d'une empreinte personnelle.
- entre *Andromaque*, qui est avant tout une tragédie de l'amour et les quatre pièces suivantes qui sont des tragédies historiques et politiques. Par ailleurs c'est seulement à partir de *Britannicus* que Racine tente d'imposer sa conception de la tragédie contre Corneille et les cornéliens.
- entre *Mithridate* et *Iphigénie* où l'on passe d'une part du tragique politique au tragique sacré et d'autre part de l'histoire romaine à la légende grecque.
- entre *Phèdre* et *Esther* où l'on peut considérer que Racine change de genre littéraire (par l'introduction des choeurs et par l'absence totale du ressort de l'amour).

Par ailleurs, au plan historique ou biographique :
- le changement de style entre *Mithridate* et *Iphigénie* proviendrait, selon J. Schérer (1), du fait que Racine s'est senti libéré lorsque Corneille a définitivement renoncé au théâtre.
- la rupture entre *Iphigénie* et *Phèdre* est marquée par un intervalle de trois années : "Ce retard de trois ans de *Phèdre*, cet espacement, ce premier espacement fut la première indication qu'il y avait quelque chose de changé, quelque chose de rompu, que le rythme annuel était rompu ; et cet avertissement lui-même était numérique, chronologique" (2).

Les conclusions de cette analyse sont forcément limitées, parce qu'elle s'est cantonnée, par nécessité, à un seul type de données, cependant ce premier aboutissement montre que l'efficacité des méthodes quantitatives est appréciable. La classification des onze tragédies de Racine que nous avons tirée des premières données est précieuse en elle-même et sera utile dans les développements ultérieurs.

(1) *Histoire des Littératures*, Paris, Gallimard ("Encyclopédie de la Pléiade"), 1958, vol. III, p. 325.

(2) Ch. PEGUY, *Victor Marie, Comte Hugo*, Paris, Gallimard, 1934, p. 180.

ECARTS REDUITS

	Tous les mots		Mots "lexicaux"	
	11 pièces	sous-ensembles	11 pièces	sous-ensembles

NOMS PROPRES

	11 pièces	sous-ensembles	11 pièces	sous-ensembles
La Thébaïde	(-) 7,03	(-) 6,12	(-) 6,67	(-) 5,92
Alexandre	(-) 4,51	(-) 3,52	(-) 4,20	(-) 3,37
Andromaque	(+) 3,75	(+) 5,06	(+) 4,61	(+) 5,68
Britannicus	(+) 4,00	(+) 5,33	(+) 4,52	(+) 5,61
Bérénice	0,00	(+) 1,15	(+) 0,35	(+) 1,26
Bajazet	(-) 3,18	(-) 2,08	(-) 2,99	(-) 2,09
Mithridate	(-) 1,36	(-) 0,21	(-) 0,93	(+) 0,01
Iphigénie	(+) 0,57	(+) 1,81	(+) 0,53	(+) 1,54
Phèdre	(-) 2,92	(-) 1,85	(-) 3,94	(-) 3,06
Esther	(+) 0,53	(-) 3,85	(-) 0,50	(-) 3,99
Athalie	(+) 9,53	(+) 3,27	(+) 8,33	(+) 3,40
L(Esth)		(-) 2,18		(-) 2,63
L(Ath)		(+) 1,56		(-) 1,39
D(Esth)		(-) 3,19		(-) 3,07
D(Ath)		(+) 2,90		(+) 3,10

NOMS COMMUNS

	11 pièces	sous-ensembles	11 pièces	sous-ensembles
La Thébaïde	(-) 0,89	(+) 0,90	(+) 0,88	(+) 2,21
Alexandre	(-) 0,61	(+) 1,20	(+) 0,77	(+) 2,11
Andromaque	(-) 5,92	(-) 3,99	(-) 4,42	(-) 3,05
Britannicus	(-) 2,09	(-) 0,21	(-) 1,08	(+) 0,33
Bérénice	(-) 2,59	(-) 0,79	(-) 1,79	(-) 0,50
Bajazet	(-) 4,29	(-) 2,44	(-) 4,14	(-) 2,75
Mithridate	(-) 3,46	(-) 1,61	(-) 2,50	(-) 1,11
Iphigénie	(+) 0,39	(+) 2,33	(+) 0,30	(+) 1,75
Phèdre	(+) 2,83	(+) 4,72	(-) 0,34	(+) 1,09
Esther	(+) 9,42	(+) 1,38	(+) 7,16	(+) 1,42
Athalie	(+) 8,13	(-) 1,17	(+) 5,57	(-) 1,17
L(Esth)		(+) 3,36		(+) 2,32
L(Ath)		(+) 1,65		(+) 1,34
D(Esth)		(-) 0,35		(+) 0,21
D(Ath)		(-) 1,92		(-) 1,86

ECARTS   REDUITS

Tous les mots

	NOMS COMMUNS + PRONOMS		NOMS COMMUNS + NOMS PROPRES + PRONOMS	
	11 pièces	sous-ensembles	11 pièces	sous-ensembles
La Thébaïde	(+) 0,38	(−) 0,11	(−) 1,79	(−) 1,93
Alexandre	(−) 1,01	(−) 1,50	(−) 2,38	(−) 2,53
Andromaque	(+) 1,70	(+) 1,18	(+) 2,82	(+) 2,67
Britannicus	(+) 1,51	(+) 0,99	(+) 2,72	(+) 2,57
Bérénice	(+) 0,70	(+) 0,22	(+) 0,69	(+) 0,55
Bajazet	(+) 0,80	(+) 0,29	(−) 0,19	(−) 0,34
Mithridate	(−) 0,49	(−) 1,00	(−) 0,90	(−) 1,05
Iphigénie	(+) 1,86	(+) 1,35	(+) 2,02	(+) 1,86
Phèdre	(−) 1,03	(−) 1,53	(−) 1,91	(−) 2,06
Esther	(−) 1,78	(+) 0,42	(−) 1,59	(−) 0,94
Athalie	(−) 2,94	(−) 0,36	(+) 0,04	(+) 0,80
L(Esth)		(−) 0,01		(−) 0,78
L(Ath)		(−) 0,43		(+) 0,13
D(Esth)		(+) 0,49		(−) 0,64
D(Ath)		(−) 0,21		(+) 0,81

ADJECTIFS + ADVERBES DE MANIERE

	Tous les mots		Mots "lexicaux"	
	11 pièces	sous-ensembles	11 pièces	sous-ensembles
La Thébaïde	(+) 0,18	(+) 1,72	(+) 1,08	(+) 2,33
Alexandre	(−) 2,15	(−) 0,66	(−) 1,57	(−) 0,36
Andromaque	(−) 8,55	(−) 7,19	(−) 7,92	(−) 6,79
Britannicus	(−) 6,04	(−) 4,58	(−) 5,69	(−) 4,50
Bérénice	(−) 2,43	(−) 1,08	(−) 2,01	(−) 0,83
Bajazet	(−) 0,01	(+) 1,61	(+) 0,38	(+) 1,69
Mithridate	(−) 0,16	(+) 1,45	(+) 0,55	(+) 1,86
Iphigénie	(−) 2,55	(−) 0,97	(−) 2,70	(−) 1,42
Phèdre	(+) 8,08	(+) 9,88	(+) 6,50	(+) 7,95
Esther	(+) 8,60	(+) 1,72	(+) 7,06	(+) 1,67
Athalie	(+) 6,23	(−) 1,46	(+) 4,63	(−) 1,42
L(Esth)		(+) 2,74		(+) 2,06
L(Ath)		(+) 2,30		(+) 2,10
D(Esth)		(+) 0,39		(+) 0,71
D(Ath)		(−) 2,49		(−) 2,39

ECARTS REDUITS

	Tous les mots		Mots "lexicaux"	
	11 pièces	sous-ensembles	11 pièces	sous-ensembles

VERBES

	11 pièces	sous-ensembles	11 pièces	sous-ensembles
La Thébaïde	(-) 0,76	(-) 2,01	(+) 1,41	(-) 1,03
Alexandre	(+) 0,24	(-) 1,03	(+) 2,10	(-) 0,36
Andromaque	(+) 3,45	(+) 2,11	(+) 7,24	(+) 4,69
Britannicus	(+) 0,79	(-) 0,54	(+) 2,64	(+) 0,05
Bérénice	(+) 1,16	(-) 0,08	(+) 2,85	(+) 0,44
Bajazet	(+) 3,30	(+) 1,94	(+) 5,09	(+) 2,50
Mithridate	(+) 0,48	(-) 0,85	(+) 2,48	(-) 0,08
Iphigénie	(+) 1,12	(-) 0,24	(+) 1,18	(-) 1,47
Phèdre	(+) 1,88	(+) 0,58	(-) 2,04	(-) 4,68
Esther	(-) 5,94	(-) 0,29	(-) 11,17	(-) 0,59
Athalie	(-) 6,43	(+) 0,25	(-) 11,99	(+) 0,48
L(Esth)		(-) 0,89		(-) 2,47
L(Ath)		(-) 2,57		(-) 3,51
D(Esth)		(+) 0,18		(+) 0,82
D(Ath)		(+) 1,30		(+) 1,95

VERBES hormis AVOIR et ETRE

	11 pièces	sous-ensembles	11 pièces	sous-ensembles
La Thébaïde	(-) 2,71	(-) 3,96	(-) 1,21	(-) 2,17
Alexandre	(+) 2,32	(+) 1,02	(+) 4,26	(+) 1,99
Andromaque	(+) 3,43	(+) 2,07	(+) 6,56	(+) 4,20
Britannicus	(+) 0,66	(-) 0,69	(+) 2,19	(-) 1,20
Bérénice	(+) 2,04	(+) 0,78	(+) 3,60	(+) 1,41
Bajazet	(+) 2,22	(+) 0,86	(+) 3,48	(+) 1,09
Mithridate	(+) 0,82	(-) 0,52	(+) 2,57	(+) 0,21
Iphigénie	(+) 2,11	(+) 0,73	(+) 2,30	(-) 0,14
Phèdre	(+) 0,90	(-) 0,41	(-) 2,61	(-) 4,98
Esther	(-) 6,04	(-) 0,34	(-) 10,31	(-) 0,58
Athalie	(-) 6,46	(+) 0,29	(-) 10,99	(+) 0,49
L(Esth)		(-) 1,73		(-) 3,14
L(Ath)		(-) 2,18		(-) 2,89
D(Esth)		(+) 0,61		(+) 1,20
D(Ath)		(+) 1,19		(+) 1,71

ÉCARTS RÉDUITS. TOUS LES MOTS

	MOTS FONCTIONNELS		PRONOMS		DETERMINANTS	
	11 pièces	sous-ensembles	11 pièces	sous-ensembles	11 pièces	sous-ensembles
La Thébaïde	(+) 2,61	(+) 1,51	(+) 1,35	(-) 0,99	(-) 0,29	(+) 1,38
Alexandre	(+) 3,31	(+) 2,21	(-) 0,67	(-) 2,99	(-) 0,18	(+) 1,86
Andromaque	(+) 4,07	(+) 2,92	(+) 7,79	(+) 5,23	(-) 4,41	(-) 2,73
Britannicus	(+) 1,97	(+) 0,81	(+) 3,94	(+) 1,42	(-) 2,42	(-) 0,69
Bérénice	(+) 0,45	(-) 0,63	(+) 3,35	(+) 1,02	(-) 3,93	(-) 2,35
Bajazet	(+) 1,14	(+) 0,02	(+) 5,20	(+) 2,66	(-) 4,15	(-) 2,45
Mithridate	(+) 1,84	(+) 0,69	(+) 2,77	(+) 0,29	(-) 2,59	(-) 0,88
Iphigénie	(+) 0,08	(-) 1,10	(+) 1,97	(+) 0,55	(+) 0,51	(+) 2,31
Phèdre	(-) 5,28	(-) 6,41	(-) 4,06	(-) 6,36	(+) 1,88	(+) 3,61
Esther	(-) 5,63	(-) 0,72	(-) 11,44	(-) 1,01	(+) 9,79	(+) 2,31
Athalie	(-) 5,17	(+) 0,61	(-) 11,63	(+) 0,86	(+) 6,55	(+) 1,96
L(Esth)		(-) 2,41		(-) 3,89		(-) 2,60
L(Ath)		(+) 1,64		(-) 2,49		(+) 0,98
D(Esth)		(+) 0,56		(+) 1,09		(+) 1,16
D(Ath)		(+) 1,32		(+) 1,92		(-) 2,50

	PREPOSITIONS		CONJONCTIONS		ADVERBES AUTRES QUE LES ADVERBES DE MANIERE	
	11 pièces	sous-ensembles	11 pièces	sous-ensembles	11 pièces	sous-ensembles
La Thébaïde	(-) 3,67	(-) 2,73	(+) 7,78	(+) 6,97	(+) 3,85	(+) 1,91
Alexandre	(+) 2,48	(+) 3,49	(+) 2,85	(+) 2,09	(+) 3,20	(+) 1,27
Andromaque	(+) 1,74	(+) 0,73	(+) 2,23	(+) 1,45	(+) 4,23	(+) 2,20
Britannicus	(-) 0,14	(+) 0,90	(-) 1,23	(-) 1,99	(+) 0,42	(-) 1,53
Bérénice	(-) 1,73	(-) 0,79	(-) 1,52	(-) 2,21	(+) 4,71	(+) 2,78
Bajazet	(-) 2,11	(-) 1,10	(+) 2,25	(+) 1,46	(+) 1,49	(+) 0,41
Mithridate	(-) 0,20	(+) 0,83	(+) 1,65	(+) 0,88	(+) 1,77	(-) 0,20
Iphigénie	(-) 0,02	(+) 1,03	(-) 1,38	(-) 2,14	(-) 1,69	(-) 3,59
Phèdre	(-) 1,96	(-) 0,98	(-) 5,69	(-) 6,36	(-) 0,22	(-) 2,07
Esther	(+) 3,18	(-) 1,10	(-) 3,89	(-) 0,68	(-) 8,25	(+) 0,16
Athalie	(+) 6,08	(+) 0,93	(-) 3,29	(+) 0,58	(-) 9,98	(-) 0,14
L(Esth)		(-) 1,69		(-) 0,79		(-) 0,63
L(Ath)		(-) 0,08		(-) 0,60		(-) 0,52
D(Esth)		(-) 0,29		(-) 0,88		(+) 0,18
D(Ath)		(+) 1,03		(+) 1,30		(+) 0,06

Courbes des écarts réduits

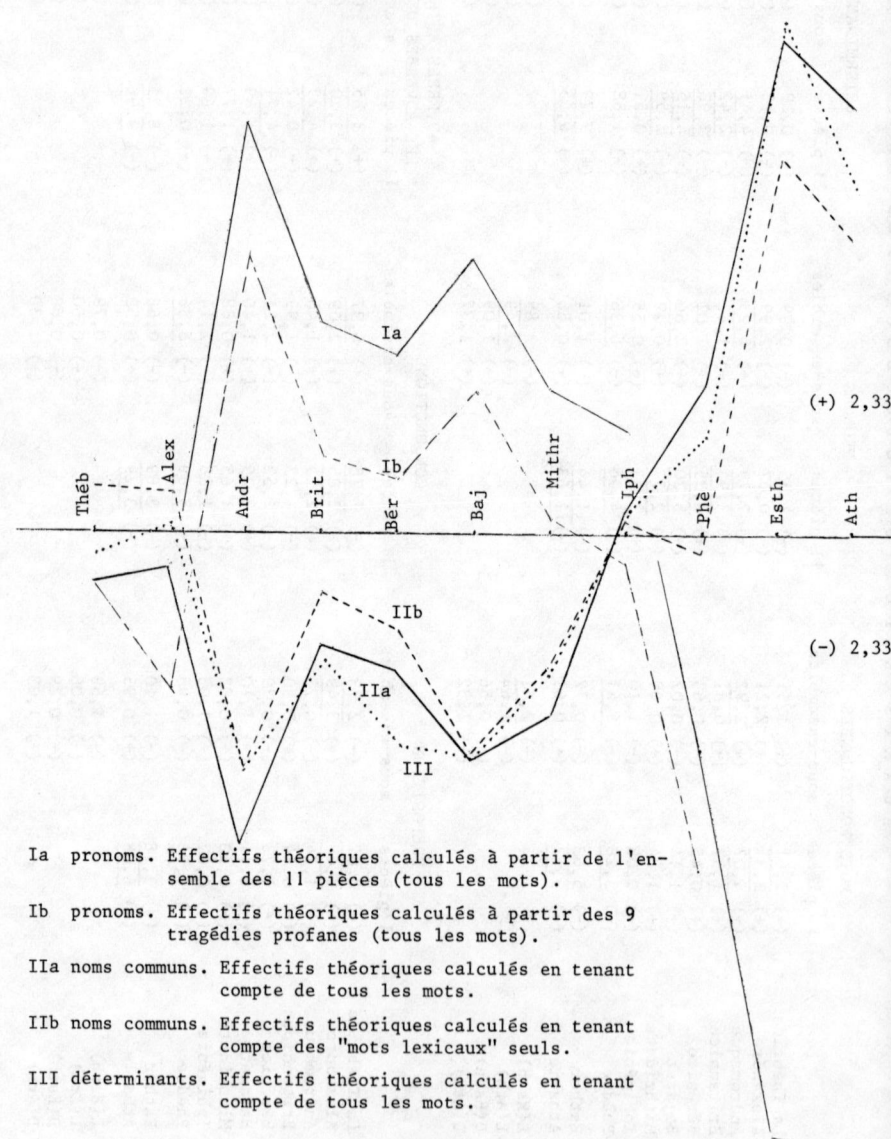

Ia   pronoms. Effectifs théoriques calculés à partir de l'en-
     semble des 11 pièces (tous les mots).

Ib   pronoms. Effectifs théoriques calculés à partir des 9
     tragédies profanes (tous les mots).

IIa noms communs. Effectifs théoriques calculés en tenant
     compte de tous les mots.

IIb noms communs. Effectifs théoriques calculés en tenant
     compte des "mots lexicaux" seuls.

III déterminants. Effectifs théoriques calculés en tenant
     compte de tous les mots.

Courbes des écarts réduits

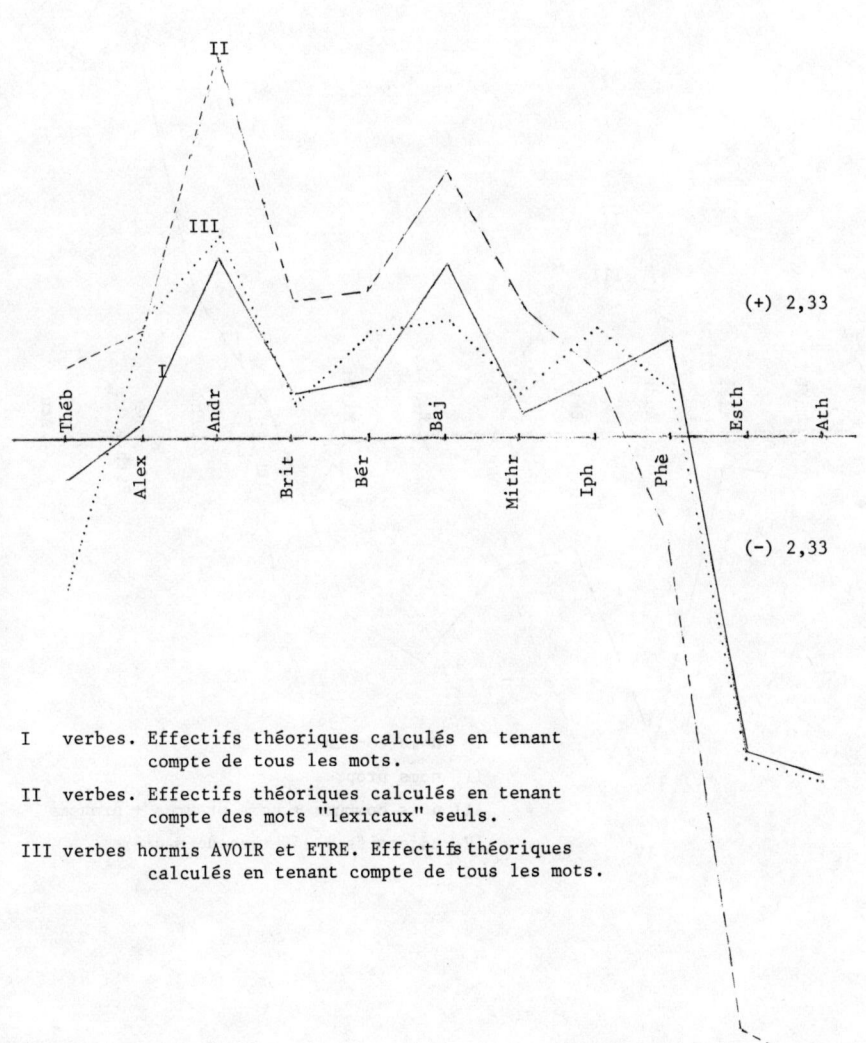

I   verbes. Effectifs théoriques calculés en tenant
    compte de tous les mots.

II verbes. Effectifs théoriques calculés en tenant
    compte des mots "lexicaux" seuls.

III verbes hormis AVOIR et ETRE. Effectifs théoriques
    calculés en tenant compte de tous les mots.

Courbes des écarts réduits

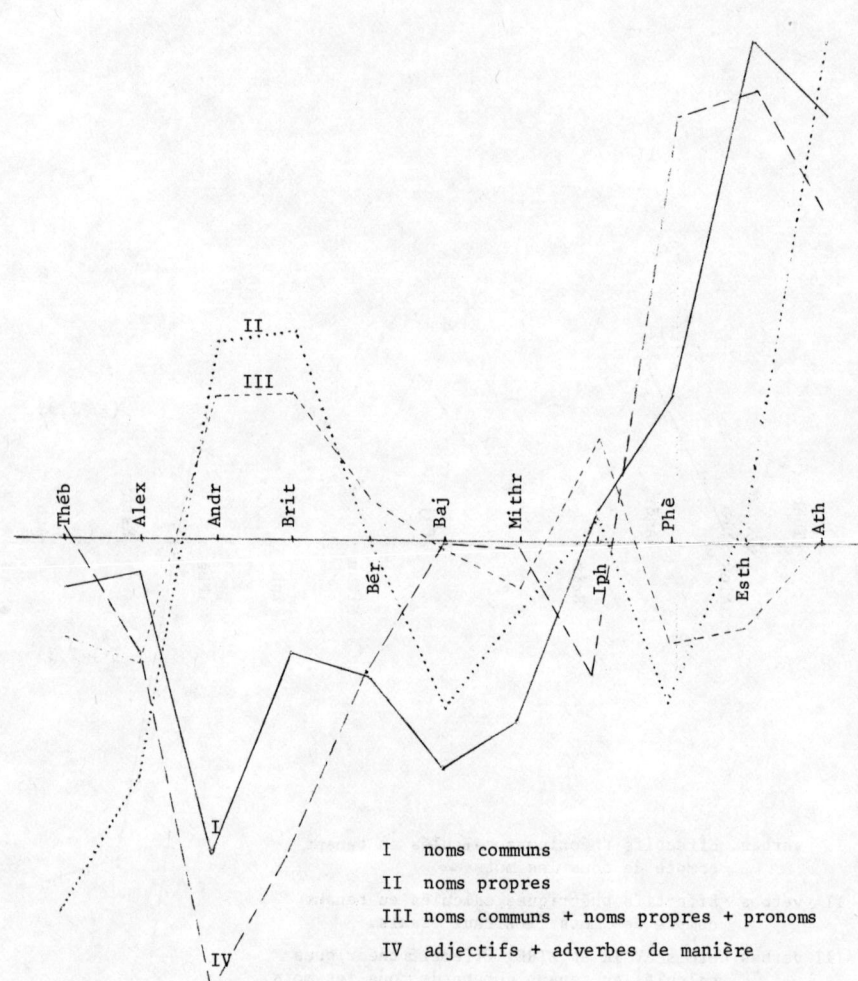

I noms communs
II noms propres
III noms communs + noms propres + pronoms
IV adjectifs + adverbes de manière

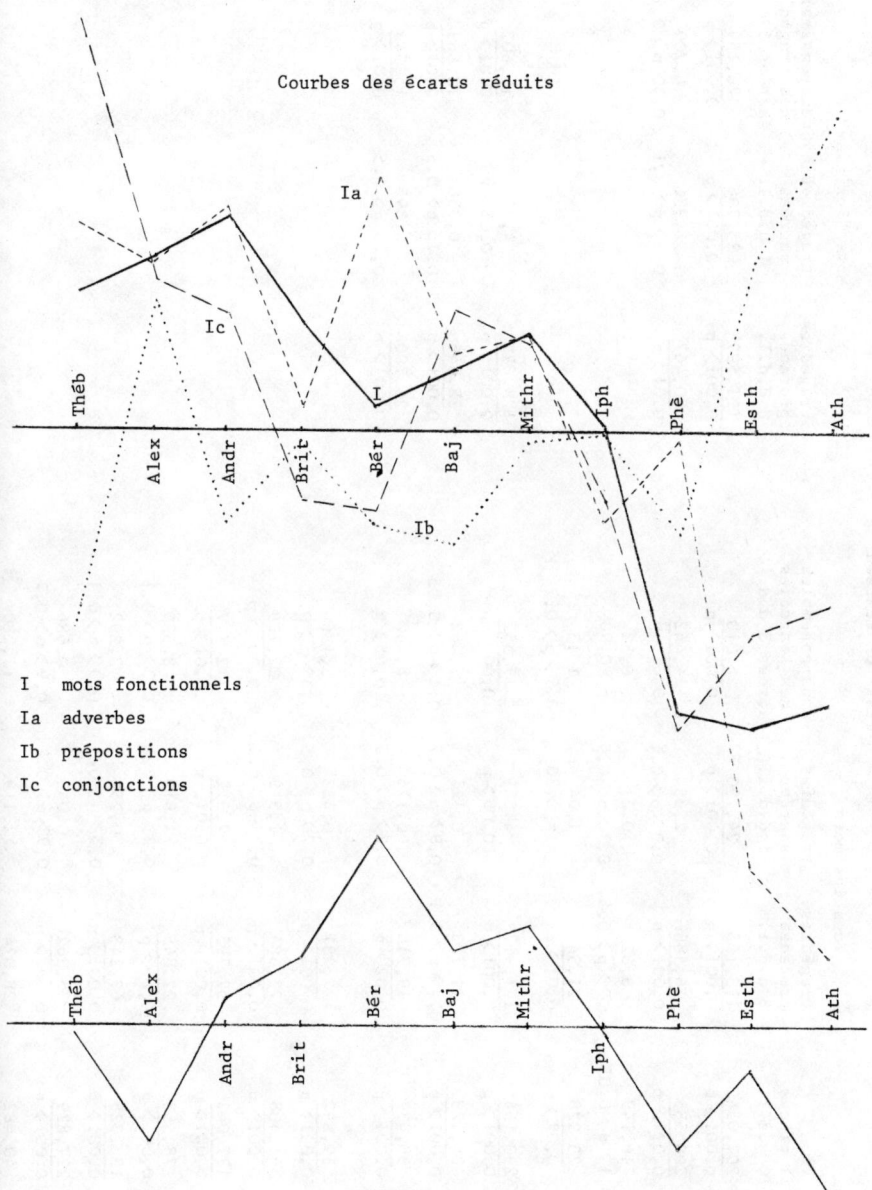

Courbes des écarts réduits

I   mots fonctionnels
Ia adverbes
Ib prépositions
Ic conjonctions

appellatifs et interjections

Tests de Pearson

	Tous les mots				Mots "lexicaux"		
	11 pièces 10 d.d.l.	tragédies profanes 8 d.d.l.	tragédies sacrées 1 d.d.l.	sous-ensembles des tragédies sacrées 3 d.d.l.	tragédies profanes 8 d.d.l.	tragédies sacrées 1 d.d.l.	sous-ensembles des tragédies sacrées 3 d.d.l.
Noms propres	207,054 / 0,001>p	113,153 / 0,001>p	24,790 / 0,001>p	25,010 / 0,001>p	121,597 / 0,001>p	25,708 / 0,001>p	26,159 / 0,001>p
Noms communs	200,585 / 0,001>p	46,586 / 0,001>p	2,654 / 0,3>p>0,1	14,442 / 0,01>p	20,467 / 0,01>p	1,931 / 0,3>p>0,1	6,200 / 0,3>p>0,1
Noms communs + pronoms	16,149 / 0,1>p>0,05	6,62 / 0,7>p>0,5	0,21 / 0,7>p>0,5	0,32 / p>0,90			
Noms communs + pronoms + noms propres	23,228 / 0,02>p	21,34 / 0,01>p	1,04 / p ≈ 0,30	1,13 / 0,9>p>0,7			
Adjectifs	290,154 / 0,001>p	171,917 / 0,001>p	4,869 / 0,05>p	17,552 / 0,001>p	128,672 / 0,001>p	4,275 / 0,05>p	12,602 / 0,01>p
Adverbes	85,428 / 0,001>p	11,733 / 0,3>p>0,1	0,121 / 0,9>p>0,7	7,462 / 0,1>p>0,05	28,846 / 0,001>p	0,338 / 0,7>p>0,5	13,669 / 0,01>p
Verbes	98,437 / 0,001>p	19,718 / 0,02>p	0,174 / 0,7>p>0,5	8,140 / 0,05>p			
Verbes sans AVOIR et ETRE					36,790 / 0,001>p	0,395 / 0,7>p>0,5	15,343 / 0,01>p
Mots fonctionnels	59,897 / 0,001>p	27,281 / 0,001>p	0,435 / 0,7>p>0,5	5,136 / 0,3>p>0,1			
Pronoms	341,408 / 0,001>p	72,684 / 0,001>p	1,519 / 0,3>p>0,1	22,729 / 0,001>p			
Déterminants	177,043 / 0,001>p	37,795 / 0,001>p	7,612 / 0,01>p	12,717 / 0,01>p			
Prépositions	78,553 / 0,001>p	22,845 / 0,01>p	1,819 / 0,3>p>0,1	3,535 / 0,3>p>0,1			
Conjonctions	137,325 / 0,001>p	67,243 / 0,001>p	0,756 / 0,5>p>0,3	3,292 / 0,3>p>0,1			
Adverbes	227,829 / 0,001>p	35,362 / 0,001>p	0,043 / 0,9>p>0,7	0,686 / 0,9>p>0,7			
Appellatifs et	40,482	28,074	2,119	11,280			

	Alexandre	Andromaque	Britannicus	Bérénice	Bajazet	Mithridate	Iphigénie	Phèdre	Esther	Athalie
La Thébaïde	6,029	48,284	26,299	13,127	9,150	2,949	15,256	58,811	130,503	130,370
Alexandre		31,688	15,979	17,867	17,218	11,693	9,122	68,944	143,866	132,537
Andromaque			13,962	29,243	44,288	45,018	37,926	171,673	275,094	265,328
Britannicus				10,887	32,020	23,402	9,572	113,959	179,632	165,137
Bérénice					10,009	5,438	11,033	78,721	149,561	152,496
Bajazet						4,353	21,417	65,294	171,596	182,116
Mithridate							14,324	61,460	142,059	149,587
Iphigénie								60,313	123,710	112,754
Phèdre									54,219	63,444
Esther										7,537

Comparaison des 11 tragédies prises deux à deux
à l'aide du test de Pearson

Distribution des parties du discours
comparaison des pièces deux à deux
essai de représentation graphique

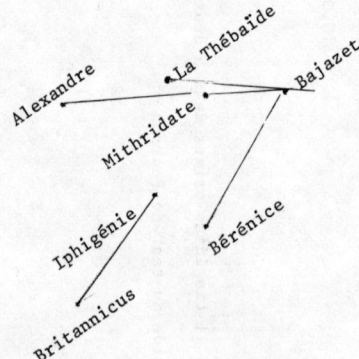

A P P E N D I C E

Description du contenu des classes de mots qui font l'objet d'un traitement quantitatif

- Noms propres

Cette classe contient les noms propres tels qu'ils ont été définis au chapitre IV ; ils portent le n° de code 7 dans l'index. Notre conception est restrictive puisque les emplois allégoriques et les personnifications entrent dans les noms communs.

Par ailleurs, les adjectifs dérivés de noms propres n'entrent pas
dans cette classe, sauf lorsqu'ils sont substantivés comme c'est le cas, par
exemple, dans le vers suivant :

"Les *Indiens* domptés sont vos moindres ouvrages".
                                                    Alexandre v. 869.

- Noms communs

Cette classe comprend :
1. Les mots qui sont donnés comme substantifs dans le *D.G.* et qui
apparaissent en tant que tels dans les pièces (occurrences des vocables
portant le code 2 dans l'index).

2. Les occurrences substantives des mots qui ont un code à deux chiffres dans l'index :
- code 23 adjectifs/substantifs (par exemple : *barbare, captif*).
Tous les cas douteux sont versés sous le substantif :
ler type : l'apostrophe, exemple :

"*Ingrats*, un Dieu si bon ne peut-il vous charmer ?"
                                                    Athalie v. 364.
2e type : une construction telle que :

"... une *impie étrangère*
"Du sceptre de David usurpe tous les droits".
                                                    Athalie v. 72-73.
dans laquelle on peut se demander si *impie* est substantif et *étrangère* adjectif ou inversement. La position respective des deux termes n'est pas probante
car l'antéposition d'un adjectif généralement postposé est un procédé stylistique fréquemment utilisé par Racine.

- code 28 substantifs/interjections (*adieu*). Exemple d'emploi substantif :
"... la fureur de mes derniers *adieux*".
                                                    Andromaque v. 488.

- code 82 appellatifs/substantifs (*Seigneur*). Exemple d'emploi substantif :
"Que le *Seigneur* est bon, que son joug est aimable".
                                                    Esther v. 1265.

- code 20 nominal/mot fonctionnel (*peu*).

Pour être complète, il ne manque à cette classe que certains
participes passés substantivés, qui sont d'ailleurs très rares. Exemple :
vaincu :

"Désarmez les *vaincus* sans les désespérer"
Alexandre v. 952.

- Adjectifs qualificatifs et adverbes de manière

On ne reviendra pas sur les raisons qui motivent le groupement
de ces deux catégories. En dehors des considérations linguistiques, cela
présente un intérêt pratique notable car il devient inutile de séparer les
occurrences adjectives et adverbiales de mots tels que *bas*, *fort*, *haut*, etc.

Cette classe comprend :
1. Toutes les occurrences des adjectifs et adverbes qui portent le
n° de code 3 dans l'index. Parmi ceux-ci il y a des participes présents
employés comme adjectifs (par exemple *brûlant*, *caressant*, etc.) ainsi que
des participes passés qui ont des emplois adjectifs nettement caractérisés.
Exemple : *interdit* :

"Je vous vois sans épée, *interdit*, sans couleur"
Phèdre v. 716.

2. Les occurrences adjectives des dérivés de noms propres, qui portent
le n° de code 7.

3. Les occurrences adjectives ou adverbiales des mots qui ont un code
à deux chiffres :

- code 23   adjectifs/substantifs.

- code 30   adjectif ou adverbe/mot fonctionnel.
Exemple : traitement de *tout*
considéré comme adjectif dans :

"*Tout* le camp interdit tremblait pour Bajazet"
Bajazet v. 72.

considéré comme mot fonctionnel (respectivement pronom et adverbe) dans :

"Elle met *tout* en armes"   *Alexandre* v. 69.

"Revêtu de lambeaux, *tout* pâle"   *Esther* v. 439.

Il manque à cette classe les participes passés adjectivés auxquels les critères adoptés ne permettaient pas d'accorder un lemme lors du dépouillement.
Exemple : *soumis* :

"Et là vous me verrez, *soumis* ou furieux"
Andromaque v. 975.

- Verbes

On fait entrer ici toutes les occurrences des vocables qui portent
le code n° 1 dans l'index, c'est-à-dire tous les verbes "lexicaux" ainsi que
les auxiliaires et semi-auxiliaires.

Il a fallu traiter *être* et *avoir* de la même manière : comme on a
renoncé à comptabiliser à part les emplois auxiliaires du verbe *être*, on a
aussi renoncé à le faire pour le verbe *avoir*. Pour cette raison, la classe
des verbes est quelque peu hétérogène car elle contient des mots qui ont

des statuts très différents. Les uns appartiennent au lexique au sens restreint du terme et les autres non : ce sont des morphèmes libres qui ne
relèvent que du système de la conjugaison. En se basant sur les indications
fournies par J.-B. Ratermanis, on peut estimer que la proportion des auxiliaires représente approximativement de 10 à 20 % des formes verbales selon les pièces (1). L'effectif des verbes est donc assez considérablement
surestimé par le seul fait des auxiliaires. Mais il l'est aussi par la
présence d'un certain nombre de participes passés adjectivés et substantivés qui ne figurent pas sous leurs catégories respectives.

- Mots fonctionnels

Cette classe, qui porte le n° de code 0, est définie négativement.
C'est ce qui reste lorsqu'on a éliminé les "mots lexicaux", ainsi que les
numéraux, les appellatifs et les interjections. On a isolé, à l'intérieur
de cette classe, les cinq catégories de mots fonctionnels suivantes : les
pronoms, les adverbes (autres que les adverbes de manière), les conjonctions, les prépositions et les déterminants.

. Pronoms

Dans le premier état de la lemmatisation nous avions déjà atteint
une certaine précision en faisant un comptage exact des emplois pronominaux
de vocables très fréquents appartenant à plusieurs catégories tels que *le*,
ce, *en*, etc. Mais nous avions renoncé à le faire pour *que*, notamment. Afin
d'obtenir des effectifs aussi proches de la réalité que possible, nous avons
dû remanier notre premier dépouillement sur certains points. Les effectifs
de l'index ont été repris sans modifications pour les pronoms suivants :
autrui, ce, cela, celui, chacun, dont, elle, en, eux, ils, je, le, leur
(pers.), *leur* (poss.), *lui, me, mien, moi, nôtre, nous, on, personne, quelqu'un, qui, quiconque, quoi, rien, se, sien, soi, te, tien, toi, tu, vôtre,
vous, y*. L'index a été remanié pour : *que* (1546), *tout* (355), *un* (82).
(Entre parenthèses est indiqué l'effectif total des emplois pronominaux
dans l'ensemble des 11 tragédies).

Pour les autres classes de mots fonctionnels, il a paru suffisant
de travailler sur des comptages plus approximatifs. Comme ce sont, dans
chaque classe, les mots les plus fréquents qui fournissent l'essentiel de
l'effectif, nous n'avons comptabilisé que ceux qui avaient une fréquence
supérieure à 100 dans l'ensemble des 11 tragédies.

. Adverbes

Sous cette dénomination nous faisons entrer les occurrences des
vocables suivants (par ordre de fréquence décroissante) : *ne, plus, en,
point, pas, si, encore, trop, bien, tant, enfin, non, moins, jamais, y, déjà, ici, peut-être, loin, oui, pourquoi, assez*. On observera que les pronoms
adverbiaux *en* et *y* qui figuraient déjà avec les pronoms apparaissent aussi
sous l'adverbe : les classes de mots fonctionnels ne sont donc pas exclusives.

(1) Dans son *Essai sur les formes verbales dans les tragédies de Racine* (Paris,
    Nizet, 1972), J. B. Ratermanis donne quelques informations statistiques sur
    l'emploi des temps. Il indique (p. 400) que le passé composé - qui est le
    temps composé le plus fréquent - représente, selon les pièces, de 6 à 15 %
    du nombre total des formes (alors que le présent recouvre plus de 50 %).
    Par extrapolation, on estime que, par rapport à l'ensemble des formes ver-
    bales, la proportion des auxiliaires apparaissant dans les temps composés
    doit varier entre 10 et 20 %.

. <u>Conjonctions</u>

On n'a pris en compte que les 8 conjonctions suivantes : *et, que, mais, si, ou, donc, quand, comme.*

. <u>Prépositions</u>

Nous retenons les 13 prépositions suivantes : *à, après, avec, contre, dans, de, devant, en, jusque, par, pour, sans, sous, sur.* Certaines (*après, pour, sans*) entrent parfois dans la formation de locutions conjonctives.

. <u>Déterminants</u>

On appelle déterminants les articles, possessifs, démonstratifs, etc. Nous en retenons 10 : *le, un, ce, mon, ton, son, notre, votre, leur, quel* (adj.). Les premiers sont extrêmement fréquents. Pour *un* nous n'avons pas distingué les emplois numéraux de l'article indéfini.

Deux classes n'entrent ni dans les mots lexicaux ni dans les mots fonctionnels : les numéraux et les appellatifs et interjections. Les numéraux sont des espèces de noms propres parmi les mots fonctionnels. Les appellatifs et surtout les interjections sont généralement considérés comme des phénomènes marginaux parce qu'ils échappent d'une certaine manière à l'enchaînement syntaxique.

- <u>Les numéraux</u>

Les numéraux ordinaux (*premier, troisième*) et les numéraux distributifs (*double, triple*) qui sont rares, et dont le sémantisme n'est pas toujours strictement numéral, n'entrent pas dans cette classe. Nous n'avons retenu que les numéraux cardinaux (n° de code 6 dans l'index). Certains d'entre eux, d'ailleurs (*cent* et *mille* en particulier) ont parfois des emplois intensifs ou hyperboliques :

cent

"*Cent* messages secrets m'assurent de sa flamme"

Alexandre v. 50.

mille

"*Mille* soupçons affreux viennent me déchirer"

Mithridate v. 1130.

Cette classe, non susceptible de fournir des renseignements utiles, ne fait pas l'objet d'un traitement quantitatif.

- <u>Appellatifs et interjections</u>

Cette classe groupe d'abord des mots qui n'ont aucun emploi hormis celui d'interjection (n° de code 8) : *ah, hé* (et *hé*), *hélas, holà.* Ainsi que des emplois interjectifs d'*adieu* (code 28). Certaines interjections telles que *quoi* ! (qui ont d'autres emplois) ont été omises.

Sous la dénomination d'appellatifs (code 82) figurent deux mots servant à l'interpellation : *Madame* (toutes les occurrences) et *Seigneur* (les occurrences qui ne sont pas substantives).

CHAPITRE VII

LA RICHESSE DU VOCABULAIRE

La richesse du vocabulaire se définit comme une notion purement quantitative. Le terme de richesse peut évoquer un point de vue qualitatif (1) qu'il faut écarter ici bien qu'il soit digne de considération. C'est aussi une notion relative, le vocabulaire d'un texte ne pouvant être déclaré "riche" ou "pauvre" que par rapport à d'autres. Etudier la richesse du vocabulaire de plusieurs textes c'est comparer ces textes entre eux en fonction de leur longueur et de (la structure de) leur vocabulaire.

L'évaluation de la richesse du vocabulaire est certainement le point de la statistique lexicale qui a fait l'objet des recherches les plus nombreuses. Cela s'explique par la complexité des problèmes à résoudre et par le souci des statisticiens de se donner - et de donner aux chercheurs des disciplines connexes - l'instrument de mesure le plus fidèle possible. Cependant, en l'absence d'un modèle prenant en compte les contraintes linguistiques et discursives que doit respecter tout locuteur ou tout auteur, la question ne peut actuellement être traitée que par des procédés qui sont plus ou moins satisfaisants et l'on aboutira sur certains points plutôt à l'observation de tendances qu'à des résultats définitifs.

Ces procédés sont de deux ordres : l'un repose sur la confrontation de données brutes - c'est la méthode dite "par comparaison des indices" - les autres sont des méthodes permettant le calcul d'un vocabulaire théorique. Parmi ces dernières, certaines sont des variantes plus ou moins sophistiquées des formules V/N ou N/V. Les valeurs de ces quotients étant susceptibles de varier fortement en fonction de la longueur des textes, on a cherché à réduire cette variabilité à l'aide de racines de degré n ou de logarithmes qui, en réalité, ne peuvent que masquer les défauts de ces formules sans les éliminer. Il s'agit notamment de $V/\sqrt{2N}$ (P. Guiraud) (2), log. V/log. N (G. Herdan) (3), $(V-20)/\sqrt{N}$ (E. Brunet) (4), log.2N/(log.N-log.V) (D. Dugast) (5). Plusieurs d'entre elles ont probablement une valeur opératoire : l'abondante littérature qui les étudie permet de se faire une idée de leurs limites et de leurs conditions d'emploi mais la relative qualité des résultats ne saurait faire oublier que ce sont des outils d'une conception très rudimentaire. Le fait de ne tenir compte que de N et V est une simplification excessive ; il faudrait pour le moins prendre en considération la distribution des classes de fréquences qui est une donnée essentielle en lexicologie quantitative. A cet égard des méthodes probabilistes sont plus satisfaisantes, qu'il s'agisse

---

(1) Voir par exemple l'article de L. ROCHON, "Le vocabulaire de Racine. Est-il riche ? Est-il pauvre ?", *Europe*, 453, 1967, pp. 133-154, qui examine notamment la variété d'emploi de certains vocables (*respirer, ennui, gloire*) et la "diversité du vocabulaire racinien" sans se référer à des données numériques.

(2) P. GUIRAUD, *Les caractères statistiques du vocabulaire. Essai de méthodologie*, Paris, P.U.F., 1954, p. 55.

(3) G. HERDAN, *Quantitative linguistics*, Londres, Buttherworths, 1964.

(4) E. BRUNET, *Le Vocabulaire de Jean Giraudoux. Structure et évolution*, Genève, Slatkine, 1978, p. 50.

(5) D. DUGAST, *Vocabulaire et discours. Essai de lexicométrie organisationnelle*, Genève, Slatkine, 1979, p. XVI.

de l'application de la formule binomiale ou de la méthode de Kalinin fondée
sur la loi de Poisson. On sait depuis les expériences de N. Ménard (1) que
la méthode de Kalinin, très sensible aux fluctuations des effectifs des vocables de fréquence 1, donne des résultats moins sûrs que la loi binomiale -
qui n'est pas elle-même une panacée ; nous verrons ses limites plus loin.

La "comparaison des indices" et "le calcul d'un vocabulaire théorique par application de la loi binomiale" seront employés successivement
pour caractériser selon leur richesse les 29 tragédies les unes par rapport
aux autres, puis l'oeuvre tragique de Racine par rapport à celle de Corneille.

1. La comparaison des indices

La manière la plus simple de comparer des textes de différentes
longueurs consiste à les opposer deux à deux à l'aide des valeurs de N et
de V :

		N	V
1-	*Attila*	15942	1476
	Iphigénie	15818	1482
		+ 124	- 6
2-	*Iphigénie*	15818	1482
	Andromaque	15086	1269
		+ 732	+ 213

Dans la première comparaison, la pièce la plus courte (*Iphigénie*)
a plus de vocables que la plus longue (*Attila*), on en déduit qu'*Iphigénie*
est plus riche qu'*Attila*. Précisons en passant que le résultat des comparaisons dépend parfois des conventions : la mesure de longueur adoptée ici - et
c'est l'usage le plus général - est la somme des mots-occurrences. En éva-
luant la longueur selon le nombre de vers nous aurions obtenu :

	Vers	Vocables
Iphigénie	1795	1482
Attila	1788	1476

C'est alors la pièce la plus "longue" (*Iphigénie*) qui comporte le plus grand
nombre de vocables.

La seconde comparaison ne permet pas de conclure parce que la pièce
la plus longue (*Iphigénie*) a plus de vocables que la plus courte (*Andromaque*).

Ce procédé est sans effet lorsque les textes comparés sont de longueurs très différentes : sur nos données, qui permettent de l'appliquer dans
des conditions favorables (2) il a une portée assez réduite : 178 cas seule-

---

(1) N. MENARD, *Etude théorique et expérimentale de la richesse lexicale*, thèse
   dactylographiée, Strasbourg, 1972, 182 p.

(2) L'ordre de grandeur des pièces varie peu : entre 1 pour la plus courte
   (*Esther*, N = 11169) et 1,67 pour la plus longue (*Oedipe*, N = 18647).

ment sont résolus après les 406 comparaisons binaires nécessaires pour comparer deux à deux les 29 tragédies de Corneille et Racine, soit un rendement
de 44 %. Ce qui est fort peu si l'on tient compte du fait que la plupart des
cas résolus sont redondants.

La méthode de comparaison des indices fonctionne selon le même
principe, mais permet d'obtenir des résultats meilleurs et plus nuancés. On
se bornera ici à une présentation rapide du fondement et des principes de ce
procédé. Ch. Muller en recommande l'utilisation pour des textes de longueur
comparable dans des études portant sur un nombre de textes suffisant ("plus
de 20 par exemple") (1). Le corpus des tragédies remplit parfaitement ces
conditions.

Les indices sont les valeurs N et V déjà évoquées auxquelles il
faut ajouter :
  V_1 (nombre de vocables de fréquence 1)
  $N/V = \bar{f}$ (fréquence moyenne)
  $$\frac{V - V_1}{V} = q^1 \text{ (proportion de vocables répétés)}$$

Un texte A est toujours comparé à un texte B plus court, ce qui
revient à poser a priori la condition $N_A > N_B$.

Les quatre indices restants sont confrontés, pour les mêmes textes,
dans l'ordre V, V_1, $\bar{f}$ et q_1.

Par convention on écrit *1* si $V_A > V_B$ et *0* si $V_A < V_B$; de même pour
V_1, $\bar{f}$ et q_1. On obtient donc une combinaison de 4 chiffres pour chaque comparaison :

			N	V	V_1	$\bar{f}$	q_1
1 -	Texte A	*Mithridate*	15144	1424	505	10,635	0,6454
	Texte B	*Bérénice*	13261	1281	472	10,352	0,6315
			1	1	1		1
2 -	Texte A	*Britannicus*	15431	1515	534	10,186	0,6475
	Texte B	*Andromaque*	15086	1269	420	11,888	0,6690
			1	1	0		0
3 -	Texte A	*Iphigénie*	15818	1482	506	10,674	0,6586
	Texte B	*Phèdre*	14415	1642	617	8,779	0,6242
			0	0	1		1

Nous préciserons plus loin comment interpréter ces combinaisons.
Examinons au préalable comment varient les indices en fonction de la longueur
des textes et de la richesse du vocabulaire.

---

(1)Ch. MULLER, "Sur la mesure de la richesse lexicale, Théorie et expériences",
Et. de ling. appliquée, Nelle série, 1, 1971, p. 46.

Dans un texte homogène et d'un apport lexical constant, donc un texte dans lequel la richesse du vocabulaire reste égale à elle-même pour toutes les valeurs de N, on observerait que V, V_1, $\bar{f}$ et q_1 augmentent tous pour des valeurs de N croissantes.

En d'autres termes, si l'on compare deux fragments A et B d'un même texte, tels que le fragment A inclue le fragment B, à richesse égale, pour $N_A > N_B$ on attend :

$$V_A > V_B$$
$$V_{1A} > V_{1B}$$
$$\bar{f}_A > \bar{f}_B$$
$$q_{1A} > q_{1B}$$

En situation réelle il est rare que l'apport lexical soit constant et les quatre indices n'augmentent pas toujours :
- V ne peut que croître ou rester stable dans l'étendue de texte qui sépare l'apparition de deux vocables nouveaux.
- V_1 augmente d'une unité à la première occurrence d'un vocable et diminue d'une unité pour toute seconde occurrence. Si l'apport lexical est soutenu, V_1 croît toujours - les vocables qui entrent en V_1 étant en général plus nombreux que ceux qui en sortent - sinon il reste stable ou décroît.
- $\bar{f}$ croît généralement de 1 vers l'infini, mais reste stable ou décroît si l'apport en vocables nouveaux est très important pendant une certaine étendue de texte.
- q_1 croît généralement de 0 vers 1, mais peut décroître ou rester stable si les vocables n'ont pas tendance à se répéter tandis que V et V_1 augmentent.

Comme les quatre indices n'augmentent pas toujours, il convient d'être prudent lorsqu'on utilise certains d'entre eux, notamment V_1 et q_1 qui sont les plus sensibles (1).

Il faut noter par ailleurs que V, V_1, $\bar{f}$ et q_1 ne croissent pas de la même manière sur des textes ou fragments de textes de richesse différente : plus le texte est riche, plus rapide est la croissance de V et de V_1 et plus lente est la croissance de $\bar{f}$ et de q_1.

Par conséquent, pour $N_A = N_B$, si le texte A est plus riche que le texte B, on obtient :

$$V_A > V_B$$
$$V_{1A} > V_{1B}$$
$$\bar{f}_A < \bar{f}_B$$
$$q_{1A} < q_{1B}$$

soit la combinaison :

1   1   0   0

et inversement si le texte B est plus riche que le texte A :

$$V_A < V_B$$
$$V_{1A} < V_{1B}$$
$$\bar{f}_A > \bar{f}_B$$
$$q_{1A} > q_{1B}$$

soit la combinaison :

0   0   1   1

(1) Voir Ch. MULLER, art. cité, pp. 28-30.

Comme il y a 4 éléments, on attend théoriquement 16 combinaisons.
Mais ces éléments ne sont pas tous indépendants les uns des autres : la valeur des indices relatifs $\bar{f}$ et q_1 est liée à celle des indices absolus V et
V_1, par suite 7 combinaisons sont mathématiquement impossibles (1).

Il subsiste 9 combinaisons figurant ci-dessous accompagnées de
leurs interprétations :

Combinaisons				Indiquent comme plus riche le texte				Interprétation globale
				V	V_1	$\bar{f}$	q_1	
1)	1	1	1	1	?	?	?	?	?
2)	1	1	0	0	?	?	A	A	A plus riche que B
3)	0	0	1	1	B	B	?	?	B " " " A
4)	0	0	1	0	B	B	?	A	(B " " " A)
5)	0	1	1	0	B	?	?	A	(B " " " A)
6)	1	0	0	1	?	B	A	?	(A " " " B)
7)	1	1	0	1	?	?	A	?	(A " " " B)
8)	1	0	1	1	?	B	?	?	(B " " " A)

$$\text{si } (V_{1B} - V_{1A}) > (V_A - V_B)$$

| 9) | 1 | 1 | 1 | 0 | ? | ? | ? | A | ? |

Les interprétations sûres figurent sans parenthèses et les interprétations acceptables avec parenthèses.

Etant donné que la condition de toute comparaison est $N_A > N_B$ et
que les indices augmentent généralement avec les valeurs de N, les _1_ qui
entrent dans les combinaisons n'apportent que des renseignements négatifs :
la confrontation des indices correspondants n'indique pas qu'un texte est
plus riche que l'autre.

La combinaison 1 apparaît lorsque les textes confrontés sont de
longueur très différente, ou tout au moins lorsque l'écart de richesse n'est
pas suffisant pour compenser l'écart de longueur. C'est ce qui se produit
dans la comparaison entre _Mithridate_ et _Bérénice_ (p. 87), qui reste donc
irrésolue.

Les combinaisons 2 et 3 correspondent aux situations les plus nettes
et fournissent seules des résultats sûrs : l'écart de richesse neutralise l'é-
cart de longueur et tous les indices ont le comportement attendu dans des
conditions idéales. Les 2e et 3e comparaisons de la p. 87 sont donc résolues :
Britannicus est plus riche qu'_Andromaque_ et _Phèdre_ plus riche qu'_Iphigénie_.

On relève plusieurs combinaisons d'apparence contradictoire (4, 5
et 6) dans lesquelles les indices les plus douteux doivent le céder aux plus
sûrs. Ainsi dans 4 et 5 on accorde plus de crédit à l'information apportée
par $V_A < V_B$ qu'à celle que donne $q_{1A} < q_{1B}$; de même dans 6, le témoignage de
$f_A < f_B$ prime celui de $V_{1A} < V_{1B}$.

(1) La démonstration figure dans Ch. MULLER, art. cité, pp. 24-25.

L'interprétation des combinaisons qui ne reposent que sur un seul indice (7, 8, 9) n'est possible que dans la mesure où celui-ci est digne de confiance. C'est le cas de $\bar{f}$ dans la combinaison 7. En revanche, pour 8, Ch. Muller propose à juste titre de n'accepter le témoignage de V_1 que si $V_{1B} - V_{1A}$ est plus grand que $V_A - V_B$, cette condition très rigoureuse n'est pas souvent remplie mais il vaut mieux laisser une question sans réponse lorsqu'on ne peut pas prétendre à une certitude suffisante. Quant à la combinaison 9 qui ne repose que sur q_1, il est préférable de la considérer comme douteuse et non susceptible d'interprétation.

Sachant que deux combinaisons seulement sont qualifiées de sûres, on peut s'interroger sur le degré de validité des autres, qui sont dites acceptables. Signalons que les réponses acceptables n'ont, à notre connaissance, jamais été mises en défaut par l'expérience (1). Il convient cependant de les distinguer de celles qui sont sûres car l'éventualité de leur défaillance ne peut pas être absolument écartée.

Le tableau p. 91 présente les résultats obtenus sur les 29 tragédies à l'aide de cette méthode (2). Les pièces y sont placées par ordre décroissant d'étendue et le premier terme de la comparaison est en colonne à gauche. Les réponses acceptables y figurent entre parenthèses.

Sur les 406 comparaisons, 227 sont résolues avec certitude - soit 56 % - et si l'on ajoute 61 réponses acceptables, on atteint 71 %. Le rendement est donc nettement supérieur à celui qu'on pouvait obtenir sans les indices V_1, $\bar{f}$ et q_1. Mais beaucoup d'incertitudes subsistent, notamment pour les pièces de Racine : *Bérénice* ne peut être classée que par rapport à onze pièces, *Bajazet* et *Mithridate* par rapport à quinze, et cela en tenant compte des réponses acceptables.

La représentation graphique du classement qu'on peut tirer de ces données est rendue très complexe par certaines comparaisons non résolues.
En se bornant aux 6 tragédies les plus riches, on peut proposer le schéma :

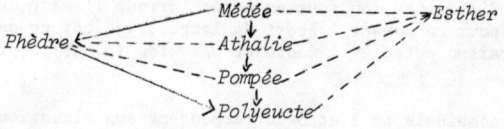

---

(1) N. Ménard signale dans son étude (p. 124) que la comparaison des indices n'a fourni aucune réponse fausse sur les 2340 cas qu'il a étudiés. En outre, en ce qui concerne Corneille et Racine, les réponses obtenues sur les 29 tragédies sont toujours corroborées par la méthode probabiliste que nous verrons plus loin.

(2) Les tragédies de Corneille avaient déjà subi le même traitement dans l'article de Ch. Muller. Comme nos chiffres sont quelque peu différents, il a semblé utile de recommencer. Un observateur attentif pourra noter quelques divergences entre le tableau figurant ici et celui de l'article cité (p. 34). On ne s'y attardera pas car elles sont sans conséquence importante sur un éventuel classement des pièces.

	Oedipe	Agésilas	Sertorius	Héraclius	Théodore	Pertharite	Othon	Nicomède	Sophonisbe	Rodogune	Le Cid	Suréna	Pompée	Polyeucte	Horace	Cinna	Attila	Iphigénie	Athalie	Britannicus	Bajazet	Mithridate	Andromaque	Phèdre	Médée	Alexandre	La Thébaïde	Bérénice
Esther	⌣	−	−	−	−	−	−	−	−	−	−	−	?	?	−	(⌣)	(−)	−	?	−	?	−	−	−	?	?	−	−
Bérénice	?	?	?	?	?	?	?	?	?	?	?	?	+	+	?	(+)	?	?	(+)	?	?	−	+	+	−	−	?	
La Thébaïde	?	?	?	?	?	?	+	?	?	+	?	+	+	+	+	+	(+)	+	+	+	+	?	+	+	+	(+)		
Alexandre	?	?	?	?	?	?	?	?	?	?	+	?	+	?	?	?	?	?	+	+	?	?	?	?	?			
Médée	−	−	−	−	−	−	−	−	−	−	−	−	−	−	−	(⌣)	−	−	−	−	−							
Phèdre	−	−	−	−	−	−	(⌣)	−	−	−	−	−	−	(⌣)	−	(⌣)	−	?	−	−	−	−						
Andromaque	+	?	+	+	+	?	+	+	+	+	?	+	+	+	+	+	+	+	+									
Mithridate	?	(⌣)	?	?	(⌣)	?	?	?	?	?	(⌣)	+	+	?	+	?	?	+	(+)	−								
Bajazet	?	?	?	?	?	?	?	+	?	+	+	+	+	+	+	+	+	+	+	+								
Britannicus	?	(⌣)	?	(⌣)	−	−	?	?	(⌣)	(⌣)	(⌣)	(⌣)	?	?	(⌣)	?	(−)	−	+									
Athalie	−	−	−	−	−	−	(⌣)	−	−	−	−	−	−	−	−	(⌣)	−	−										
Iphigénie	?	(⌣)	?	?	?	−	?	?	(⌣)	?	?	(⌣)	+	+	?	+	(−)											
Attila	?	−	?	(⌣)	(⌣)	−	?	?	−	?	?	−	(+)	(+)	?	(+)												
Cinna	?	(⌣)	(⌣)	−	−	(⌣)	(⌣)	−	(⌣)	−	−	+	+	(⌣)	?													
Horace	?	−	?	−	(⌣)	?	?	?	−	?	(+)	−	+	+														
Polyeucte	−	−	−	−	−	−	(⌣)	−	−	−	−	−	(+)															
Pompée	−	−	−	−	−	−	(⌣)	(⌣)	−	(⌣)	−	−																
Suréna	+	?	+	+	(+)	?	+	+	(+)	+	+																	
Le Cid	?	(⌣)	?	(⌣)	−	−	?	?	−	(−)																		
Rodogune	?	−	?	−	−	−	+	+	−																			
Sophonisbe	+	(⌣)	+	+	(+)	−	+	+																				
Nicomède	?	−	?	−	−	−	(⌣)																					
Othon	?	−	?	−	−	−																						
Pertharite	+	(⌣)	+	+	+																							
Théodore	?	(⌣)	+	(⌣)																								
Héraclius	?	(⌣)	+																									
Sertorius	?	(⌣)																										
Agésilas	(+)																											

Comparaison des indices

Le tableau présente la situation des pièces figurant en fin de ligne par rapport à celles qui sont en tête de colonne. Ainsi + en face d'*Oedipe* et sous *Pertharite* signifie qu'*Oedipe* est plus riche que *Pertharite*.

Les résultats "acceptables" sont entre parenthèses.

Pour les 11 tragédies de Racine on aboutit au schéma suivant :

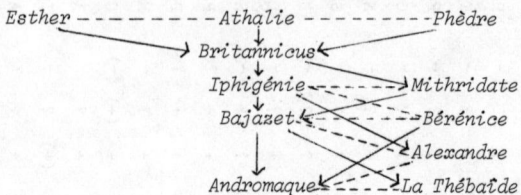

Il ne s'agit donc pas de stricte hiérarchisation mais ces ébauches de classement constituent un bon point de départ pour l'application de la méthode probabiliste qui peut remédier aux inconvénients de la comparaison des indices.

2. Méthode probabiliste par application de la formule binomiale

L'étendue du vocabulaire, on l'a vu, varie à la fois en fonction de la longueur N d'un texte et de la richesse de son vocabulaire. Alors que la "comparaison des indices" tient compte de ce fait sans parvenir à le dominer et par suite reste sans portée hors d'un champ restreint, les méthodes probabilistes se donnent pour but d'isoler les effets propres à la richesse sur les valeurs de V en tentant de neutraliser le rôle de la longueur N.

Etant donnés deux textes A et B tels que $N_A > N_B$ on se propose de ramener le texte A à la longueur du texte B et de calculer le vocabulaire théorique V' correspondant au texte ainsi réduit.

Le calcul des probabilités permet d'opérer cette réduction de manière rationnelle sans recourir aux solutions consistant soit à supprimer plus ou moins arbitrairement tel ou tel passage du texte, soit à prélever, moyennant un sondage laborieux, des échantillons aléatoires. En se donnant pour modèle théorique la formule binomiale, qui est le développement des formules successives du binôme $(p + q)^i$, on peut, après avoir simulé le tirage au sort dans N_A d'un nombre d'occurrences égal à $N_A - N_B$, calculer l'espérance mathématique du nombre de vocables V'_0 qui disparaîtraient du texte A à la fin du tirage.

Toute occurrence du texte A a la probabilité $p = N_B/N_A$ de figurer dans le texte réduit (de longueur égale à N_B) et la probabilité complémentaire $q = (N_A - N_B)/N_A$ de figurer dans la partie du texte éliminée (de longueur égale à $N_A - N_B$).

Pour les vocables qui n'ont qu'une occurrence dans le texte A, dont l'effectif est symbolisé par V_{1A}, la probabilité de ne pas figurer dans le texte réduit, donc d'appartenir à V'_0, est égale à q et leur espérance mathématique est de qV_{1A}. Les vocables de fréquence 2 (V_{2A}) ont la probabilité p^2 d'avoir leurs deux occurrences dans le texte réduit, 2pq d'avoir une occurrence de part et d'autre, et q^2 d'avoir leur deux occurrences dans la partie éliminée ; autrement dit, la probabilité pour ces vocables d'appartenir à V'_0 est égale à q^2, et leur espérance mathématique est de $q^2 V_{2A}$... et ainsi de suite pour les vocables des classes de fréquence suivantes, dont l'espérance mathématique correspond aux valeurs q^3V_{3A}, q^4V_{4A}, q^kV_{kA}. Le nombre total des vocables qui seraient éliminés à la fin du tirage est donc évalué par la formule :

$$E(V'_0) = q\,V_{1A} + q^2V_{2A}\cdots + q^kV_{kA}$$
$$= \Sigma q^iV_i$$

Le vocabulaire du texte A réduit à la longueur du texte B correspond à :

$$E(V') = V_A - \Sigma\,q^iV_i$$

Exemple d'application.

Prenons *Andromaque* et *La Thébaïde* que la comparaison des indices ne permet pas de départager

		N	V
Texte A	*Andromaque*	15086	1269
Texte B	*La Thébaïde*	13828	1244
		1258	25

$$q = \frac{1258}{15086}$$

fi	Vi	q^i	q^iV_i
1	420	0,08339	35,024
2	198	0,00695	1,376
3	129	0,00058	0,007 (1)

$$E(V'_0) = 36,407 \simeq 37$$

$$E(V') = 1269 - 37 = 1232$$

soit 12 vocables de moins que *La Thébaïde* ; selon ce procédé, on est donc amené à estimer qu'*Andromaque* est la pièce lexicalement la plus pauvre.

Après avoir apporté une réponse à toutes les questions laissées en suspens par la comparaison des indices on aboutit, pour les tragédies de Racine, au classement suivant (par ordre de richesse décroissante) :

1. Esther
2. Athalie
3. Phèdre
4. Britannicus
5. Iphigénie
6. Mithridate
7. Bajazet
8. Bérénice
9. Alexandre
10. La Thébaïde
11. Andromaque

Ce classement ne tient pas compte du fait que l'écart entre le vocabulaire théorique de la pièce la plus longue et le vocabulaire réel de la pièce la plus courte n'est pas toujours significatif. Il semble utile d'associer à l'espérance mathématique de V' une mesure de dispersion. La recherche

---

(1) Les valeurs de q^iV_i devenant extrêmement faibles, il est inutile de pousser le calcul au-delà de le fréquence 3. Par convention, on peut arrondir le total à l'unité supérieure, pour être certain qu'il n'est pas sous-évalué.

d'un écart type expérimental étant très longue, on préfère utiliser l'écart type théorique $\sigma = \sqrt{npq}$. En considérant V' comme une moyenne, on crée l'intervalle V' ± 1,966 écarts types au-delà duquel on estime pouvoir affirmer, avec un risque d'erreur inférieur à 5 %, que la différence de richesse entre les textes A et B est significative.

Dans le cas d'*Andromaque* et de *La Thébaïde*, l'écart type obtenu est $\sqrt{npq}$ = 5,99 et l'intervalle 1232 ± 1,966 x 5,99 se situe entre les deux valeurs 1220,22 et 1243,78. La valeur du V réel de *La Thébaïde* (1244) étant hors de cet intervalle, l'écart entre les deux pièces est normalement considéré comme significatif : on pourrait donc affirmer que *La Thébaïde* est lexicalement plus riche qu'*Andromaque*, cependant il s'agit d'un cas limite, on préférera nuancer cette affirmation.

Nous verrons plus loin les résultats de l'application systématique de cette méthode sur toutes nos données. Attardons-nous encore sur plusieurs points, qui méritent quelques commentaires.

Le tirage au sort qui est simulé à l'aide de la formule binomiale est exhaustif, c'est-à-dire que toute occurrence tirée n'est pas "remise en jeu" et ne peut donc pas être tirée une nouvelle fois. Par conséquent les valeurs de p et q varient après chaque épreuve. Or on a considéré que les valeurs p et q étaient stables, comme c'est le cas dans un tirage non exhaustif. L'erreur ainsi provoquée a été mesurée (1). Elle est négligeable tant que la formule binomiale n'est employée que pour des fréquences très faibles par rapport à N. En pratique, il suffit d'éviter de comparer des textes d'étendue trop inégale, la limite à ne pas franchir sans risques étant fixée à p = 0,1.

Est-il raisonnable d'adjoindre à la valeur du vocabulaire théorique un intervalle d'acceptation qui est théorique lui aussi ? Le procédé est évidemment hardi, mais les expériences qui ont été faites sur des tragédies classiques et sur des échantillons tirés de romans contemporains ont montré une bonne concordance entre l'écart type théorique tel qu'il est utilisé ici et l'écart type expérimental. Les résultats pourraient être très différents dans d'autres types de textes : il suffirait que la richesse du vocabulaire y subisse de fortes variations internes. Pour les tragédies, on supposera acquise la validité de l'écart type théorique.

Il y a aussi le problème de l'adéquation du modèle avec la réalité linguistique : le tirage suppose une répartition aléatoire des occurrences alors qu'en fait il y a toujours spécialisation lexicale, ne serait-ce que pour des raisons thématiques.

Sur le plan quantitatif, on en déduit que l'espérance mathématique de V' est en principe surestimée. Les expériences montrent que c'est généralement le cas. Par conséquent, dans la comparaison des pièces deux à deux, l'emploi de la formule binomiale a tendance à avantager les pièces les plus longues (2) donc, globalement, les pièces de Corneille sont avantagées par rapport à celles de Racine.

---

(1) Ch. MULLER, *Initiation à la statistique linguistique*, Paris, Larousse, 1968, pp. 177-179.

(2) On pourrait d'ailleurs moduler l'intervalle d'acceptation en tenant compte de la spécialisation lexicale. On prendrait par exemple un intervalle allant de V' - 3 écarts types à V' + 1 écarts types.

Par ailleurs, l'hypothèse nulle peut susciter des objections qui
méritent d'être prises en considération : le texte réduit n'est qu'une abs-
traction et il peut paraître abusif d'évaluer la richesse lexicale à l'aide
du vocabulaire (théorique) d'un texte qui n'existe pas réellement. La procédure devient recevable si l'on veut bien admettre que le texte se définit ici
uniquement comme la somme de caractères quantitatifs précis (effectifs des
classes de fréquence et paramètres N et V). Partant donc d'un texte ayant
certains caractères quantitatifs, la formule binomiale permet d'évaluer par
une fiction les caractéristiques rigoureusement correspondantes d'un fragment
d'une longueur donnée. Il s'agit en quelque sorte d'obtenir la reproduction
miniaturisée idéale d'un texte et non pas d'imaginer l'autre texte, bien
réel, mais quantitativement différent, auquel on aboutit inévitablement en
opérant des suppressions non aléatoires.

Toutes les méthodes probabilistes présentent des inconvénients
analogues ; mais celle-ci a des avantages que ses concurrentes n'ont pas
toujours : l'économie et la précision. Economie par rapport à la méthode
d'Evrard (1), qui procède selon le même principe, mais de façon inverse : au
lieu de calculer E (V'$_0$) - ce qui est très rapide, surtout lorsque la différence de longueur entre les deux textes à comparer est petite - on calcule
directement E (V') moyennant des opérations beaucoup plus longues si l'on ne
dispose pas d'un ordinateur. Précision notamment par rapport à la méthode de
Kalinin.
La méthode binomiale appliquée aux 29 tragédies comparées deux à
deux autorise la présentation suivante, par ordre de richesse décroissante :

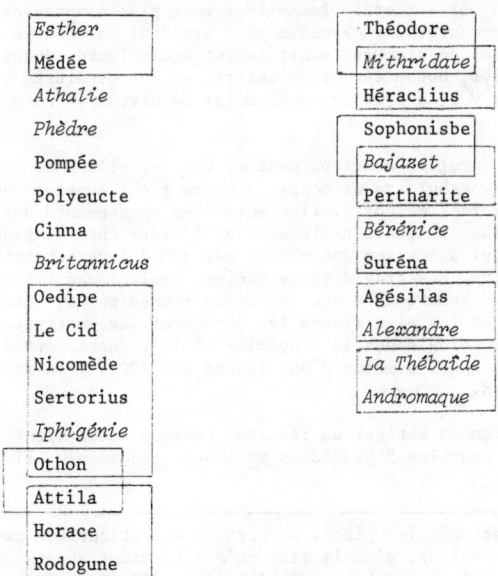

Esther	Théodore
Médée	*Mithridate*
Athalie	Héraclius
Phèdre	Sophonisbe
Pompée	*Bajazet*
Polyeucte	Pertharite
Cinna	*Bérénice*
Britannicus	Suréna
Oedipe	Agésilas
Le Cid	*Alexandre*
Nicomède	*La Thébaïde*
Sertorius	*Andromaque*
Iphigénie	
Othon	
Attila	
Horace	
Rodogune	

(1) E. EVRARD, "Deux programmes d'ordinateur pour l'étude quantitative du vocabulaire", *Revue de l'organisation internationale pour l'étude des langues
anciennes par ordinateur*, 3, 1967, pp. 81-92 et S. GOVAERTS, *Le Corpus
Tibullianum. Index verborum et relevés statistiques. Essai de méthodologie
statistique*, La Haye, Mouton, 1966, pp. 279-280.

Les quadrilatères enferment les pièces qui ne peuvent être départagées. A l'intérieur de chacun d'eux, elles sont classées selon l'ordre de richesse décroissante du vocabulaire, tel qu'il est établi avant le calcul de l'écart type (1).

Le fait que dans la série plusieurs quadrilatères se chevauchent rend tout classement numérique impossible. Il faudra donc, le moment venu, choisir entre la précision apportée par l'utilisation d'un intervalle de confiance et l'avantage qu'on peut tirer d'un classement, notamment la possibilité d'effectuer des comparaisons à l'aide du coefficient de Spearman.

Quant au contenu de ce tableau, nous serons d'abord attentif à la manière selon laquelle se répartissent les pièces des deux auteurs.

Plus de la moitié des pièces de Racine se situent aux deux extrêmes : trois figurent parmi les quatre pièces les plus riches et trois autres sont les plus pauvres. Les cinq pièces restantes sont disséminées dans la partie moyenne et plutôt parmi les pièces les plus pauvres. Inversement, la plus grande partie des pièces de Corneille, notamment les oeuvres de la maturité, occupe la zone intermédiaire en un groupe assez ramassé, la densité étant plus forte vers le haut du tableau, parmi les pièces passablement riches.

Il y a chez Racine un net échelonnement des pièces, qui semblent toutes bien individualisées : on ne relève que deux pièces considérées comme ex-aequo - *La Thébaïde* et *Andromaque* - et on a vu qu'elles l'étaient de justesse. Chez Corneille où, il est vrai, les pièces sont plus nombreuses et par suite les chances de rencontrer des ex-aequo plus grandes, on observe un véritable agglomérat de pièces de richesse sensiblement équivalente, duquel s'écartent quelques tragédies, notamment les premières et les dernières que l'auteur ait écrites. Il y a, à première vue, moins de diversité chez Corneille que chez Racine.

On sait que Ch. Muller avait pu montrer que les pièces de Corneille ont tendance à avoir un vocabulaire de moins en moins riche à mesure qu'elles se succèdent : le coefficient de corrélation entre les classements des 18 tragédies selon la richesse lexicale croissante et l'ordre chronologique atteint - 0,61, valeur qui a environ une chance sur 100 d'être atteinte par hasard, donc significative. Les tragédies de Racine semblent manifester la tendance inverse : il est remarquable que les moins riches soient chronologiquement les premières et les plus riches les dernières. Le coefficient de corrélation entre la chronologie des 11 tragédies et la richesse lexicale s'établit à + 0,88, valeur qui a moins d'une chance sur 100 d'être atteinte par le seul jeu du hasard.

Il faut noter qu'on obtient un résultat presque aussi significatif si l'indice est calculé pour les 9 tragédies profanes uniquement : il atteint alors + 0,79.

---

(1) Les chiffres utilisés pour les pièces de Corneille sont quelque peu différents de ceux de Ch. Muller, d'où le fait qu'*Attila* vient avant *Horace* et non l'inverse. Il y a 1476 vocables dans *Attila* et 1494 dans *Horace*. Après application de la loi binomiale, on obtient $E(V'_0) = 18,888$ et $E(V') = 1475,112$. Il y a donc moins d'une unité d'écart entre le vocabulaire réel d'*Attila* et le vocabulaire calculé d'*Horace*.

Le coefficient est légèrement plus faible, mais il y a toujours moins d'une chance sur 100 pour qu'il soit obtenu par le hasard.

On peut donc affirmer qu'il y a une dépendance entre la date des pièces et la richesse de leur vocabulaire : à mesure que Racine écrit, ses pièces ont, à longueur égale, de plus en plus de vocables. Les causes possibles de ce phénomène sont si nombreuses qu'il serait présomptueux de vouloir en proposer une explication définitive.

La baisse progressive du vocabulaire dans l'oeuvre théâtrale de Corneille (1) a été présentée à la fois comme l'effet de la volonté de l'écrivain recherchant consciemment une certaine sobriété et comme la conséquence du vieillissement de l'homme.

Qu'il s'agisse de Corneille ou de Racine, on ne pourra jamais inventorier tous les facteurs qui ont influencé l'étendue du vocabulaire utilisé dans leurs pièces. Cependant on doit raisonnablement considérer comme causes agissantes principales d'une part l'évolution personnelle des deux auteurs, d'autre part et corollairement les transformations de la tragédie qu'ils ont ou bien imposées eux-mêmes, ou bien simplement suivies. De 1635, année de *Médée*, aux années 1660, la tragédie s'affine et s'épure, par suite l'effectif des vocables subit une réduction graduelle ; puis, après 1670, probablement à cause de la concurrence de plus en plus vive de l'opéra, le vocabulaire croît progressivement pour aboutir, en 1689 et 1691, à la (relative) somptuosité verbale des tragédies sacrées.

Cette explication est forcément partielle, parce que très générale. S'il y a une relation entre la simplicité de l'action d'une tragédie et son dépouillement verbal, celle-ci n'est ni totalement contraignante, ni constamment réciproque : *La Thébaïde* est la tragédie de Racine dont l'intrigue est la plus compliquée, et pourtant elle n'est pas l'une des plus riches. Inversement *Bérénice*, dont l'action est exemplairement simple, n'est pas la tragédie la plus pauvre du corpus mais seulement l'une des plus pauvres.

On tentera donc de dégager d'autres facteurs susceptibles d'avoir un effet sur la richesse du vocabulaire chez Racine.
En premier lieu, les tragédies profanes et les tragédies sacrées appartiennent à deux univers lexicaux différents. Le vocabulaire des premières fait l'objet de restrictions et d'interdits imposés au genre pour la bienséance et la grandeur ; les secondes ont, au contraire, la luxuriance de la Bible qui les inspire. Il n'est donc pas étonnant qu'*Esther* et *Athalie* soient les pièces les plus riches.
En second lieu, la richesse semble varier en fonction de l'attitude de Racine vis-à-vis des sources qu'il utilise. Les pièces les plus riches parmi les tragédies profanes sont celles où il est resté le plus proche des oeuvres grecques et latines dont il s'est inspiré, comme s'il ne s'autorisait l'emploi d'un vocabulaire varié qu'avec la caution des Anciens. L'exemple le plus convaincant est fourni par *Britannicus*, pièce avec laquelle il se propose de rivaliser ouvertement avec Corneille sur le terrain de l'histoire romaine.

---

(1) La même tendance a été observée dans l'oeuvre de Giraudoux par E. BRUNET, "Le traitement des faits linguistiques et stylistiques sur ordinateur", p. 115 *in* : J. DAVID et R. MARTIN (eds) *Statistique et linguistique*, Paris, Klincksieck, 1974, 164 p.

Par prudence, peut-être, il s'écarte si peu de Tacite (ainsi que de Suétone, Plutarque et Sénèque) qu'on a pu dire que "certains vers semblent moins des inventions du poète que des traductions, des transpositions ou des réminiscences" (1). C'est aussi le cas, quoique d'une manière quelque peu différente, d'*Iphigénie* et de *Phèdre*, qui s'opposent aux pièces antérieures sur de nombreux points (2). *Iphigénie* a pour modèle une pièce d'Euripide dont Racine reprend les données et les principales péripéties, et *Phèdre* s'inspire de façon déclarée d'une pièce du même Euripide et de façon moins avouée d'une pièce de Sénèque.

Par ailleurs, à mesure que les tragédies se succèdent, Racine a tendance à utiliser de plus en plus de mots concrets et réalistes qui ne sont pas seulement des réminiscences des Anciens. On peut voir là l'effet du "fabuleux" et du "merveilleux", surtout sensibles à partir d'*Iphigénie*, au nom desquels Racine s'autorise l'emploi de mots concrets très suggestifs, en particulier dans *Phèdre* (*corne, crin, croupe, dard, dégouttant, dragon*, etc., qui n'apparaissent que dans le récit de Théramène) et dans *Athalie* (*chien, fange, meurtrir*, qui figurent dans le récit du songe d'Athalie).

Il faut aussi invoquer l'effet d'une caractérisation de plus en plus précise de la "couleur locale". Dans les premières pièces, par exemple dans *La Thébaïde*, les mêmes mots souvent répétés suffisent à créer un climat ; dans *Bajazet*, où Racine utilise pour la première fois le décor, peu de mots habilement employés (*serrail* (sic), *sultane, visir*) provoquent le dépaysement. Dès *Iphigénie*, le vocabulaire descriptif se diversifie et acquiert relativement plus de poids (*vent, autel, oracle, bûcher, camp, vaisseau, armée, couteau, tente, rivage, bourreau, flot, rive, champ*, etc.), tendance qui ne fait que s'amplifier jusqu'à *Athalie*. L'utilisation des noms propres est elle-même tout à fait caractéristique. Les commentateurs ont fréquemment signalé combien Racine s'y montrait habile (3).

Il est possible de quantifier, de façon approximative mais bien fondée, la "couleur locale" en s'appuyant sur l'effectif des noms propres de chaque pièce ; les noms propres étant, parmi les éléments lexicaux, ceux qui contribuent le plus à ancrer l'action dans l'espace et dans le temps.

---

(1) J.-G. CAHEN, "Le vocabulaire de Racine", *Revue de linguistique romane*, XVI, n° 59-64 *[*1940-1945*]*, 1946, p. 109.

(2) "Jusqu'à *Mithridate*, Racine se donne l'apparence de suivre le goût de l'époque ; après *Mithridate* il entend créer le goût" Th. MAULNIER, *Racine*, Paris, Gallimard, 1935, p. 266.

(3) A. ADAM, *Histoire de la littérature française du XVIIe s.*, t. IV, Paris, Domat/Del Duca, 1966, p. 370 : "Dans *Phèdre* certains artifices visaient à marquer jusque dans le détail la volonté de créer un monde de poésie et de légende. Racine s'attachait à des énumérations de noms propres aux consonances grecques, il citait des lieux célèbres du monde antique...".

Effectif des noms propres différents (et adjectifs dérivés)
dans les tragédies de Racine

	V(p)	Rang
La Thébaïde	19	1
Alexandre	25	2,5
Andromaque	31	4
Britannicus	34	5,5
Bérénice	34	5,5
Bajazet	25	2,5
Mithridate	41	7
Iphigénie	53	9
Phèdre	56	10
Esther	43	8
Athalie	65	11

On admet que le rang affecté à chaque pièce correspond à l'intensité relative de sa "couleur locale".

Il est indispensable de vérifier, avant tout autre calcul, que l'effectif des noms propres ne dépend pas de la longueur des pièces, sinon il faudrait abandonner les valeurs réelles pour des valeurs corrigées. Le coefficient de corrélation entre les rangs des pièces classées selon les effectifs des noms propres et selon les valeurs de N croissantes est de + 0,35. Il y a largement plus de 10 chances sur 100 pour qu'il soit dû au hasard : il n'y a pas de dépendance statistique entre les deux paramètres.

En revanche, avec les pièces rangées par ordre de richesse croissante du vocabulaire, le coefficient atteint la valeur de + 0,83, qui a une probabilité inférieure à 0,01 d'être obtenue par le seul jeu du hasard ; la corrélation est donc très forte : plus Racine souligne la couleur locale de ses pièces, plus leur vocabulaire est riche.

Avec les pièces rangées par ordre chronologique, le coefficient atteint + 0,90 ; on peut donc dire aussi que Racine accorde de plus en plus d'importance à la couleur locale à mesure que ses tragédies se suivent.

Dans les tragédies de Corneille, on observe aussi une bonne corrélation entre l'effectif des noms propres et la richesse du vocabulaire. Le coefficient s'établit + 0,66, valeur qui ne peut être atteinte par hasard qu'avec une probabilité p < 0,01 (1). Par contre, avec l'ordre chronologique, le coefficient n'est pas du tout significatif, p = - 0,07, ce qui permet d'avancer que les deux paramètres sont tout à fait indépendants.

Remarque sur une méthode probabiliste utilisée sur des effectifs calculés

M. Dubrocard (2) a imaginé un procédé qui permet d'utiliser une méthode probabiliste même lorsqu'on ne connaît pas les effectifs de toutes les classes de fréquence.

(1) Pour l'ensemble des 29 tragédies, le coefficient de Spearman atteint la valeur + 0,67 pour p < 0,01.

(2) M. DUBROCARD, "Calcul d'un vocabulaire théorique et distribution de Waring-Herdan", *Et. de ling. appliquée*, Nelle série, n° 6, 1972, pp. 6-18.

Il suffit de connaître les valeurs de N, V et V_1 afin de calculer une distribution théorique en se servant de la formule de Waring-Herdan. Puis on utilise les effectifs obtenus pour évaluer un vocabulaire théorique suivant la loi binomiale comme on le fait à l'aide d'effectifs réels.

L'étendue du vocabulaire a été chiffrée par confrontation des pièces deux à deux, la plus longue étant ramenée à la longueur de la plus courte. Par ailleurs on a calculé un intervalle de confiance dont l'amplitude correspond à 2 écarts types de part et d'autre de l'étendue théorique du vocabulaire de chaque pièce.

L'ordre des pièces est exactement le même que celui auquel on a abouti en utilisant les fréquences réelles. La seule différence porte sur un intervalle de confiance (*Pertharite* et *Bérénice*) qui est un bel exemple de cas limite :
- si l'on part des fréquences réelles, *Bérénice* est, de très peu, hors de l'intervalle de confiance de *Pertharite* (1) : *Pertharite* estimation V' = 1304, intervalle de confiance : de V'' = 1283 à V'' = 1325 ; *Bérénice* : V = 1281.
L'on est donc conduit à admettre que *Pertharite* est plus riche que *Bérénice* (avec un risque d'erreur de 5 pour 100).

- avec la formule de Waring-Herdan, l'intervalle de confiance se déplace de telle manière que *Bérénice* est, de justesse, dans l'intervalle de confiance : *Pertharite* estimation V' = 1303, intervalle de confiance : de V'' = 1281 à V'' = 1325 ; *Bérénice* : V = 1281.

Bérénice et *Pertharite* pourraient donc être considérés comme étant de richesse sensiblement équivalente.

Hormis cet intervalle de confiance, la méthode de M. Dubrocard aboutit sur nos données à une totale réussite. Cela n'a rien de surprenant. Elle doit nécessairement fournir de bonnes approximations lorsqu'elle est utilisée pour comparer des textes de longueurs voisines : dans ce cas en effet, c'est à partir de l'effectif réel de la fréquence 1 qu'on obtient par ce calcul l'essentiel des V'_0, voire la quasi-totalité, et les fréquences suivantes, qui sont calculées à l'aide de la formule de Waring-Herdan, n'en fournissent qu'une très faible part. Même si l'écart était grand entre les effectifs théoriques des fréquences supérieures à 1 et les effectifs réels, la qualité des résultats ne serait pas grandement affectée.

Compte tenu de son économie - elle exige peu de données - et de sa fidélité, cette méthode peut être très précieuse. On ne peut cependant pas l'appliquer à tous les textes car ses limites sont celles de la formule de Waring-Herdan (2).

Remarques sur *Phèdre* et le récit de Théramène

Phèdre, on le sait, est la tragédie profane la plus riche lexicalement et le récit de Théramène en est le passage dont le vocabulaire semble a priori le plus varié. On peut se demander ce qu'il adviendrait de la richesse de cette tragédie si ce passage en était exclu.

─────────────────────────────

(1) Tous les chiffres sont arrondis ; il serait absurde de conserver des décimales en parlant d'effectifs de vocables.

(2) Voir chapitre X.

Le récit de Théramène occupe 93 alexandrins de la scène 6 de
l'acte V, plus précisément les vers 1498 à 1570 et 1574 à 1593. On y dénom-
bre 795 mots et 341 vocables, dont 71 n'apparaissent pas dans le reste de
la pièce. Cet effectif élevé d'hapax est évidemment dû au caractère fabuleux
des événements rapportés. Le vocabulaire, comparé à celui de textes de longueur voisine et de richesse moyenne paraît assez étendu : il est plus riche
que celui du rôle de Pridamant dans l'*Illusion comique* (N = 913, V = 328) (1),
plus riche que celui du rôle de Bartholo dans le *Mariage de Figaro* de
Beaumarchais (N = 790, V = 311) (2).

Comparé au prologue d'*Esther* (N = 603, V = 286) il apparaît d'une
richesse presque équivalente. En effet la formule binomiale fournit, pour le
récit de Théramène réduit à la même longueur, une estimation de 280 vocables,
soit après le calcul de l'intervalle de confiance :

Estimation du récit de Théramène
réduit

266,5 ◄——————————— 280 ·············——► 293,5

286
Prologue d'*Esther*
(effectif réel)

Le prologue d'*Esther* se situe donc dans la zone d'indétermination
et peut être considéré comme d'une richesse très voisine de celle du récit de
Théramène.

Pour la pièce les chiffres obtenus sont les suivants :

	Avec		Sans
	le récit de Théramène		
N	14415	- 795	13620
V	1642	- 71	1571

Si, au lieu d'exclure le récit de Théramène, on avait tiré au
hasard 795 mots dans toute la pièce, le nombre de vocables éliminés aurait
été nettement moindre. On obtient les estimations suivantes :

Estimation

1590 ◄——————— 1606 ———————► 1622

1571		1642
Phèdre sans le		*Phèdre* avec le
récit de Théramène		récit de Théramène
(effectif réel)		(effectif réel)

Ces chiffres donnent en quelque sorte la mesure de la singularité
du vocabulaire employé par Théramène : l'effectif réel (1571) est largement
en dehors de l'intervalle de confiance calculé autour de l'effectif théorique
(1606). On peut dire que sur 71 hapax qui apparaissent dans le récit, il y en
a entre 19 et 41 que l'hypothèse nulle ne permettait pas de prévoir, soit une
proportion qui varie entre le tiers et la moitié.

---

(1) Chiffres tirés de Ch. MULLER, *Essai*... p. 64.

(2) Chiffres tirés de N. MUSSO, *Etude statistique du vocabulaire du Mariage de
Figaro de Beaumarchais*, thèse dactylographiée, Strasbourg, 1970, p. 6.

La pièce tronquée est donc, comme on pouvait s'y attendre, significativement moins riche que la pièce intégrale. Il faut noter cependant que dans le classement des pièces selon la richesse de leur vocabulaire, *Phèdre* occupe la même place, qu'elle soit tronquée ou non. Comparée à *Pompée* qui la suit immédiatement dans le classement des 29 tragédies par ordre de richesse décroissante, on obtient l'estimation suivante : *Pompée* estimation V' = 1511, intervalle de confiance : de V'' = 1498 à V'' = 1524 ; *Phèdre* : V = 1571 sans le récit de Théramène.

Même sans le récit de Théramène, *Phèdre* reste plus riche que *Pompée*.

3. Les parties lyriques et dramatiques des tragédies sacrées

Comme notre dépouillement nous le permet, nous analyserons aussi les variations de la richesse du vocabulaire à l'intérieur même des tragédies sacrées.

On compare entre eux les quatre sous-ensembles lyriques et dramatiques.

– Parties dramatiques : D(*Esth*) et D(*Ath*).
D(*Ath*) : estimation V' = 1440, intervalle de confiance de V'' = 1409 à V'' = 1472 ; D(*Esth*) : V = 1356.
On conclut que les parties dramatiques d'*Athalie* sont plus riches que celles d'*Esther*.

– Parties lyriques : L(*Esth*) et L(*Ath*).
L(*Esth*) : estimation V' = 620, intervalle de confiance de V'' = 601 à V'' = 638 ; L(*Ath*) : V = 566.
On conclut que les passages lyriques d'*Esther* sont plus riches que ceux d'*Athalie*.

– D(*Esth*) et L(*Esth*).
D(*Esth*) : estimation V' = 771, intervalle de confiance de V'' = 735 à V'' = 808 ; L(*Esth*) : V = 722.
On conclut que, dans *Esther*, les parties dramatiques sont plus riches que les parties lyriques.

On a donc une série d'inégalités :

$$D(Ath) > D(Esth) > L(Esth) > L(Ath)$$

Les passages dramatiques sont plus riches que les passages lyriques ; on ne saurait cependant déduire de cette unique observation que la différence de richesse lexicale entre les deux genres est un phénomène constant et inéluctable.

Il est possible d'apporter quelques éclaircissements sur les causes de la pauvreté relative des passages lyriques. Dans un texte, le vocabulaire se renouvelle et s'accroît d'autant moins que le taux de répétition des vocables est plus élevé ; c'est la répétition continuelle des mêmes vocables qui fait stagner V quand N croît.

La répétition en tant que figure d'élocution est fréquemment employée dans la poésie lyrique ; elle l'est aussi dans les développements oratoires et à ce titre elle peut apparaître dans la partie dramatique des tragédies mais presque toujours sous la forme de l'anaphore. Dans les passages lyriques, elle est plus sensible quantitativement parce qu'elle porte sur des vers entiers ou des séquences de vers - jusqu'à des quatrains dans les tragé-dies sacrées - qui reviennent en leitmotiv ou en refrain.

On a tenté de ramener L(*Esth*) et L(*Ath*) à leur "longueur utile" (1) en retranchant certaines répétitions. Toutes les répétitions de séquences for-mant un tout au point de vue rythmique (un vers), sémantique et syntaxique (un énoncé complet = une proposition) ont été éliminées. De cette manière, toutes les séquences anaphoriques, quelle qu'en soit la longueur, ont été conservées ; par exemple le vers 344 d'*Esther* n'a pas été éliminé parce qu'il ne constitue pas à lui seul un énoncé complet.

<blockquote>
340 Où donc est-il ce Dieu si redouté
     Dont Israël nous vantait la puissance ?
342 *Ce Dieu jaloux, ce Dieu victorieux,*
     Frémissez, peuples de la terre,
344 *Ce Dieu jaloux, ce Dieu victorieux,*
     Est le seul qui commande aux cieux.
</blockquote>

Nous appelons R(*Esth*) et R(*Ath*) l'ensemble des réductions de chaque pièce, LR(*Esth*) et LR(*Ath*) les ensembles lyriques réduits :

	N	V
L(*Esth*)	2811	722
R(*Esth*)	- 299	
LR(*Esth*)	2512	722
L(*Ath*)	2138	566
R(*Ath*)	- 227	
LR(*Ath*)	1911	566

On a vu que L(*Esth*) était plus pauvre que D(*Esth*).
En comparant LR(*Esth*) et D(*Esth*) on obtient : D(*Esth*) : estimation V' = 721, intervalle de confiance de V'' = 684 à V''' = 758 ; LR(*Esth*) : V = 722.
En comparant LR(*Ath*) et D(*Esth*) on obtient : D(*Esth*) : estimation V' = 610, intervalle de confiance de V'' = 573 à V''' = 647 ; LR(*Ath*) : V = 566.

Par conséquent   D(*Esth*) ≃ LR(*Ath*)
On sait que   : D(*Ath*) ⟩ D(*Esth*)
Donc   : D(*Ath*) ⟩ LR(*Ath*)

Pour *Esther*, le résultat obtenu dépasse toute espérance, puisque l'application de la formule binomiale sur les données de D(*Esth*) fournit un nombre de vocables qui équivaut presque à l'effectif réel de LR(*Esth*) : la différence n'est que d'une unité. On doit donc admettre que, lorsque certaines différences de style sont neutralisées, le vocabulaire de la pièce est d'une richesse constante. Dans *Athalie*, au contraire, la langue des choeurs reste plus pauvre que celle des passages dramatiques malgré la suppression des occur-rences répétées.

---

(1) Il s'agit bien entendu d'une fiction quantitative (!) ; par "longueur utile" nous entendons "longueur de texte suffisante pour apporter les mêmes infor-mations dans un style non lyrique".

La différence provient, les commentateurs l'ont souvent noté (1),
du fait que Racine n'a pas usé du choeur de la même manière dans ses deux tragédies bibliques. Dans *Esther* le choeur est intégré à la tragédie aussi bien
pour la forme que pour le fond. Il apparaît à la fin de chaque acte et surtout,
par deux fois, au milieu d'un acte (2) ; en outre, il participe à l'action sur
le même plan et dans une certaine mesure au même titre que les protagonistes.
On comprend donc qu'il puisse apporter des vocables nouveaux comme n'importe
quel personnage de la pièce, parce qu'il ne fait pas que reprendre, en les
commentant, les épisodes de l'action.

Dans *Athalie* le choeur reste en retrait de l'action. Il n'intervient qu'entre les actes afin que la scène ne reste jamais vide. Sur le plan
du contenu on observe qu'il développe surtout des thèmes universels, ce qui
ne contribue pas à apporter un grand nombre de vocables inutilisés dans la
partie dramatique.

4. Racine et Corneille

La sobriété du vocabulaire de Racine a souvent été opposée à la
richesse de celui de Corneille.

Hormis deux études récentes (3), toutes les comparaisons d'ensemble
qui ont été faites jusqu'ici reposaient soit uniquement sur l'intuition, soit
sur des dénombrements ne tenant pas compte de tous les mots. C'est avec la
certitude d'apporter une réponse plus précise - car nous disposons de dépouillements exhaustifs - que nous abordons le fameux parallèle.

Il est raisonnable de ne comparer que ce qui est directement comparable. Par conséquent on ne confrontera pas le vocabulaire tragique de Racine
à celui de toute l'oeuvre de Corneille, mais seulement à celui de ses 18 tragédies :

---

(1) Voir notamment M. EIDELDINGER, *La mythologie solaire dans l'oeuvre de Racine*,
    Neuchatel, Faculté des Lettres/Genève, Droz, 1969, p. 13 et O. de MOURGUES,
    Autonomie de Racine, Paris, José Corti, 1967, p. 126.

(2) Acte I, scène 2 et acte III, scène 3.

(3) Ch. BERNET "La richesse lexicale de la tragédie classique : Corneille et
    Racine", *Le Français Moderne*, t. XLVI, n° 1, 1978, pp. 44-53.

    D. DUGAST, *Vocabulaire et discours. Essai de lexicométrie organisationnelle*,
    Genève, Slatkine, 1979, pp. 65-82.
    Dans cet article stimulant, D. Dugast remet en question nos conclusions de
    1978. Cependant son étude est insatisfaisante dans sa technique et dans son
    objet. Ce n'est pas le lieu ici de s'étendre sur la technique. En ce qui
    concerne les termes de la comparaison, il ne nous paraît pas légitime d'oppo-
    ser l'ensemble de l'oeuvre théâtrale de Corneille aux oeuvres tragiques seu-
    les de Racine. Cette attitude va à l'encontre des réalités historico-litté-
    raires d'une part - la distinction des genres est au centre des débats sur
    le théâtre au XVIIe siècle et l'on ne peut méconnaître sans dommage des dé-
    marcations qui étaient des contraintes pour les auteurs - et quantitatives
    d'autre part - l'*Essai* et l'*Etude* de Ch. Muller ont clairement mis en évi-
    dence la variation des caractères statistiques en fonction des genres. Nos
    conclusions d'hier restent inchangées aujourd'hui.

	N	V
18 tragédies de Corneille	303 353	4019
11 tragédies de Racine	- 158 899	- 3263
	144 454	756

Corneille : estimation V' = 3474, intervalle de confiance de V'' = 3431 à V'' = 3517 ; Racine V = 3263.

L'écart entre l'estimation d'après Corneille et l'effectif réel de Racine est de 211 vocables. L'ensemble des 18 tragédies de Corneille paraît donc nettement plus riche que l'ensemble des tragédies de Racine.

Comme les deux tragédies bibliques présentent certaines particularités d'inspiration et de style, on peut juger utile de les exclure pour procéder à une autre comparaison.

	N	V
Corneille	303 353	4 019
Racine	- 132 225	2 867
	171 128	1 152

Corneille : estimation V' = 3323, intervalle de confiance de V'' = 3299 à V'' = 3347 ; Racine V = 2867.

Ici l'écart est beaucoup plus grand (456 vocables).

On pourrait être tenté d'expliquer la différence de richesse entre les deux oeuvres par le rôle du temps : Racine a écrit ses tragédies profanes en 13 ans à peu près (*La Thébaïde* 1664 - *Phèdre* 1677) ; la carrière tragique de Corneille est plus longue, soit une quarantaine d'années (*Médée* 1635 - *Suréna* 1674).

Afin de neutraliser la chronologie, c'est-à-dire l'évolution personnelle des auteurs et surtout la transformation du genre tragique, il faut effectuer une comparaison en synchronie. On prend donc d'une part les 7 tragédies de la "dernière période" de Corneille (*Oedipe, Sertorius, Sophonisbe, Othon, Agésilas, Attila* et *Suréna*) et d'autre part les 9 tragédies profanes de Racine.

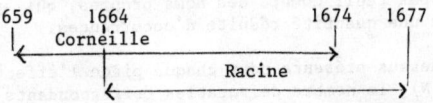

Les deux séries ne sont pas rigoureusement synchrones, mais elles ont l'avantage de former chacune un ensemble complet et cohérent.

	N	V
Corneille	121 024	2 930
Racine	132 225	2 867
	- 11 201	+ 63

L'ensemble le plus long (Racine), constitué du vocabulaire de
9 pièces, contre 7 pour Corneille, comporte le nombre de vocables le plus
faible. On est en droit de conclure, sans qu'il soit nécessaire de faire
d'autres calculs, qu'en synchronie, le vocabulaire de Corneille est plus
riche que celui de son jeune rival.

5. Richesse en substantifs et en adjectifs

Afin de compléter l'analyse de la richesse du vocabulaire, on étu-
diera maintenant la richesse en substantifs et en adjectifs – dans les pièces
de Racine uniquement. Les substantifs et les adjectifs fournissent l'essentiel du vocabulaire de n'importe quel texte et déterminent presqu'à eux seuls
la richesse lexicale. Il n'a donc pas semblé indispensable d'examiner les
autres classes de mots. La classe des verbes, qui aurait pu faire l'objet du
même traitement en raison de son importance quantitative, a été écartée parce
que la norme de dépouillement ne permettait pas d'attendre des résultats indiscutables : l'effectif des verbes est surévalué car, on l'a vu, il englobe
indifféremment des occurrences d'auxiliaires et de verbes à sens plein.

Calcul de la richesse en adjectifs et en substantifs

Données

	Substantifs			Adjectifs		
	N	V	V_1	N	V	V_1
La Thébaïde	2164	451	175	673	193	88
Alexandre	2197	443	167	618	174	70
Andromaque	2137	441	158	504	166	78
Britannicus	2373	571	223	585	213	110
Bérénice	2003	458	189	581	177	87
Bajazet	2245	494	185	741	216	91
Mithridate	2256	503	189	728	215	105
Iphigénie	2537	544	215	696	205	86
Phèdre	2414	592	242	905	292	135
Esther	2148	629	277	735	253	110
Athalie	2840	702	304	916	281	118

Les substantifs

Dans les calculs qui suivent, cette classe contient uniquement
les noms communs. Comme il s'agit de traiter de l'extension du vocabulaire,
on a pris le parti de ne pas tenir compte des noms propres, qui apportent
beaucoup de vocables pour une quantité réduite d'occurrences.

Le tableau ci-dessus présente pour chaque pièce l'effectif total
des substantifs (colonne N), le nombre de vocables correspondants (V), le
nombre de substantifs de fréquence 1 (V_1).

Le classement des pièces selon les valeurs de N (substantifs) ne
correspond pas à celui qu'on obtient avec N (toutes catégories comprises).

Classement des 11 pièces selon les valeurs
de N décroissantes

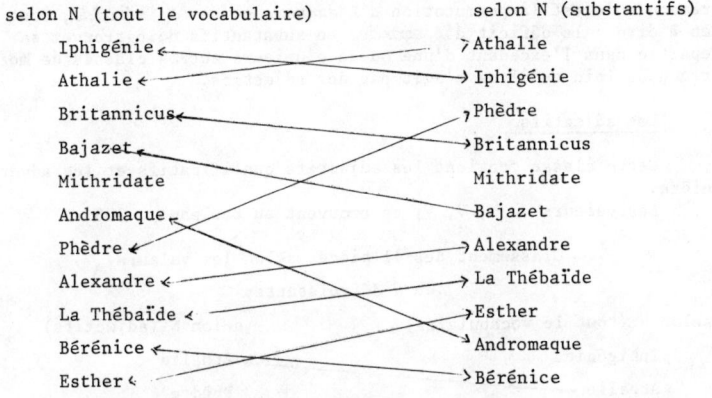

selon N (tout le vocabulaire)   selon N (substantifs)

Coefficient de corrélation de Spearman   + 0,79
Probabilité du hasard < 0,01

Par conséquent la proportion des substantifs varie nettement d'une
pièce à l'autre. Le classement selon N (substantifs) avantage sans aucune
exception les pièces plus riches que leurs voisines de rang, et inversement
pour les plus pauvres. *Athalie* passe avant *Iphigénie*, *Esther* avant *Andromaque*
et *Bérénice*, *Phèdre* avant *Britannicus*, *Mithridate*, *Bajazet* et *Andromaque* ;
Andromaque tombe du sixième au dixième rang, derrière *Phèdre*, *Alexandre*, *La
Thébaïde* et *Esther*. La richesse du vocabulaire est donc, de toute évidence,
liée au poids des occurrences de substantifs. Et cela malgré un coefficient
de corrélation peu significatif : entre les classements selon la richesse du
vocabulaire et selon N (substantifs) il n'atteint en effet que la valeur
+ 0,57, avec environ 5 chances sur 100 d'être obtenu par hasard.

En ce qui concerne la richesse en substantifs, la méthode probabiliste assortie du calcul des intervalles de confiance autorise le classement
suivant, qu'on oppose à celui de la richesse proprement dite :

Richesse (tout le vocabulaire)   Richesse en substantifs

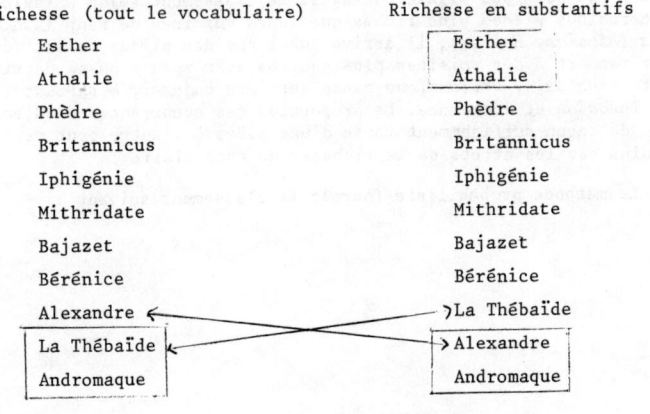

Coefficient de corrélation de Spearman + 0,98 ; p < 0,01

Les divergences entre les deux classements sont minimes. Le seul fait remarquable est la permutation d'*Alexandre* et de *La Thébaïde*, dont il y a peu à dire : le déficit d'*Alexandre* en substantifs doit trouver sa contrepartie dans l'excédent d'une ou de plusieurs autres classes de mots. On verra plus loin qu'il ne s'agit pas des adjectifs.

Les adjectifs

Cette classe contient les adjectifs qualificatifs et les adverbes de manière.
Les valeurs de N, V, V_1 se trouvent au tableau p. 106.

Classement des 11 pièces selon les valeurs

de N décroissantes

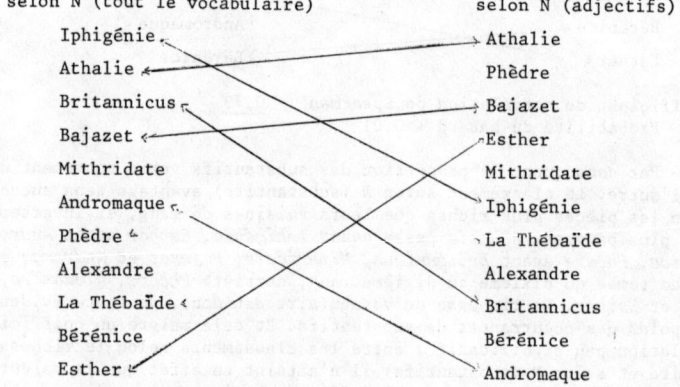

selon N (tout le vocabulaire)   selon N (adjectifs)

selon N (tout le vocabulaire)	selon N (adjectifs)
Iphigénie	Athalie
Athalie	Phèdre
Britannicus	Bajazet
Bajazet	Esther
Mithridate	Mithridate
Andromaque	Iphigénie
Phèdre	La Thébaïde
Alexandre	Alexandre
La Thébaïde	Britannicus
Bérénice	Bérénice
Esther	Andromaque

Coefficient de corrélation de Spearman + 0,33

Les divergences sont plus importantes que pour les substantifs. Ici le coefficient de corrélation a plus de 10 chances sur 100 d'être dû au hasard. Il n'est donc pas significatif. Si le classement selon N (adjectifs) avantage certaines pièces plus riches que leurs voisines de rang (*Athalie*, *Phèdre*, *La Thébaïde*, *Esther*), il arrive aussi que des pièces soient désavantagées par rapport à des voisines plus pauvres : *Iphigénie* passe derrière *Bajazet* et *Mithridate*, *Britannicus* passe derrière *Bajazet*, *Mithridate*, *Iphigénie*, *La Thébaïde* et *Alexandre*. La proportion des occurrences d'adjectifs varie donc de façon suffisamment forte d'une pièce à l'autre pour neutraliser dans certains cas les effets de la richesse du vocabulaire.

La méthode probabiliste fournit le classement suivant :

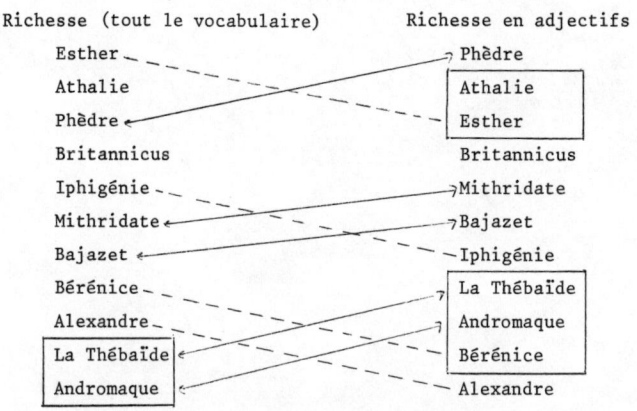

Coefficient de corrélation + 0,90 ; p < 0,01

La corrélation entre la richesse proprement dite et la richesse
en adjectifs est très forte malgré des divergences qui méritent quelques
commentaires :

- les tragédies bibliques se placent après *Phèdre*. L'étude du
vocabulaire caractéristique d'*Esther* et d'*Athalie* permet de montrer que
c'est la classe des substantifs qui comporte, toutes choses égales d'ailleurs, la plus grande proportion de vocables originaux. La richesse exceptionnelle de ces pièces ne semble donc pas provenir du nombre ou de la
variété des adjectifs qui y apparaissent. Quant à *Phèdre*, on a vu qu'elle
était avantagée par rapport à d'autres tragédies en occurrences d'adjectifs,
il n'est donc pas surprenant qu'elle le soit aussi en vocables. Dans le
vocabulaire caractéristique absolu de *Phèdre*, on relève 37 % d'adjectifs,
alors que les pourcentages correspondants dans *Esther* et *Athalie* ne sont
que de 19 % et 15 %.

- *Iphigénie* passe derrière *Mithridate* et *Bajazet*, pièces par
rapport auxquelles elle est également désavantagée sur le plan des occurrences d'adjectifs. Dans le vocabulaire caractéristique absolu d'*Iphigénie*
on ne rencontre que 15 % d'adjectifs, alors qu'il y en a respectivement
26 % et 35 % dans *Mithridate* et *Bajazet*. *Iphigénie* marque donc une chute de
la richesse en adjectifs par rapport aux pièces qui la précèdent immédiatement dans la chronologie.

- *Alexandre*, déjà déficitaire en substantifs, est la pièce la plus
pauvre en adjectifs puisque *La Thébaïde* et *Andromaque* passent devant elle.
On a vu au tableau de la p. 108 que *La Thébaïde* était déjà favorisée sur le
plan des occurrences, les deux variations vont dans le même sens et se confirment réciproquement. En revanche *Andromaque* y était désavantagée : l'écart
observé ici est donc inattendu, il indique que dans cette pièce les adjectifs sont relativement variés bien que le nombre de leurs occurrences soit
des plus réduits.

CHAPITRE VIII

L'ACCROISSEMENT DU VOCABULAIRE

Alors que jusqu'ici le vocabulaire n'a été analysé que dans son aspect statique, l'étude de l'accroissement va permettre d'introduire un point de vue dynamique car la quantité de vocables y est envisagée dans son devenir.

Pour étudier l'accroissement il faut disposer d'un corpus fragmenté ou discontinu : suite de textes appartenant à un tout ou fragments successifs d'un même texte. Dans un tel corpus on peut observer l'accroissement du vocabulaire seul ou cumulé. L'accroissement du vocabulaire d'un texte ou d'une partie de texte correspond au nombre de vocables qui y apparaissent pour la première fois ; l'accroissement cumulé correspond au nombre total des vocables employés dans la partie allant du début du corpus jusqu'à la fin du texte ou fragment considéré.

1. Trois pièces : *Andromaque*, *Mithridate* et *Phèdre*

Le tableau p.112 fournit les données relatives à trois pièces de Racine tirées de plusieurs travaux inédits (1). Chacune a été divisée en tranches successives de 100 vers (2). On observe que l'accroissement a tendance à s'amenuiser graduellement à mesure qu'on s'approche de la fin du texte ; le vocabulaire cumulé, quant à lui, ne peut et ne fait que croître. Le graphique p. 113 complète ce tableau et matérialise les courbes de l'accroissement cumulé des trois tragédies, dont il fait apparaître les divergences.

On constate que dans *Phèdre* le vocabulaire s'accroît plus vite que dans les deux autres pièces dès la première tranche, la suite confirmant et amplifiant cette tendance ; les chiffres de l'accroissement proprement dit y sont la plupart du temps les plus forts, et à longueur égale le vocabulaire (cumulé) y est toujours plus étendu que dans *Andromaque* ou *Mithridate*. Le vocabulaire de *Mithridate* croît plus lentement que celui d'*Andromaque* pendant les 200 premiers vers de la pièce, c'est-à-dire, en gros, dans les deux premières scènes. A la fin de la troisième tranche le nombre de vocables employés de part et d'autre est le même : dans cette tranche l'accroissement est donc plus rapide dans *Mithridate*, dont le vocabulaire cumulé surpasse ensuite définitivement celui d'*Andromaque*.

Pour apprécier l'accroissement de chaque courbe, il faut recourir à un modèle théorique.

---

(1) Ch. FENNINGER, *Analyse statistique du vocabulaire d'Andromaque*, mémoire dactylographié, Strasbourg, 1970, 57 p.

Gh. LIEM, *Analyse statistique du vocabulaire de Mithridate*, mémoire dactylographié, Strasbourg, 1975, 50 p.

N. MENARD, *Analyse statistique du vocabulaire de Phèdre*, mémoire dactylographié, Strasbourg, 1970, 77 p.

(2) Il n'est pas tenu compte des dernières tranches d'*Andromaque* et de *Phèdre* qui ont respectivement 48 et 54 vers. Par contre, la 17e tranche de *Mithridate* qui a 98 vers, est considérée comme une tranche complète.

Accroissement du vocabulaire (noms propres ·exclus)

Tranche	ANDROMAQUE (1648 vers)		MITHRIDATE (1698 vers)		PHEDRE (1654 vers)	
	Accr.	vocab. cumulé	Accr.	vocab. cumulé	Accr.	vocab. cumulé
1	321	321	310	310	333	333
2	153	474	151	461	207	540
3	109	583	122	583	143	683
4	74	657	83	666	107	790
5	80	737	89	755	113	903
6	51	788	64	819	89	992
7	64	852	66	885	77	1069
8	48	900	71	956	66	1135
9	38	938	100	1056	59	1194
10	52	990	51	1107	54	1248
11	35	1025	41	1148	64	1312
12	40	1065	37	1185	53	1365
13	26	1091	33	1218	41	1406
14	44	1135	35	1253	48	1454
15	40	1175	45	1298	40	1494
16	32	1207	41	1339	75	1569
17	(23)	(1230)	21	1360	(11)	(1580)

C'est la loi binomiale qui permettra, ici aussi, de rendre compte du rapport entre la grandeur de V et la longueur du texte. Les valeurs de V'_0 étant calculées pour différentes longueurs, on en tire les valeurs théoriques, d'abord du vocabulaire cumulé, et, par soustraction, de l'accroissement seul. On peut alors, d'une part construire une courbe théorique du vocabulaire cumulé, d'autre part mesurer l'écart entre l'accroissement observé et l'accroissement calculé.

Les courbes théoriques relatives aux trois pièces de Racine (voir infra) surpassent toujours les valeurs réelles sauf à trois moments où elles sont déficitaires : dans les premières tranches d'*Andromaque* et dans les dernières tranches de *Mithridate* et de *Phèdre*. La courbe théorique donne surtout la possibilité d'embrasser le mouvement de l'accroissement de manière globale. On indiquera donc succinctement que dans *Andromaque*, par rapport à l'ensemble de la pièce, l'apport lexical cumulé est relativement fort au début et accuse un recul définitif dès la troisième tranche. Dans *Mithridate* et dans *Phèdre*, au contraire, il faut attendre les dernières tranches pour que l'apport réel en vocables originaux permette au vocabulaire cumulé d'égaler et de dépasser les valeurs calculées.

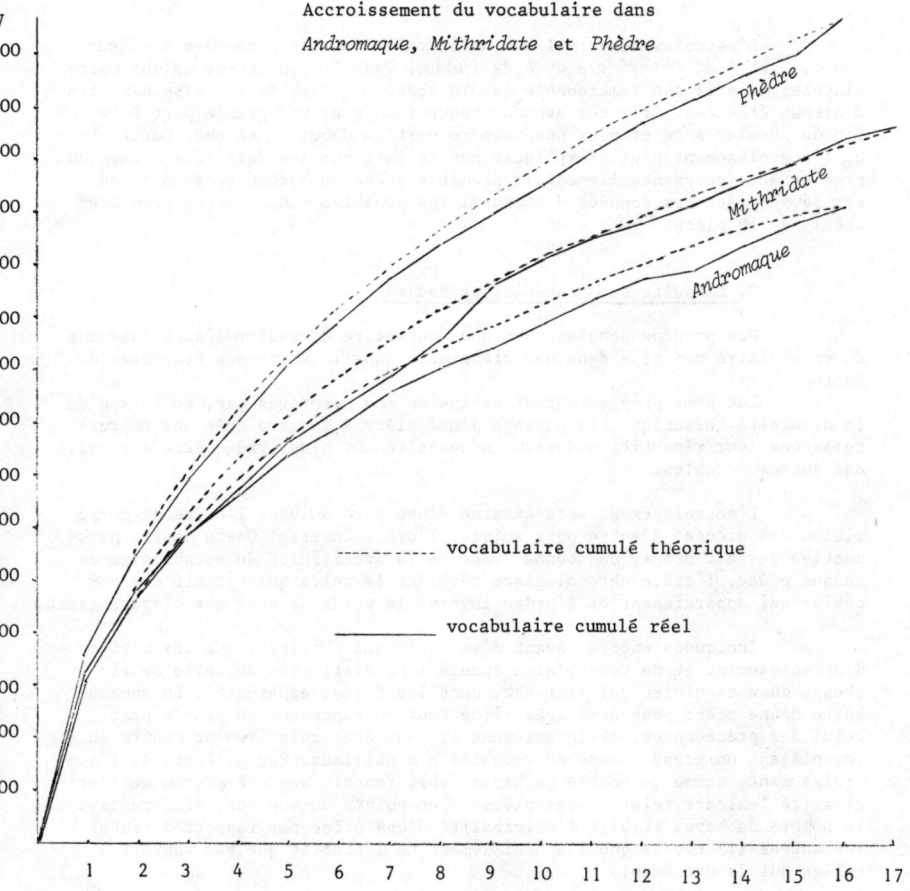

Accroissement du vocabulaire dans
Andromaque, *Mithridate* et *Phèdre*

---------- vocabulaire cumulé théorique

_____ vocabulaire cumulé réel

Ce qui mérite un examen un peu plus détaillé, en revanche, c'est
l'accroissement réel tranche par tranche. Les auteurs des trois recherches
sur ces tragédies ont déterminé quelles étaient les tranches dans lesquelles
l'accroissement était nettement différent de ce que l'on pouvait attendre
si le hasard seul était en jeu.

L'accroissement réel est excédentaire dans les tranches 14 et 15
d'*Andromaque*, 8 et 9 de *Mithridate* et 16 de *Phèdre*. Les passages où l'apport
lexical est beaucoup plus important que prévu sont de grandes tirades, le
plus souvent des monologues : la 15e tranche d'*Andromaque* correspond au récit du mariage de Pyrrhus par Hermione et la 16e tranche de *Phèdre* au récit
de Théramène. Dans les 8e et 9e tranche de *Mithridate* le roi du Pont fait
un bilan politique et expose son projet d'attaquer Rome ; dans la 14e tranche d'*Andromaque*, Hermione, partagée entre l'amour et la haine, analyse
l'attitude de Pyrrhus à son égard. Mais plus que la forme c'est le contenu
qui est déterminant : tous ces passages, même la 14e tranche d'*Andromaque*,
sont descriptifs ou narratifs, c'est probablement cela qui provoque l'afflux
de mots nouveaux.

L'accroissement réel est déficitaire dans les tranches 4 d'*Andro-maque*, 2 et 4 de *Mithridate* et 4 de *Phèdre*. Peut-être n'est-ce qu'une coïn-cidence, mais il est remarquable que la tranche 4 soit déficitaire dans les 3 pièces étudiées. Elle correspond chaque fois pour une grande part à la fin du premier acte et pour une moindre part au début du second. Cette chute de l'accroissement peut s'expliquer par le fait que les dernières scènes du premier acte et éventuellement la première scène du second reprennent en les développant les données - et aussi les vocables - des toutes premières scènes de la pièce.

2. La suite des tragédies de Racine

Nos propres données vont nous permettre d'étudier l'accroissement du vocabulaire non plus dans une pièce mais dans la suite des tragédies de Racine.

Les noms propres seront exclus de nos comptages car, en raison de la diversité thématique, le passage d'une pièce à l'autre crée une rupture telle que leur répartition devient nécessairement plus irrégulière que celle des autres vocables.

L'accroissement sera examiné d'une part suivant l'ordre de compo-sition des pièces, d'autre part suivant l'ordre inverse. Cette double pers-pective devrait donner une bonne image de la spécificité du vocabulaire de chaque pièce, l'ordre chronologique révélant le poids quantitatif des vo-cables qui apparaissent et l'ordre inverse le poids de ceux qui disparaissent.

Indiquons encore, avant d'en venir aux chiffres, que les notions d'accroissement et de vocabulaire cumulé sont distinctes de celle de ri-chesse du vocabulaire qui leur est, dans les faits, apparentée. Le vocabu-laire d'une pièce peut être très riche tout en reprenant en grande partie celui des précédentes, et inversement il peut être relativement pauvre en fournissant un grand nombre de vocables non utilisés. Par ailleurs si l'ac-croissement, comme le nombre de hapax (Vh), fournit une estimation de l'ori-ginalité lexicale relative des pièces, les points de vue sont différents : le nombre de hapax établit l'originalité d'une pièce par rapport à toutes les autres (1) tandis que l'accroissement ne l'établit que par rapport à celles qui la précèdent.

Les tableaux de données p. 115 fournissent, pour la suite des tragédies dans l'ordre chronologique et dans l'ordre inverse, les valeurs réelles et théoriques du vocabulaire cumulé et de l'accroissement par pièce. L'écart réduit qui sera utilisé plus loin donne la possibilité de classer les pièces selon leurs déviations par rapport aux effectifs théoriques.

Pour le vocabulaire cumulé les valeurs réelles sont toutes infé-rieures aux valeurs théoriques lorsque les pièces sont classées selon l'or-dre chronologique (2). L'écart négatif entre les courbes (graphique p. 116),

---

(1) Les hapax seront étudiés au chapitre IX.

(2) Cela est vrai lorsque l'accroissement théorique est calculé pour toutes les pièces, mais aussi lorsqu'il l'est seulement pour les 9 tragédies profanes.

Accroissement du vocabulaire (ordre chronologique)

	N		V					
	cum	cum réel	cum théo	accr réel	accr théo	écart	écart réduit	r
La Thébaïde	13828	1225	1506	1225	1506	- 281	(-) 10,38	1
Alexandre	27735	1596	1914	371	408	- 37	(-) 1,97	4
Andromaque	42821	1799	2168	203	254	- 51	(-) 3,35	2
Britannicus	58252	2082	2349	283	181	+ 102	(+) 7,83	8
Bérénice	71513	2182	2469	100	120	- 20	(-) 1,86	5
Bajazet	86848	2284	2583	102	114	- 12	(-) 1,15	6
Mithridate	101992	2355	2677	71	94	- 23	(-) 2,41	3
Iphigénie	117810	2448	2760	93	83	+ 10	(+) 1,11	7
Phèdre	132225	2616	2827	168	67	+ 101	(+) 12,48	9
Esther	143394	2772	2873	156	46	+ 110	(+) 16,35	11
Athalie	158899	2931	2931	159	58	+ 101	(+) 13,40	10

Accroissement des vocables de fréquence 1

	noms communs	noms propres	total
La Thébaïde	431	4	435
Alexandre	445	10	455
Andromaque	442	15	457
Britannicus	497	25	522
Bérénice	492	36	528
Bajazet	478	45	523
Mithridate	457	51	508
Iphigénie	449	63	512
Phèdre	500	82	582
Esther	543	92	635
Athalie	569	111	680

Accroissement du vocabulaire (ordre inverse à la chronologie)

	N		V					
	cum	cum réel	cum théo	accr réel	accr théo	écart	écart réduit	r
Athalie	15505	1677	1561	1677	1561	+ 116	(+) 4,29	11
Esther	26674	2066	1882	389	321	+ 68	(+) 4,02	10
Phèdre	41089	2383	2140	317	258	+ 59	(+) 3,85	9
Iphigénie	56907	2514	2333	131	193	- 62	(-) 4,62	3
Mithridate	72051	2597	2472	83	139	- 56	(-) 4,87	2
Bajazet	87386	2683	2586	86	114	- 28	(-) 2,68	6
Bérénice	100647	2740	2668	57	82	- 25	(-) 2,79	5
Britannicus	116078	2833	2750	93	82	+ 11	(+) 1,23	8
Andromaque	131164	2858	2820	25	70	- 45	(-) 5,44	1
Alexandre	145071	2896	2879	38	59	- 21	(-) 2,92	4
La Thébaïde	158899	2931	2931	35	52	- 17	(-) 2,38	7

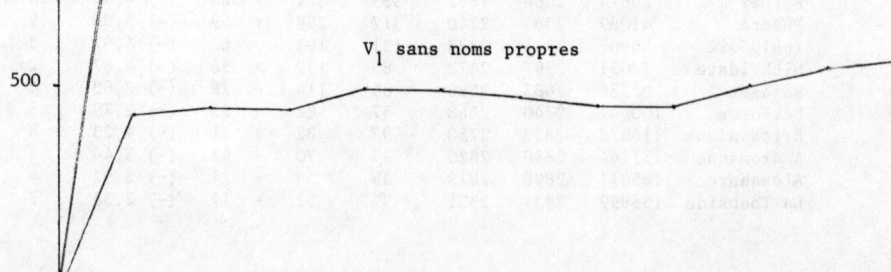

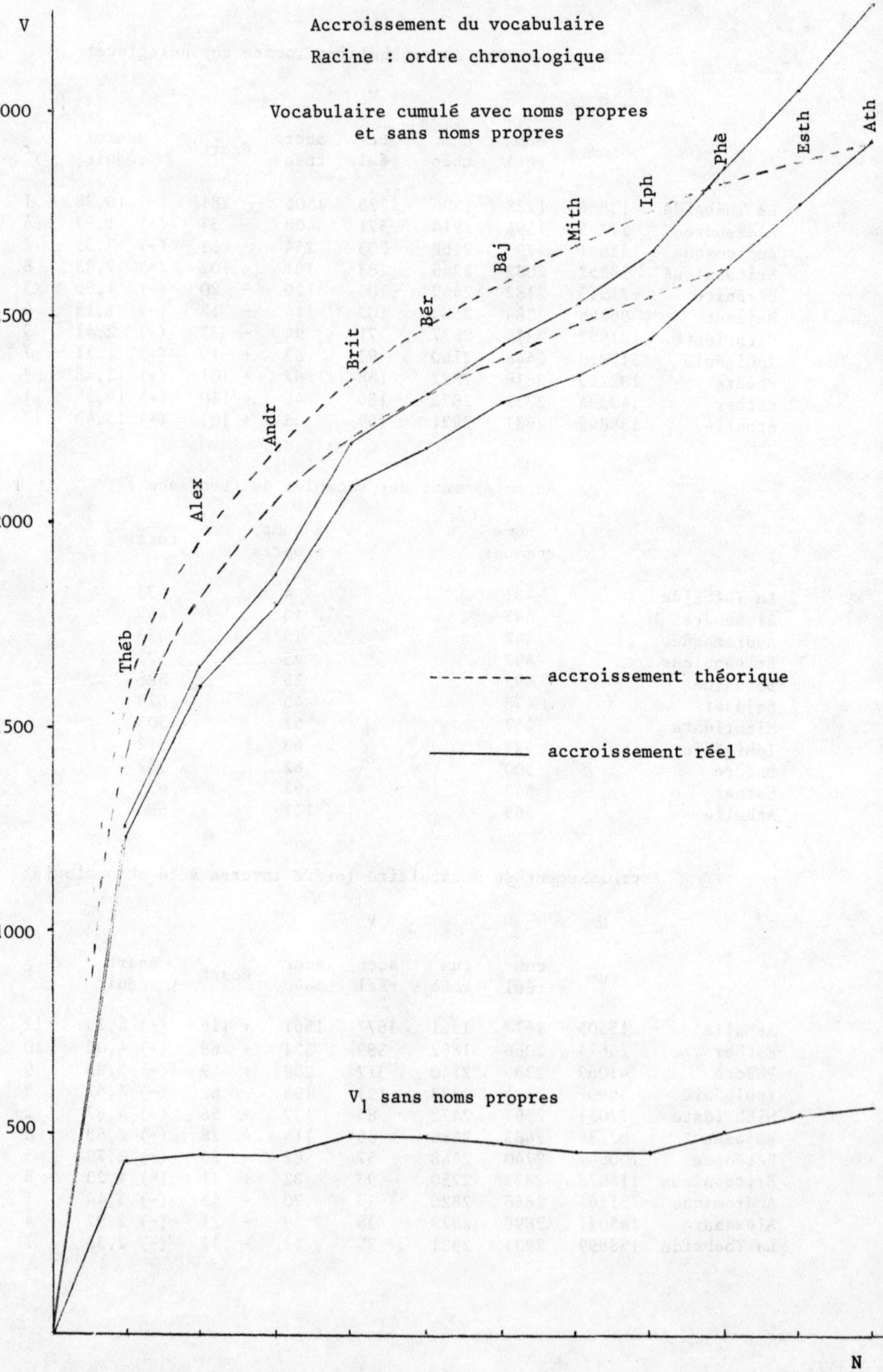

Accroissement du vocabulaire
Racine : ordre chronologique
Vocabulaire cumulé avec noms propres
et sans noms propres
V
3000
2500
2000
1500
1000
500
N
Théb
Alex
Andr
Brit
Bér
Baj
Mith
Iph
Phè
Esth
Ath
accroissement théorique
accroissement réel
V1 sans noms propres

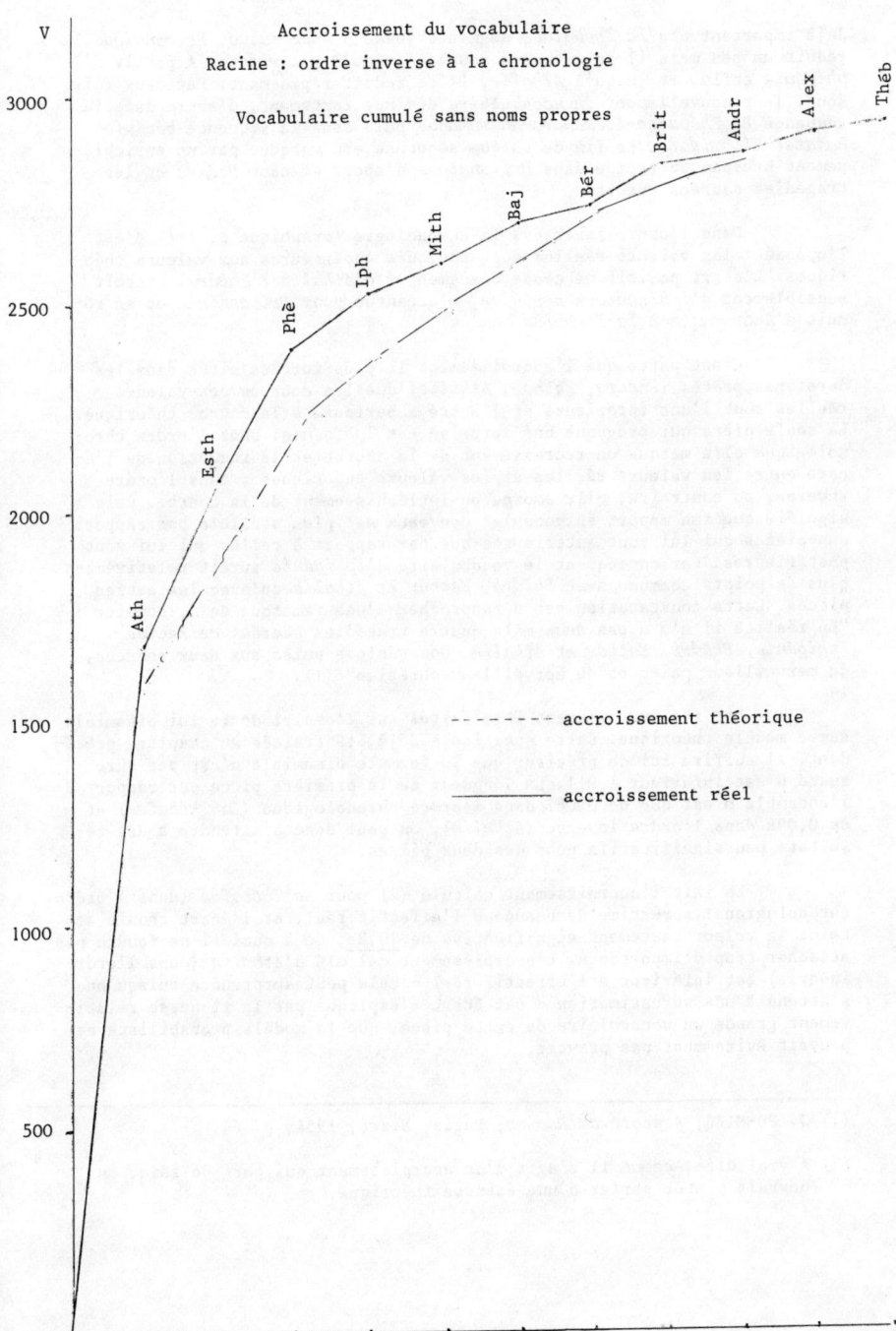

Accroissement du vocabulaire

Racine : ordre inverse à la chronologie

Vocabulaire cumulé sans noms propres

------- accroissement théorique

——— accroissement réel

déjà important dès *La Thébaïde*, augmente jusqu'à *Andromaque*. *Britannicus* le
réduit un peu mais il se creuse à nouveau jusqu'à *Mithridate*. A partir d'*I-
phigénie* enfin, et jusqu'à *Athalie*, il se réduit rapidement. Par deux fois,
donc, le renouvellement du vocabulaire diminue fortement, d'abord dans la
séquence *La Thébaïde-Alexandre-Andromaque* puis dans la séquence *Bérénice-
Bajazet-Mithridate*. La fin de chaque séquence est marquée par un enrichis-
sement brusque et rapide dans *Britannicus* d'abord et dans *Phèdre* et les
tragédies sacrées ensuite.

Dans l'ordre inverse à la chronologie (graphique p. 117) c'est
l'opposé : les valeurs réelles sont toujours supérieures aux valeurs théoriques. L'écart positif ne cesse d'augmenter d'*Athalie* à *Phèdre*, décroît
sensiblement d'*Iphigénie* à *Bérénice*, s'accentue pour *Britannicus* et se réduit d'*Andromaque* à *La Thébaïde*.

C'est parce que l'accroissement le plus fort se situe dans les
dernières pièces (*Phèdre*, *Esther*, *Athalie*) que les courbes des valeurs
réelles sont l'une inférieure et l'autre supérieure à la courbe théorique.
La seule pièce qui provoque une surprise est *Iphigénie*. Dans l'ordre chronologique elle marque un redressement de la courbe et la réduction de l'é-
cart entre les valeurs réelles et les valeurs théoriques ; dans l'ordre
inverse, au contraire, elle amorce un infléchissement de la courbe. Cela
signifie que son apport en vocables nouveaux est plus sensible par rapport
aux pièces qui lui sont antérieures que par rapport à celles qui lui sont
postérieures. Par conséquent le vocabulaire d'*Iphigénie* aurait relativement
plus de points communs avec *Phèdre*, *Esther* et *Athalie* qu'avec les autres
pièces. Cette constatation est à rapprocher d'une remarque de J. Pommier :
"En réalité il n'y a pas deux mais quatre tragédies sacrées de Racine :
Iphigénie, *Phèdre*, *Esther* et *Athalie*. Son génie a puisé aux deux sources,
du merveilleux païen et du merveilleux chrétien" (1).

Des réserves peuvent être faites sur l'emploi de la loi binomiale
comme modèle théorique. Cette question a déjà été traitée au chapitre précédent, il suffira ici de préciser que la formule binomiale n'est pas sûre
quand p est inférieur à 0,1. La longueur de la première pièce par rapport à
l'ensemble n'est que de 0,087 dans l'ordre chronologique (*La Thébaïde*) et
de 0,098 dans l'ordre inverse (*Athalie*), on peut donc s'attendre à des résultats peu significatifs pour ces deux pièces.

En fait l'accroissement calculé (2) pour *La Thébaïde* (dans l'ordre
chronologique) surestime de beaucoup l'effectif réel, et l'écart réduit atteint la valeur hautement significative de 10,38, ce à quoi il ne faudra pas
attacher trop d'importance. L'accroissement calculé d'*Athalie* (dans l'ordre
inverse) est inférieur à l'effectif réel - cela peut surprendre puisqu'on
s'attend à une surestimation - cet écart s'explique par la richesse relativement grande du vocabulaire de cette pièce, que le modèle probabiliste ne
pouvait évidemment pas prévoir.

---

(1) J. POMMIER, *Aspects de Racine*, Paris, Nizet, 1954, p. 64.

(2) A vrai dire, comme il s'agit d'un accroissement qui part de zéro, on
    devrait plutôt parler d'une étendue théorique.

On sait, bien que cela ne se produise pas avec une grande netteté dans notre corpus, que le modèle a tendance à surestimer les premières oeuvres de la série. Il faut donc corriger ces distorsions. Partant de l'ordre chronologique et de l'ordre inverse on peut tenter de les neutraliser en calculant pour chaque pièce un écart réduit moyen correspondant à l'aire sous la courbe :

| | I | | | II | | | III | | |
	ordre chron.		rang	inverse		rang	moyenne		rang
La Thébaïde	(-)	10,38	1	(-)	2,38	7	(-)	4,97	1
Alexandre	(-)	1,97	4	(-)	2,92	4	(-)	2,40	4
Andromaque	(-)	3,35	2	(-)	5,44	1	(-)	4,27	2
Britannicus	(+)	7,83	8	(+)	1,23	8	(+)	3,10	8
Bérénice	(-)	1,86	5	(-)	2,79	5	(-)	2,28	5
Bajazet	(-)	1,15	6	(-)	2,68	6	(-)	1,76	7
Mithridate	(-)	2,41	3	(-)	4,87	2	(-)	3,43	3
Iphigénie	(+)	1,11	7	(-)	4,62	3	(-)	2,26	6
Phèdre	(+)	12,48	9	(+)	3,85	9	(+)	6,93	9
Esther	(+)	16,35	11	(+)	4,02	10	(+)	8,11	11
Athalie	(+)	13,40	10	(+)	4,29	11	(+)	7,58	10

Les valeurs atteintes par les pièces extrêmes sont plus faibles que celles qui sont obtenues dans l'ordre chronologique, mais cela ne suffit cependant pas pour bouleverser le classement : les rangs sont presque les mêmes en I et en III.

Peut-être faut-il, comme le suggère E. Brunet, ne pas calculer de moyenne pour les pièces extrêmes *La Thébaïde* et *Athalie*, mais retenir une seule valeur de l'écart réduit, la plus sûre (1). Dans ce cas le rang des pièces subit quelques modifications et devient encore plus conforme à celui de la spécificité lexicale, de l'originalité, fourni par Vh corrigé (2) :

| | A | | B | | | |
	accr. moy.	Vh corr.	accr. moyen modifié		rang	Vh corr.
La Thébaïde	1	4	(-)	2,38	4	4
Alexandre	4	5	(-)	2,40	3	5
Andromaque	2	1	(-)	4,27	1	1
Britannicus	8	8	(+)	3,10	8	8
Bérénice	5	2	(-)	2,28	5	2
Bajazet	7	7	(-)	1,76	7	7
Mithridate	3	3	(-)	3,43	2	3
Iphigénie	6	6	(-)	2,26	6	6
Phèdre	9	9	(+)	6,93	9	9
Esther	11	10	(+)	8,11	10	10
Athalie	10	11	(+)	13,40	11	11

Coefficient de corrélation + <u>0,90</u>   Coefficient de corrélation + <u>0,94</u>

---

(1) E. BRUNET, "*Accroissement théorique du vocabulaire*", C.U.M.F.I.D. 4, 1971, pp. 99-100. Ce chercheur utilise le X^2 et non l'écart réduit, cependant sa démarche est analogue à celle que nous adoptons ici.

(2) Cf. chapitre IX.

        Le coefficient de corrélation est meilleur avec l'accroissement
moyen modifié (B).

        Ce dernier classement pourrait éventuellement être utilisé pour
donner une image synthétique de l'accroissement – puisqu'il tient compte
à la fois de l'ordre chronologique et de l'ordre inverse – ou encore pour
fournir une approximation de l'originalité. Cependant, dans la pratique,
on préférera utiliser les classements I et II (de la page précédente) qui
sont moins équivoques dans leur principe – on sait chaque fois de quel
accroissement et de quelle originalité il s'agit – même s'ils risquent
d'être moins précis pour les premières pièces rencontrées.

        C'est à l'aide des écarts réduits que nous étudierons les varia-
tions de l'accroissement.

        Accroissement du vocabulaire
        Courbes des écarts réduits

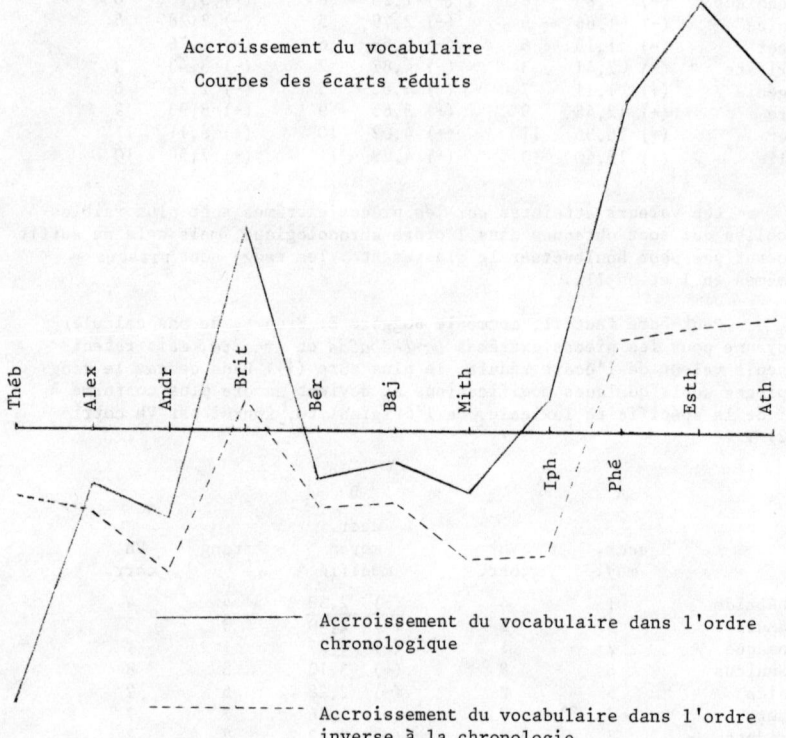

———————— Accroissement du vocabulaire dans l'ordre
chronologique

- - - - - - - - Accroissement du vocabulaire dans l'ordre
inverse à la chronologie

        Les courbes montrent les déviations de l'accroissement réel de
chaque pièce, dans l'ordre chronologique et dans l'ordre inverse, par rapport à l'accroissement calculé qui est figuré par une droite servant de
coordonnée horizontale.

Les deux courbes obtenues sont en bonne harmonie, leurs mouvements sont similaires, sauf pour *La Thébaïde*, mais on sait que cela est dû à une défaillance du modèle. La courbe "inverse" se situe en-dessous de la courbe "chronologique" : lorsque la série commence par des pièces relativement pauvres (*La Thébaïde*, *Alexandre*, *Andromaque*), le vocabulaire des pièces suivantes est plus "nouveau", et l'accroissement plus important que lorsqu'elle commence par des pièces riches (*Athalie*, *Esther*, *Phèdre*).

L'intervalle entre les courbes varie d'une pièce à l'autre. Il est des plus faibles pour *Alexandre*, *Bérénice* et *Bajazet* ; cela signifie que dans ces oeuvres il y a à peu près le même déséquilibre par rapport aux modèles théoriques, tant pour les vocables qui apparaissent pour la première fois que pour ceux qui ne seront plus employés dans les pièces suivantes. Il est plus considérable, en revanche, pour *Britannicus*, *Iphigénie*, *Phèdre* et *Esther*. C'est qu'il n'y a pas le même déséquilibre : le nombre des vocables qui ne devraient plus réapparaître n'est que légèrement plus fort - ou même un peu plus faible pour *Iphigénie* - que prévu, alors que le nombre de ceux qui apparaissent pour la première fois est beaucoup plus fort.

Les courbes donnent une idée d'ensemble du phénomène, mais on distingue mieux les détails en observant les données numériques :

Dans l'ordre chronologique, sur dix écarts réduits (on ne tient pas compte de *La Thébaïde*), quatre ne sont pas suffisamment grands pour être significatifs, c'est ceux d'*Alexandre*, *Bérénice*, *Bajazet* et *Iphigénie*. Parmi les écarts en moins restent *Andromaque* et *Mithridate*, pièces dont le vocabulaire n'est ni riche ni original. Parmi les écarts en plus restent *Britannicus*, *Phèdre*, *Esther* et *Athalie*. Ces pièces sont, sur le plan du vocabulaire, les plus originales et les plus riches, mais l'importance de leur accroissement s'explique aussi par d'autres raisons : *Britannicus* est la première pièce romaine et apporte donc des vocables nouveaux nécessaires pour créer l'atmosphère et le cadre propres à cette tragédie. L'accroissement dans *Phèdre* s'explique en partie par l'atmosphère "fantastique" que l'on ne trouve, parmi les tragédies profanes, que dans cette pièce. Quant à *Esther* et *Athalie*, leur accroissement provient évidemment surtout de l'emploi du vocabulaire biblique.

Dans l'ordre inverse à la chronologie le seul écart réduit qui ne soit pas significatif est celui de *Britannicus*. Les écarts en plus correspondent aux tragédies sacrées et à *Phèdre*, c'est-à-dire aux pièces qui ont un vocabulaire très riche et varié. Toutes les autres pièces ont des écarts significativement négatifs, et particulièrement *Iphigénie* et *Andromaque*, deux pièces grecques dont le vocabulaire n'est plus très neuf après *Phèdre*.

Accroissement et richesse du vocabulaire

Les pièces étant ordonnées selon la valeur des écarts réduits, on calcule le coefficient de corrélation avec le classement de la richesse du vocabulaire.

	accroissement chronologique	richesse	accroissement chronologique inverse	richesse
La Thébaïde	1	1,5	7	1,5
Alexandre	4	3	4	3
Andromaque	2	1,5	1	1,5
Britannicus	8	8	8	8
Bérénice	5	4	5	4
Bajazet	6	5	6	5
Mithridate	3	6	2	6
Iphigénie	7	7	3	7
Phèdre	9	9	9	9
Esther	11	11	10	11
Athalie	10	10	11	10

Coefficient de corrélation :

$$+ \ \underline{0,94} \qquad\qquad\qquad + \ \underline{0,69}$$

$$p < 0,01 \qquad\qquad\qquad p < 0,01$$

Les deux corrélations sont significatives, particulièrement la première. Comme on pouvait s'y attendre, les deux paramètres sont liés. Les décalages les plus importants n'en sont que plus significatifs :

- *Mithridate* a deux écarts négatifs. C'est une pièce plus riche que son apport lexical ne le laisserait prévoir.

- *Iphigénie* est assez riche quoique peu originale par rapport aux pièces qui la suivent. Cela confirme ce que l'on a dit plus haut.

- *La Thébaïde* a un vocabulaire assez pauvre malgré un apport lexical assez élevé. Cela semble confirmer l'analyse des critiques qui considèrent cette pièce comme un premier essai isolé, qui n'est pas encore tout à fait représentatif du ton et de la manière de Racine.

3. Racine et Corneille

Le graphique p. 123 présente l'accroissement du vocabulaire tel qu'on l'observe :

1) Dans les 11 tragédies de Racine (ordre chronologique)
2) Dans les 18 tragédies de Corneille (ordre chronologique)
3) Dans les 18 tragédies de Corneille (ordre inverse)
4) Dans les tragédies de Corneille, *Médée* exceptée (ordre chronologique)
5) Dans les 11 premières pièces de Corneille (comédies comprises) (ordre chronologique)

Les données numériques de Corneille figurent sur les tableaux pp. 124 & 125.

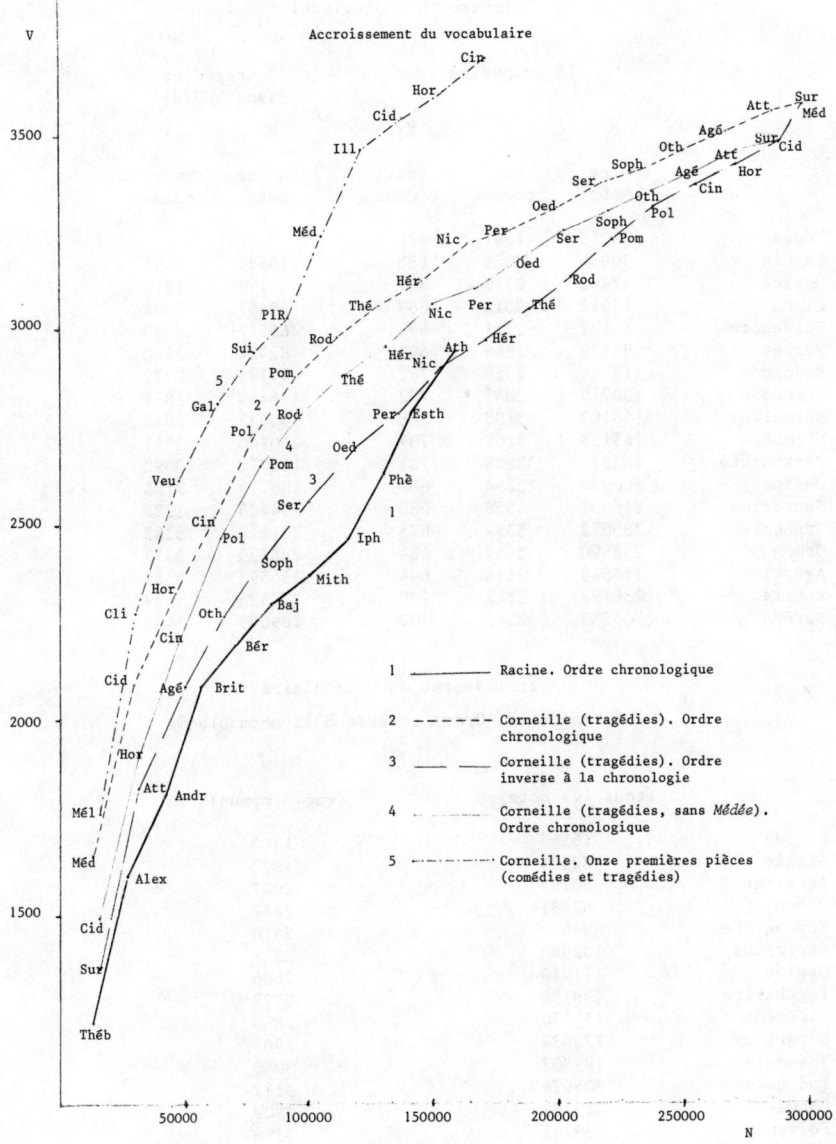

Accroissement du vocabulaire

Corneille. Accroissement du vocabulaire

(ordre chronologique)

	18 tragédies			17 tragédies (sans *Médée*)	
	N	V	V_1	N	V
	ts les mots	voc. commun	voc. commun	ts les mots	voc. commun
Médée	14255	1661	678		
Le Cid	30944	2089	685	16689	1497
Horace	47445	2316	667	33190	1912
Cinna	63612	2512	662	49357	2204
Polyeucte	80122	2711	693	65867	2458
Pompée	96679	2868	699	82424	2646
Rodogune	113546	2968	712	99291	2772
Théodore	130719	3047	702	116464	2871
Héraclius	148183	3108	686	133928	2945
Nicomède	165155	3202	707	150900	3051
Pertharite	182323	3238	701	168068	3092
Oedipe	200970	3294	680	186715	3165
Sertorius	218681	3358	683	204426	3237
Sophonisbe	235572	3394	675	221317	3283
Othon	252590	3444	684	238335	3333
Agésilas	270848	3494	694	256593	3387
Attila	286798	3542	708	272535	3439
Suréna	303353	3562	707	289098	3460

Accroissement du vocabulaire

18 tragédies. Ordre inverse à la chronologie

	N (tous les mots)	V (voc. commun)
Suréna	16563	1364
Attila	32505	1822
Agésilas	50763	2077
Othon	67781	2267
Sophonisbe	84672	2410
Sertorius	102383	2548
Oedipe	121030	2686
Pertharite	138198	2772
Nicomède	155170	2889
Héraclius	172634	2961
Théodore	189807	3040
Rodogune	206674	3117
Pompée	223231	3209
Polyeucte	239741	3296
Cinna	255908	3352
Horace	272409	3400
Le Cid	289098	3460
Médée	303353	3562

Accroissement du vocabulaire

11 premières pièces. Ordre chronologique

	N	V
	(tous les mots)	(voc. commun)
Mélite	16265	1766
Clitandre	30700	2270
La Veuve	48369	2607
La Galerie du Palais	64522	2802
La Suivante	79713	2936
La Place Royale	93520	3018
Médée	107776	3227
L'Illusion Comique	123216	3449
Le Cid	139906	3532
Horace	156407	3600
Cinna	172574	3687

Il n'est pas nécessaire de justifier la réunion sur un même graphique des courbes 1, 2 et 5, elle s'impose d'elle-même. La courbe 3 a été jugée digne d'intérêt car d'une part elle est complémentaire de la courbe 2 et d'autre part elle permet d'opposer la fin de l'oeuvre tragique de Corneille, réputée moins riche que le début, à l'oeuvre de Racine qui lui est partiellement contemporaine. La présence de la courbe 4 est motivée par le souci d'éliminer *Médée*, pièce extrêmement riche, qui, placée en début de série, risque de masquer l'accroissement de toutes les pièces qui la suivent.

Les courbes 2, 3 et 4 relatives à Corneille, ont une allure plus uniforme que les courbes 1 (Racine) et 5 (Corneille, 11 premières pièces) qui présentent entre elles des accidents similaires. Chez Corneille l'accroissement est plus régulier lorsqu'on isole les tragédies que lorsqu'on tient compte de tous les genres : les tragédies forment un ensemble relativement homogène. Il y a plus de variété chez Racine où plusieurs pièces se distinguent nettement des autres par un accroissement plus important ; *Britannicus* d'une part, *Phèdre* et les deux tragédies sacrées d'autre part marquent une rupture aussi nette avec les pièces qui les précèdent que *Médée*, première tragédie de Corneille, avec les comédies qui lui sont antérieures.

Malgré des similitudes il y a des différences notables entre les courbes 2, 3 et 4. La courbe 2, avec *Médée*, s'accroît plus rapidement que les autres dès le départ. La courbe 3 s'écarte progressivement de 2 jusqu'à approximativement N = 100000, ensuite il y a convergence : à l'inverse de 2, cette courbe débute par les dernières pièces de Corneille, dont le vocabulaire est le moins riche et le moins original, et s'achève avec les pièces les plus riches, les premières. La courbe 4 a un tracé qui se situe entre celui de 2 et de 3. L'absence de *Médée* a pour effet de favoriser des pièces qui la suivent immédiatement, telles qu'*Horace*, *Cinna*, *Polyeucte* et *Pompée*, dont l'accroissement apparaît ici comme plus important que dans la courbe 2.

On observe aussi que la courbe 1 rejoint et dépasse la courbe 3.
Il serait imprudent d'en conclure catégoriquement que l'accroissement est
plus rapide chez Racine que chez Corneille car on simplifie les choses en
mettant en abscisse le nombre de mots-occurrences, il faudrait aussi pouvoir tenir compte du nombre de tragédies. Dans la courbe 1, pour 158899
occurrences il y a 11 pièces différentes alors que dans la courbe 3, pour
un nombre voisin d'occurrences (155170 à la fin de *Nicomède*) il n'y en a
que 9, or il est bien évident que le vocabulaire cumulé de 11 tragédies a
quelques chances d'être plus étendu que celui de 9 autres, ne serait-ce
qu'en raison de l'apport en vocables thématiques de chaque pièce nouvelle.
Comme il n'est raisonnablement pas possible de pondérer les courbes en
fonction du nombre de pièces on ne peut qu'examiner la situation à la fin
de la 11e pièce :

	V	N
courbe 1 (jusqu'à *Athalie*)	2931	158899
courbe 2 (jusqu'à *Pertharite*)	3238	182323
courbe 3 (jusqu'à *Théodore*)	3040	189807
courbe 4 (jusqu'à *Oedipe*)	3165	186715
courbe 5 (jusqu'à *Cinna*)	3687	172574

Racine totalise le plus petit nombre d'occurrences ainsi que le
plus petit nombre de vocables. La courbe 3 fournit le vocabulaire cumulé
dont l'étendue est la plus proche : pour une différence d'environ 31000
occurrences l'écart n'est que de 109 vocables : l'ensemble des 11 dernières
tragédies de Corneille est d'une richesse très proche de celle de l'ensemble
des tragédies de Racine.

Cette constatation ne modifie en rien nos conclusions du chapitre
précédent mais pose une fois de plus la question des termes de la comparaison. Ici, pour Corneille, l'ensemble de pièces pris en considération
n'est pas défini en fonction de critères de cohérence historiques ou littéraires mais arbitrairement en raison de la longueur totale du texte, c'est
pourquoi nous n'y insisterons pas.

Il serait en outre possible d'aller plus loin avec d'autres procédés statistiques et de faire des spéculations à partir des pentes respectives des courbes. Par ce biais il serait peut-être possible de montrer
par les chiffres que si Racine avait écrit dix-huit tragédies, son vocabulaire total aurait atteint une étendue supérieure à celui de Corneille.
Mais une procédure légitime en statistique peut devenir un non-sens lorsqu'on l'applique à des données qui ne s'y prêtent pas : il ne nous paraît
pas raisonnable de faire des paris sur l'évolution probable d'un auteur.

CHAPITRE IX

LES VOCABLES DE FREQUENCE 1

Dans la structure quantitative d'un texte, l'effectif des vocables de fréquence 1 représente le nombre des mots qui ne sont pas répétés. Par là, la fréquence 1 mérite une attention particulière dans l'étude quantitative du vocabulaire. Elle apparaît même comme un facteur important pour la caractérisation des pièces lorsqu'on se place dans une perspective dynamique.

En effet, quand on observe comment le vocabulaire d'un texte se constitue, on voit que chaque nouveau vocable commence par avoir la fréquence 1 et la conserve plus ou moins longtemps. On admet que plus l'auteur fait appel à un lexique étendu, moins les vocables sont répétés et plus l'effectif de la fréquence 1 augmente. Par conséquent elle dépend de l'étendue du lexique en jeu et par là est nécessairement liée à la richesse du vocabulaire et à son originalité.

Pour éviter par la suite de confondre les vocables qui n'ont qu'une occurrence dans une pièce et ceux qui n'en ont qu'une dans l'ensemble des 11 pièces, nous adoptons la terminologie suivante :

	Pièce	Ensemble
Dénomination	Sous-fréquence 1	Fréquence 1
Symbole	V_1	V_h (= hapax)

Les hapax constituent un sous-ensemble des V_1.

1. Les hapax

Les hapax sont les vocables qui n'apparaissent qu'une seule fois dans l'ensemble des 11 tragédies. Parmi eux il y a des noms propres (111 sur 680) qui ne doivent pas être traités comme le vocabulaire commun parce qu'ils ne se répartissent pas de la même manière. L'effectif total des V_h n'est donc que de 569 vocables.

Du point de vue probabiliste le processus de répartition des V_h est simple car leurs occurrences sont indépendantes les unes des autres. Dans l'hypothèse d'une distribution aléatoire sur l'ensemble des tragédies, ils devraient se répartir entre elles en proportion de leur longueur relative. Il n'est pas possible de comparer directement les effectifs des hapax des 11 pièces à cause des différences de longueur, mais on obtient des valeurs commensurables en affectant chaque valeur de V_h du coefficient $\bar{N}/N$, où N est le nombre de mots de la pièce considérée, et $\bar{N}$ le nombre moyen de mots par pièce :

$$\bar{N} = 158899/11 = 14445,36$$

Les effectifs corrigés sont désignés par le symbole V_h corr, pour les 11 tragédies de Racine :

$$V_h \text{ corr} = V_h \cdot 14445/N$$

Les résultats obtenus figurent ci-dessous :

V_h (sans noms propres) et V_h corrigé

	V_h	V_h corr	r
La Thébaïde	26	27,16	4
Alexandre	29	30,12	5
Andromaque	19	18,19	1
Britannicus	63	58,98	8
Bérénice	21	22,88	2
Bajazet	37	34,85	7
Mithridate	25	23,85	3
Iphigénie	34	31,05	6
Phèdre	103	105,16	9
Esther	88	113,81	10
Athalie	124	115,53	11

Les différences entre les valeurs réelles et les valeurs théoriques ne sont pas très importantes hormis pour *Esther*. L'écart entre V_h et V_h corr atteint presque 26 unités et cela entraîne une légère modification du classement, *Esther* permutant avec *Phèdre*.

Les valeurs de V_h corr n'ont qu'une portée relative et interne, on ne peut pas les comparer avec celles qui proviennent d'autres ensembles, et notamment avec celles que Ch. Muller a obtenues sur les 32 pièces de Corneille (1). En revanche, à l'intérieur de l'ensemble duquel elles procèdent, le moindre écart est digne d'intérêt.

Avant toute interprétation, il faut déterminer aussi précisément que possible quelles sont les indications que l'on peut tirer des variations de V_h. Les valeurs corrigées sont l'expression de la quantité relative des "mots rares" (définis ici comme mots non répétés dans l'ensemble) qui se distribuent dans les pièces, la rareté étant déterminée uniquement dans et par l'ensemble considéré. Par là, l'indice V_h corr semble entretenir des rapports assez étroits avec l'originalité du vocabulaire, mais on ne peut admettre a priori qu'il en donne un reflet très précis. En effet, les vocables originaux des tragédies - si l'on entend par là les vocables qui n'apparaissent que dans une pièce - ne sont pas tous des hapax et n'entrent pas tous dans les effectifs de V_h. En principe, il ne faut donc attendre qu'une concordance approximative entre V_h corr et l'originalité réelle du vocabulaire. Dans les 11 tragédies le nombre des vocables originaux qui ont une fréquence supérieure à 1 varie entre 2 (dans *Andromaque* et *Mithridate*) et 35 (dans *Athalie*), mais leurs effectifs ne bouleversent pas l'ordre des pièces : le classement selon le nombre total des vocables originaux (de toutes fréquences) ne diffère du classement selon V_h que par l'interversion, aux rangs 4 et 5, de *La Thébaïde* avec *Alexandre* (voir tableau infra).

(1) *Etude...* p. 95.

V_h (sans noms propres) et "vocables originaux"

	V_h		vocables de f $>$ 1 apparaissant dans une seule pièce	"vocables originaux" (total)	
		r			r
La Thébaïde	26	4	9	35	5
Alexandre	29	5	5	34	4
Andromaque	19	1	2	21	1
Britannicus	63	8	11	74	8
Bérénice	21	2	4	25	2
Bajazet	37	7	6	43	7
Mithridate	25	3	2	27	3
Iphigénie	34	6	5	39	6
Phèdre	103	10	13	116	10
Esther	88	9	17	105	9
Athalie	124	11	35	159	11

Si l'on s'en tient au classement des pièces, $V_h$corr devrait donc fournir, pour l'oeuvre de Racine, une approximation valable de l'originalité du vocabulaire.

En se reportant au tableau p. 128 on voit que les variations de $V_h$corr sont très fortes : le rapport des valeurs absolues entre les extrêmes - *Andromaque* et *Athalie* - est de l'ordre de 1 à 6,3. Il y a par conséquent des différences très marquées et donc très significatives : les chiffres par eux-mêmes sont suffisamment éloquents et il n'est pas utile de recourir au test de Pearson pour le prouver.

Les tragédies se répartissent d'elles-mêmes en trois ensembles bien distincts :
- d'abord il y a un groupe assez compact de 7 pièces qui correspond à un $V_h$corr relativement faible, variant entre 18 et 35. Par ordre de valeur croissante : *Andromaque, Bérénice, Mithridate, La Thébaïde, Alexandre, Iphigénie* et *Bajazet*. Ces pièces sont donc celles dont le vocabulaire se distingue le moins du "fonds commun" racinien. Il est remarquable qu'on trouve réunies des pièces grecques, romaines et "orientales" : le cadre des tragédies ne paraît pas avoir une influence déterminante sur le nombre des vocables rares. La sobriété relative de toutes ces pièces a déjà été signalée lors de l'étude de la richesse du vocabulaire. On est néanmoins frappé par l'économie de moyens, notamment dans *Bajazet* qui est la pièce la plus "exotique".
- ensuite vient une pièce isolée avec un $V_h$corr de 59 : *Britannicus*. Cette tragédie contient donc un peu plus de"vocables rares" que les précédentes ; on sait par ailleurs qu'elle a aussi un vocabulaire plus riche, en particulier parce qu'elle emprunte des vocables à son modèle latin.

   - le dernier groupe enfin, est constitué de *Phèdre, Esther* et *Athalie*, dont le $V_h$corr est supérieur à 100, qui sont aussi les pièces de Racine les plus riches. Comme on l'a déjà signalé, les "vocables rares" qui apparaissent dans ces pièces sont pour une grande part des mots concrets.

   La corrélation entre les classements établis selon $V_h$corr et la richesse du vocabulaire est très significative : le coefficient atteint + 0,86 lorsque la richesse est établie selon la formule binomiale :

$V_h$corr   richesse
(formule binomiale)

$V_h$corr	richesse (formule binomiale)
Andromaque	Andromaque
Bérénice	La Thébaïde
Mithridate	Alexandre
La Thébaïde	Bérénice
Alexandre	Bajazet
Iphigénie	Mithridate
Bajazet	Iphigénie
Britannicus	Britannicus
Phèdre	Phèdre
Esther	Athalie
Athalie	Esther

   La présentation adoptée met en évidence le fait qu'il n'y a pas de divergences concernant les trois ensembles qu'on a dégagés : les classements ne s'opposent donc pas fondamentalement. Les différences signalées par les flèches peuvent cependant contribuer à préciser les particularités lexicales de plusieurs pièces.

   Certaines ont un vocabulaire plus riche qu'original par rapport à d'autres, et vice versa :

   Mithridate par rapport à *La Thébaïde, Alexandre* et *Bajazet*
   Bérénice   "   "   " *La Thébaïde* et *Alexandre*
   Iphigénie   "   "   " *Bajazet*
   Esther   "   "   " *Athalie.*

   En d'autres termes, alors que pour *Mithridate, Bérénice, Iphigénie* et *Esther* Racine utilise plutôt le fonds du vocabulaire commun, dans *La Thébaïde, Alexandre, Bajazet* et *Athalie* il fait plutôt appel à des "mots rares".

   On a étudié plus haut l'accroissement du vocabulaire, qui est une approche de l'originalité légèrement différente de celle-ci. L'opposition des deux méthodes devrait révéler des faits de style intéressants.

   Le coefficient de corrélation entre les classements des pièces selon $V_h$corr et selon les écarts réduits de l'accroissement chronologique s'établit à + 0,89, il est donc très significatif, comme on pouvait le pressentir :

$V_h$corr	Accroissement chronologique
Andromaque	Andromaque
Bérénice	Mithridate
Mithridate	Alexandre
Alexandre	Bérénice
Iphigénie	Bajazet
Bajazet	Iphigénie
Britannicus	Britannicus
Phèdre	Phèdre
Esther	Athalie
Athalie	Esther

La Thébaïde ne figure pas sur ce tableau. Nous avons préféré l'éliminer, parce que l'écart réduit qui a été calculé au chapitre précédent est douteux et pourrait donc fausser les interprétations.

A partir des divergences observées, on constitue deux groupes de pièces :

- pièces dont le vocabulaire est relativement plus "original" par rapport à celles qui les précèdent que par rapport à l'ensemble des dix autres : *Bérénice, Iphigénie* et *Esther*. Dans une perspective chronologique ces trois pièces sont donc, sur le plan du vocabulaire, plutôt en rupture avec celles qui les précèdent. C'est une évidence pour *Esther*, puisque c'est le premier drame sacré. En ce qui concerne *Iphigénie*, on a déjà indiqué, à la suite de Th. Maulnier et d'A. Adam notamment, que cette pièce avait un ton nouveau et introduisait le merveilleux dans le tragique racinien. Pour *Bérénice*, tragédie romaine mais aussi orientale par le personnage central, la nouveauté par rapport à ce qui précède est indiquée dès la préface : le langage - et donc aussi le vocabulaire - y est le support essentiel de l'action tragique, comme ce sera encore le cas par la suite dans *Bajazet* et *Mithridate* notamment.

- pièces dont le vocabulaire est relativement moins "original" par rapport à celles qui les précèdent que par rapport à l'ensemble des dix autres : *Mithridate, Alexandre, Bajazet* et *Athalie*. Dans ces pièces, c'est plutôt la continuité qui domine. *Athalie* suit un premier drame sacré. Dans *Bajazet* il y a manifestement un effort de Racine pour limiter la nouveauté du vocabulaire, celle-ci se situant sur la scène et dans les décors plus que dans le texte. *Mithridate* est la dernière pièce de la "première manière" de Racine : nous confirmons ce qu'indiquait déjà la richesse du vocabulaire. Pour *Alexandre* enfin, il est difficile de trouver une explication satisfaisante, d'autant plus que c'est la deuxième pièce et il est délicat de parler de la nouveauté d'une pièce par rapport à ce qui la précède lorsqu'elle est seulement la deuxième d'une série.

2. La sous-fréquence 1

Les vocables de sous-fréquence 1 (V_1) sont ceux qui apparaissent une seule fois dans l'une des tragédies, quel que soit le nombre de leurs occurrences dans les autres.

Les noms propres ne sont pas exclus des effectifs de V_1 car, à l'intérieur d'une pièce, leur répartition ne paraît pas subir de contraintes différentes de celles des noms communs.

A l'inverse de la fonction $V_h = f(N)$, qui ne fait pas problème, tout au moins dans l'hypothèse d'une répartition aléatoire des occurrences, la fonction $V_1 = f(N)$ soulève de sérieuses difficultés. Dans la suite d'un texte, V_1 ne croît en fonction de N que si l'apport lexical est stable ; or dans l'accroissement chronologique du vocabulaire, il décroît à plusieurs reprises (graphique p. 116). En outre on sait que le modèle théorique fondé sur la formule :

$$E\,(V'_1) = \Sigma fi\; p\; q^{i-1} Vi$$

ne doit pas être appliqué lorsque $p < 0,1$. Or pour les 11 tragédies, toutes les valeurs de p sont voisines de cette limite, par conséquent on risquerait d'obtenir des estimations aberrantes. Il faut donc renoncer à l'emploi de cette méthode.

On renonce aussi à l'emploi de l'indice T de D. Dugast (1) : $T = (\log N - \log V)/(\log N - \log V_1)$. Celui-ci s'intégrerait mal à notre démarche car il associe deux réalités (la richesse du vocabulaire et la variation des vocables de sous-fréquence) que nous tentons justement de distinguer aussi soigneusement que possible afin d'isoler les caractères et les effets spécifiques de l'une et de l'autre.

Comme il n'y a pas de modèle qui soit applicable, on utilisera, à la suite de Ch. Muller, le correctif proposé par P. Guiraud, selon lequel V_1 varie comme la racine cubique de N. C'est une estimation empirique et approximative qui pourrait cependant fournir des résultats acceptables lorsqu'elle porte sur des textes de longueurs voisines. On obtient des effectifs corrigés, moins sensibles à l'influence de N, en affectant les effectifs de V_1 observés, du coefficient $\sqrt[3]{\overline{N}}/\sqrt[3]{N}$:

$$V_1 \text{corr} = \frac{V_1}{\sqrt[3]{N}} \cdot \sqrt[3]{\overline{N}}$$

Les valeurs de V_1corr ne sont comparables entre elles que si la même valeur moyenne de N entre dans leur calcul. Ainsi, si l'on veut comparer les 11 pièces de Racine, on aura, dans la formule de V_1corr :

$$\sqrt[3]{\overline{N}} = \sqrt[3]{\frac{158899}{11}} = 24,354$$

et si l'on veut comparer les 29 pièces des deux auteurs tragiques, on aura :

$$\sqrt[3]{\overline{N}} = \sqrt[3]{\frac{303353 + 158899}{29}} = 25,167$$

(1) D. DUGAST, *Vocabulaire et discours. Essai de Lexicométrie organisationnelle*, Genève, Slatkine, 1979, pp. 77-81.

En tant qu'indicateur de contenu, V_1 n'apporte pas les mêmes informations que V_h. Alors que l'effectif des Vh d'une pièce est déterminé par le contenu lexical de l'ensemble auquel la pièce appartient, l'effectif des V_1 ne dépend que de la structure lexicale propre à la pièce. Les Vh sont strictement dépendants des variations thématiques – et stylistiques – à l'intérieur de l'ensemble ; les V_1 en revanche, ne sont pas directement liés au(x) thème(s) de la pièce. La sous-fréquence 1 n'est donc pas un indice d'originalité du vocabulaire au sens où celle-ci a été définie plus haut.

En toute rigueur, V_1corr est seulement l'indice de non-répétition du vocabulaire. Il est en outre lié à l'étendue du lexique de situation de chaque pièce : "l'effectif des vocables de sous-fréquence 1 donne une image statique d'un fait dynamique, à savoir l'entrée dans le vocabulaire de lexèmes non encore actualisés, donc du courant lexical qui va du virtuel à l'actuel, de la langue au discours ; et ce courant est d'autant plus intense que le lexique est plus riche" (1).

Les valeurs des V_1 et des V_1corr des 11 pièces de Racine figurent p. 134. Les pièces se répartissent à nouveau en trois ensembles, constitués de la même manière qu'avec les V_h :

- il y a d'abord 7 pièces qui ont un V_1corr situé entre 400 et 500, par ordre de valeur croissante : *Alexandre, Andromaque, La Thébaïde, Bajazet, Bérénice, Iphigénie* et *Mithridate*.
- ensuite, une pièce, entre 500 et 600 : *Britannicus*.
- enfin, 3 pièces, au-delà de 600 : *Phèdre, Athalie* et *Esther*.

En ce qui concerne Racine et Corneille, Racine est surtout représenté aux deux extrêmes : les quatre effectifs les plus faibles correspondant à quatre tragédies de Racine (*Alexandre, Andromaque, La Thébaïde* et *Bajazet*) et parmi les quatre effectifs les plus élevés on en retrouve trois autres (*Phèdre, Athalie* et *Esther*). La répartition des pièces présente des analogies frappantes avec celle de la richesse du vocabulaire : pour les effectifs de V_1 comme pour la richesse du vocabulaire il y a plus de diversité chez Racine que chez Corneille. En outre ici aussi les deux auteurs évoluent plus ou moins de façon contraire, puisque V_1corr est croissant dans l'ordre chronologique chez Racine (avec un coefficient de corrélation très élevé : + 0,85) et a tendance à décroître chez Corneille (avec un coefficient de corrélation de 0,42 donc non significatif, mais avec une probabilité d'alea de 10 sur 100).

_____

(1) Ch. MULLER, *Etude...* p. 89. Nous étudierons plus loin le lexique ; pour le moment il sera prudent de considérer que les variations de V_1corr n'autorisent que des suppositions ou des présomptions sur le lexique.

V_1 (avec noms propres) et V_1 corrigé

1. Racine

	V_1	V_1corr	r
La Thébaïde	435	441,39	3
Alexandre	406	411,18	1
Andromaque	420	413,98	2
Britannicus	534	522,39	8
Bérénice	472	485,65	5
Bajazet	467	457,80	4
Mithridate	505	497,11	7
Iphigénie	506	490,91	6
Phèdre	617	617,45	9
Esther	650	708,20	11
Athalie	672	656,33	10

Indice $\bar{N}$ = 24,354 = 1/0,04106

2. Corneille et Racine

	V_1	V_1corr	r
Médée	709	735,90	29
Le Cid	548	539,67	15
Horace	550	543,69	17
Cinna	573	570,30	21
Polyeucte	617	609,77	25
Pompée	602	594,41	24
Rodogune	556	545,61	18
Théodore	524	511,14	11
Héraclius	540	523,80	13
Nicomède	571	559,17	20
Pertharite	480	468,27	5
Oedipe	568	539,08	14
Sertorius	566	546,47	19
Sophonisbe	507	497,29	8
Othon	594	581,18	23
Agésilas	519	496,03	7
Attila	577	576,97	22
Suréna	497	490,68	6
La Thébaïde	435	456,11	3
Alexandre	406	424,89	1
Andromaque	420	427,78	2
Britannicus	534	539,81	16
Bérénice	472	501,84	9
Bajazet	467	473,06	4
Mithridate	505	513,69	12
Iphigénie	506	507,28	10
Phèdre	617	638,04	26
Esther	650	731,82	28
Athalie	672	678,22	27

Indice $\bar{N}$ = 25,167 = 1/0,03973

La corrélation avec les pièces classées selon la richesse du
vocabulaire est, comme on pouvait s'y attendre, excellente : le coefficient atteint + 0,91 pour les 29 pièces, et 0,96 pour les 11 tragédies
de Racine lorsque la richesse est établie avec la formule binomiale.

Corrélation + 0,96

V_1corr   Richesse lexicale
                                               (formule binomiale)

Alexandre   Andromaque
Andromaque   La Thébaïde
La Thébaïde   Alexandre
Bajazet   Bérénice
Bérénice   Bajazet
Iphigénie   Mithridate
Mithridate   Iphigénie
Britannicus   Britannicus
Phèdre   Phèdre
Athalie   Athalie
Esther   Esther

Les divergences entre les deux classements concernent 7 pièces.
Pour quatre d'entre elles il apparaît que la structure lexicale subit un
déséquilibre relatif en faveur de la fréquence 1, c'est-à-dire que le taux
de répétition semble relativement élevé en regard de la richesse du vocabulaire. Il s'agit d'*Andromaque, La Thébaïde, Bérénice* et *Mithridate*. Pour
les trois autres c'est l'inverse : la richesse du vocabulaire paraît relativement élevée en regard du taux de répétition. Il s'agit d'*Alexandre,
Bajazet* et *Iphigénie*.

Autrement dit, le nombre présumé des lexèmes en jeu pour les
premières pièces mentionnées est relativement important par rapport à la
richesse du vocabulaire constatée : un nombre appréciable de lexèmes virtuels n'aurait pas été employés par Racine. Et inversement pour les autres
pièces : Racine y aurait employé un nombre de vocables plus important que
ce que les dimensions du lexique en jeu laissait prévoir.

Comme les effectifs des vocables de sous-fréquence 1 et ceux des
hapax varient en fonction de facteurs différents, l'opposition des classements des pièces selon les valeurs de V_1corr et de $V_h$corr devrait apporter
des indications utiles.

Le coefficient de corrélation atteint + 0,75. Par conséquent il
est très significatif : il y a dépendance statistique entre la quantité
relative des "vocables rares" et le taux de non-répétition, ou encore entre l'originalité du vocabulaire et les dimensions du lexique. On constate
cependant que le coefficient est inférieur à ceux qui ont été obtenus en
confrontant la richesse du vocabulaire à chacun des deux paramètres. Les
effectifs de V_h et de V_1 sont donc moins dépendants les uns des autres
qu'ils ne le sont, les uns et les autres, de la richesse du vocabulaire.

Cela s'explique d'ailleurs aisément car la richesse dépend à la fois de la
distribution des classes de fréquence et de l'effectif des vocables originaux, alors que les V_l dépendent surtout de la distribution des classes de
fréquence et les V_h, au contraire, surtout de l'effectif des vocables originaux.

Les divergences entre les classements touchent huit pièces, mais
sans affecter les trois ensembles.

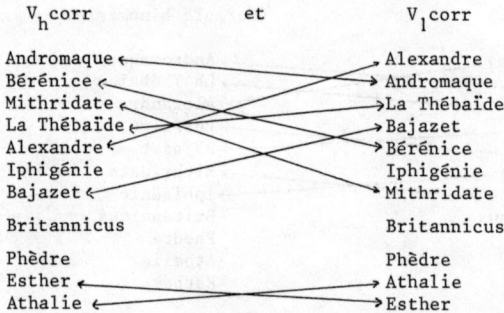

$V_h$corr   et $V_l$corr

Andromaque   Alexandre
Bérénice   Andromaque
Mithridate   La Thébaïde
La Thébaïde   Bajazet
Alexandre   Bérénice
Iphigénie   Iphigénie
Bajazet   Mithridate

Britannicus   Britannicus

Phèdre   Phèdre
Esther   Athalie
Athalie   Esther

Sur ces huit pièces, sept apparaissaient déjà comme lieu de divergences lorsqu'on opposait le classement de $V_h$corr à celui de la richesse
du vocabulaire. La seule pièce nouvelle ici est *Andromaque*.

Quatre sont déficitaires en V_l, par ordre d'importance des
écarts : *Mithridate, Bérénice, Andromaque* et *Esther* ; quatre autres sont
excédentaires : *Alexandre, Bajazet, La Thébaïde* et *Athalie*. Dans les premières, le vocabulaire serait donc relativement peu original en regard de
l'ampleur du lexique en jeu, et inversement pour les dernières. Le lexique
de *Mithridate* et de *Bérénice* (si l'on ne tient compte que des pièces qui
accusent les plus grands écarts de classement) contiendrait donc un nombre
relativement restreint de vocables "rares". Cela confirme ce que l'on a
déjà dit de la richesse du vocabulaire. De même, *Alexandre* et *Bajazet,*
avec un lexique relativement restreint (surtout *Alexandre*) seraient plus
accueillants aux vocables originaux.

Nous reviendrons sur ces observations lorsque nous étudierons
une estimation des dimensions du lexique, et, plus tard, dans notre troisième partie.

La confrontation des trois paramètres de base : richesse du vocabulaire, $V_h$corr et $V_l$corr a mis en évidence quelques différences stylistiques notables. Cependant on a vu aussi qu'il y avait une certaine constance,
une parenté très marquée entre les différents classements : il y a une
forte dépendance entre le nombre des vocables rares, la quantité des vocables
non répétés et l'étendue du vocabulaire.

CHAPITRE X

QUELQUES APPROCHES DE LA STRUCTURE LEXICALE

Dans ce chapitre on se propose d'étudier la distribution des fréquences ou, autrement dit, les rapports existant entre les effectifs associés aux différentes classes de fréquence. Dans la mesure où, d'un point de vue quantitatif, la distribution est un ensemble de classes dont les effectifs entretiennent des relations de dépendance réciproque, il n'est pas abusif de parler de *structure lexicale*.

Il s'agit là d'un domaine de la statistique lexicale dont l'étude reste au stade de l'expérimentation. La seule chose qui soit assurée c'est que toute donnée de cette structure relève de deux facteurs au moins : la longueur du texte et la richesse de son vocabulaire ; on voudrait pouvoir quantifier le rôle de chacun d'eux, mais jusqu'à présent aucune recherche dans ce sens n'a abouti.

Il n'est pas possible - ni utile - de mettre à l'épreuve tous les procédés connus. Il a fallu éliminer ceux qui, après expérience, se sont révélés trop peu fiables et des modèles de distribution d'une haute qualité mais d'un maniement trop complexe sans ordinateur (1).

On se bornera donc à mettre à l'épreuve quelques formules qui tentent, d'une manière ou d'une autre, de rendre compte de la structure lexicale : d'abord l'indice de "Yule-Herdan" qui essaie de condenser des faits très complexes sous la forme d'un nombre unique ; ensuite des modèles de distribution, dont les plus fiables sont des applications de la formule de Waring.

1. L'indice de Yule-Herdan (v_m)

L'indice v_m a été nommé indice de Yule-Herdan parce qu'il est la version modifiée par Herdan de la caractéristique K de Yule. Il devrait mesurer les variations de la distribution par rapport à la fréquence moyenne, c'est-à-dire l'étalement plus ou moins grand des fréquences. Sa formule est :

$$v_m = \frac{\sqrt{\dfrac{1}{V} \, Vi \, (fi-\bar{f})^2}}{\dfrac{\bar{f}}{\sqrt{V}}}$$

---

(1) Parmi ces derniers il faut citer : H. S. SICHEL "On a distribution law for word frequencies", Journal of the American statistical association, vol. 70, 351, 1975, pp. 542-547 et J. O. IRWIN "The generalized Waring distribution", Journal of the Royal statistical society, A 138, 1975, part I, pp. 18-31, part II, pp. 204-227 et part III, pp. 374-384.

Il est indispensable de connaître, en plus de l'effectif des vocables et de la fréquence moyenne, l'ensemble de la distribution des fréquences. Le calcul, long et laborieux, exige donc des données statistiques très détaillées.

Ch. Muller, qui a tenté de borner v_m, estime qu'entre 10000 et 100000 occurrences il est indépendant de N et ne varie qu'en fonction de facteurs stylistiques.

Si un indice de variation de la moyenne est utile et opérant dans des disciplines telles que la physique (1), son intérêt en statistique lexicale n'est pas assuré car, les distributions des fréquences étant ce qu'elles sont, il risque de soulever de sérieuses difficultés d'interprétation. En effet les fréquences ne se répartissent jamais symétriquement de part et d'autre de la moyenne, les écarts en moins sont toujours faibles mais nombreux alors que les écarts en plus sont souvent considérables mais plutôt rares. Pour que v_m atteigne des valeurs élevées, il suffirait théoriquement que la distribution se caractérise soit par un très grand nombre de vocables de basse fréquence, soit par un petit nombre de vocables de très haute fréquence : les deux hypothèses renvoient à des interprétations linguistiques distinctes, sinon opposées. Lorsqu'on utilise l'indice de Yule-Herdan on s'expose donc à être très embarrassé au moment de tirer des conclusions sur des textes.

En réalité, les expériences qui ont été faites ont toujours montré que v_m variait surtout avec les hautes fréquences car sa formule est plus sensible à l'importance des écarts qu'à leur nombre. Cela a pour corollaire le fait que la stabilité de la norme de dépouillement est indispensable lorsqu'on emploie cet indice car c'est précisément pour les articles, conjonctions, prépositions et pronoms les plus fréquents que la norme subit le plus de fluctuations.

Jugeant qu'il ne faut pas attendre de conclusions d'un grand intérêt quant au contenu lexical, on se contentera d'effectuer plusieurs calculs expérimentaux des valeurs de v_m en fonction des modifications de la distribution :
I. Selon la norme de dépouillement de Ch. Muller dans l'*Etude*, qui avantage considérablement les hautes fréquences puisque l'homographie de plusieurs mots grammaticaux n'est pas résolue.
II. Selon la norme de dépouillement adoptée pour cette recherche, qui avantage moins les hautes fréquences.

A partir de cette dernière norme on fera encore deux autres essais purement spéculatifs, motivés avant tout par les rapports de v_m avec la richesse du vocabulaire et la proportion des mots fonctionnels :
a) En éliminant l'article défini (le vocable le plus fréquent) de la liste des fréquences.
b) En éliminant les déterminants et les prépositions ayant plus de 100 occurrences de la liste des fréquences.

Les valeurs figurent infra :

---

(1) Voir G. HERDAN, *The advanced theory of language as choice and chance*, Berlin/Heidelberg/New York, Springer, 1966, p. 104.

Indice de Yule-Herdan

	I	r	II	r	IIa	r	IIb	r
La Thébaïde	0,1245	9	0,1156	9	0,1018	7	0,0988	9
Alexandre	0,1200	8	0,1117	8	0,1017	6	0,0921	4
Andromaque	0,1173	4	0,1089	2	0,1026	8	0,0993	11
Britannicus	0,1175	5	0,1102	4	0,1026	9	0,0955	7
Bérénice	0,1169	2	0,1099	3	0,1029	10	0,0947	6
Bajazet	0,1160	1	0,1078	1	0,1006	3	0,0965	8
Mithridate	0,1180	6	0,1117	7	0,1033	11	0,0993	10
Iphigénie	0,1187	7	0,1113	6	0,1014	4	0,0939	5
Phèdre	0,1171	3	0,1103	5	0,0989	2	0,0889	3
Esther	0,1297	11	0,1239	11	0,0972	1	0,0780	1
Athalie	0,1247	10	0,1183	10	0,1015	5	0,0870	2

Prologue d'Esther	0,2713
L(Esth)	0,1343
L(Ath)	0,0954
L(Esth) + L(Ath)	0,1315
D(Esth)	0,1205
D(Ath)	0,1174
Tragédies profanes	0,1111
Tragédies sacrées	0,1207
11 tragédies	0,1121

I   norme Muller (tous les mots)

II   ma norme (tous les mots)

IIa "   "   (sans *le*)

IIb "   "   (sans déterminants ni prépositions)

     Pour des valeurs de N plus petites que la borne inférieure fixée par Ch. Muller (N = 10000) on constate, comme prévu, que v_m donne des résultats douteux - soit 0,2713 pour le prologue d'*Esther* (N = 603), c'est-à-dire plus du double de la valeur atteinte pour la pièce entière (0,1239) - ou suspects d'incohérence - le chiffre obtenu pour *Athalie* (0,1183) est plus grand que ceux de L(*Ath*) (v_m = 0,0954, N = 2138) et de D(*Ath*) (v_m = 0,1174, N = 13367) alors qu'il devrait plutôt se situer entre eux, ce qui signifie que l'un des deux, vraisemblablement celui de L(*Ath*), est sous-estimé.

     Les variations des valeurs de l'indice consécutives aux modifications de la distribution corroborent presque toujours les observations des chercheurs qui nous ont précédés : v_m diminue lorsque l'on réduit les hautes fréquences :
     - On constate en effet que toutes les valeurs obtenues avec notre norme de dépouillement sont plus faibles que celles que l'on obtient avec la norme de Ch. Muller. Cependant la corrélation entre les deux classements des 11 tragédies reste très bonne puisque l'indice de Spearman s'établit à + 0,95. En passant d'une norme à l'autre v_m diminue donc sensiblement selon la même proportion dans toutes les pièces.
     - De même, on voit que v_m est plus fort lorsque le calcul porte sur la liste des fréquences prise intégralement (colonne II), que lorsqu'on élimine l'article défini ou les déterminants et les prépositions (colonnes IIa et IIb). Mais la corrélation entre les classements pris deux à deux est loin d'être bonne, il y a un renversement presque complet des valeurs de v_m. Entre II et IIa l'indice s'établit à - 0,25, entre II et IIb à - 0,55, valeurs non significatives en termes de statistique - mais la dernière l'est presque - qui proviennent du fait que ni l'article défini, ni les déterminants et prépositions ne se répartissent uniformément dans les 11 pièces, et qui prouvent l'extrême sensibilité de l'indice à certaines modifications des hautes fréquences.

Sur nos données, v_m varie avant tout avec les très hautes fréquences : le tableau supra montre qu'il accuse une forte baisse lorsque l'on supprime le vocable le plus fréquent (*le*, article) et aussi lorsque l'on élimine les prépositions, dont le vocable *de*, qui est à la deuxième place par ordre de fréquence décroissante.

On pourrait penser que la richesse du vocabulaire se traduit à la fois par une accumulation de mots peu répétés de basse fréquence, notamment des substantifs, et corollairement par des effectifs importants de déterminants et de prépositions de haute fréquence. Dans la mesure où le poids de certains pronoms très fréquents, ou de certaines conjonctions, n'infléchit pas trop les valeurs de v_m, on peut espérer une bonne corrélation entre le classement des pièces selon les valeurs de v_m et selon la richesse du vocabulaire.

La corrélation entre les différents classements s'établit comme suit :

		Richesse du vocabulaire selon la formule binomiale
	avec tous les mots	+ 0,40
v_m	sans *le*	- 0,50
	sans déterminants ni prépositions	- 0,73

L'indice, positif dans la première ligne, devient négatif dès que l'on supprime l'article défini. Il y a une corrélation inverse significative lorsque l'on supprime les déterminants et les prépositions.

Les résultats sont très proches lorsque l'on oppose v_m à la proportion de substantifs :

		Proportion de substantifs (noms propres inclus)
	avec tous les mots	+ 0,64
v_m	sans *le*	- 0,47
	sans déterminants ni prépositions	- 0,89

Par rapport au tableau précédent il y a deux différences notables : l'indice marque ici une corrélation significative pour la première ligne et la corrélation inverse est encore meilleure dans la dernière ligne.

Dans les deux cas la corrélation devient inverse, significative ou non, dès que *le* est supprimé. Cela montre que v_m n'est lié aux deux paramètres que par l'intermédiaire des effectifs de l'article défini qui sont eux-mêmes plus dépendants de la quantité de substantifs que de la richesse du vocabulaire. Il faut donc admettre que v_m ne peut pas rendre compte de la richesse du vocabulaire, tout au moins si l'on n'opère aucune suppression dans la liste des fréquences, et il semble bien que les mots "grammaticaux" de haute fréquence influent fortement sur les valeurs de v_m.

Lorsqu'on fait la même expérience avec l'ensemble des mots "grammaticaux" on obtient deux indices significatifs :

Proportion de mots grammaticaux

avec tous les mots	- 0,33
v_m sans *le*	+ 0,62
sans déterminants ni prépositions	+ 0,75

L'indice négatif établit une corrélation inverse dans la première ligne, alors que dans les deux lignes suivantes les indices sont positifs. Les chiffres montrent clairement qu'il y a un lien entre v_m et la proportion de mots grammaticaux, et les deux paramètres varient dans le même sens si l'on exclut l'article défini de la liste des fréquences.

Des expériences qui précèdent on retiendra que les valeurs de v_m :
- dépendent presque exclusivement de l'effectif des mots de très haute fréquence, et particulièrement de l'article défini.
- ne peuvent pas apporter de renseignements sûrs à propos de la richesse du vocabulaire.
- sont liés à la densité des mots grammaticaux.

D'un point de vue stylistique, l'interprétation des valeurs de v_m est donc sans intérêt. La distribution des fréquences est un phénomène fort complexe dont on ne peut pas espérer rendre compte par un seul indice, on préférera donc recourir à des procédés plus élaborés.

2. Modèles de distribution des classes de fréquence

a) La loi de Zipf

La loi de Zipf étant le modèle le plus connu, nous en dirons deux mots. Comme tous les modèles de distribution, elle exprime une tendance profonde du lexique et probablement de bien d'autres aspects quantifiables du comportement humain. Les vocables étant classés par fréquences décroissantes on attribue le rang 1 au plus fréquent, et ainsi de suite. Quand plusieurs vocables ont la même fréquence, les linguistes ont pris l'habitude de leur attribuer un rang moyen (1). Selon cette loi :

fréquence . rang = Constante

Nous ne l'appliquerons pas à nos données, on sait qu'elle présente des déviations, toujours les mêmes, par rapport à la réalité : en fait elle n'est susceptible de se vérifier avec exactitude que sur les fréquences moyennes. Nous préférerons tester sur nos données des modèles plus sûrs.

---

(1) Peut-être serait-il préférable de prendre le rang du dernier vocable appartenant à la fréquence considérée. C'est ce que suggère A. PROST, *Vocabulaire des proclamations électorales de 1881, 1885 et 1889,* Paris, P.U.F., 1974, p. 30.

b) Calcul d'une distribution théorique à l'aide de la formule de Waring

α) La distribution de Waring-Herdan

Herdan, le premier, a appliqué une distribution de Waring au calcul des effectifs des classes de fréquence. La formule utilisée a été baptisée formule de Waring-Herdan par Ch. Muller (1) :

$$\frac{x-a}{x} + \frac{(x-a)a}{x(x+1)} + \frac{(x-a)a(a+1)}{x(x+1)(x+2)} + \cdots + \frac{(x-a)a(a+1)\ \cdots\ (a+n-1)}{x(x+1)(x+2)\ \cdots\ (x+n)} = 1$$

C'est un cas particulier de la série hypergéométrique de Gauss. Il est nécessaire de connaître le nombre total d'occurrences (N), le nombre de vocables (V) et le nombre de vocables de fréquence 1 (V_1).

Après avoir calculé la fréquence moyenne $\bar{f} = N/V$ ainsi que la probabilité, pour un vocable, d'être répété (indice de répétition) $q_1 = \frac{V-V_1}{V}$, il est possible de déterminer la valeur de a et de x :

$$a = \frac{1}{\dfrac{1}{q_1} - \dfrac{1}{\bar{f}} - 1}$$

$$x = \frac{a}{q_1}$$

Plusieurs mathématiciens ont montré que la formule de a ci-dessus n'est pas tout à fait exacte. En réalité :

$$a = \frac{1}{\dfrac{1}{q_1} - \dfrac{1}{\bar{f}-1} - 1}$$

Mais les expériences ont montré que cette dernière ne rendait pas mieux compte des distributions réelles, au contraire ; par ailleurs a et x ne sont que des estimateurs et il est donc légitime de les faire varier si nécessaire. Par conséquent il n'y a pas d'obstacle majeur à employer la première formule.

On obtient ainsi une série de n termes, dont la somme est égale à 1, représentant chacun la probabilité pour un mot d'apparaître n fois. Il suffit alors de multiplier chaque terme par le nombre total des vocables du texte pour obtenir les effectifs théoriques de chaque classe de fréquence.

Exemple d'application : calcul d'une distribution théorique pour le première tragédie de Racine (*La Thébaïde*)

Sachant que   N = 13828
                 V = 1244
                 V_1 = 435   noms propres inclus

---

(1) Ch. MULLER, "Du nouveau sur les distributions lexicales. La formule de Waring-Herdan", *Cahiers de Lexicologie*, 6, 1, 1965, pp. 35-53.

on calcule $\bar{f}$ = 11,11576

               q_1 = 0,65032

d'où   a = 2,2336

           x = 3,4346

Les termes du développement sont :

  0,3497 + 0,1761 + 0,1048 + 0,0689 + 0,0485 + 0,0359 + 0,0275

    1   2   3   4   5   6   7

+ 0,0217 + 0,0175 + 0,0144 etc.

   8   9   10

      En multipliant chaque terme par 1244 on obtient la distribution théorique.

      Ce procédé a été appliqué à la plupart des données concernant Racine, en premier lieu aux 11 tragédies ainsi qu'aux parties de pièces – hormis le prologue d'*Esther* qui est trop court, la formule de Waring-Herdan ne devant en principe pas être employée lorsque N < 1000-et aux ensembles de pièces (1). Selon les estimations de Ch. Muller, le modèle perd sa précision quand N > 100000. On a cependant calculé les distributions théoriques des ensembles des 9 tragédies profanes et des 11 tragédies qui dépassent largement 100000 occurrences, afin d'examiner la nature des discordances entre le modèle et la réalité.

      Nous avons utilisé le X^2 afin d'avoir une évaluation globale des divergences (tableau p. 152).

      Dans l'ensemble, les valeurs de X^2 montrent que la conformité des distributions théoriques avec les distributions réelles est satisfaisante, même pour des textes relativement courts comme L(*Esth*). Dans 14 cas sur 19 les écarts ne sont pas significatifs, et la probabilité d'une répartition due au hasard est inférieure au seuil de 5 chances sur 100 seulement pour 5 comparaisons :
- Par deux fois, dans *Athalie* et dans D(*Ath*), l'importance des écarts semble due au fait que les distributions réelles présentent des "anomalies". Dans *Athalie* l'effectif réel de quelques fréquences est plutôt bas (fréquences 2 et 3) alors que celui de certaines autres est singulièrement élevé, notamment celui de la fréquence 5 qui dépasse, contre toute attente, celui de la fréquence 4. Dans D(*Ath*) les valeurs partielles du X^2 sont les plus fortes pour les fréquences 4, 5, 7, 9 et 10 ; les effectifs réels des fréquences 4, 5, 7 et 10 sont nettement excédentaires alors que la fréquence 9 est particulièrement déficitaire. Pour ces deux textes, la valeur totale, relativement forte, atteinte par le X^2 (29,628 pour *Athalie*, avec 8 d.d.l., la probabilité du hasard étant inférieure à une chance sur 1000 ; 16,510 pour D(*Ath*), avec 8 d.d.l. aussi, la probabilité du hasard se situant entre 2 chances sur 100 et 5 chances sur 100) provient, selon toute vraisemblance, des irrégularités des données elles-mêmes et non pas d'un défaut du modèle.

---

(1) Afin de réduire les risques d'erreur on s'est borné aux dix premières fréquences, car les calculs n'ont pas été faits sur ordinateur. Les distributions observées figurent p. 150.

- Dans trois autres cas, en revanche, on est amené à remettre le modèle en question. Pour l'ensemble des tragédies sacrées le X^2 s'établit à 20,868, soit, avec 8 d.d.l., $0,01 > p > 0,001$; pour l'ensemble des tragédies profanes il atteint 90,134 et $0,001 > p$; et pour les 11 tragédies il est encore plus fort : 351,207 et $0,001 > p$. Le seuil de 5 chances sur 100 est très largement dépassé. Les discordances entre le modèle et la réalité, pour ces trois ensembles, ont un point commun : dans une zone précise de la distribution (les basses fréquences hormis la fréquence 1) les écarts sont constamment négatifs alors que pour les fréquences suivantes ils sont constamment positifs. Par ailleurs la zone affectée par les écarts négatifs s'agrandit à mesure que les valeurs de N augmentent. Pour N = 26674 (tragédies sacrées) les seuls effectifs concernés sont ceux des fréquences 2, 3, 4 et 5, avec N = 132225 (tragédies profanes) il faut ajouter les fréquences 6 et 7, et enfin pour N = 158899 la zone s'étend jusqu'à la fréquence 10 au moins. L'expérience montre donc que plus les textes s'allongent, plus les divergences s'aggravent.

Comme le modèle diffère significativement de la réalité pour les tragédies sacrées on en conclut qu'il faut être très prudent, pour le type de texte qui nous occupe, à partir de N = 25000 quand on utilise la formule de Waring-Herdan, même si elle a déjà donné de bons résultats pour des textes approchant 30000 occurrences (1), et bien que Ch. Muller ait proposé, pour d'autres textes, N = 100000 comme limite extrême d'application de la formule.

Au total, la formule de Waring-Herdan fournit, lorsqu'elle est employée dans des limites bien précises, une approximation suffisante des distributions réelles.

Dans les essais qui précèdent on a appliqué la formule à tous les mots qui constituent les textes. Or selon certaines tentatives il semble qu'on puisse aussi obtenir des résultats acceptables en l'utilisant avec certaines catégories de mots seulement (2). On a donc tenté ici d'éprouver la méthode sur les substantifs et sur les adjectifs pris séparément.

L'expérience ne porte que sur 12 distributions : celles de chacune des 11 pièces et celle de l'ensemble.

Pour les substantifs (tableau p. 151) les valeurs de N se situent à l'intérieur des limites d'utilisation ; dans les pièces, N (substantifs) varie entre 2296 (*Bérénice*) et 3357 (*Athalie*) et pour le total des 11 tragédies, N (substantifs) = 28825 (3), c'est là, comme nous l'avons vu, une valeur critique, tout au moins lorsqu'on tient compte de tous les mots.

---

(1) G. HERDAN, *Quantitative linguistics*, Londres, Butterworth, 1964, p. 87, obtient un résultat satisfaisant avec la nouvelle de Pouchkine *La Fille du Capitaine* (en russe), N = 28591. Mais par ailleurs, Ch. Muller obtient un résultat très proche du seuil de 5 %, donc tout juste acceptable, avec le texte grec des Epîtres de Paul, N = 32303.

(2) Par exemple M. TĚŠITELOVÁ, "On the role of nouns in lexical statistics", *Prague studies in mathematical linguistics*, 2, 1967, pp. 121-129.

(3) Les valeurs de N et de V, pour les substantifs et pour les adjectifs excluent certains cas de polycatégorie, d'où, ici, des valeurs légèrement inférieures à celles qui figurent au chapitre VI.

Pour les adjectifs (tableau p. 151) les valeurs de N (adjectifs) varient, dans les pièces, entre 504 (*Andromaque*) et 916 (*Phèdre*) et pour le total des 11 pièces, N (adjectifs) = 7682 (voir note 3 page précédente). Dans aucune pièce le nombre des occurrences d'adjectifs n'atteint 1000, qui est la borne inférieure fixée par Ch. Muller. On a néanmoins appliqué la formule de Waring-Herdan car rien ne permettait de penser que les bornes fixées étaient valables pour une distribution n'intégrant pas tous les mots.

Les valeurs de X^2 (p. 152) montrent, en ce qui concerne les substantifs, que 10 fois sur 12 il n'y a pas de différences significatives entre les distributions théoriques et les distributions réelles. Le modèle s'écarte nettement de la réalité pour *La Thébaïde* (X^2 = 16,835, soit avec 8 d.d.l. une probabilité tout juste inférieure au seuil : 0,05 > p > 0,02), c'est donc de justesse que le test est significatif. Les écarts pourraient provenir d'une "anomalie" de la distribution réelle, dans laquelle les effectifs des fréquences 7, 8 et 9 sont avantagées au détriment des fréquences suivantes.

La valeur atteinte par le X^2 pour l'ensemble des 11 tragédies est très élevée (X^2 = 152,410, soit pour 8 d.d.l. une probabilité inférieure à 0,001). Les écarts sont donc très significatifs. Comme plus haut, lorsqu'on tenait compte de tous les mots, les discordances entre le modèle et la réalité se manifestent sous la forme d'écarts affectant des zones entières de la distribution ; ainsi, de la fréquence 2 à la fréquence 10 au moins, tous les écarts sont négatifs (le modèle surestime les effectifs) et au-delà c'est l'inverse. On peut conclure que les écarts ne proviennent pas d'irrégularités dans la distribution réelle mais d'une inaptitude du modèle à rester en concordance avec les faits pour les valeurs élevées de N.

L'examen de 12 tests concernant les adjectifs aboutit à des constatations analogues. Dix fois sur douze les écarts entre les distributions théoriques et réelles ne sont pas significatifs. Dans *Andromaque* ils le sont, mais de peu (X^2 = 9,550, pour 3 d.d.l. on a 0,05 > p > 0,02) ; l'importance des divergences provient du fait que les effectifs réels des fréquences 2 et 3 sont plus élevés que dans une distribution normale.

Pour l'ensemble des 11 tragédies les écarts sont très significatifs (X^2 = 43,280, pour 8 d.d.l. on a 0,001 > p). Comme plus haut les discordances se manifestent sous la forme de zones d'écarts, négatifs de la fréquence 2 à la fréquence 10 au moins (hormis la fréquence 8 qui a un tout petit écart positif), et positifs au-delà. Une fois de plus cela est dû au fait que le modèle est défaillant pour certaines valeurs de N.

Les résultats obtenus avec la formule de Waring-Herdan sur les 11 tragédies montrent que les bornes d'utilisation ne sont pas les mêmes lorsqu'on travaille sur une seule catégorie de mots et lorsqu'on tient compte de tout le vocabulaire. Le nombre des occurrences d'adjectifs étant toujours inférieur à 1000, on aurait pu s'attendre à des résultats aberrants. Or ils ne le sont pas, loin de là.

Par ailleurs le modèle est pris en défaut pour la distribution
de l'ensemble des 11 pièces, N = 7709. La borne supérieure devrait donc,
pour les adjectifs, se situer en-dessous de cette valeur, de même que,
pour les substantifs, elle devrait être abaissée à une valeur sensiblement plus petite que N = 28920.

Parmi les tentatives qui ont été faites pour rendre compte de
la structure des distributions lexicales, la formule de Waring-Herdan
est l'une des plus précieuses : les calculs, quoique longs, sont relativement simples, les données requises sont peu nombreuses et, par ailleurs,
elle se prête, comme nous le verrons plus loin, à formuler des hypothèses sur le potentiel lexical. Nous avons pu établir que, lorsqu'on
l'emploie pour établir le modèle d'une distribution qui comprend tout le
vocabulaire, mieux vaut être très prudent pour des textes dépassant
25000 mots.

Quand la formule porte sur des distributions qui n'intègrent
pas tous les mots, les limites sont différentes. Il faudrait faire encore
beaucoup d'expériences si l'on voulait fixer des bornes très précises
pour chaque catégorie de mots. Pour le moment nos essais ont établi que
le modèle ne fournissait de bonnes approximations des distributions de
substantifs et d'adjectifs que lorsque N était relativement petit (1).

---

(1) La question des bornes d'application de la formule de Waring-Herdan ne
    pourra être résolue qu'en faisant des expériences sur des textes plus
    nombreux et plus variés que ceux qui sont étudiés ici. On peut penser
    qu'il y aurait lieu de tenir compte de trois paramètres : type de dis-
    tribution (tous les mots - vs - telle ou telle catégorie), valeurs de
    N et valeur de V_1 pour aboutir à des résultats utiles.

β) La distribution de Waring avec les estimateurs de Ratkowsky

Les valeurs calculées à l'aide de la formule de Waring-Herdan ont tendance - surtout lorsqu'on dépasse ses limites d'application - à surestimer les effectifs des classes de fréquence basses ; nous en avons vu quelques exemples. Afin d'atténuer cette tendance, D. A. Ratkowsky a proposé un mode de calcul différent du précédent (1) : on applique à la série de Waring des estimateurs qui, tenant compte des effectifs des classes de fréquence 1, 2 et 3, devraient amener une meilleure concordance avec les données observées, en particulier dans les fréquences les plus basses.

Les données nécessaires sont les valeurs de V, V_1, V_2 et V_3. On observera que N n'entre pas en ligne de compte.

On pose :   Exemple : 11 tragédies de Racine

$$p_1 = \frac{V_1}{V} \qquad\qquad = \frac{680}{3263} = 0,208397$$

$$p_2 + p_3 = \frac{V_2 + V_3}{V} \qquad = \frac{339 + 230}{3263} = 0,174379$$

Puis on calcule les quatre termes :

$$b = (p_2 + p_3)/p_1 \qquad\qquad = 0,836765$$

$$c = 2 + p_1^2 - 3p_1 - b \qquad = 0,581473$$

$$d = 1,5\ (b + p_1 - 1)/c \qquad = 0,116502$$

$$e = 2b/c \qquad\qquad\qquad = 2,878086$$

Pour obtenir les estimateurs :

$$x = d + (d^2 - e)^{\frac{1}{2}} \qquad = 1,8169895$$

$$a = x\ (1 - p_1) \qquad\qquad = 1,438334$$

D'où les fréquences calculées :

$$V_1' = V\ (\frac{x-a}{x}) = 680,00 \quad ; \quad V_2^* = V_1'\ (\frac{a}{x+1}) = 347,20 \quad ;$$

$$V_3' = V_2'\ (\frac{a+1}{x+2}) = 221,80 \quad ; \quad V_4' = V_3'\ (\frac{a+2}{x+3}) = 158,32 \quad ; \text{ etc.}$$

Ce calcul a été appliqué à 24 cas choisis, pour la plupart, parmi les données pour lesquelles la formule de Waring-Herdan donne des modèles soit très proches, soit, inversement, éloignés ou significativement différents des distributions observées, qu'il s'agisse d'une part de pièces, de partie ou d'ensembles de pièces, et d'autre part de tous les mots, des substantifs ou des adjectifs (2).

---

(1) D. A. RATKOWSKY, "Une nouvelle approche concernant l'application de la distribution de Waring aux fréquences des vocables dans les textes littéraires", *Cahiers de Lexicologie*, 34, 1, 1979, pp. 3-18.

(2) J.-Y. HAMON de l'*Institut de la Langue Française* a établi un programme pour le calcul par ordinateur de ces distributions.

On notera qu'en ce qui concerne les adjectifs, la "rentabilité" du nouveau procédé n'est pas patente sur nos données car il faut disposer des effectifs de trois classes de fréquence pour calculer les effectifs théoriques - qui doivent être supérieurs à 5 pour rester dans les limites d'application du test de Pearson - de six à huit classes seulement pour les pièces prises individuellement.

Le test du X^2 (p. 152) permettra, comme précédemment, de porter une appréciation sur les écarts entre les distributions calculées et observées.

Pour comparer les valeurs de X^2 atteintes en fonction des deux applications de la série de Waring, on distinguera les cas où le procédé de Herdan a été utilisé dans ses limites (19 cas : pièces prises individuellement, partie des tragédies sacrées et - cas limite - ensemble des tragédies sacrées) de ceux où les valeurs de N étaient nettement supérieures aux seuils (4 cas : tragédies profanes, tous les mots et ensemble des onze tragédies, tous les mots, substantifs seuls et adjectifs seuls).

Dans la première série, la loi de Waring-Herdan reste supérieure à la méthode de Ratkowsky treize fois et celle-ci donne des résultats meilleurs six fois seulement. Les écarts entre les valeurs de X^2 varient entre 0,05 % (*La Thébaïde*, tous les mots) et 60 % (*Andromaque*, adjectifs seuls). Cependant, même lorsque les écarts sont les plus amples, le niveau de probabilité associé au X^2 accuse rarement des différences considérables. Les cas extrêmes sont celui de *Mithridate* (tous les mots) et celui d'*Andromaque* (adjectifs) : pour *Mithridate* la distribution de Ratkowsky est à rejeter (0,01 > p) alors que celle de Waring-Herdan est acceptable (0,30 > p > 0,10) ; pour *Andromaque*, à l'inverse, la concordance est suffisante avec les estimateurs de Ratkowsky (0,30 > p > 0,10) et en-deçà de l'acceptable avec ceux de Herdan (0,05 > p).

Il faut noter par ailleurs que pour *Athalie* (tous les mots et substantifs seuls) et D(*Ath*) (tous les mots) les discordances sont encore plus marquées ici (p < 0,001 dans tous les cas) qu'avec la formule de Waring-Herdan. Cela tend à confirmer que les distributions réelles respectives présentent des irrégularités importantes.

Dans la deuxième série, l'amélioration apportée par les estimateurs de Ratkowsky est constante ; le X^2 est toujours réduit de manière impressionnante : il diminue de moitié dans le cas le moins favorable (tragédies profanes, tous les mots) et atteint moins d'un trentième de la valeur initiale dans le cas le meilleur (onze tragédies, substantifs seuls). Malgré cela, le niveau de probabilité du X^2 ne traduit pas chaque fois un progrès décisif. En effet, pour les distributions portant sur tout le vocabulaire des tragédies profanes et des onze tragédies, la probabilité reste inférieure à 0,001. Donc les distributions théoriques sont significativement différentes des distributions réelles. En revanche, le progrès est spectaculaire pour les distributions des adjectifs et des substantifs des onze tragédies car la probabilité passe dans les deux cas de 0,001 à une valeur voisine de 0,8, qui marque une concordance très bonne entre le modèle et la réalité.

Nos expériences, qui n'ont pas d'autre but que de compléter celles de D. A. Ratkowsky, permettent de penser que cette nouvelle application de la série de Waring est peut-être un peu moins opérationnelle que celle de Herdan tant que cette dernière est employée à l'intérieur de certaines limites, mais peut donner de bons résultats au-delà. Il ne semble pas, cependant, qu'elle ait une portée universelle et il reste à en fixer les seuils de validité. Si les données tirées de Racine sont trop particulières et trop peu nombreuses pour y parvenir, elles donnent néanmoins des indications utiles : les résultats sont assez favorables pour des textes courts, voire très courts (pour le prologue d'*Esther* la concordance est satisfaisante avec une probabilité supérieure à 0,1). Pour des textes longs, il y a indéniablement une amélioration par rapport à la méthode de Waring-Herdan, mais, dans certains cas, des discordances importantes subsistent en regard des distributions réelles.

Distributions observées (tous vocables)

f	La Thébaïde	Alexandre	Andromaque	Britannicus	Bérénice	Bajazet	Mithridate	Iphigénie	Phèdre	Tragédies profanes
1	435	406	420	534	472	467	505	506	617	582
2	206	202	198	274	225	221	222	258	290	295
3	119	135	129	157	129	138	144	142	177	203
4	79	93	95	103	69	104	96	105	111	163
5	65	62	59	70	61	67	81	77	87	117
6	45	54	54	54	44	51	53	66	47	93
7	35	32	38	44	30	46	38	46	46	80
8	30	26	27	41	29	37	42	34	27	77
9	28	27	26	23	21	26	21	22	35	70
10	16	15	18	16	18	24	24	15	21	69
≥11	186	203	205	199	183	200	198	211	184	1118

f	Esther	Athalie	Tragédies sacrées	11 tragédies	Prologue d'Esther	L(Esth)	L(Ath)	D(Esth)	D(Ath)	L(Esth) + L(Ath)
1	650	672	696	680	213	385	332	608	669	467
2	266	289	354	339	30	143	89	257	278	176
3	173	160	193	230	15	66	37	137	158	100
4	93	111	141	164	4	31	30	72	120	63
5	74	114	109	134	4	23	13	59	83	32
6	41	56	83	92	1	14	8	38	53	15
7	40	57	85	105	4	8	8	32	48	17
8	38	46	58	90	4	5	2	19	33	13
9	15	23	48	66	1	6	10	13	16	6
10	17	25	41	62	–	3	2	13	28	12
≥11	146	189	355	1301	9	38	35	108	159	66

Distributions observées

1. Substantifs seuls

f	Théb	Alex	Andr	Brit	Bér	Baj	Mithr	Iph	Phè	Esth	Ath	11 trag.
1	179	176	165	233	204	194	204	233	271	298	331	396
2	79	71	72	113	85	92	93	101	118	126	127	198
3	58	51	51	61	48	45	59	54	66	75	65	134
4	34	30	34	31	29	36	34	46	42	42	51	90
5	27	25	26	36	24	30	33	34	33	24	53	67
6	18	16	19	25	16	18	22	29	17	23	17	50
7	16	13	15	17	6	21	11	14	18	12	28	51
8	15	10	11	12	12	14	18	7	11	16	18	45
9	12	8	11	8	7	9	8	8	14	6	11	27
10	4	7	8	7	10	9	8	8	7	6	7	29
≥11	28	61	60	62	51	51	54	63	51	44	59	536

2. Adjectifs seuls

f	Théb	Alex	Andr	Brit	Bér	Baj	Mithr	Iph	Phè	Esth	Ath	11 trag.
1	88	70	78	110	87	91	105	86	135	110	118	136
2	37	34	40	35	30	37	35	41	54	52	62	67
3	18	18	19	26	15	23	19	19	31	30	23	47
4	13	19	7	13	11	18	12	13	12	16	21	29
5	5	8	6	4	9	9	7	10	16	13	19	25
6	10	5	2	10	5	9	8	10	9	6	7	20
7	2	6	3	4	3	4	7	9	7	7	4	16
8	5	4	2	2	4	4	4	5	4	5	7	17
9	1	3	0	2	2	3	3	1	4	2	5	13
10	3	1	1	1	2	6	2	0	5	4	3	9
≥11	11	6	8	6	9	12	13	11	15	8	12	168

Valeurs de N : 1. Substantifs : Théb : 2348, Alex : 2426, Andr : 2538, Brit : 2787, Bér : 2296, Baj : 2526, Mithr : 2566, Iph : 2897, Phè : 2681, Esth : 2403, Ath : 3357, 11 trag. : 28825.

2. Adjectifs : Théb : 673, Alex : 618, Andr : 504, Brit : 585, Bér : 581, Baj : 741, Mithr : 728, Iph : 696, Phè : 905, Esth : 735, Ath : 916, 11 trag. : 7682.

x^2 Distributions observées vs distributions calculées

	Théb	Alex	Andr	Brit	Bér	Baj	Mithr	Iph	Phè	Tragédies profanes
Ts les mots W-H	6,943; 0,7>p>0,5	6,320; 0,7>p>0,5	6,869; 0,7>p>0,5	4,492; 0,9>p>0,7	7,387; 0,5>p>0,3	5,867; 0,7>p>0,5	12,633; 0,3>p>0,1	7,763; 0,5>p>0,3	8,021; 0,5>p>0,3	90,134; 0,001>p
Ts les mots W-R	6,939; 0,7>p>0,5	–	9,248; 0,5>p>0,3	4,658; 0,9>p>0,7	–	–	23,493; 0,01>p	10,842; 0,3>p>0,1	7,738; 0,5>p>0,3	42,396; 0,001>p
Subst W-H	16,835; 0,05>p	8,063; 0,5>p>0,3	5,697; 0,7>p>0,5	7,100; 0,7>p>0,5	10,411; 0,3>p>0,1	9,674; 0,3>p>0,1	9,007; 0,5>p>0,3	11,777; 0,3>p>0,1	5,214; 0,9>p>0,7	–
Subst W-R	20,688; 0,01>p	–	–	–	–	–	–	–	6,934; 0,7>p>0,5	–
Adj W-H	5,353; 0,3>p>0,1	5,242; 0,3>p>0,1	9,550; 0,05>p	4,439; 0,3>p>0,1	1,752; 0,7>p>0,5	2,395; 0,7>p>0,5	2,997; 0,7>p>0,5	2,763; 0,7>p>0,5	4,173; 0,7>p>0,5	–
Adj W-R	–	–	3,831; 0,3>p>0,1	–	–	–	1,948; 0,9>p>0,7	–	–	–

	Esther	Athalie	Tragédies sacrées	11 tragédies	Prologue d'Esther	L(Esth)	L(Ath)	D(Esth)	D(Ath)	L(Esth)+ L(Ath)
Ts les mots W-H	12,244; 0,3>p>0,1	29,628; 0,001>p	20,868; 0,01>p	351,207; 0,001>p	–	7,329; 0,7>p>0,5	14,989; 0,1>p>0,05	4,432; 0,9>p>0,7	16,510; 0,05>p	11,120; 0,3>p>0,1
Ts les mots W-R	12,073; 0,3>p>0,1	57,401; 0,001>p	31,550; 0,001>p	27,570; 0,001>p	4,418; 0,3>p>0,1	11,784; 0,3>p>0,1	–	4,424; 0,9>p>0,7	30,735; 0,001>p	–
Subst W-H	5,137; 0,9>p>0,7	28,883; 0,001>p	–	152,410; 0,001>p	–	–	–	–	–	–
Subst W-R	5,384; 0,9>p>0,7	52,706; 0,001>p	–	4,866; 0,9>p>0,7	–	–	–	–	–	–
Adj W-H	3,027; 0,7>p>0,5	8,083; 0,3>p>0,1	–	43,290; 0,001>p	–	–	–	–	–	–
Adj W-R	–	8,427; 0,3>p>0,1	–	3,787; 0,9>p>0,1	–	–	–	–	–	–

W-H = distribution calculée en fonction de la formule de Waring-Herdan

W-R = distribution calculée en fonction de la série de Waring avec les estimateurs de Ratkowsky

Nombre de degrés de liberté : 8 dans tous les cas sauf :

- Tous les mots, 3 ddl pour le Prologue d'Esther

- Adjectifs, 3 ddl pour *Andromaque, Britannicus, Bérénice*

             4 ddl pour *La Thébaïde, Alexandre, Bajazet, Mithridate, Iphigénie*

             5 ddl pour *Phèdre, Esther, Athalie.*

CHAPITRE XI

AU-DELA DU VOCABULAIRE, LE LEXIQUE DES PIECES

Il sera question ici du lexique en tant qu'ensemble des lexèmes liés à un texte.

Notre étude reprend les hypothèses de travail et l'appareil statistique de B. Dolphin exposés par Ch. Muller dans un numéro des *Cahiers de Lexicologie* (1). A notre connaissance il n'existe actuellement qu'une autre méthode permettant d'estimer l'ampleur d'un lexique : le modèle de Kalinin. On ne l'utilisera pas ici car, sachant qu'il s'écarte beaucoup de la réalité lorsqu'il s'agit de rendre compte du vocabulaire, on ne doit en attendre que des estimations contestables.

On oppose au vocabulaire, qui est formé de vocables actualisés, le lexique, qui est la potentialité lexicale afférente à tout discours. Le contenu du vocabulaire est accessible, celui du lexique en revanche est flou et incontrôlable et on peut seulement en estimer les dimensions par extrapolation.

La notion de lexique d'un texte repose sur une base concrète : la situation qui conditionne l'acte d'énonciation (qu'il soit écrit ou oral). C'est la situation qui détermine la probabilité d'emploi de chaque lexème et par suite la fréquence de chaque vocable du texte. On considère qu'il y a, dans tout discours d'une certaine étendue, et particulièrement dans une pièce de théâtre, une succession de situations distinctes telles que le lexique "en jeu" dans l'ensemble est la réunion de plusieurs lexiques de situation.

On sait que le vocabulaire d'un texte est quantitativement structuré : l'effectif de chaque classe de fréquence est solidaire et dépendant de la distribution entière. On suppose que le nombre des lexèmes "en jeu" qui n'apparaissent pas dans le texte, i.e. l'effectif de la classe V_0, obéit à la même loi de solidarité que les autres classes. C'est sur cette hypothèse que repose le procédé de calcul développé par B. Dolphin.

A partir du moment où l'on admet l'existence d'une classe V_0 dans la distribution, la matière traitée n'est plus le vocabulaire mais le lexique, car si certains éléments sont actualisés (ceux qui ont une fréquence égale ou supérieure à 1) d'autres sont virtuels (la fréquence 0).

On a vu au chapitre X que, dans certaines limites, la loi de Waring-Herdan fournissait un modèle théorique acceptable pour la distribution des fréquences des vocables. La même loi s'applique aussi au lexique, à condition d'être adaptée aux nouvelles données.

---

(1) Ch. MULLER, "Peut-on estimer l'étendue d'un lexique ?", *Cahiers de Lexicologie*, XXVII, II, 1975, pp. 3-29.
B. Dolphin revient sur cette question dans : *Modèles mathématiques pour une linguistique quantitative. Vocabulaire et Lexique*, Genève, Slatkine, 1979, pp. 34-38 et pp. 59-83.

Il y a alors des paramètres qui correspondent au vocabulaire et d'autres au lexique.

Les probabilités calculées pour le vocabulaire sont notées p_i et celles calculées pour le lexique sont notées p_i° :

- pour $i > 0$

$$p_i = \frac{V_i}{V} \quad \text{et} \quad p_i^\circ = \frac{V_i}{L} = p_i \cdot \frac{V}{L} \quad \text{d'où} \quad p_i = p_i^\circ \cdot \frac{L}{V}$$

- pour $i = 0$

$$p_0^\circ = \frac{V_0}{L}$$

De même $\bar{f}$ est la fréquence moyenne relative au vocabulaire et $\bar{f}^\circ$ celle qui correspond au lexique :

$$\bar{f} = \frac{N}{V} \quad \text{et} \quad \bar{f}^\circ = \frac{N}{L} = \bar{f} \cdot \frac{V}{L} \quad \text{d'où} \quad \bar{f} = \bar{f}^\circ \cdot \frac{L}{V}$$

Si l'on pose en hypothèse que la série de Waring fournit pour p_1°, p_2°, p_3°, etc. des valeurs proportionnelles aux V_1, V_2, V_3, etc. du vocabulaire, alors p_0° représente la probabilité de la fréquence 0 dans le lexique, donc la probabilité des lexèmes non actualisés.

Il reste à déterminer la valeur des deux termes a et x qui entrent dans la formule que l'on a déjà vue :

$$\frac{x-a}{x} + \frac{(x-a)a}{x(x+1)} + \frac{(x-a)a(a+1)}{x(x+1)(x+2)} + \cdots + \frac{(x-a)a(a+1)\dots(a+n-1)}{x(x+1)(x+2)\dots(x+n)} = 1$$

Si le premier terme est égal à la probabilité p_0°, on a :

$$\frac{x-a}{x} = \frac{V_0}{L} \quad \text{donc} \quad \frac{V}{L} = 1 - \frac{x-a}{x} = \frac{a}{x} \quad \text{d'où} \quad L = \frac{V \cdot x}{a}$$

A partir de p_1, dont la valeur est donnée, on établit la formule de x (1) :

$$p_1 = p_1^\circ \cdot \frac{L}{V} = \frac{a(x-a)}{x(x+1)} \cdot \frac{x}{a} = \frac{x-a}{x+1} \quad \text{d'où} \quad x = \frac{a+p_1}{q_1}$$

Et avec $\bar{f}$ on établit celle de a :

$$\bar{f} = \bar{f}^\circ \cdot \frac{L}{V} = \frac{a}{x-a-1} \cdot \frac{x}{a} = \frac{a+p_1}{a+p_1-aq_1-q_1} \quad \text{d'où} \quad a = \frac{p_1 \bar{f}(q_1-p_1)}{p_1 \bar{f}-1}$$

Exemple d'application : calcul d'une distribution pour *La Thébaïde*

On connaît $N = 13828$

$\left.\begin{array}{l} V = \quad 1244 \\ V_1 = \quad\; 435 \end{array}\right\}$ noms propres inclus

---

(1) Pour cette formule comme pour la suivante nous omettons d'indiquer toutes les étapes du raisonnement, elles figurent dans l'article cité de Ch. MULLER, p. 17, note 15.

On calcule $\bar{f}$ = 11,11576
p_1 = 0,34968
q_1 = 0,65032
d'où a = 1,27871
x = 2,50397

On peut alors obtenir une estimation du lexique en jeu dans la pièce :

$$E(L) = \frac{V \cdot x}{a} = 1244 \times \frac{2,50397}{1,27871} = 2435,99 \approx \underline{2436}$$

Et une estimation du nombre de lexèmes non actualisés :

$$E(V_0) = E(L) \cdot \frac{x-a}{x} = 2435,99 \times \frac{2,50397 - 1,27871}{2,50397} = 1191,99 \approx \underline{1192}$$

Il est possible en outre de construire une série de Waring et de calculer les effectifs théoriques des classes de fréquence supérieures à 0 :

$$p_1^{\circ} = \frac{(x-a)a}{x(x+1)} = 0,178571$$

$$E(V_1) = E(L) \cdot p_1^{\circ} = \underline{435,0}$$

$$p_2^{\circ} = \frac{(x-a)a(a+1)}{x(x+1)(x+2)} = 0,0903452$$

$$E(V_2) = E(L) \cdot p_2^{\circ} = \underline{220,0}$$

$$p_3^{\circ} = \frac{(x-a)a(a+1)(a+2)}{x(x+1)(x+2)(x+3)} = 0,0538186$$

$$E(V_3) = E(L) \cdot p_3^{\circ} = \underline{131,1}$$

On constate, comme on devait s'y attendre, que ces valeurs correspondent à celles qui ont été obtenues au chapitre X. Les différences de quelques dixièmes, qui sont négligeables, proviennent d'approximations dues au fait que les deux calculs ont été faits à l'aide d'une calculette.

Le modèle implique que la différence entre x et a soit supérieure à 1, sinon l'expression (x-a-1) deviendrait négative et la valeur de $\bar{f}$ aussi, ce qui serait dénué de sens. Il s'ensuit que le rapport x/a est toujours supérieur à 1, donc que le rapport L/V l'est aussi. Par conséquent le vocabulaire n'épuise jamais le lexique et ne peut que s'en rapprocher indéfiniment. A priori cela paraît conforme à ce qui se produit dans l'exercice habituel du langage.

Il faut mentionner deux expériences relatives à cette question :

Lorsqu'on s'en tient à certaines classes de vocables, il arrive que, pour des valeurs de N de plus en plus grandes, l'estimation de l'étendue du lexique se stabilise tandis que V s'accroît. Ainsi Ch. Muller (1) reprenant une étude de G. Roy (2), qui avait calculé une estimation à l'aide

(1) Article cité, p. 26 à 28.

(2) "L'obtention d'un effectif virtuel de coverbes situé entre 340 et 400 unités [permet] d'affirmer que les coverbes constituent une classe fermée au même titre que les déterminants"
G.-R. ROY, *Contribution à l'analyse du syntagme verbal : Etude morphosyntaxique et statistique des coverbes,* Paris, Klincksieck, 1977, p. 209.

de la loi de Kalinin, a établi que le nombre de "coverbes" (verbes suivis d'un ou plusieurs infinitifs) qu'on trouve en français contemporain est d'environ 383 (1). Le dépouillement à partir duquel cette estimation a été calculée n'enregistre que 319 coverbes différents dans un corpus de 20000 mots, mais s'il était poussé plus loin on finirait par rencontrer ceux qui ne sont pas attestés.

En revanche, lorsqu'on tient compte de tous les mots, on parvient, pour le moment et malgré des expériences particulièrement bien choisies, à une conclusion opposée. Ainsi Ch. Muller a eu l'idée d'enquêter sur les bulletins météorologiques du journal "Le Monde" (2). Il s'agit de textes dont l'unité thématique et la "neutralité" stylistique sont nettes et dont le lexique risquait de s'épuiser assez rapidement. Cependant, après avoir dépouillé 130 bulletins (20000 mots), il est apparu que même dans un ensemble aussi particulier le lexique n'était pas rigoureusement stable, par conséquent on ne pouvait pas démontrer qu'il finirait par parvenir à son épuisement.

On ne peut pas appliquer le modèle exposé ci-dessus à n'importe quels textes.

Une première limite procède de la formule du paramètre a qui doit être positif. Or il ne le serait pas si q_1-p_1 était négatif. Il suffirait que p_1 soit plus grand que 0,50 pour que cela puisse arriver (3). Comme p_1 a une valeur proche de l'unité dans des textes très courts et diminue d'autant plus que les textes s'allongent, le modèle ne devra être employé qu'avec des textes d'une étendue suffisante.

A cette limite purement arithmétique, il faut en substituer une autre, plus sévère, qui est empirique. Ch. Muller a constaté que l'on obtenait des résultats incohérents pour $p_1 \geqslant 0,40$. Nous nous en tiendrons donc à cette dernière valeur. De ce fait nous ne calculerons pas l'étendue du lexique des parties lyriques et dramatiques des tragédies sacrées (dans L(*Esth*) p_1 = 0,533 ; dans L(*Ath*) p_1 = 0,587 ; dans D(*Esth*) p_1 = 0,448 et dans D(*Ath*) p_1 = 0,407) ; cependant nous le calculerons quand même pour *Esther* où p_1 = 0,4185.

Une deuxième limite est fixée par l'aptitude ou l'inaptitude du modèle à rendre compte globalement, de façon acceptable, de la distribution des classes de fréquence supérieure à 1 - celles pour lesquelles on peut opposer les effectifs calculés aux effectifs réels. Il va de soi que si la loi de Waring-Herdan est prise en défaut pour la partie du lexique qui est actualisée (le vocabulaire), il ne faut pas l'utiliser pour estimer l'effectif des vocables virtuels (V_0). Comme nous avons comparé les distributions théoriques obtenues à l'aide de cette loi aux distributions réelles pour toutes les données concernant l'oeuvre de Racine, nous savons que les estimations de l'étendue du lexique seront suspectes pour *Athalie* et pour tous les ensembles de pièces.

---

(1) Il va de soi qu'il s'agit d'une estimation qui ne prétend pas être vérifiée à l'unité près.

(2) Article cité, p. 23 à 26.

(3) En réalité p_1 peut légèrement dépasser 0,50, à condition d'être plus grand que $\bar{f}^{-1}(q_1-p_1)$.

Estimations de l'étendue du lexique

	$E(V_0)$	$E(L)$	P_1	N
La Thébaïde	1192	2436	0,3497	13828
Alexandre	966	2221	0,3235	13907
Andromaque	1051	2320	0,3310	15086
Britannicus	1461·	2976	0,3525	15431
Bérénice	1428	2709	0,3685	13261
Bajazet	1200	2581	0,3382	15335
Mithridate	1412	2836	0,3546	15144
Iphigénie	1314	2796	0,3414	15818
Phèdre	1877	3519	0,3758	14415
Esther	(2531)	(4084)	0,4185	11169
Athalie	(2195)	(3937)	0,3858	15505
Tragédies profanes	(952)	(3819)	0,2030	132225
Tragédies sacrées	(1772)	(3935)	0,3218	26674
Tout	(1134)	(4397)	0,2084	158899

On indique ci-dessus les valeurs de $E(L)$ et de $E(V_0)$ correspondant à chaque pièce, aux tragédies profanes, aux tragédies sacrées et enfin à l'ensemble des 11 pièces. En regard de chaque pièce ou ensemble de pièces figurent les valeurs de N et de p_1. L'estimation de l'étendue du lexique est douteuse d'une part, on l'a vu, lorsque $p_1 \geqslant 0,40$ et d'autre part lorsque $N > 25000$ (on a constaté qu'appliquée aux textes de Racine la loi de Waring-Herdan était inadéquate à partir de cette borne). Les noms propres (et adjectifs dérivés) n'ont pas été exclus de V et de V_1 ; par conséquent on admettra que $E(L)$ et $E(V_0)$ intègrent eux aussi des noms propres.

Les estimations considérées comme douteuses figurent entre parenthèses. On vérifie par un critère de cohérence interne que plusieurs d'entre elles sont irrecevables. Ainsi pour l'ensemble des tragédies sacrées on obtient $E(L) = 3935$, soit une valeur inférieure à celles des pièces isolées (pour *Esther* $E(L) = 4084$ et pour *Athalie* $E(L) = 3937$). Cette incohérence s'explique d'autant mieux que le modèle est, comme on l'a déjà indiqué, inadéquat pour les trois estimations : $N > 25000$ dans l'ensemble des tragédies sacrées, $p_1 > 0,40$ dans *Esther*, et la loi de Waring-Herdan ne rend pas correctement compte de la distribution des fréquences d'*Athalie*.

Il serait imprudent de se prononcer sur la stricte validité linguistique des valeurs calculées de $E(L)$ pour lesquelles le modèle n'est pas défaillant car on ne peut le soumettre à aucun contrôle de fiabilité. On observera qu'elles ne sont pas absurdes : J.-G. Cahen disait déjà à juste titre que le genre tragique exclut l'emploi de la plus grande partie du vocabulaire, particulièrement des termes employés dans la vie courante et

des termes techniques - hormis des vocables liés à la réalité historique
(par exemple chez Racine *gouverneur, sénateur*) et militaire (*bélier,
échelle, étendard*) - des estimations variant de 2000 à 4000 lexèmes paraissent donc plausibles.

    S'il est légitime d'éviter de se prononcer sur des valeurs abso-
lues, il n'y a aucun inconvénient à confronter des valeurs relatives. Le
lexique des pièces étant en principe indépendant de leur étendue, les estimations sont comparables sans pondération :

Classement selon E(L) croissant

	étendue relative du lexique	r	V_1 corr. (valeur relative)	r
Alexandre	1,00	1	1,00	1
Andromaque	1,04	2	1,01	2
La Thébaïde	1,10	3	1,07	3
Bajazet	1,16	4	1,11	4
Bérénice	1,22	5	1,18	5
Iphigénie	1,26	6	1,19	6
Mithridate	1,28	7	1,21	7
Britannicus	1,34	8	1,27	8
Phèdre	1,58	9	1,50	9
Athalie	(1,77)	10	1,60	10
Esther	(1,84)	11	1,72	11

    L'étalement des valeurs révèle de grandes différences entre les
pièces. L'étendue du lexique d'*Esther*, si l'on admet que le modèle ne dé-
forme pas trop les ordres de grandeur malgré ses défaillances, serait
presque deux fois plus grand que celui d'*Alexandre* ; celui de *Phèdre* le
dépasse d'une bonne moitié. On voit que malgré l'uniformité du genre tragique la potentialité lexicale des pièces de Racine présente de grandes
variations.

    Dans la suite des pièces classées selon les étendues relatives
il y a d'abord un groupe assez compact où les valeurs sont régulièrement
échelonnées - malgré de grands écarts entre les extrêmes - qui rassemble
les huit premières tragédies profanes ; puis viennent d'abord *Phèdre* avec
un lexique nettement plus étendu, et ensuite les deux tragédies sacrées
qui domineraient l'ensemble. En gros l'étendue du lexique augmente à mesure
que les pièces se suivent dans le temps ; le coefficient de corrélation
avec l'ordre chronologique atteint + 0,85 avec moins d'une chance sur 100
d'être dû au hasard.

    Le tableau ci-dessus présente, en regard de l'étendue relative
du lexique, les valeurs relatives de V_1 corr. Les deux paramètres croissent
ensemble et les deux classements sont identiques. Donc les effectifs de la
fréquence 1 dépendent statistiquement de l'étendue du lexique. Cette corrélation s'explique intuitivement par le fait déjà signalé que l'effectif des

vocables non répétés est un reflet statique du mouvement lexical qui va du
virtuel à l'actuel, et mathématiquement par le fait que l'une des bases du
modèle construit à l'aide de la formule de Waring-Herdan est l'effectif
observé des vocables de fréquence 1. Malgré l'identité des classements les
indices ne progressent pas de la même manière : la valeur relative des V_1
corr s'accroît moins vite que celle du lexique. Cela provient peut-être
du mode de calcul de V_1 corr, mais les données dont on dispose ne permettent pas de l'affirmer. Quoi qu'il en soit le rapport entre les deux n'est
pas constant et il serait imprudent d'admettre que, connaissant les variations de V_1 corr, on peut, sans risque d'erreur, en inférer celle du lexique
par extrapolation.

   Si, pour des valeurs croissantes de N, l'étendue du vocabulaire
augmentait uniquement en fonction de l'étendue du lexique, il n'y aurait
aucune différence entre les classements, selon E(L) et la richesse du
vocabulaire. En fait il y en a quelques unes : lorsqu'on a deux textes A
et B tels que le vocabulaire de A est un peu plus riche (ou aussi riche)
que celui de B, si la densité en vocables de fréquence 1 est sensiblement
plus forte dans B, ce dernier aura aussi le lexique le plus étendu.

E(L)	Richesse du vocabulaire (formule binomiale)
Alexandre	Andromaque
Andromaque	La Thébaïde
La Thébaïde	Alexandre
Bajazet	Bérénice
Bérénice	Bajazet
Iphigénie	Mithridate
Mithridate	Iphigénie
Britannicus	Britannicus
Phèdre	Phèdre
(Athalie)	Athalie
(Esther)	Esther

Ainsi *Alexandre* semble avoir un lexique moins étendu qu'*Andromaque* et *La
Thébaïde*, malgré un vocabulaire plus riche ; et de même pour *Bajazet* par
rapport à *Bérénice* ou *Iphigénie* par rapport à *Mithridate*. Autrement dit,
si les pièces étaient prolongées jusqu'à l'épuisement du lexique, toutes
choses égales d'ailleurs, *Andromaque* et *La Thébaïde* finiraient certainement
par être plus riches qu'*Alexandre*, *Bérénice* plus riche que *Bajazet* et *Mithridate* plus riche qu'*Iphigénie*.

   Malgré ces divergences, l'étendue du lexique est incontestablement liée à la richesse du vocabulaire : le coefficient de Spearman atteint
+ 0,89 lorsque la richesse est établie à l'aide de la formule binomiale ;
la corrélation est donc significative. Les deux caractères sont à la fois
corrélatifs et complémentaires ; la richesse est un constat sur le vocabulaire actualisé et l'étendue du lexique est une hypothèse sur le fonds
lexical duquel ce vocabulaire est issu.

Il faudrait encore mettre au point des expériences permettant
de confirmer la validité linguistique du modèle employé ici. En attendant
on évitera de tirer des conclusions stylistiques trop détaillées à l'aide
des valeurs de E(L) qui ont été calculées. Si l'on peut admettre sans
grand risque d'erreur que le lexique de *Phèdre* est plus étendu que celui
de toutes les autres tragédies profanes ou, de même, que le lexique de
Britannicus est plus étendu que celui des trois pièces précédentes dans
l'ordre chronologique, on préférera ne pas se prononcer catégoriquement
lorsque les écarts sont minimes : entre *Alexandre* et *Andromaque* ou entre
Mithridate et *Iphigénie* par exemple.

CHAPITRE XII

TROIS INDICES STYLISTIQUES

On présente ici l'analyse de quelques "indices stylistiques"
qui seraient susceptibles, au vu de résultats acquis dans d'autres recherches, d'apporter des renseignements sur le contenu des tragédies. Il
s'agit de la longueur moyenne du mot, de l'indice pronominal et du rapport
verbe/adjectif. D'autres indices ont déjà été mentionnés dans ce qui précède, nous n'en parlerons plus ici. On a renoncé à étudier ceux qui n'é-
taient pas adaptés à nos données, soit parce qu'ils demandaient des informations que nous n'avions pas, comme l'indice de longueur des phrases (1),
soit parce qu'ils s'appliquaient mal à nos textes, comme l'indice de
lisibilité de Flesch (2), qui doit porter sur des textes destinés à la
lecture et non à la représentation dramatique.

Les indices ne sont pas des instruments de mesure très précis ;
ils ont l'avantage de se présenter sous la forme d'un nombre unique, mais
cela ne doit pas faire oublier la complexité des faits dont ils doivent
rendre compte. En outre, le lien entre les indices numériques et la signification qui leur est accordée est parfois incertain. Les uns sont construits en fonction de l'information qu'on en attend - c'est notamment le
cas de ceux qu'on utilise en économie (les indices des prix, par exemple) -
et cependant leur sensibilité et leur fidélité sont parfois prises en
défaut. D'autres, tels que ceux qui sont employés ici, n'ont pas toujours
une signification parfaitement établie ; la seule chose qui soit tout à
fait certaine c'est qu'ils ne varient pas aléatoirement. Il arrive souvent
que différentes causes aient des répercussions similaires sur les valeurs
d'un indice et il est généralement impossible d'isoler les variations pro-
voquées par une cause particulière.

Par conséquent, on ne peut attendre des indices, quels qu'ils
soient, qu'une connaissance approchée du réel. Il ne faudra donc pas s'é-
tonner si certaines variations de ceux que nous verrons restent sans explication.

1. La longueur moyenne du mot

Depuis longtemps P. Guiraud a montré que la longueur des mots
était liée à leur fréquence : les mots-formes les plus utilisés - et les
plus polysémiques - sont généralement les plus courts (3). A partir de
cette constatation, on a tenté de tirer des renseignements stylistiques
d'un indice de longueur moyenne du mot. Nous calculerons sa valeur sur nos
données et discuterons la signification qui peut lui être attribuée.

---

(1) Utilisé notamment dans J.-M. COTTERET et R. MOREAU, *Le vocabulaire du
    Général de Gaulle*, Paris, Armand Colin, 1969, pp. 43-48.

(2) R. FLESCH, *The art of plain talk*, New York, Harper, 1946.

(3) P. GUIRAUD, *Les caractères statistiques du vocabulaire. Essai de métho-
    dologie*, Paris, P.U.F., 1954, p. 17 et *Problèmes et méthodes de la
    statistique linguistique*, Paris, P.U.F., 1960, p. 30.

La longueur du mot peut s'évaluer de diverses manières : nombre de lettres, durée de la phonation ou encore nombre de syllabes. Une évaluation par le nombre de lettres doit être écartée d'emblée car elle ne peut porter que sur des textes destinés à être lus. Une évaluation par la durée de la phonation présente au moins deux inconvénients : pour être précise elle devrait se fonder sur des enregistrements sonores, il faudrait donc prendre le temps et les moyens d'enregistrer le texte de toutes les tragédies avant d'entreprendre le moindre calcul ; en outre le même vocable aurait inévitablement une durée différente suivant ses contextes et, à contexte identique, il pourrait varier avec le locuteur.

Il reste donc à s'appuyer sur le nombre de syllabes. Les tragédies classiques étant versifiées, la mesure la plus pratique est le nombre moyen de mots par alexandrin, ce qui revient indirectement à prendre la syllabe comme unité de mesure. Ce procédé présente l'avantage de tenir compte des phénomènes d'élision et de contraction du langage parlé. En revanche il prend en compte aussi des conventions de la versification classique relatives notamment à la diérèse et la synérèse et surtout à l'*e* caduc, parfois appelé fort justement *e* à éclipse, telles que le nombre de syllabes d'un mot peut varier. Ainsi *mère* ou *père* comptent, suivant leur place dans le vers, tantôt pour une syllabe et tantôt pour deux.

L'indice est le rapport du nombre de mots de chaque pièce (N) au nombre d'"alexandrins" correspondant (A). On prévoit qu'une valeur élevée du rapport N/A s'accompagnera d'une fréquence relativement forte de mots courts et/ou d'une fréquence relativement faible de mots longs, et inversement pour une valeur basse. Les valeurs de N/A dans les 29 tragédies et dans les parties de pièces et sous-ensembles de l'oeuvre de Racine figurent ci-dessous :

Nombre moyen de mots par alexandrin

		r			r
Phèdre	8,715	1	Polyeucte	9,142	15
Britannicus	8,728	2	Le Cid	9,145	16
Esther	8,765	3	Rodogune	9,152	17
Bajazet	8,780	4	*Andromaque*	9,1541	18
Athalie	8,788	5	Nicomède	9,1543	19
Médée	8,800	6	*La Thébaïde*	9,159	20
Bérénice	8,805	7	Héraclius	9,187	21
Iphigénie	8,811	8	Sertorius	9,223	22
Attila	8,917	9	Horace	9,260	23
Mithridate	8,919	10	Pertharite	9,260	24
Alexandre	8,984	11	Sophonisbe	9,265	25
Cinna	9,083	12	Othon	9,289	26
Théodore	9,125	13	Agésilas	9,315	27
Pompée	9,137	14	Oedipe	9,352	28
			Suréna	9,530	29

Moyenne Racine : 8,871

Moyenne Corneille : 9,201

L (*Esth*)	8,812	L (*Ath*)	8,798
D (*Esth*)	8,752	D (*Ath*)	8,788

Tragédies sacrées 8,780

Tragédies profanes 8,890

Les pièces étant classées par ordre d'indice croissant, celles de Racine se situent vers le haut du tableau et celles de Corneille vers le bas. Les seules exceptions concernent d'une part *La Thébaïde* et *Andromaque*, dont l'indice est relativement élevé, qui se retrouvent au milieu des pièces de Corneille, d'autre part *Médée* et *Attila* qui, à l'inverse, ont un indice relativement faible et se placent parmi les pièces de Racine. La moyenne obtenue pour les 11 tragédies de Racine est nettement plus faible que celle des 18 tragédies de Corneille (8,87 contre 9,20) : le nombre moyen de mots par alexandrin est plus petit chez Racine que chez Corneille, ou, autrement dit, le mot est en moyenne plus long dans les tragédies de Racine. Cela étant dit, il faut ajouter que l'étalement des valeurs est relativement ample chez l'un comme chez l'autre.

Les différences internes, dans l'oeuvre de Racine, ne sont pas aussi accusées que celles que l'on observe entre les deux auteurs. Dans les tragédies sacrées, les écarts entre les parties lyriques et dramatiques sont insignifiantes (8,812 contre 8,752 dans *Esther*, soit une différence de 6 centièmes ; 8,798 contre 8,788 dans *Athalie*, soit une différence d'un centième seulement !) ; il apparaît donc que le changement de ton n'a pas d'influence sur l'indice. Entre les tragédies profanes et les tragédies sacrées l'écart ne paraît guère plus significatif, puisqu'il n'atteint que 10 centièmes (8,78 contre 8,89). En somme, sur nos données, le nombre de mots par alexandrin ne varie de façon très importante que lorsqu'il s'agit de différencier les pièces des deux auteurs.

Les recherches antérieures (1) ont montré que le nombre moyen de mots par alexandrin était plus élevé dans les comédies que dans les tragédies et plus faible dans les monologues que dans les dialogues. De là on a pu inférer que la longueur du mot variait essentiellement avec la familiarité ou la simplicité du style, cette hypothèse paraissant corroborée, sinon confirmée, par le fait qu'il y a généralement une dépendance statistique entre N/A et la proportion de "mots grammaticaux".

Les mots fonctionnels sont presque tous des monosyllabes alors que les autres catégories de mots ont plus volontiers plusieurs syllabes ; on attend donc une meilleure corrélation entre N/A et les mots grammaticaux qu'entre N/A et les substantifs, les adjectifs ou les verbes. Sur les 11 pièces de Racine, on obtient les coefficients de corrélation des rangs suivants :

	N/A
Effectif réduit des "mots fonctionnels"	+ 0, 70
Effectif réduit des substantifs (avec les noms propres)	− 0, 51
Effectif réduit des adjectifs et adverbes de manière	− 0, 35
Effectif réduit des verbes	− 0, 05

Le premier coefficient seul est positif et indique une corrélation significative : la longueur moyenne du mot est d'autant plus faible qu'il y a plus de "mots fonctionnels". Les trois autres n'atteignent pas le seuil au-delà duquel la corrélation est significative, mais on peut admettre, du moins pour les substantifs et pour les adjectifs, que plus leur proportion est grande dans un texte, plus le rapport N/A risque de baisser.

---

(1) Ch. MULLER, "La longueur moyenne du mot dans le théâtre classique", *Cahiers de Lexicologie*, 5, II, 1964, pp. 29-44. Ainsi que *Essai...* pp. 15-24 et *Etude...* pp. 49-52.

Dans les études de statistique lexicale on a pris l'habitude de grouper sous la rubrique "mots fonctionnels" tous les mots qui ne sont pas des verbes, adverbes de manière, adjectifs, substantifs ou noms propres. Ceux-ci constituent, par leur définition même, un ensemble composite, et l'on n'est guère avancé lorsqu'on sait que leurs effectifs réduits varient avec la longueur moyenne du mot. C'est pourquoi nous avons tenté d'estimer la dépendance statistique de N/A à l'égard des principales catégories de "mots fonctionnels", car la norme de dépouillement adoptée ici permettait d'évaluer leurs effectifs réduits de façon assez précise :

	N/A
Effectif réduit des déterminants	- 0, 39
Effectif réduit des prépositions	- 0, 15
Effectif réduit des pronoms	+ 0, 21
Effectif réduit des adverbes	+ 0, 61
Effectif réduit des conjonctions	+ 0, 78

Les valeurs des coefficients révèlent des différences très marquées dans la répartition des catégories. Le coefficient est négatif et non significatif pour les déterminants et les prépositions ; cela était prévisible car ces mots accompagnent toujours (cela est vrai pour les déterminants) ou très souvent (cela est vrai pour les prépositions) des substantifs et l'on a vu que l'indice était négatif pour l'effectif réduit des substantifs. Le coefficient est positif, mais toujours non significatif pour les pronoms ; dans une certaine mesure c'est une surprise car on sait par ailleurs que l'effectif des pronoms varie en fonction inverse de celui des substantifs (pour les 11 pièces de Racine le coefficient de corrélation entre les classements s'établit à - 0,82), de plus les pronoms les plus fréquents sont courts : la plupart sont monosyllabiques et certains s'élident devant un mot à initiale vocalique (*je/j'*, *me/m'*, etc.). On aurait donc eu de bonnes raisons d'attendre une excellente corrélation entre l'effectif des pronoms et le nombre de mots par alexandrin. Les seuls coefficients significatifs sont celui des adverbes (autres que les adverbes de manière) et surtout celui des conjonctions : dans les pièces de Racine la longueur du mot paraît donc varier d'une part avec la fréquence de certains mots liés à la formulation, notamment des adverbes de négation (*ne... plus, ne point, ne... pas*) et des adverbes d'intensité et de quantité (*plus, trop, moins, assez*) et d'autre part avec la fréquence des connecteurs et des articulations du discours, c'est-à-dire, finalement, avec la complexité de la structure des phrases. Cette constatation est intéressante parce qu'elle établit que la syntaxe exerce une influence sur la valeur de N/A. Cependant nous ne disposons pas de tous les éléments qui permettraient d'en faire une analyse précise, aussi nous contentons-nous de la proposer comme un fait qui devrait encore être examiné de façon approfondie avant d'être admis sans réserves.

En dehors de ces rapports de dépendance à l'égard des effectifs de certaines catégories grammaticales, la longueur du mot est liée à la richesse du vocabulaire. Pour les 29 tragédies, le coefficient s'établit à - 0,44 lorsque la richesse est établie à l'aide de la formule binomiale avec environ 2 chances sur 100 d'être dû au hasard, et pour les 11 pièces de Racine il atteint - 0,80 avec moins d'une chance sur 100 d'être dû au hasard ; il est donc significatif dans les deux cas : le nombre moyen de mots par alexandrin est d'autant plus petit que le vocabulaire des pièces est plus riche. Cette corrélation est un corollaire des rapports de N/A avec l'effectif réduit des substantifs, duquel la richesse du vocabulaire elle-même dépend indirectement.

On observera aussi les liens qui existent, chez Corneille comme
chez Racine, entre N/A et la chronologie. Dans les pièces de Corneille
l'indice a tendance à augmenter (1) et dans les pièces de Racine il a
tendance à baisser à mesure que les pièces se suivent (pour les 11 tragédies le coefficient de corrélation atteint - 0,63 avec moins de 5 chances sur 100 d'être dû au hasard). Les deux auteurs évoluent donc de façon
opposée comme on l'avait déjà noté pour la richesse du vocabulaire : chez
l'un la longueur moyenne du mot diminue avec le temps tandis que le vocabulaire s'appauvrit, alors que chez l'autre le mot s'allonge tandis que
le vocabulaire s'enrichit.

A propos de la signification de N/A, l'étude des corrélations
a apporté quelques éléments qui sont nouveaux, mais qui ne permettent pas
d'établir de façon indiscutable quels sont les renseignements sûrs qu'on
peut en attendre. Il est presque certain que de nombreux facteurs lexicaux et syntaxiques, différents et peut-être contradictoires, agissent
sur les valeurs de l'indice. Aussi paraîtrait-il expéditif de ne parler
ici que de familiarité du style : dans *Andromaque*, par exemple, il y a
en moyenne nettement plus de mots par alexandrin que dans *Phèdre*, néanmoins rien ne permet d'affirmer que le style d'*Andromaque* est le plus
familier au sens strict du terme. Ce qui est vrai, en revanche, c'est
qu'*Andromaque* est à certains égards, dans l'oeuvre de Racine, la pièce où
le tragique est le moins "pur" dans la mesure où la tension dramatique est
entretenue par la psychologie des personnages plutôt que par la fatalité.
Ce caractère est l'un des plus notables lorsqu'on analyse la construction
de la tragédie. Ainsi, A. Niderst remarque : "(...) les allées et venues
de Pyrrhus et d'Hermione se répéteront inlassablement. Et c'est là une
structure de comédie. Mais en dépassant ce va-et-vient, Andromaque devient
un drame. En tout cas ce n'est pas une tragédie" (2).
Le cas de *La Thébaïde* est différent. La conception de la pièce
est conforme aux exigences du genre tragique et même proche de la tragédie
grecque. L'écart par rapport aux autres pièces de Racine pourrait s'expliquer par le fait qu'il s'agit de la première oeuvre de l'auteur, qui, de
plus, a été écrite sous l'influence du génie héroïque de Corneille.

Ce qu'il faut noter en outre au terme de cette analyse, c'est
qu'un indice aussi formel, apparemment aussi lointain du contenu que le
nombre de mots par alexandrin, accuse des écarts très nets entre nos deux
auteurs, ce qui prouve qu'il est sensible aux différences de langue et de
style et mérite, à ce titre, de figurer à l'arsenal du statisticien, ne
serait-ce que pour contribuer à résoudre des problèmes d'attribution de
texte.

2. L'indice pronominal

L'indice pronominal se calcule à l'aide de l'effectif des pronoms de dialogue ; sa nature même le destine donc à être appliqué à des
pièces de théâtre, c'est-à-dire à des textes qui sont des dialogues inin-
terrompus.

---

(1) Voir Ch. MULLER, *Etude...*, p. 51.

(2) A. NIDERST, *Les tragédies de Racine. Diversité et unité*, Paris, Nizet,
    1975, p. 58.

Selon Ch. Muller qui, le premier, l'a utilisé, sa valeur varie en fonction du style : il est en général d'autant plus élevé que le style est familier et d'autant plus bas que le style est éloquent, emphatique ou lyrique (1).

On appelle P l'effectif total des occurrences des pronoms de dialogue (dans notre index les lemmes *je, me, moi ; tu, te, toi ; nous* et *vous*) et p l'effectif des pronoms et adjectifs possessifs correspondants (*mon, mien ; ton, tien, notre, nôtre ; votre, vôtre*). L'indice pronominal équivaut à P/p. Avant d'appliquer cette formule, il convient d'observer les variations de P et de p dans les textes.

D'abord on se demande si la répartition des pronoms de dialogue et des possessifs est régulière. Il suffit d'appliquer le test de Pearson : sachant que Racine utilise 12462 pronoms de dialogue dans ses 11 tragédies, on détermine par le calcul l'effectif qui apparaîtrait dans chacune s'ils se distribuaient aléatoirement, en fonction de la longueur des pièces évaluée en mots. On obtient alors un X^2 (tableau infra) qui s'établit à 360,27. Comme on n'a, avec 10 degrés de liberté, qu'une chance sur 1000 d'obtenir 29,59, et que la valeur atteinte se situe très loin au-delà, on doit conclure que la distribution réelle des pronoms de dialogue présente de très grandes irrégularités.

Répartition des pronoms de dialogue entre les 11 tragédies

	O	C	O-C	X^2
La Thébaïde	997	1084,49	− 87,49	7,06
Alexandre	988	1090,69	− 102,69	9,67
Andromaque	1330	1183,15	+ 146,85	18,23
Britannicus	1241	1210,21	+ 30,79	0,78
Bérénice	1260	1040,03	+ 219,97	46,52
Bajazet	1334	1202,68	+ 131,32	14,34
Mithridate	1401	1187,70	+ 213,30	38,31
Iphigénie	1316	1240,57	+ 75,43	4,59
Phèdre	1177	1130,53	+ 46,47	1,91
Esther	564	875,95	− 311,95	111,09
Athalie	854	1216,01	− 362,01	107,77
	12462			360,27

Les écarts les plus forts entre les effectifs réels et théoriques sont ceux des deux tragédies sacrées, qui grossissent considérablement le X^2. Afin d'observer si la distribution réelle est plus normale lorsqu'on élimine ces deux tragédies, on effectue un nouveau test portant

---

(1) Cela est confirmé dans des travaux récents tels que : B. M. KYLANDER, "Indices stylistiques chez Molière", *Le Français Moderne*, t. XLVI, n° 1, 1978, pp. 67-74.

uniquement sur les 9 tragédies profanes.

Répartition des pronoms de dialogue
entre les 9 tragédies profanes

	O	C	O-C	x^2
La Thébaïde	997	1121,18	− 124,18	13,75
Alexandre	988	1149,39	− 161,39	22,66
Andromaque	1330	1223,64	+ 106,36	9,25
Britannicus	1241	1312,75	− 71,75	3,92
Bérénice	1260	1118,22	+ 141,78	17,98
Bajazet	1334	1297,15	+ 36,85	1,05
Mithridate	1401	1260,77	+ 140,23	15,60
Iphigénie	1316	1332,79	− 16,79	0,21
Phèdre	1177	1228,10	− 51,10	2,13
	11044			86,55

Le x^2 n'atteint plus que 86,55, cependant il reste hautement significatif,
car avec 8 degrés de liberté, il ne dépasserait pas 26,13 s'il avait une
chance sur 1000 d'être dû au hasard. La distribution des pronoms de dialogue
est encore très irrégulière. Pour les possessifs on emploie le même test.
Dans les 11 tragédies le x^2 est de 39,21 et se situe lui aussi au-delà de
la valeur correspondant à une probabilité d'une chance sur 1000 d'être due
au hasard (29,59). Le x^2 des 9 tragédies profanes est légèrement plus faible : 26,39, soit une valeur très voisine de celle que l'on atteint avec
une chance sur 1000 (26,13) (voir tableaux infra).

Répartition des possessifs entre les 11 tragédies

	O	C	O-C	x^2
La Thébaïde	397	449,48	− 52,48	6,13
Alexandre	460	452,05	+ 7,95	0,14
Andromaque	508	490,37	+ 17,63	0,63
Britannicus	491	501,58	− 10,58	0,22
Bérénice	469	431,05	+ 37,95	3,34
Bajazet	451	498,46	− 47,46	4,52
Mithridate	490	492,25	− 2,25	0,01
Iphigénie	585	514,16	+ 70,84	9,76
Phèdre	525	468,56	+ 56,44	6,80
Esther	342	363,05	− 21,05	1,22
Athalie	447	503,99	− 56,99	6,44
	5165			39,21

Répartition des possessifs
entre les 9 tragédies profanes

	O	C	O-C	x^2
La Thébaïde	397	444,25	- 47,25	5,02
Alexandre	460	455,43	+ 4,57	0,05
Andromaque	508	484,85	+ 23,15	1,11
Britannicus	491	520,15	- 29,15	1,63
Bérénice	469	443,07	+ 25,93	1,52
Bajazet	451	513,97	- 62,97	7,72
Mithridate	490	499,56	- 9,56	0,18
Iphigénie	585	528,10	+ 56,90	6,13
Phèdre	525	486,62	+ 38,38	3,03
	4376			26,39

On doit conclure que la distribution des possessifs dans les pièces de
Racine n'est pas du tout régulière. Les effectifs réduits confirment d'ailleurs cette observation :

soit $P°$ l'effectif réduit des pronoms de dialogue ($P° = 10000$ P/N)
et $p°$ l'effectif réduit des possessifs correspondants ($p° = 10000$ p/N).
Le tableau p. 169 montre que $P°$ varie :

chez Racine, entre 505 (*Esther*) et 950 (*Bérénice*)
chez Corneille, entre 549 (*Pompée*) et 849 (*Agésilas*)

et que $p°$ varie :

chez Racine, entre 287 (*La Thébaïde*) et 370 (*Iphigénie*)
chez Corneille, entre 216 (*Othon*) et 456 (*Médée*).

L'étalement des valeurs de $P°$ est plus grand chez Racine ; il est plus
grand chez Corneille pour $p°$.

On pourrait dire aussi qu'en valeur absolue $P°$ varie :

chez Racine   de 1 à 1,88
chez Corneille   de 1 à 1,55

et que $p°$ varie :

chez Racine   de 1 à 1,29
chez Corneille   de 1 à 2,11

Ch. Muller a noté dans son *Etude* que chez Corneille $p°$ était plus
instable que $P°$, et que l'effectif des possessifs était l'élément moteur de
l'indice pronominal. Chez Racine, au contraire, $p°$ étant plus stable que $P°$,
c'est, semble-t-il, l'inverse.

Ces comparaisons montrent qu'on ne peut pas dire, dans l'absolu,
que les P varient plus que les p ou inversement. Ce qu'on retiendra surtout,
c'est que leur fréquence subit des variations beaucoup plus fortes que celles
qu'on obtiendrait si la répartition était aléatoire.

Effectifs réduits

	Pronoms de dialogue		Possessifs		Indice pronominal	
	P°	r	p°	r	P/p	r
Médée	650	5	456	29	1,43	1
Le Cid	714	8	433	28	1,65	2
Esther	505	1	306	15	1,65	3
Horace	582	4	351	24	1,65	4
Athalie	551	3	288	10,5	1,91	5
Pompée	549	2	261	6	2,10	6
Alexandre	710	7	331	22	2,15	7
Phèdre	817	21	364	26	2,24	8
Iphigénie	832	24	370	27	2,25	9
Cinna	738	11	320	20	2,31	10
La Thébaïde	721	9,5	287	8,5	2,51	11
Britannicus	804	17	318	18	2,52	12
Héraclius	811	19	319	19	2,54	13
Polyeucte	749	16	288	10,5	2,60	14
Andromaque	882	27	337	23	2,61	15
Pertharite	812	20	308	17	2,64	16
Bérénice	950	29	354	25	2,69	17,5
Rodogune	827	23	307	16	2,69	17,5
Sophonisbe	807	18	292	12	2,76	19
Nicomède	721	9,5	260	5	2,78	20
Oedipe	684	6	243	2	2,82	21
Agésilas	849	25	300	14	2,83	22
Théodore	747	13	263	7	2,84	23
Mithridate	925	28	324	21	2,86	24
Sertorius	824	22	287	8,5	2,87	25
Suréna	748	15	255	4	2,93	26
Bajazet	870	26	294	13	2,96	27
Attila	740	12	243	3	3,04	28
(Les Plaideurs)	-	-	-	-	(3,27)	
Othon	747	14	216	1	3,47	29

Les effectifs des P et des p subissent tous deux de fortes variations et l'on peut encore se demander s'ils varient ensemble, et si P/p est
statistiquement dépendant des uns ou des autres. En employant le test de
corrélation de Spearman, il est aisé de répondre à ces questions :

- pour les 11 tragédies de Racine

corrélation entre	coefficient
1. P° et p°	+ 0,49
2. P/p et P°	+ 0,86
3. P/p et p°	+ 0,06

- pour les 29 tragédies

corrélation entre	coefficient
4. P° et p°	+ 0,28
5. P/p et P°	+ 0,50
6. P/p et p°	- 0,61

Apparemment l'effectif des pronoms de dialogue n'est pas lié à celui des possessifs car les coefficients 1. et 4. ont tous les deux plus de 10 chances sur 100 d'être obtenus par hasard. Les coefficients 2. et 5., qui ont moins d'une chance sur 100 d'être le produit du hasard, semblent montrer - peut-être provisoirement jusqu'à ce que des expériences identiques sur d'autres données infirment celle-ci - que l'indice pronominal et la fréquence des pronoms de dialogue sont en relation de mutuelle dépendance.

Les rapports de P/p avec l'effectif des possessifs sont moins clairs : le coefficient 3. dénote une complète indépendance, alors que le coefficient 6. est très significatif et semble indiquer une forte corrélation inverse. La valeur de ces coefficients confirme que p n'est pas l'élément moteur de l'indice chez Racine et qu'il l'est chez Corneille. Les résultats étant opposés, on considère que l'indice pronominal n'est pas nécessairement dépendant des possessifs.

La seule corrélation qui subsiste, après ces tests, est celle qui lie P/p à P° ; nous aurons à en tenir compte au moment d'interpréter les valeurs de l'indice dans les 29 tragédies.

Avant d'examiner les chiffres, il faut encore mentionner quelques problèmes de méthode posés par la signification de l'indice pronominal.

Il y a d'abord des difficultés d'interprétation qui sont liées à l'indice lui-même. On n'a jamais démontré qu'un lien causal reliait la formule P/p à l'information stylistique qu'elle est censée apporter. Généralement il fournit des renseignements conformes à ceux qui sont attendus, mais on a parfois des surprises, notamment sur des textes courts. Le rôle d'Antonio, par exemple, personnage ridicule du *Mariage de Figaro* de Beaumarchais, a un indice de 2,63 (1), à peu près équivalent à celui d'*Andromaque* et de *Bérénice*, alors qu'on serait en droit d'attendre une valeur beaucoup plus élevée.

Il y a aussi des difficultés qui sont liées à nos données. L'indice pronominal sera moins opérant et moins discriminant sur des textes appartenant au même genre littéraire - comme nos 29 tragédies - que sur des textes bien différenciés, comme des comédies et des tragédies par exemple. De plus le dialogue des tragédies classique n'est jamais familier : les écarts que nous observerons ne pourront donc révéler que des différences de degré dans le lyrisme, l'éloquence ou l'emphase.

Par ailleurs, l'expérience montre que le rapport P/p n'est pas du tout stable à l'intérieur d'une pièce. Ch. Muller a établi qu'il est différent dans les trois parties de l'*Illusion comique* dont l'indice moyen est égal à 2,27 (Prologue 2,11 ; Comédie 2,48 ; Tragédie 1,85) (2), ou qu'il subit de fortes variations suivant les rôles : dans le premier acte de l'*Avare* (indice moyen 4,31), les valeurs extrêmes sont 2,52 (rôle de Cléante) et 13,33 (rôle de La Flèche) (3). L'indice d'une pièce est donc la résultante

---

(1) Chiffre tiré de N. MUSSO, *Etude statistique du vocabulaire du Mariage de Figaro de Beaumarchais*, thèse dactylographiée, Strasbourg, 1970, p. 88.

(2) Ch. MULLER, *Essai...* p. 133.

(3) Ch. MULLER, "Sur quelques scènes de Molière ; essai d'un indice du style familier", *Le Français Moderne*, 2, 1962, pp. 99-108.

de divers facteurs qu'il serait utile de connaître. Comme notre dépouillement ne permet pas de calculer de façon systématique les variations de P/p
à l'intérieur des pièces (1), mais seulement la valeur moyenne, il nous
manque des renseignements essentiels pour analyser les valeurs obtenues.

Après toutes ces réserves, il est clair qu'on ne peut pas prétendre
aboutir à une caractérisation stylistique incontestable des 29 pièces avec
l'indice pronominal. Il ne faut en attendre aucune révélation ; au mieux,
il ne peut apporter que la confirmation de tendances observées par ailleurs.

Les valeurs de P/p figurent sur le tableau p. 169. Les tragédies de
Racine sont disséminées parmi celles de Corneille. Elles se situent à première vue plutôt vers le haut du tableau. Cependant les valeurs moyennes
pour l'ensemble de l'oeuvre tragique de chaque auteur sont très voisines :
2,46 pour Corneille et 2,41 pour Racine ; la différence est beaucoup trop
faible pour en tirer des conclusions stylistiques.

Ch. Muller indique dans sa thèse que chez Corneille l'indice a tendance à monter à mesure que les pièces se succèdent dans le temps : pour
les 18 tragédies le coefficient de corrélation atteint + 0,88. Chez Racine,
on n'observe pas le même phénomène : pour les 11 tragédies, le coefficient
s'établit à - 0,39, avec plus de 10 chances sur 100 d'être dû au hasard ; on
ne peut donc le considérer comme significatif. L'indice est bas dans les
premières pièces (*La Thébaïde*, *Alexandre*) et les dernières (*Iphigénie*,
Phèdre, *Esther* et *Athalie*), et plus élevé dans les pièces intermédiaires
(notamment *Bérénice*, *Bajazet*, *Mithridate*). Grosso modo, le rapport P/p est
croissant au début de l'oeuvre et décroissant vers la fin ; son point culminant, situé au milieu de la série, correspond à *Bajazet*. A première vue on
peut donc distinguer dans l'oeuvre de Racine trois stades successifs :

- les pièces du début auraient un style d'une certaine emphase ;
- les suivantes seraient plus sobres ;
- les dernières manifesteraient plus d'éloquence ou de lyrisme que
  toutes les précédentes.

Dans les tragédies sacrées P/p prend les valeurs suivantes :

- *Esther*	1,65	L(*Esther*)	1,06
		D(*Esther*)	1,86
- *Athalie*	1,91	L(*Athalie*)	1,22
		D(*Athalie*)	2,01

Comme on pouvait le prévoir, l'indice des parties lyriques est nettement
inférieur à celui des parties dramatiques. Et les parties dramatiques elles-
mêmes ont un indice relativement bas, qui reste plus faible que celui des
autres tragédies de Racine, ce qui semble montrer que les dialogues des
tragédies sacrées ont un style plus solennel que ceux des tragédies profanes.

Lorsque l'on confronte les données du tableau p. 169 on constate que
les pièces qui ont un indice très bas le doivent tantôt à un p° élevé (*Médée*,
Le Cid, *Horace*, *Alexandre*), tantôt à un P° faible (*Esther* et *Athalie*) ; inversement un indice très grand provient tantôt d'un p° faible (*Othon*, *Attila*),
tantôt d'un P° élevé (*Bajazet*). On est donc conduit à s'interroger sur la
signification des P et des p.

_____

(1) Sauf dans *Esther* et *Athalie*.

- Les P

Si le dialogue est parfois impersonnel, il ne peut pas le rester longtemps dans une tragédie : les personnages en scène sont à ce point concernés par l'action tragique que l'emploi des pronoms de dialogue est inévitable, sauf peut-être dans certains passages narratifs ou lyriques. Il s'ensuit que l'effectif des P doit varier d'une part avec la présence plus ou moins abondante de dialogues dans les pièces, sa densité, et d'autre part avec le nombre plus ou moins grand de références aux interlocuteurs, c'est-à-dire avec l'intensité du dialogue.

- Les p

A priori, l'emploi des possessifs n'est pas soumis aux mêmes contraintes. On peut parfaitement concevoir un dialogue, même tragique, dans lequel n'entrerait aucun possessif des première et deuxième personnes. A regarder les contextes dans lesquels ils apparaissent, on constate que, dans les tragédies de Racine, les uns expriment la possession (*mon palais*, *nos vaisseaux*), d'autres marquent des rapports interpersonnels (*mon époux*, *mon fils*, *mon Hector*) et d'autres enfin sont surtout utilisés avec des termes abstraits (*ma juste impatience*, *mes fortunes diverses*, *mes longues amours*, *mes alarmes*). La présence de ces derniers sert notamment à renforcer la présence physique des personnages en mentionnant leurs attributs, facultés ou sentiments ; dans une certaine mesure il se pourrait qu'ils varient eux aussi avec l'intensité du dialogue, mais cela n'est pas démontré. On constate que plusieurs facteurs différents agissent sur l'effectif des possessifs, il n'est donc pas possible d'attribuer une signification univoque à ses variations.

Mieux vaut ne pas se risquer à interpréter les valeurs de p° ; en revanche, on est en mesure de tirer quelques renseignements des variations de P°. Nous avons vu plus haut qu'il y a une corrélation significative entre les classements des pièces selon les valeurs de P/p et de P°. Le mouvement ascendant puis descendant des valeurs de l'indice doit être lié à des modifications de l'écriture de Racine. Dans un premier temps, il évoluerait vers une sobriété croissante. Les passages descriptifs qui ne sont pas rares dans les premières pièces, disparaissent peu à peu pour aboutir, dans *Bérénice*, *Mithridate* et *Bajazet*, à une dramaturgie qui pourrait se définir comme celle du dialogue à l'état pur, d'où les effectifs importants des pronoms de dialogue dans les trois pièces citées. Dans un deuxième temps, Racine s'oriente graduellement vers un théâtre moins dépouillé en insérant d'abord plus de passages narratifs (dans *Phèdre* en particulier), ensuite des passages lyriques (dans les tragédies sacrées), où les pronoms de dialogue apparaissent peu ou n'apparaissent pas du tout.

De la même manière on peut interpréter la croissance presque continue de l'indice dans la suite chronologique des tragédies de Corneille comme le signe d'une évolution allant d'un théâtre de l'action, d'un théâtre narratif (celui des premières pièces, *Médée* et *Le Cid* notamment), vers un théâtre du verbe et du dialogue (celui des dernières pièces, et en particulier d'*Othon* qui a l'indice pronominal le plus élevé, plus élevé notamment que celui des *Plaideurs*) (1).

---

(1) On a dit de cette pièce (*Othon*) qu'elle se passait en raisonnements en dehors de toute action tragique (citation du *Bolaeana*, in : *Oeuvres* de Corneille, éd. Marty-Laveaux, t. VI, p. 568).

3. Le rapport verbe-adjectif

Cet indice a été mis au point par des psychologues. Il sert à
établir si un style est plutôt "actif" ou plutôt "qualitatif", c'est-à-dire
se caractérisant soit par l'emploi des termes d'action, soit par l'emploi
de termes qualificatifs.

A. Busemann, en 1925, proposa sous le nom d'*Aktionsquotient* le
rapport suivant :

$$\frac{\text{effectif des mots qui impliquent une action}}{\text{effectif des mots qui expriment une qualité}}$$

Dans la pratique, il devait souvent arriver qu'on hésite avant de classer
un mot dans l'une de ces deux catégories. C'est pourquoi deux autres chercheurs, V. Neubauer et A. Schliesmann, ont préféré utiliser une formule plus
simple :

$$\frac{\text{effectif des verbes}}{\text{effectif des adjectifs}}$$

dans laquelle le décompte des verbes ne comprend ni les auxiliaires ni les
semi-auxiliaires, et le décompte des adjectifs intègre, en plus des adjectifs qualificatifs, les adverbes exprimant une qualité.

F. Antosch (1) a étudié le comportement de ce dernier rapport sur
des textes littéraires allemands. Ses expériences semblent confirmer ce que
disait déjà Busemann : les valeurs sont plus élevées dans la langue parlée
que dans la langue écrite, et dans la langue courante que dans un langage
recherché ou académique ; par ailleurs l'indice est plus fort dans les dialogues que dans les monologues. Il semble en outre qu'il subit des variations
en fonction du thème, mais F. Antosch n'a pas pu l'établir en toute certitude.

Comme on ne connaît pas exactement le nombre des adjectifs et des
adverbes de manière qui apparaissent dans les pièces de Corneille, on ne cal-
culera les valeurs de l'indice que pour les 11 tragédies de Racine.

L'effectif des verbes (symbolisé par VA) comprend les occurrences
de tous les verbes, sauf ceux des auxiliaires et semi-auxiliaires les plus
fréquents (2). L'effectif des adjectifs (symbolisé par AA) comprend tous les
adjectifs qualificatifs, y compris ceux qui sont dérivés de noms propres, et
les adverbes de manière.

On commence par observer les variations des VA et des AA car elles
peuvent expliquer certains mouvements du rapport VA/AA. Le tableau infra
présente les effectifs réduits des VA et des AA tels que :

$$VA° = 10000 \ VA/N$$
$$AA° = 10000 \ AA/N$$

(1) F. ANTOSCH, "The diagnosis of literary style with the verb-adjective
ratio", pp. 57-65, in : L. DOLEŽEL et R.-W. BAILEY (eds) *Statistics and
style*, New York, American Elsevier Publishing Compagny, inc., 1969.

(2) Il s'agit de *avoir, devenir, devoir, être, falloir, paraître, pouvoir,
sembler, vouloir.*

Effectifs réduits

	verbes d'action	adjectifs et adverbes de manière	Rapport verbe/adjectif	
	VA°	AA°	VA/AA	r
La Thébaïde	1382	487	2,84	4
Alexandre	1554	445	3,50	8
Andromaque	1601	335	4,79	11
Britannicus	1514	380	3,99	10
Bérénice	1521	440	3,47	7
Bajazet	1543	487	3,19	6
Mithridate	1512	482	3,15	5
Iphigénie	1551	443	3,53	9
Phèdre	1547	629	2,47	3
Esther	1346	662	2,04	1
Athalie	1351	593	2,29	2
L (Esth)	1259	744	1,95	
L (Ath)	1240	739	1,69	
D (Esth)	1375	634	1,68	
D (Ath)	1368	569	2,18	
Tragédies profanes	1526	458	3,35	
Tragédies sacrées	1349	622	2,18	
Tout	1496	485	3,10	

Dans les 11 tragédies VA° varie entre 1346 et 1601, soit en valeur absolue de 1 à 1,19 ; AA° varie entre 335 et 662, soit de 1 à 1,98. L'effectif des adjectifs est beaucoup moins stable que celui des verbes, et c'est lui qui doit être l'élément moteur de l'indice.

Cela est d'ailleurs confirmé par la corrélation des rangs :

entre VA/AA et VA° le coefficient atteint + 0,74
entre VA/AA et AA° le coefficient atteint − 0,95
par ailleurs :
entre VA° et AA° le coefficient atteint − 0,59.

Seules les deux premières corrélations sont significatives, la seconde l'étant beaucoup plus que la première. Chez Racine le rapport verbe-adjectif dépend avant tout de l'effectif des adjectifs et adverbes de manière ; plutôt que de varier avec "l'action verbale", le rapport VA/AA paraît varier en fonction inverse de "l'expression qualitative".

Le coefficient de corrélation entre VA° et AA° se situe juste en deçà de la limite à partir de laquelle il serait considéré comme significatif. On ne peut donc pas dire avec certitude que les effectifs des VA et des AA sont dépendants ou indépendants les uns des autres ; ce qui semble sûr, c'est qu'ils ont tendance, tout au moins chez Racine, à varier en sens contraire. Cela n'en donne que plus d'intérêt à l'indice : le numérateur et le dénominateur ayant peu de chances de croître ou de décroître ensemble, l'indice ne risque pas d'être constant quand les effectifs de VA et de AA varient.

On trouve au tableau supra les valeurs de l'indice obtenues sur nos données. Pour l'ensemble des pièces de Racine il s'établit à 3,10. Par comparaison on peut indiquer que F. Antosch trouve une moyenne de 3,33 pour 153 passages tirés de 9 pièces de Goethe, et de 6,20 pour 269 passages de 13 pièces d'Anzengruber (écrivain autrichien du 19e siècle, auteur de drames populaires et de farces paysannes). Bien qu'il porte sur des textes en langues différentes, l'indice fournit des résultats conformes à ce qu'on était en droit d'attendre : des valeurs très voisines pour des oeuvres de niveaux linguistique et culturel comparables et une valeur plus élevée pour une oeuvre appartenant à un genre plus libre et dont la langue est plus relâchée.

A l'intérieur de l'oeuvre de Racine il y a un décalage bien marqué entre les deux catégories de pièces : la différence entre l'indice moyen des tragédies profanes (3,35) et celui des tragédies sacrées (2,18) dépasse une unité.

En observant les variations du rapport dans les tragédies sacrées, on constate, là aussi, bien des différences - et des similitudes - de style. Les parties lyriques ont des indices presque équivalents (1,69 pour L(*Esth*) et 1,68 pour L(*Ath*)) et nettement plus faibles que ceux des parties dramatiques (2,18 pour D(*Esth*) et 2,41 pour D(*Ath*)), ces derniers étant eux-mêmes moins élevés que ceux de toutes les autres pièces.

Les tragédies sacrées dans l'ensemble, et les parties lyriques en particulier, avec leur ton invocatoire, ont un style moins "actif" et plus "qualitatif" que les tragédies profanes. On constate par ailleurs que dans *Esther* le Prologue, qui est un monologue, a comme prévu un indice (1,95) plus faible que la partie dramatique dialoguée.

Si l'écart est bien net entre les indices moyens des tragédies profanes et des tragédies sacrées, il n'y a pas vraiment de grande rupture dans la série des indices des 11 pièces prises individuellement : *La Thébaïde* (2,84) et *Phèdre* (2,47) établissent la liaison entre toutes les autres tragédies profanes, dont l'indice est supérieur à 3, et les deux tragédies bibliques : *Athalie* (2,29) et *Esther* (2,04).

Les valeurs s'échelonnent assez régulièrement ; le coefficient de corrélation avec l'ordre chronologique atteint - 0,60, il est donc exactement au seuil de 5 chances sur 100 et doit être considéré comme significatif : le rapport verbe/adjectif tend à baisser à mesure que Racine écrit ses pièces. Plus précisément, il est très élevé dans les pièces du jeune auteur qui s'affirme (*Andromaque, Britannicus, Iphigénie, Alexandre* et *Bérénice*) et plutôt faible chez l'auteur confirmé (*Phèdre* et les tragédies sacrées). L'indice donne une bonne mesure de l'évolution de Racine : style "actif" dans les premières grandes pièces et plus de recherches et d'ornements dans les dernières - style "qualitatif".

A vrai dire, il y a deux exceptions dans cet ordonnancement :
La Thébaïde et *Iphigénie*. *La Thébaïde* est d'une facture unique parmi les
tragédies de Racine ; son rang dans la suite des valeurs de l'indice est
dû au ton oratoire et emphatique de la pièce. *Iphigénie*, comme on l'a déjà
noté chapitre VI, a une place tout à fait à part dans les tragédies de
Racine par le nombre d'adjectifs qui y apparaissent, compte tenu de la
date de sa rédaction.

Bien qu'il soit rarement employé dans des études sur des textes
littéraires, le rapport verbe-adjectif n'est pas indigne d'intérêt. Il est
suffisamment sensible pour faire apparaître des particularités de style
que d'autres procédés quantitatifs ne révèlent pas.

CHAPITRE XIII

VERS LE CONTENU LEXICAL

Jusqu'ici, nous avons principalement effectué des calculs statistiques sur la structure quantitative du vocabulaire. On aborde maintenant l'étude des unités (des vocables) qui constituent le contenu de cette structure.

Au plan "qualitatif" le vocabulaire de Racine est assez bien connu car il a fait l'objet d'analyses très nombreuses. En dehors des études partielles et des innombrables remarques disséminées dans différents commentaires, on dispose de plusieurs études d'ensemble (1) auxquelles notre recherche ne prétend pas se substituer car notre démarche reste quantitative et comparative.

Il n'est pas superflu de rappeler que les vocables sont ici des *formes*, des signifiants. Comme il n'y a pas, dans notre dépouillement, de rapports biunivoques entre les lemmes et les signifiés (à cause des polysémies et de l'emploi d'images ou de figures), le contenu lexical est distinct du contenu sémantique. Par conséquent, il serait hasardeux de tirer des conclusions relatives à la signification à partir de la fréquence des vocables, à moins d'en examiner tous les emplois.

1. Le vocabulaire caractéristique

Le vocabulaire caractéristique est constitué de l'ensemble des vocables dont la sous-fréquence dans une pièce, une partie de pièce ou un ensemble de pièces, s'écarte de façon notable d'une sous-fréquence "normale".

On établit un relevé du vocabulaire caractéristique pour tous les mots hormis les noms propres et adjectifs dérivés

1 - de chaque tragédie de Racine en prenant pour référence l'ensemble de toutes ses tragédies,
2 - des tragédies profanes et des tragédies sacrées par référence au même ensemble,
3 - des passages lyriques respectifs par rapport à chaque tragédie sacrée,
4 - des onze tragédies de Racine et des dix-huit tragédies de Corneille par rapport à l'ensemble qu'elles constituent.

Il est évident que la référence choisie pour le calcul des sous-fréquences théoriques détermine le contenu des relevés et, par suite, ce en

---

(1) Au nombre de celles-ci, il convient de citer un inventaire systématique : Ch. MARTY-LAVEAUX, *Lexique de la langue de Racine*, vol. VIII de l'éd. des grands écrivains de la France (qui est précieux malgré quelques omissions) et deux études proprement dites :
J.-G. CAHEN, "Le vocabulaire de Racine", *Revue de Linguistique romane*, XVI, n° 59-64, 1940-45, 1946, 253 p.
G. SPILLEBOUT, *Le vocabulaire biblique dans les tragédies sacrées de Racine*, Genève, Droz, 1968, 441 p., 4 pl. h.t.

quoi les vocables sont caractéristiques.

Le fait de jouer sur plusieurs références présente l'avantage de
sérier les informations : pour les tragédies de Racine prises séparément,
les vocables caractéristiques sont ceux qui distinguent chaque pièce des
dix autres. De même, pour le groupe des tragédies profanes et des tragédies
sacrées, ou pour les passages lyriques et les passages dramatiques, ce sont
ceux qui opposent un ensemble à l'autre. Il s'agit donc d'une comparaison
interne et les constantes propres à Racine n'apparaissent pas.

Les particularités lexicales de Racine ne peuvent se révéler que
dans le quatrième relevé, et elles ne sont distinctes que par rapport à
Corneille. Il est regrettable que le vocabulaire de Racine ne puisse pas
être comparé à celui d'autres auteurs contemporains, mais on ne dispose pas
actuellement des dépouillements qui permettraient de le faire.

Il n'a pas semblé utile de recourir à un appareil statistique très
complexe pour établir nos relevés.

On distingue, selon la répartition des vocables, le vocabulaire
caractéristique relatif et le vocabulaire caractéristique absolu.

- Le vocabulaire caractéristique relatif

Connaissant la fréquence des vocables dans un ensemble, on calcule
leurs effectifs théoriques dans les sous-ensembles (pièces, parties de pièces,
etc.) en fonction d'une distribution aléatoire. Les calculs ne sont pas effec-
tués pour les vocables dont la sous-fréquence est nulle, ni pour ceux qui
sont attestés seulement dans le sous-ensemble considéré.

On compare les effectifs théoriques aux effectifs réels et les
écarts sont considérés comme significatifs lorsque la valeur des écarts réduits (= écart absolu/écart type théorique) dépasse 1,96, c'est-à-dire lorsque la déviation a moins de 5 chances sur 100 d'être aléatoire.

Le choix de 1,96 impose, *de facto*, des seuils de fréquence en-deçà
desquels il n'y a plus d'écarts significatifs, l'un pour les écarts en moins
dans les sous-ensembles (qui déterminent quel est le vocabulaire caractéristique négatif) et l'autre pour les écarts en plus (vocabulaire caractéristique
positif). Un vocable n'ayant qu'une occurrence dans *Esther*, par exemple, ne
sera significativement déficitaire que s'il a au moins une fréquence égale à
77 dans l'ensemble des onze pièces (pour $F = 77$, $z = 1,967$, alors que pour
$F = 76$, $z = 1,948$). Ces seuils ne sont pas les mêmes pour toutes les pièces
car la longueur entre dans le calcul de l'écart réduit :

Fréquence totale F

	positif relatif	négatif relatif
La Thébaïde	2	62
Alexandre	2	61
Andromaque	3	56
Britannicus	3	55
Bérénice	2	64
Bajazet	3	55
Mithridate	3	56
Iphigénie	3	53
Phèdre	2	59
Esther	2	77
Athalie	3	55

Interprétation : Un vocable apparaissant une seule fois dans *La Thébaïde* entrera dans le vocabulaire caractéristique positif s'il a seulement 2 occurrences dans l'ensemble des onze pièces, et dans le vocabulaire caractéristique négatif s'il en a 62.

Lorsqu'il n'y a que deux sous-ensembles en présence, comme c'est le cas pour les relevés 2, 3 et 4, il suffit d'établir le vocabulaire caractéristique positif de l'un, car on peut le considérer en même temps comme caractéristique négatif de l'autre. Les seuils de fréquence sont les suivants :

		Positif relatif
L(Esth)	(avec *Esther* comme ensemble de référence)	4
L(Ath)	(avec *Athalie* comme ensemble de référence)	3
Racine		3
	(avec les 29 tragédies comme ensemble de référence)	
Corneille		8

Pour les tragédies sacrées opposées aux tragédies profanes, on n'a retenu que les vocables dont les écarts réduits dépassaient 3 pour les tragédies profanes et 3,5 pour les tragédies sacrées, afin de ne sélectionner que les différences les plus remarquables, car une grande partie du vocabulaire caractéristique des unes et des autres figure déjà dans le relevé de chaque pièce.

Pour simplifier les opérations, on a utilisé la loi normale quelles que soient les fréquences dans les ensembles alors que la loi de Poisson aurait été plus appropriée pour les vocables de basse fréquence. Cela a eu pour conséquence, dans certains cas, de surestimer leurs écarts réduits et, par suite, de les faire entrer dans nos relevés, alors qu'ils ne s'écartent pas toujours très significativement d'une distribution aléatoire. Il faudra donc éviter de leur accorder trop d'importance à moins que les écarts réduits ne soient très élevés.

- Le vocabulaire caractéristique absolu

Le critère de sélection n'est plus la fréquence, mais la présence ou l'absence des vocables dans les sous-ensembles.

Le vocabulaire caractéristique positif absolu d'un sous-ensemble est composé des vocables qui ne sont pas attestés ailleurs dans l'ensemble de référence.

Il est nécessaire d'établir une liste du vocabulaire caractéristique négatif absolu seulement dans le relevé 1 relatif à chaque pièce, car il y a plus de deux sous-ensembles. On obtiendrait des listes démesurées, et en grande partie répétitives si l'on mentionnait, pour chaque pièce, les 1000 ou 1500 vocables qui n'y figurent pas. Par conséquent, nous avons adopté un procédé analogue à celui que Ch. Muller avait utilisé pour les 32 pièces de Corneille afin d'effectuer un tri assez sévère. Deux listes complémentaires sont établies pour chaque pièce :

- l'une comprend les vocables absents dont la fréquence totale dans l'ensemble dépasse le seuil inférieur fixé par le calcul du vocabulaire caractéristique relatif négatif (soit 62 pour *La Thébaïde*, 61 pour *Alexandre*, etc.).

- l'autre comprend les vocables dont la fréquence est inférieure au seuil, absents de la pièce considérée et attestés dans chacune des 10 autres.

Le traitement des données a abouti à une série de tableaux lexicaux que nous présenterons brièvement.

Relevé 1 : Sur les tableaux (pp. 316-344) figure le vocabulaire caractéristique des tragédies de Racine prises individuellement :

    a. positif absolu
    b. positif relatif
    c. négatif absolu
    d. négatif relatif

Pour a. et c., les vocables sont classés par ordre de fréquence décroissante et pour b. et d., par ordre d'écart réduit décroissant jusqu'à $z = 1,96$. De cette manière, les écarts les plus importants sont toujours en tête de liste.

Relevé 2 : On retient les divergences les plus saillantes entre les tragédies profanes et les tragédies sacrées.

p. 345	Tragédies profanes : positif absolu (vocables de fréquence supérieure ou égale à 10).
p. 345	Tragédies profanes : positif relatif ($z \geqslant 3,00$).
p. 346	Tragédies sacrées : positif absolu (vocables de fréquence supérieure ou égale à 3).
p. 347	Tragédies sacrées : positif relatif ($z \geqslant 3,50$).

Dans ces tableaux, les vocables sont disposés par ordre de fréquence ou d'écart réduit décroissant.

Relevé 3 : Vocabulaire caractéristique des choeurs des tragédies sacrées.

p. 348	Choeurs d'*Esther* : positif absolu (toutes les fréquences).
p. 349	Choeurs d'*Esther* : positif relatif ($z \geqslant 2,5$; avec $p < 0,01$).
p. 350	Choeurs d'*Athalie* : positif absolu (toutes les fréquences).
p. 351	Choeurs d'*Athalie* : positif relatif ($z > 2,5$).

Ici les vocables sont classés par ordre alphabétique.

Relevé 4 : Racine et Corneille opposés l'un à l'autre. Ici, on présente, par ordre alphabétique, tous les vocables caractéristiques des deux auteurs.

pp. 352-354	Racine : positif absolu.
pp. 355-359	Racine : positif relatif.
pp. 361-368	Corneille : positif absolu.
pp. 369-371	Corneille : positif relatif.

Dans le cadre de notre étude, il est impossible d'analyser tout le contenu de ces tableaux. Ils ont été conçus de manière à présenter un modèle de ce que la statistique peut fournir pour aborder le contenu lexical.

Ce qui est significatif en termes de quantité découle de causes très diverses. C'est parfois l'histoire de la langue qui explique la présence d'un vocable dans nos listes : des archaïsmes ou mots vieillis n'apparaissent que dans l'une ou l'autre des premières pièces (par exemple *discord* dans *La Thébaïde*). Parfois l'explication est à chercher dans les contraintes du genre tragique : c'était, par exemple, une audace d'employer le mot *salon*, qui ne figure que dans *Esther*. Le plus souvent les vocables sont caractéristiques en raison du thème des pièces (*janissaire* dans *Bajazet*, *vent* dans *Iphigénie*), dans ce cas l'information n'est pas très intéressante parce que tautologique. Enfin, il y a ce qui provient des choix stylistiques, conscients ou inconscients, qui n'est pas toujours aisément identifiable, et souvent délicat à interpréter parce que la méthode comparative ne donne pas une vision globale du style.

Dans la troisième partie de cette recherche, on signalera, pour chaque pièce ou ensemble de pièces, les faits les plus notables mis en évidence par les tableaux. Mais tout en étant pour nous un aboutissement, le calcul du vocabulaire caractéristique fournit un bon support, qui pourrait encore être affiné, à des recherches ultérieures.

Une présentation du vocabulaire caractéristique ("significant words") des onze tragédies de Racine a déjà été publié par A. Seznec (1). Elle diffère sur quelques points de celle qui est proposée ici : d'une part elle enregistre uniquement ce que nous appelons ici le vocabulaire caractéristique positif relatif, et d'autre part les critères de sélection sont plus rudimentaires. Pour être déclarés significatifs dans une pièce, les vocables doivent ou bien y avoir au moins le quart du nombre total des occurrences dans les onze tragédies, ou bien une fréquence double de celle de n'importe quelle autre pièce. Ces deux seuils sont empiriques et, quoiqu'ils ne soient pas absurdes, ne sont pas pertinents d'un point de vue statistique, en particulier parce qu'ils ne sont pas modulés en fonction de l'effectif total des vocables. Par ailleurs, ils sont très sélectifs - peut-être trop - de sorte que les vocables significatifs sont presque tous liés au thème des pièces. Il faut mentionner en outre une petite négligence qui rend certains résultats suspects : les listes ont été établies à partir de la concordance de Freeman et Batson et l'auteur n'a pas éliminé les occurrences des vocables répétés dans les variantes d'un même vers. On compte ainsi, par exemple, trois occurrences de *moment* ou de *troubler* dans le seul vers 1399 d'*Andromaque* : "L'ai-je vu se *troubler* et me plaindre un *moment*" à cause des deux variantes : a. "Ai-je vu ses regards se *troubler* un *moment*" et b. "L'ai-je vu s'attendrir, se *troubler* un *moment*". Cela grossit considérablement les effectifs de certains vocables (*sang*, par exemple, n'a pas 92 occurrences dans *La Thébaïde*, mais seulement 69 sans les variantes et 79 avec les variantes non répétitives) et avantage systématiquement les pièces qui ont le plus de variantes, et en particulier *La Thébaïde*.

(1) A. SEZNEC, "Notes on a concordance of Racine", *French Studies*, XXVI, 1, 1972, pp. 9-26.

Ces réserves étant faites, il convient d'ajouter que la partie interprétative de l'article d'A. Seznec laisse peu à désirer. Mais, d'un point de vue technique, les listes que nous proposons ici sont plus complètes et plus cohérentes que celles qui servent de base à ses commentaires.

2. Traitement par le X^2

La distribution des 177 vocables les plus fréquents dans les onze tragédies (ceux qui atteignent ou dépassent 110 occurrences) a été testée à l'aide du X^2.

Le seuil de 5 %, au-delà duquel la distribution est considérée comme significativement irrégulière, est atteint pour $X^2 = 18,367$. Cette valeur est dépassée pour 158 vocables, et 19 seulement ne l'atteignent pas. La disproportion est telle qu'il semble que la loi des grands nombres ne joue pas, ou ne joue que très rarement chez Racine pour les vocables de haute fréquence.

On constate en particulier que la quasi-totalité des mots fonctionnels dépasse très nettement le seuil. C'est le cas en particulier de tous les pronoms personnels, des possessifs et des démonstratifs, mais aussi des conjonctions, prépositions ou adverbes les plus fréquents.

Les vocables les plus instables (avec $X^2 > 80$, donc une probabilité d'alea infinitésimale), qui appartiennent tous au vocabulaire caractéristique d'une ou de plusieurs pièces, sont :

- parmi les mots fonctionnels

. les déterminants les plus fréquents : *le* ($X^2 = 271,98$), *ce* (adj.) ($X^2 = 80,40$) - leur instabilité est un effet secondaire des variations de la proportion des substantifs.
. certains possessifs : *ton* ($X^2 = 147,82$), *son* ($X^2 = 128,45$) et *mon* ($X^2 = 91,79$).
. et plusieurs pronoms personnels : *je* ($X^2 = 255,18$), *vous* ($X^2 = 166,25$), *me* ($X^2 = 150,98$), *il* ($X^2 = 128,98$).

- parmi les mots lexicaux

. d'une part ceux qui désignent des personnes (par leurs titres ou leurs liens de parenté), dont la présence ou l'absence dépend de l'argument des pièces et dont la fréquence est d'autant plus élevée qu'ils sont au centre de l'intrigue : *enfant* ($X^2 = 492,64$), *fille* ($X^2 = 324,61$), *roi* ($X^2 = 271,29$), *fils* ($X^2 = 260,38$), *frère* ($X^2 = 169,54$), *père* ($X^2 = 148,20$), *reine* ($X^2 = 138,31$) et *madame* ($X^2 = 112,94$).
. d'autre part ceux qui sont particulièrement liés au thème de certaines pièces alors qu'ils sont rares - et parfois inexistants - dans d'autres.

Tous ont des emplois variés, mais c'est un ou au plus deux emplois dominants qui provoque les irrégularités de la répartition : *dieu* (nom commun) (en excédent dans *Iphigénie*, *Phèdre* et *La Thébaïde*, absent de *Bajazet* ; $X^2 = 209,41$), *deux* (en excédent dans *La Thébaïde* ou *les* (deux) *frères ennemis* ; $X^2 = 175,51$), *partir* (en excédent dans *Bérénice*, c'est le choix final de la Reine, *Mithridate* : *partir* notamment pour combattre Rome, *Iphigénie* : les vaisseaux qui ne peuvent *partir*, absent de *La Thébaïde* ; $X^2 = 130,05$), et *sang* (en excédent dans *La Thébaïde* : deux frères du même *sang* qui s'entretuent, et *Iphigénie* : le *sang* du sacrifice ; $X^2 = 119,37$).

Les vocables les moins instables ($X^2 < 18,367$ et $p > 0,05$) sont
les suivants :

	F	X^2	p
Lieu	197	6,6767	$0,90 > p > 0,70$
Moins	206	8,5108	$0,70 > p > 0,50$
Avec	345	8,6588	$0,70 > p > 0,50$
Prêt	117	8,8719	$0,70 > p > 0,50$
Connaître	140	9,3322	$\simeq 0,50$
Quelque	232	9,5078	$\simeq 0,50$
Fois	167	11,4553	$\simeq 0,30$
Jusque	186	11,4721	$\simeq 0,30$
Craindre	216	12,5474	$0,30 > p > 0,10$
Où	336	12,5673	$0,30 > p > 0,10$
Donner	173	13,7995	$0,30 > p > 0,10$
Autre	264	14,1774	$0,30 > p > 0,10$
Mettre	122	14,7137	$0,30 > p > 0,10$
Pas (sm)	112	14,8635	$0,30 > p > 0,10$
Suivre	160	15,6177	$\simeq 0,10$
Main	312	16,7784	$0,10 > p > 0,05$
Dire	441	17,2791	$0,10 > p > 0,05$
Quand	190	18,1145	$\simeq 0,05$
Dont	229	18,2871	$\simeq 0,05$

Il s'agit de vocables de toute nature (substantifs, adjectifs,
verbes, etc.).

Les verbes sont au nombre de 6 et représentent donc à peu près le
tiers de la liste. Or sur les 177 vocables testés, il n'y a que 37 verbes,
soit une proportion de 1/5. Il semble donc que les verbes tendent à être
plus stables que les autres vocables.

Cette tendance est confirmée lorsque le X^2 est employé jusqu'à
son ultime limite d'application, c'est-à-dire pour tous les vocables de
fréquence supérieure ou égale à 72. Le test porte alors sur 272 vocables
dont 75 verbes : la proportion est de 28 %. Parmi les 59 vocables dont le X^2
ne dépasse pas la valeur correspondant au seuil de 5 %, il y a 27 verbes
alors que, toutes choses égales d'ailleurs, on en attendait seulement 16.

Cela confirme et complète nos observations relatives aux catégories
grammaticales : le verbe est la catégorie la plus stable et les verbes les
plus fréquents se distribuent entre les pièces de façon moins irrégulière
que les vocables des autres classes.

Il serait vain de vouloir expliquer la relative stabilité de ces
vocables par la constance, dans les pièces, des notions qu'ils expriment.
Pour ce faire, il faudrait mettre la fréquence de chacun d'eux en rapport
avec celle des vocables ou locutions qui entrent dans le même paradigme.
Par ailleurs, on constate que la distribution de leurs emplois pris un à un
est souvent irrégulière. Pour *connaître*, par exemple, qui est le verbe le
plus stable, la distribution de *connaître* + nom de personne et celle, plus
fréquente, de *connaître* + substantif abstrait (la *cause* de quelque chose, les
desseins de quelqu'un, son *devoir*, etc.) sont significativement irrégulières.

Ce que notre liste permet de détecter, en revanche, c'est la perma-
nance d'éventuels tics verbaux ou de répétitions insistantes. Sur ce point,
trois vocables semblent particulièrement représentatifs parce qu'ils sont
très nettement excédentaires chez Racine, par rapport à Corneille : *lieu,
prêt* et *fois*.

Lieu : la distribution n'est pas significativement instable lorsqu'on élimine *au lieu de, avoir lieu* et *avoir lieu de*. La seule tournure *en/
dans ce(s) lieu(x)* figure plus de 90 fois dans l'ensemble des onze pièces et
l'on rencontre en outre *s'arracher de ces lieux, fuir de ces lieux, quitter
ces lieux, se sauver de ces lieux* et *sortir de ces lieux*. La contrainte de
l'unité de lieu n'explique pas à elle seule la constance et la fréquence de
ce vocable car Corneille la subissait aussi. (Il faut noter qu'*ici* n'est en
excédent ni chez Corneille, ni chez Racine). L'explication est plutôt à chercher dans ce que la critique moderne appelle "le lieu clos racinien" (1) ou
"la structure d'exil" (2) des pièces de Racine.

Prêt : la distribution reste aussi stable lorsqu'on ne retient que :
prêt à/de + infinitif (au 17e siècle, on écrivait généralement *prêt* là où on
mettrait aujourd'hui *près*). Racine semble avoir une prédilection pour cette
tournure lorsqu'il veut traduire l'imminence d'un procès :

"Un hymen tout *prêt* à s'achever" *Andromaque* v. 755.
"[Le roi de Parthes] *Prêt* d'unir avec moi sa haine et sa famille"
Mithridate v. 851.
"Parmi des loups cruels *prêts* à me dévorer" *Athalie* v. 642.

Fois : la distribution reste stable après la suppression de *à la
fois*. On rencontre surtout *une fois, plus d'une fois, deux fois, trois fois,
vingt fois, cent fois, mille fois* et *tant de fois*. Ce vocable exprime l'ité-
ration, et, en ce qui concerne les personnages tragiques, l'incapacité à
modifier le cours du destin et la lassitude. D'où, probablement, sa fréquence
et sa régularité chez Racine.

Il faudrait bien sûr examiner le comportement de ces trois vocables
chez d'autres auteurs avant d'affirmer que leur régularité est un caractère
spécifique de l'écriture de Racine.

3. Quelques faits remarquables

On présente ici quelques vocables, ou groupes de vocables, choisis
pour leur valeur d'exemple, dont la répartition présente des particularités
telles qu'elles ne sont pas révélées par le calcul du vocabulaire caractéristique ni par le calcul du X^2.

Il s'agit de vocables dont les effectifs varient en fonction de la
chronologie dans les tragédies de Racine, et de groupes de vocables qui ne se
distribuent pas de la même manière chez Racine et chez Corneille.

---

(1) R. BARTHES, *Sur Racine*, Paris, Ed. du Seuil, 1963, p. 99.

(2) A. UBERSFELD, "Racine", dans *Histoire littéraire de la France*, vol. 4,
Paris, Ed. sociales, 1975, pp. 127-153.

- Vouloir

Ce verbe n'appartient pas au vocabulaire caractéristique d'un des
deux auteurs, mais le nombre de ses occurrences paraît évoluer très régulièrement dans la suite des pièces de Racine.

	effectif réel	effectif théorique	écart réduit	rang
La Thébaïde	80	58,48	(+) 2,82	11
Alexandre	74	58,81	(+) 1,98	10
Andromaque	70	63,80	(+) 0,78	9
Britannicus	69	65,26	(+) 0,46	7
Bérénice	56	56,08	(−) 0,01	5
Bajazet	72	64,85	(+) 0,89	8
Mithridate	62	64,05	(−) 0,26	4
Iphigénie	67	66,90	(+) 0,01	6
Phèdre	53	60,96	(−) 1,02	3
Esther	26	47,23	(−) 3,10	1
Athalie	43	65,57	(−) 2,79	2
	672			

On voit que les effectifs réels ont tendance à diminuer à mesure
que les pièces se suivent. Le coefficient de corrélation de Spearman, établi
d'après le classement des écarts réduits opposé à l'ordre chronologique,
atteint - 0,93, valeur située très au-delà du seuil de signification (fixé à
0,58) et qui a une chance sur 1000 seulement d'être un effet du hasard. Par
conséquent, on peut légitimement considérer que la proportion de ce verbe
décroît de façon significative avec la chronologie.

Cette évolution ne paraît pas être compensée par l'augmentation des
effectifs de verbes susceptibles d'apparaître dans les mêmes emplois. On
observe au contraire que la corrélation inverse est encore plus nette lorsqu'on cumule les occurrences de *vouloir* avec celles de *désirer*, *exiger* et *sou-
haiter* (1) : le coefficient de Spearman atteint alors - 0,97.

L'explication d'un tel phénomène sort très probablement du cadre de
la lexicologie. Et il s'agit peut-être d'un processus dont Racine n'était pas
conscient.

On pourrait supposer que Racine utilise de plus en plus l'impératif
ou le futur volitif qui peuvent se substituer à certains emplois de *vouloir*
et de ses synonymes. Mais un sondage rapide nous amène à penser que tel n'est
pas le cas. Il est plus probable qu'il atténue progressivement dans la bouche
de ses personnages l'expression des souhaits (et des exigences) qui leur sont
propres et de ceux qu'ils attribuent ou supposent aux autres. Dans ce cas, les
résultats des tests révèleraient une évolution des héros raciniens.

---

(1) On a jugé préférable de se borner à trois verbes proches de *vouloir* plutôt
    que d'enregistrer tous ceux qui ont quelque rapport avec lui, mais aussi
    des emplois très différents, afin d'éviter de constituer une masse d'occur-
    rences disparates de laquelle il n'y aurait rien à tirer.

- Car, parce que, puisque

La somme des occurrences de ces trois formes, qui sont des expressions de la causalité, décroît elle aussi. Par ailleurs, leur proportion est beaucoup plus faible dans les tragédies de Racine que dans celles de Corneille.

Le coefficient de corrélation de Spearman entre le classement des écarts réduits et la chronologie s'établit à - 0,75 et n'a qu'environ une chance sur 100 d'être atteint par hasard. On admet par conséquent qu'il y a corrélation inverse.

Les écarts réduits calculés pour Racine ((-) 3,97) et Corneille ((+) 2,87) indiquent un déficit très significatif du premier.

Il ne semble pas que les résultats de ces tests indiquent la rareté et la disparition progressive de la relation causale chez Racine, qui peut se manifester par d'autres procédés d'expression. Ceux-ci sont parfois lexicaux :

"Je la plains d'*autant plus que* Mithridate l'aime".
                                        Mithridate v. 352.
et le plus souvent uniquement syntaxiques ; le rapport causal est alors implicite. On rencontre par exemple l'emploi d'une proposition participe :

"Agamemnon m'évite, et *craignant* mon visage,
"Il me fait de l'autel refuser le passage".
                                        Iphigénie v. 1049-1050.
ou encore, plus simplement, la juxtaposition :

"Prends soin d'elle, ma haine a besoin de sa vie".
                                        Bajazet v. 1322.
"Venez : de l'huile sainte il faut vous consacrer".
                                        Athalie v. 1411.

Il paraît vraisemblable que Racine a abandonné graduellement *car, parce que* et *puisque* - c'est-à-dire les articulations d'une forme très construite du discours argumenté, caractéristique de Corneille - au bénéfice de procédés qui donnent plus de vivacité et de spontanéité au dialogue.

- Adverbes en *-ment*

Leur proportion est dans l'ensemble beaucoup plus faible dans les tragédies de Racine que dans celles de Corneille.

Occurrences :   Racine : 150   Corneille : 514
L'écart réduit pour Racine s'établit à (-) 5,18. Le déficit chez lui est donc très significatif.

Vocables :   Racine : 37   Corneille : 85.
La différence de longueur n'explique pas à elle seule l'ampleur de l'écart : ces adverbes sont à la fois plus nombreux et plus diversifiés chez Corneille.

Ceux qui apparaissent dans Racine sont ou bien très usuels (par exemple : *justement, également, seulement*) ou bien - c'est plus rare - très expressifs (par exemple : *mortellement*).

Tous ceux qu'on ne rencontre que chez Corneille (1) ne sont pas malvenus dans la tragédie et auraient pu sans inconvénient figurer chez Racine sauf peut-être quelques-uns qui étaient vieillis (par exemple : *accortement*) et quelques autres qui ne sont peut-être pas dans le ton de Racine (par exemple : *languissamment* ou *piteusement*).

La différence entre les deux auteurs n'est pas fortuite. Il est possible qu'elle soit due à une réaction de Racine, et probablement de certains de ses contemporains - c'est à vérifier - contre les excès des Précieux et des Précieuses de la génération précédente qui avaient utilisé ces adverbes de façon abusive (2).

- Substantifs en *-ion* ($[i\check{z}]$ dans la versification classique et $[j\check{z}]$ en français moderne)

Ch. Muller a montré que ces mots sont en décroissance constante chez Corneille (3).

Ils sont proportionnellement plus fréquents dans les tragédies de Corneille que dans celles de Racine. Et, parmi ces dernières, plus rares dans les tragédies profanes que dans les tragédies sacrées ; mais la croissance n'est pas régulière dans la suite chronologique.

Occurrences :   Racine : 101   Corneille : 505
Tragédies profanes : 66
Tragédies sacrées : 35

---

(1) Adverbes à finale en *-ment*
   a. Apparaissant dans les tragédies de Racine exclusivement : *cruellement*, *faussement*, *mortellement*, *secrètement*, *subitement*, *tendrement*, *tranquillement*.
   b. Apparaissant dans les tragédies de Corneille exclusivement : *accortement*, *adroitement*, *apparemment*, *ardemment*, *arrogamment*, *assurément*, *aucunement*, *aveuglément*, *brutalement*, *chaudement*, *chèrement*, *clairement*, *confidemment*, *confusément*, *constamment*, *dextrement*, *doublement*, *doucement*, *entièrement*, *éternellement*, *exactement*, *fortement*, *franchement*, *froidement*, *généreusement*, *hardiment*, *hautement*, *imprudemment*, *indifféremment*, *infiniment*, *innocemment*, *insolemment*, *inutilement*, *languissamment*, *largement*, *librement*, *malaisément*, *mûrement*, *nettement*, *obscurément*, *obstinément*, *paisiblement*, *piteusement*, *proprement*, *prudemment*, *puissamment*, *rudement*, *sainement*, *sensiblement*, *simplement*, *sourdement*, *suffisamment*, *vaillamment*, *véritablement*, *vivement*.

(2) Cf. F. BRUNOT, *Histoire de la langue française des origines à nos jours*, t. III. La formation de la langue classique (1600-1660), Paris, A. Colin, 1966, pp. 67-68.
   et
   K. NYROP, *Grammaire historique de la langue française*, t. II. Morphologie, Copenhague, Gyldendal, 1968, p. 343, § 473, t. IV. Sémantique, [Copenhague], Gyldendalske Boghandel, 1913, p. 17, § 9.

(3) Ch. MULLER, *Etude*... p. 145.

Les écarts réduits s'établissent à (-)7,35 pour les tragédies de
Racine comparées à celles de Corneille et à (+)4,39 pour les tragédies sacrées
comparées aux tragédies profanes. Dans les deux cas, les différences sont donc
très remarquables.

Vocables :   Racine : 31   Corneille : 56   (19 étant communs aux
                  deux ensembles)

Les contraintes thématiques expliquent par exemple que *profanation*
ou *superstition* apparaissent seulement chez Racine, et *conjuration* seulement
chez Corneille. Mais la plupart des vocables qui ne figurent que chez un
auteur ne seraient pas déplacés chez l'autre (1).

Les vocables exclusifs des tragédies sacrées (2) sont assez marqués par le thème et ont, en outre, la particularité d'être assez longs (4
ont 4 syllabes et 4 ont 5 syllabes). Il est d'ailleurs manifeste chez Racine
- alors que cela n'est pas tout à fait vrai chez Corneille - que les plus
répétés sont les plus courts (3 syllabes, parfois 4) : *action, nation, passion, ambition, occasion* ; et les moins répétés sont les plus longs (4 ou 5
syllabes) : *dévotion, effusion, domination, superstition*.

Selon Ch. Muller, c'est vraisemblablement une raison prosodique
qui explique la diminution de l'emploi de ces mots dans le théâtre de
Corneille. Il semblerait que Corneille ait progressivement évité de les
introduire dans ses vers et de les imposer à ses acteurs parce que la diérèse
prescrite par la tradition devenait ou était devenue artificielle. Les études
historiques sur la prononciation tendent en effet à confirmer cette évolution :
l'/i/ a commencé à perdre sa valeur syllabique assez tôt (selon P. Fouché (3)
les premiers exemples dateraient du XIIe siècle) et il est fort probable
qu'il est devenu /j/ dans la langue courante avant ou dès le XVIIe siècle.

---

(1) Mots avec finale en /iɔ̃/
   a. Apparaissant dans les tragédies de Racine exclusivement : *dérision,
      dévotion, domination, effusion, libation, malédiction, oppression,
      prévention, profanation, religion, réunion, superstition*.
   b. Apparaissant dans les tragédies de Corneille exclusivement : *admira-
      tion, affection, agitation, appréhension, compassion, conjuration,
      consolation, contestation, discrétion, dissention, élection, fonction,
      illusion, imprécation, inclination, indignation, instruction, inven-
      tion, million, obstination, opinion, persécution, possession, présomp-
      tion, prétention, profusion, proscription, prostitution, protection,
      punition, question, réception, résolution, satisfaction, vision*.

(2) Mots avec finale en /iɔ̃/ exclusifs des tragédies sacrées : *affliction,
    dérision, domination, libation, malédiction, oppression, profanation,
    superstition*.

(3) P. FOUCHÉ, *Phonétique historique du Français*, Paris, Klincksieck, t. 3.
    Les consonnes et index général, 1961, p. 939.

Comme la diérèse ralentit la diction et contribue à la rendre plus solennelle, elle était peut-être encore moins gênante pour Corneille que pour Racine, et, chez ce dernier, plus conforme à l'esthétique des tragédies bibliques que des autres.

Une explication différente (et complémentaire) repose sur d'autres contraintes : on sait que les mots longs sont assez rares dans la poésie, et particulièrement dans les alexandrins, à cause de la césure qui les divise en deux hémistiches. La tendance constatée provient peut-être aussi de la longueur des vocables : comme ils ont pour la plupart 4 ou 5 syllabes, ils occupent plus de la moitié d'un hémistiche.

Si la rareté de ces finales est effectivement le résultat d'un choix délibéré (1), on doit conclure que Racine s'est montré attentif à éviter les mots qui l'embarrassaient.

---

(1) Cela paraît d'autant plus plausible que les formes verbales en *-ions* sont elles aussi très rares. On enregistre chez Racine des effectifs très faibles pour les trois verbes les plus fréquents : *étions* : 3, *serions* : 0, *avions* : 1, *aurions* : 1, *pouvions* : 0, *pourrions* : 2.

TROISIEME PARTIE : BILAN ET CONCLUSIONS

XIV - BILAN SUR RACINE (ET CORNEILLE)

XV - CONCLUSIONS SUR LA METHODE

CHAPITRE XIV

BILAN SUR RACINE (et CORNEILLE)

Les pièces de Racine seront passées en revue dans l'ordre de leur composition. Chacune fera l'objet d'une brève notice qui sera un essai de synthèse des données quantitatives les plus importantes. Rappelons une dernière fois que nos observations ont uniquement une valeur relative : lorsque le vocabulaire d'une pièce est qualifié de riche ou d'original, par exemple, il ne l'est effectivement que dans l'ensemble de référence. Le vocabulaire caractéristique ne fera pas l'objet d'une exploitation systématique, une analyse plus complète ne serait raisonnable que dans des études plus limitées. Nous ferons ensuite le point sur la comparaison entre Corneille et Racine.

1. Les tragédies profanes de Racine

a. *La Thébaïde* (ou *Les Frères Ennemis*)

La première pièce de Racine est souvent traitée avec indifférence. Cependant elle ne déplut pas au public de 1664 qui l'accueillit favorablement malgré quelques réticences, alors que, la même année, il se désintéressa d'*Othon* de Corneille.

On considère généralement que *La Thébaïde* n'est racinienne que par la présence de certains thèmes qui réapparaissent dans les pièces suivantes : la fatalité et la haine. La forme en est indéniablement archaïsante, notamment par l'emploi des stances (stances d'Antigone, V, 1, v. 1203-1234 dans le texte de 1697) qui avaient presque disparu de la tragédie après 1650 ; on dit que Racine aurait subi l'influence de son rival vieillissant – mais pouvait-il en être autrement ? – d'où parfois le ton emphatique, la présence de maximes (qui manquent parfois d'élégance : "La raison n'agit point sur une populace" v. 463) et de nombreux discours politiques.

Le caractère coloré et composite de la pièce, ajouté à l'influence de Corneille, peut donner l'illusion d'une certaine richesse du vocabulaire : "It has a somewhat larger vocabulary than most of his subsequent tragedies",

écrit A. Seznec (1) ; en réalité le vocabulaire est pauvre (2), comme dans
les deux pièces suivantes de Racine, plus pauvre que celui de toutes les
tragédies de Corneille. Le lexique théorique de la pièce révèle lui aussi
une incontestable sobriété. Malgré cela, l'effectif des vocables exclusifs
est assez élevé : le vocabulaire de *La Thébaïde* est donc quelque peu margi-
nal par rapport à celui de l'univers racinien qui se constituera par la
suite.

La répartition des parties du discours n'indique pas de différences très importantes par rapport à l'ensemble des onze tragédies. *La
Thébaïde* occupe une position moyenne et a certains points communs avec
Alexandre, Bajazet et *Mithridate*. Deux faits notables : la rareté des noms
propres (en vocables et en occurrences) et la proportion élevée de mots
fonctionnels qui contribue à accroître le nombre moyen de mots par alexandrin et rapproche ainsi la pièce des tragédies de Corneille.

Le vocabulaire caractéristique révèle d'abord une relative liberté qu'on ne trouvera plus ensuite. On rencontre des mots vieillis :
discord (aussi chez Corneille), *découler* : "Un sang digne des rois dont
il est découlé" v. 621, *gens*, au sens de "partisans" ("... de gens armés
vous couvrez cette terre" v. 348) et des vocables ou des tournures qui ne
sont pas exactement dans le ton d'une tragédie, par exemple *vider* (une
querelle) v. 708.

Nous ne dirons rien des vocables thématiques : *deux, trône,
règne, paix*, etc. Une large proportion appartient au lexique de l'action
militaire, qui reviendra, dans un registre moins rude, dans la pièce suivante : *armes, bataille, battre, choc, combat, combattant, dégâts* ("Et
d'horribles dégâts signalent leur passage" v. 220), *désarmer, gagner, gens,
guerre, renfort, trêve*. Mais ce qui est beaucoup plus intéressant, c'est
le nombre des vocables (certains sont très fréquents) qui font de *La Thébaïde* une "pièce noire" : *forfait, crime, inhumain, haïr, trépas, parricide,
mourir, haine, verser* (le sang), *rage, noir* (le plus *noir* des forfaits),
cruel, répandre (le sang), *criminel, violent, épouvante, pire* et *colère*.
Ce vocabulaire paraît frénétique par rapport à celui des autres tragédies
de Racine ; il rappelle celui de *Rodogune*.

Il faut aussi signaler que certains de ces vocables entrent dans
le réseau lexical de ce que G. May a appelé "l'unité de sang" (3), avec ce
qui en résulte dans la dramaturgie tragique : l'inceste, les préoccupations
dynastiques et le meurtre : *frère, fils, soeur, beau-père, découler* (v. 621
cité supra), *parricide* (dans ses deux emplois), *incestueux* ("Tu sais qu'ils
sont sortis d'un sang incestueux" v. 33), *usurpateur* et le mot-clé *sang*.

---

(1) A. SEZNEC, "Notes on a concordance of Racine", *French Studies*, XXVI, 1,
    1972, p. 14.

(2) Le fait d'ajouter les six vocables qui n'apparaissent que dans les va-
    riantes (*amer, avorter, gracieux, réserve, tacher* et *tiédeur*) ne rendrait
    pas la pièce significativement plus riche.

(3) C'est en quelque sorte une quatrième "unité" qui s'ajoute aux unités de
    temps, de lieu et d'action. G. MAY, "L'unité de sang chez Racine", *Revue
    d'Histoire littéraire de la France*, LXXII, 2, 1972, pp. 209-233.

Celui-ci apparaît dans la bouche de Jocaste dès le vers 33 dans son sens
figuré "race", "hérédité", dès le vers 42 dans son sens premier ("Répandre
notre sang pour attaquer le leur") et revient en tant que noeud du drame
dans l'oracle du début du deuxième acte, chargé de toutes les notions
qu'il recouvre :

> "Thébains, pour n'avoir plus de guerres,
> Il faut, par un ordre fatal,
> Que le dernier du *sang* royal
> Par son trépas *ensanglante* vos terres".   v. 393-396.

Dans *La Thébaïde*, le sang, c'est d'abord la race, l'hérédité,
c'est aussi ce qui justifie la lutte pour le pouvoir, c'est enfin la catas-
trophe de la pièce, dont Racine reconnaît lui-même l'horreur dans la préface écrite après coup.

Le vocabulaire caractéristique met en outre en évidence une
parenté incontestable avec Corneille. Sans aller jusqu'à citer tous les
mots qui appartiennent à la fois au vocabulaire caractéristique positif de
la pièce et à celui du rival de Racine, on retiendra, parmi ceux qui évo-
quent les valeurs cornéliennes : *âme, droit* (subst.), *justice, mal* (subst.),
beau, grand et *haut* ; parmi ceux qui sont liés à la conception et au déroulement du drame : *ambition, bataille, couronne, forfait, haine, mourir,
tyran* ; et d'autres enfin, d'une nature plus stylistique, qui sont peut-être
les plus révélateurs : *bien* (adv.), *devoir* (verbe), *faire, lors, objet, ou*
et *puisque*.

b. *Alexandre le Grand*

Racine n'avait rien négligé pour assurer le succès de sa seconde
pièce. Le choix du sujet devait lui assurer le suffrage du roi et de la cour.
Et l'on sait que, probablement mécontent de l'interprétation de la troupe de
Molière, il donna sa tragédie à l'Hôtel de Bourgogne, tandis que Molière la
jouait au Palais-Royal.

Le sentiment général de la critique est que, contrairement à *La
Thébaïde, Alexandre* est presque une pièce racinienne, malgré l'influence
probable de Quinault : "l'*Alexandre* est un merveilleux instrument pour com-
prendre Racine ; de toute évidence, Racine ne s'est pas trouvé, mais il est
au bord de sa propre révélation" (1).

---

(1) R. PICARD cité par L. GOLDMANN, *Racine. Essai*, Paris, L'Arche, 1970
    (1re éd. 1956), pp. 70-71.

D'après ses caractères quantitatifs *Alexandre* reste proche de *La Thébaïde* en de nombreux points. Le vocabulaire est presque aussi pauvre, mais moins original : le calcul du lexique indique que le potentiel lexical est le plus faible de toutes les tragédies. La répartition des catégories grammaticales présente les mêmes caractéristiques :

- déficit des noms propres : dans les deux pièces, la "couleur locale" est quasiment inexistante. Racine l'a ignorée dans *Alexandre* afin que le caractère historique du sujet ne masque pas les allusions au présent.

- excédent des mots fonctionnels. Mais le nombre de mots par alexandrin, en revanche, est moins élevé, ce qui rapproche la pièce des autres tragédies de Racine.

Par ailleurs, un caractère spécifique de la pièce est la pauvreté en adjectifs (vocables) : ceux qui y sont employés sont souvent répétés.

Le contenu lexical révèle une langue plus travaillée. Il n'y a plus d'archaïsmes, mais seulement un mot vieillissant qui ne réapparaîtra plus : *assiette*, qui sortait de l'usage au bénéfice de *situation* (selon Bouhours).

La Thébaïde était construite sur la polysémie du mot *sang*. *Alexandre*, tragédie galante, part d'une métaphore reposant sur la conquête militaire et amoureuse. D'où la présence, dans le vocabulaire caractéristique positif, de vocables tels que *conquête, conquérir, chaîne, fers, rival, résistance, vainqueur*, etc. Les références "politiques" sont à la hauteur des flatteries de la *Dédicace au Roi* ("Un roi dont la gloire est répandue aussi loin que celle de ce conquérant, et devant qui l'on peut dire que *tous les peuples du monde se taisent*, comme l'Ecriture l'a dit d'Alexandre"). Il ne s'agit plus simplement de *trône* ou de *diadème*, mais de *province(s)*, de *peuple(s)*, d'*Etat(s)*, de l'*océan* et même du *monde* et de l'*univers*.

Il y a aussi, ce qui a contribué à séduire les spectateurs de 1665, la place exceptionnelle du vocabulaire héroïque et galant : *coeur* (au sens de "siège des sentiments"), *soupir, soupirer, langueur, languir*, et en particulier un véritable inventaire des idéaux de l'époque ; on rencontre parmi les adjectifs : *grand, brave, magnanime, fier, illustre, invincible*, et parmi les substantifs : *victoire* (et son contraire *défaite*), *gloire, valeur, exploit, laurier, ardeur, orgueil, éclat, hommage, héros, coeur* (au sens de "courage", "magnanimité"), *vigueur* et *vaillance*. Le vocabulaire caractéristique négatif, pour sa part, met en évidence l'absence de noirceur dans l'intrigue et dans les personnages. Parmi les vocables absents ou significativement déficitaires, on note en effet : *cruel, funeste, malheureux, perfide, frémir, redouter, troubler, fureur* et *vengeance*. On voit que, sous le rapport du contenu lexical, *Alexandre* s'oppose fondamentalement à *La Thébaïde*.

Cependant, comme celui de *La Thébaïde*, le vocabulaire d'*Alexandre le Grand* a des points communs avec celui des tragédies de Corneille. Ici c'est essentiellement la morale héroïque et le sublime qui rapprochent les deux auteurs : Alexandre et Porus se combattent mais s'admirent, et Taxile, moins héroïque, ne manque pas de grandeur, d'où la fréquence exceptionnelle

de *vertu, vaillance, estime, hommage, âme* ("Ah, sans doute il lui croit
l'âme trop généreuse" v. 33), *grand, illustre, souverain* et surtout
maître :

> "En voyez-vous un seul qui, sans rien entreprendre,
> Se laisse terrasser au seul nom d'Alexandre,
> Et, le croyant déjà *maître* de l'univers,
> Aille, esclave empressé, lui demander des fers ?"
>   v. 17-20.

On observe enfin que le mot *nuit* est absent de la pièce consa-
crée à Alexandre le Grand - souvent qualifié de héros solaire - alors
qu'il figure dans toutes les autres tragédies de Racine. Cela n'est pas
sans intérêt, compte tenu de l'importance de l'opposition ombre/lumière
dans la symbolique racinienne sur laquelle nous reviendrons en parlant
de *Phèdre*.

c. *Andromaque*

Andromaque ouvre la série des chefs d'oeuvre. Racine y révèle
son originalité : le tragique se détache définitivement du panache, de la
gloire et d'une certaine forme d'héroïsme. Par ailleurs, la forme est plus
achevée ; la caractérisation des personnages et le dialogue sont plus vrais
et plus subtils.

Ce progrès d'ordre esthétique est accompagné d'un recul, si l'on
peut dire, au niveau de la structure lexicale.

D'après l'indice Vh corrigé et selon l'étude de l'accroissement,
la pièce est celle qui se distingue le moins du fonds lexical de Racine,
son vocabulaire n'est pas original. Il est aussi le plus pauvre (le plus
sobre) que nous ayons rencontré. Et le lexique est à peine plus étendu que
celui d'*Alexandre*. Cette sobriété exceptionnelle provient, au niveau du
contenu, d'une économie dans le choix des mots - Racine utilise le vocabulaire des passions qui apparaît déjà dans les pièces précédentes et qui
reviendra par la suite - et, au niveau de la structure, de la rareté des
substantifs et des adjectifs, c'est-à-dire des parties du discours qui
apportent le plus grand nombre de vocables.

La distribution des parties du discours fait d'*Andromaque* une
pièce tout à fait marginale qui se situe exactement à l'opposé de *Phèdre*
et des tragédies sacrées. Les particularités les plus remarquables sont :

- le déficit des adjectifs, caractère qu'*Andromaque* partage avec
Britannicus.

- l'excédent des noms propres : ils ne sont pas nombreux mais très
répétés.

    - l'excédent très important des mots fonctionnels, par quoi la pièce
est proche de celles qui la précèdent. C'est un trait caractéristique de
Racine jeune (et probablement de Corneille vieillissant) qui culmine ici.

    La conséquence de cet excédent est que le nombre de mots par
alexandrin (indice N/A) est particulièrement élevé pour une pièce de
Racine.

    On constate en outre que l'indice pronominal augmente.

    La convergence des deux indices révèle que la langue d'*Andro-
maque* diffère de celle des autres tragédies. L'on ne peut parler ici, au
sens strict, de familiarité du style ; en revanche il y a parfois un mé-
lange de tons ou, plus précisément, des situations dans lesquelles Racine
ne craint pas d'utiliser des "ficelles" du genre comique tout en préser-
vant la dignité et le pathétique qui sont propres à la tragédie. A cet
égard, la scène 6 de l'acte III est exemplaire :

        PYRRHUS, ANDROMAQUE, PHOENIX et CEPHISE *sont sur scène*

                        PYRRHUS, *à Phœnix.*

890   Où donc est la Princesse ?
            Ne m'avais tu pas dit qu'elle était en ces lieux ?

                            PHOENIX

        Je le croyais.

                    ANDROMAQUE, *à Céphise.*

                            Tu vois le pouvoir de mes yeux !

                            PYRRHUS

        Que dit-elle, Phoenix ?

                            ANDROMAQUE

                            Hélas ! tout m'abandonne.

                            PHOENIX

        Allons, Seigneur, marchons sur les pas d'Hermione.

                            CEPHISE

895   Qu'attendez-vous ? rompez ce silence obstiné.

                            ANDROMAQUE

        Il a promis mon fils.

                            CEPHISE

                            Il ne l'a pas donné.

                            ANDROMAQUE

        Non, non, j'ai beau pleurer, sa mort est résolue.

                            PYRRHUS

        Daigne-t-elle sur nous tourner au moins la vue ?
        Quel orgueil !

ANDROMAQUE
                    Je ne fais que l'irriter encor.
900   Sortons.

                    PYRRHUS
          Allons aux Grecs livrer le fils d'Hector.

                    ANDROMAQUE
          Ah ! Seigneur, arrêtez ! Que prétendez-vous faire
          Si vous livrez le fils, livrez-leur donc la mère !

          La structure est celle d'une comédie galante avec des apartés
(v. 892, 893 et 898, 899), puis une fausse sortie d'Andromaque (v. 900),
plus loin ce sera une fausse sortie de Pyrrhus (v. 924).

          Ailleurs ce n'est pas la structure qui rappelle - d'assez loin
à vrai dire - la comédie, mais la formulation. Ainsi il y a des phrases
que Faguet n'hésita pas à qualifier de "mots plaisants" :

          "Crois que dans son dépit mon coeur est endurci,
           Hélas, et, s'il se peut, fais-le moi croire aussi"
                                        v. 431-432, Hermione

          "Crois-tu, si je l'épouse,
           Qu'Andromaque en son coeur n'en sera pas jalouse ?"
                                        v. 669-670, Pyrrhus

et, fréquemment, des phrases brèves dont le naturel a pu être reproché à
Racine, ainsi que des tours de la langue courante, par exemple des locutions destinées à s'assurer l'attention ou l'acquiescement de l'interlocu-
teur :

          "Que veux-tu ?" dans la bouche d'Oreste, v. 771
          "Cher Pylade, crois-moi" dans la même tirade, v. 783

ou la répétition de l'affirmation *oui* :

          "Oui, oui, vous me suivrez, n'en doutez nullement" v. 591

et de la négation *non*, redoublée à douze reprises.

          Le vocabulaire caractéristique est à l'image de la sobriété :
peu de vocables exclusifs et peu de vocables dont l'absence est significative. Parmi ces derniers, on ne peut manquer de mentionner *bonheur* qui
ne figure pas dans la pièce alors qu'il apparaît dans les dix autres tragédies.

          On ne rencontre qu'un seul mot de l'ancienne langue, qui est
d'ailleurs un archaïsme du langage poétique : *penser* (subst.).

          En-dehors des vocables strictement thématiques, qui ne sont pas
très nombreux (*fils, veuve, époux, enlever, ambassade, ambassadeur,* etc.),
nous retiendrons comme particulièrement significatifs parmi les vocables en
excédent :

- ceux qui rappellent le passé glorieux d'Hector et la chute de Troie *dix* ("Des peuples qui, dix ans, ont fui devant Hector" v. 840), *cendre* ("Votre Ilion encor peut sortir de sa cendre" v. 330), *murs* ("Sacrés murs, que n'a pu conserver mon Hector" v. 336) et *famille* ("J'ai vu trancher les jours de ma famille entière" v. 929).

- ceux qui expriment la tension entre le présent et le passé, ou le poids du passé sur le présent : *venger, vengeance, infidélité, infidèle, oublier, parjure.*

- ceux qui révèlent les antagonismes violents du présent : *haïr* (et son contraire *aimer*), *haine, courroux, mépris, dépit, rage, emportement.* Il faut ajouter *refus* (et son contraire *consentement*, de même que le verbe *consentir*) et surtout *non*, qui indiquent une rupture avec les pièces précédentes où c'était au contraire *oui* qui était en excédent. On notera cependant que, comme c'est souvent le cas chez Racine, le premier mot d'*Andromaque* est *oui*. Ces faits montrent l'importance de la parole et des actes de langage. Il faut ajouter, dans le registre de la dissention, *menacer, protester, plaindre*, et dans un registre moins confluctuel, *alléguer, jurer, promettre, raconter* et *redemander.*

- un vocable tout à fait révélateur de l'essence du tragique et qui n'avait que quelques occurrences dans les tragédies précédentes : *destin* ("Je me livre en aveugle au destin qui m'entraîne" v. 98).

- enfin, il y a dans *Andromaque* des formules galantes, qui reprennent des vocables teintés de préciosité, révélées par l'excédent de *oeil (yeux)* et *regard* :

"Quels charmes ont pour vous des *yeux* infortunés" v. 303.
"Venez dans tous les coeurs faire parler vos *yeux*" v. 568.
"Vos *yeux* assez longtemps ont régné sur son âme" v. 885.
"Animé d'un *regard*, je puis tout entreprendre" v. 329.

En effet, le vocabulaire des passions n'est pas exempt de galanterie, d'où l'excédent de *charme* ("Hermione à Pyrrhus prodiguait tous ses charmes" v. 50) et *attraits* ("... A tant d'attraits, Amour, ferme ses yeux" v. 604).

d. *Britannicus*

"*Britannicus*, la pièce des connaisseurs, son demi-échec, les préfaces qui chargent furieusement le vieux Corneille", écrivait Mauriac (1). C'est un épisode important de la rivalité entre Racine et Corneille. Après un succès de larmes avec *Andromaque*, le jeune auteur veut prouver qu'il peut égaler son rival dans son domaine de prédilection : la tragédie romaine, historique et politique. Selon M.-O. Sweetser, "il (...) semble évident que l'inspiration initiale, pour le choix de Néron comme protagoniste, remonte

_____

(1) F. MAURIAC, *La Vie de Jean Racine*, Paris, Plon, 1928, p. 74.

essentiellement à *Othon* et *Attila*" (1). Dans *Othon*, Racine aurait pu aper-
cevoir "deux aspects du règne de Néron offrant des possibilités dramatiques : l'un essentiellement politique, l'assassinat de Britannicus, l'autre
amoureux : les intrigues de Poppée (...) pour pénétrer à la cour et ses
manoeuvres pour se faire épouser par l'empereur". Quant à Attila, c'est,
comme Néron, "un personnage historique célèbre par ses cruautés et ses
destructions" (2).

        Il est effectivement probable que la pièce prend son origine
chez Corneille. Mais il y a plus : sur certains points, sa forme est cornélienne. Elle est riche en incidents et en "jeux de théâtre" bien que
Racine parle de simplicité dans sa première préface. Par ailleurs, selon
G. Pocock, un indice au moins montrerait que Racine a été à l'encontre de
ses habitudes et s'est rapproché de ses contemporains, c'est le nombre
restreint des monologues (3).

        Nos données ne permettent pas d'affirmer que l'écriture de la
pièce doit quelque chose à Corneille. La structure du vocabulaire ne présente aucune similitude avec *Othon* ou *Attila*. Sur deux points - la richesse
du vocabulaire et la quantité des vocables non répétés (V_1) - *Britannicus*
est proche des grandes tragédies des années 1640 : *Le Cid*, *Cinna* et *Polyeucte*. Mais selon le nombre de mots par alexandrin (N/A = 8,76) c'est,
avec *Phèdre*, la tragédie de Racine la plus éloignée de celles de Corneille,
et particulièrement des dernières (N/A = 9,29 pour *Othon* et 9,32 pour
Agésilas).

        Dans l'oeuvre de Racine elle-même, *Britannicus* occupe une place
particulière. C'est une pièce qui a, en même temps, des caractères propres
aux oeuvres du début et d'autres qu'on retrouve dans *Phèdre* et les tragédies sacrées. D'une part elle est proche d'*Andromaque* par la distribution
des catégories grammaticales, mais d'autre part, elle a un vocabulaire
riche (4) qui comprend un effectif important de vocables "originaux". *Britannicus* est d'ailleurs, parmi les tragédies profanes, l'une de celles qui
ont le nombre le plus élevé de vocables exclusifs. Parmi ceux-ci, et dans
le vocabulaire caractéristique positif en général, il y a d'abord ceux qui
sont liés à la réalité historique et à l'atmosphère de la tragédie - nous
y viendrons plus loin - mais il y a surtout - c'est un trait spécifique du
vocabulaire de la pièce - des vocables que Racine a directement tirés de

_____

(1) M. O. SWEETSER, "Racine rival de Corneille : "Innutrition" et innovations
    dans Britannicus", *Romanic review*, LXXI, 1, 1975, p. 15.

(2) Id., ibid.

(3) Il n'y a que 13 monologues dans *Britannicus* alors qu'il y en a beaucoup
    plus dans les huit autres tragédies profanes : *La Thébaïde* 60, *Alexan-
    dre* 56, *Andromaque* 69, *Bérénice* 98, *Bajazet* 95, *Mithridate* 81, *Iphigénie*
    33, *Phèdre* 55 (chiffres tirés de G. POCOCK, *Corneille and Racine. Pro-
    blems of tragic form*, Cambridge, The University Press, 1973, p. 192).
    On pourra observer que les pièces qui ont le plus de monologues sont
    celles dont l'indice pronominal est le plus élevé.

(4) Les faits démentent   les impressions de J.-G. CAHEN, "Le vocabulaire
    de Racine", *Revue de linguistique romane*, XVI, nos 59-64, 1946, p. 116 :
    "Les procédés employés par Racine dans *Britannicus* (...) n'enrichissent
    guère un vocabulaire dont nous devons (...) signaler la pauvreté".

ses sources, par exemple *délateur* : "Les déserts autrefois peuplés de séna-
teurs/Ne sont plus habités que par leurs délateurs" v. 209-210, est emprun-
té à Tacite, *Panégyrique de Trajan* : "(cum)... insulas omnes, quas modo
senatorum, jam delatorum turba compleret" (1). Il y a aussi, comme le dit
J.-G. Cahen, des mots "qui, sans être romains, tirent du contexte une valeur romaine" (2), c'est le cas, entre autres, de *déshériter*, d'*héritier*
et d'*adopter* ; et par ailleurs des "expressions qui ne sont, pour ainsi
dire, qu'*accidentèllement* romaines, mais qui nous apparaissent pourtant
comme des termes d'institutions ou de moeurs, parce qu'un historien illustre (...) a employé les expressions latines dont ils ne sont que la trans-
cription française" (3), ainsi pour l'emploi de *jurer* au vers 192 ("Ainsi
que par César on jure par sa mère") qui rappelle un passage de Tacite
(*Annales*, XIV, 1), et de *délices* ("De Rome pour un temps Caïus fut les
délices" v. 40), qui se trouve dans Suétone à propos de Titus (*Titus*, ch. I).

Parmi les vocables thématiques, il est utile de mentionner ceux
qui ont un caractère spécifiquement romain, car *Britannicus* est l'une des
pièces de Racine où la "couleur locale" est le plus fortement marquée :
sénateur, empereur, empire, affranchi, sénat, consul ; légion pour la vie
militaire ; *vestale* pour la vie religieuse ; et plusieurs termes qui se
réfèrent au droit romain : *divorce, répudier* et *exil*. A un niveau plus pro-
fond, on constate que le vocabulaire caractéristique comprend beaucoup de
termes relatifs au pouvoir. Il s'agit à la fois du pouvoir politique et de
l'emprise que les protagonistes exercent les uns sur les autres. Agrippine,
en particulier, a la nostalgie du pouvoir et veut reprendre sur Néron l'autorité qu'elle a perdue. Le vocabulaire exclusif de la pièce comprend les
mots : *dépendance, déshériter, indulgence, largesse, reconnaissant* et *ti-
mon* (de l'Etat). Et parmi les vocables en excédent on retiendra : *Empire,
liberté, palais, règne, obéir, maître, gouverner, affaiblir* ("Tant de pré-
caution affaiblit votre règne" v. 1439), *affranchir* et *pouvoir* (subst.).

Mais l'originalité de *Britannicus* réside aussi dans son atmosphère d'insécurité et de calculs, d'où la fréquence exceptionnelle de vocables
tels que : *tramer, farder* (la vérité), *ignorance, rumeur, soupçon, attentat,
(se) fier, intelligence* ("Si Néron, irrité de notre intelligence,/Avait
choisi la nuit pour cacher sa vengeance" v. 1543-1544), *suspect, ignorer,
secret* (dont *en secret*), *inquiet, accusateur, feindre, disgrâce, détromper*.
On notera que des vocables comme *rage, cruel, haine* et *fureur* appartiennent au vocabulaire caractéristique négatif.

Comme dans *Andromaque*, le vocabulaire de la communication, des
échanges verbaux, a beaucoup d'importance. Mais il ne s'agit plus ici d'actes de langage ni d'affrontements très rudes. Les vocables indiquent plutôt des tensions moins spectaculaires, plus intimes et plus sournoises. On
rencontre : *audience, récuser, nommer, instruire, liberté*, au sens de
"franchise" ("Je répondrai, Madame, avec la liberté/D'un soldat qui sait
mal farder la vérité" v. 173-174), *confier, confidence, langage, entretien,
détromper, répondre*.

───

(1) Exemple tiré de J.-G. CAHEN, ibid., p. 112.

(2) Id., ibid., p. 113.

(3) Id., ibid., p. 114.

Enfin, on remarquera que le thème de l'hérédité est porté par des vocables différents de ceux que l'on a vus dans *La Thébaïde : mère, lit, nièce, adopter*. En outre *sang* est déficitaire alors qu'*aïeul* et *héritier* sont largement excédentaires : nous ne sommes plus dans la légende mais dans l'histoire.

e. *Bérénice*

La première représentation de *Bérénice* eut lieu à l'Hôtel de Bourgogne le 21 novembre 1670 ; sept jours plus tard, la troupe de Molière donnait au Palais Royal *Tite et Bérénice* de Corneille. Selon une tradition un peu suspecte, Henriette d'Angleterre aurait suggéré séparément aux deux auteurs d'écrire une tragédie sur Titus et Bérénice, de telle sorte qu'ils auraient été mis en concurrence à leur insu. On dit par ailleurs que Racine se serait emparé d'un sujet que Corneille avait choisi le premier. Il est possible aussi que cette rencontre ait été fortuite : il n'était pas rare que deux auteurs de tragédie traitent en même temps un sujet identique. Quoi qu'il en soit, *Bérénice* est en fait le point culminant de la rivalité entre Racine et Corneille.

Dans la préface qui accompagne l'édition de 1671, Racine énumère les principes de son esthétique ("une action simple, soutenue de la violence des passions, de la beauté des sentiments et de l'élégance de l'expression") et prend ainsi ses distances envers les conceptions cornéliennes de la tragédie.

La pièce de Corneille est une comédie héroïque et non une tragédie ; nous ne l'avons donc pas retenue pour notre étude. On peut cependant affirmer, à partir des résultats obtenus par R. Gaechner dans son étude statistique du vocabulaire des deux *Bérénice* (1), qu'il y a des différences très profondes pour la plupart des indices de structure ; les pièces ont cependant toutes deux un vocabulaire assez pauvre - ce serait leur seul point commun. En outre, le vocabulaire de la *Bérénice* de Racine n'a aucun caractère de structure qui la rapproche des oeuvres tragiques de Corneille proprement dites. Sur ce plan, les divergences sont certainement aussi importantes qu'en ce qui concerne la technique dramatique.

Dans l'oeuvre de Racine on constate que la deuxième pièce romaine présente moins de singularités que *Britannicus*. A la différence de cette dernière, elle s'inscrit dans une progression régulière par rapport aux trois premières pièces :

(1) R. GAECHNER, *Etude de statistique lexicale. Comparaison entre le vocabulaire de Tite et Bérénice (P. Corneille) et celui de Bérénice (J. Racine)*, mémoire dactylographié, Strasbourg, s.d., 41 + 23 p.

- le nombre moyen de mots par alexandrin décroît tandis que l'indice pronominal augmente, ce qui semble indiquer que le style de *Bérénice* est travaillé mais sans affectation.

- le vocabulaire est un peu plus riche et l'apport lexical reste très faible.

L'originalité réside d'abord dans l'excédent significatif d'appellatifs et d'interjections. Plusieurs interjections apparaissent en bonne place dans le vocabulaire caractéristique positif (*adieu, hélas, eh* et *hé*, et *quoi*) ainsi que les appellatifs *Madame* et *Seigneur*, auxquels il faut ajouter *Prince* dont les emplois en appellatif sont exceptionnellement nombreux. Comme nous l'avons indiqué au chapitre VI, ces faits pourraient montrer que la langue de *Bérénice* tend à se rapprocher de l'expression spontanée des passions.

En plus de ces quatre vocables, le vocabulaire caractéristique fait ressortir, comme thèmes dominants, d'une part la notion de "départ, séparation" et d'autre part la notion de "temps" :

- parmi les termes liés au "départ", à la "séparation" on rencontre : *adieu* ainsi que *partir, quitter, demeurer, départ, (se) séparer* et *bannissement*.

- le temps, qui était manifestement une préoccupation de Racine au moment où il rédigeait une pièce dont l'action dépasse à peine la durée de la représentation, nous donne : *soir* ("La Reine part, Seigneur./Elle part ?/Dès ce soir" v. 1262), *cinq* (ans), *moment, huit* (jours), *attendre, demain, jamais, longtemps, jour, journée* et *encore* auxquels on peut ajouter *constant, constance* et *persévérance*.

Il faut aussi mentionner des termes relatifs au caractère romain de la pièce, car la sobriété de Racine ne va pas jusqu'à ignorer le cadre de l'action : *sénat, impératrice, empire, empereur, consul* et *tribun*, ainsi que deux vocables relatifs à la vie militaire qui n'apparaissent dans aucune autre pièce : *bélier* et *échelle*. Mais, bien que Bérénice soit reine de Palestine, on ne rencontre aucun nom commun désignant des réalités spécifiquement orientales.

Le vocabulaire des expressions et des échanges verbaux est plus abondant que dans *Andromaque* et *Britannicus* : *citer, entretien, admettre, mot, dire, expliquer, déclarer, nom, jurer, bouche* et surtout *parler* et *taire*. En examinant les emplois de certains de ces vocables, on constate que R. Barthes a de bonnes raisons de qualifier *Bérénice*, dans son langage imagé, de "tragédie de l'aphasie" (1) :

> "Je me suis tu cinq ans,
> "Madame, et vais encor me taire plus longtemps"   v. 209-210.
> "Mon nom pourrait parler, au défaut de ma voix"   v. 214.
> "Et, dès le premier mot, ma langue embarrassée"   v. 475.
> "Ce coeur, après huit jours, n'a-t-il rien à me dire ?" v. 580.
> "Quoi ? me quitter sitôt, et ne me dire rien ?"   v. 625.
> "Ma bouche et mes regards, muets depuis huit jours"   v. 737.
> "Dites un mot./Hélas ! quel mot puis-je lui dire ?"   v. 1239.

---

(1) R. BARTHES, *Sur Racine*, Paris, Ed. du Seuil, 1963, p. 97.

        Ces vers nous amènent à parler des passions qui, dans une oeuvre
dont l'action est à la fois simple et intérieure, paraissent dominer la
pièce, ne serait-ce qu'au vu du nombre des termes relatifs au thème de l'a-
mour qui entrent dans le vocabulaire caractéristique. Ainsi : *amoureux*,
espoir (dans environ la moitié de ses emplois), *amour*, *désirer* ("Voilà de
votre amour tout ce que je désire" v. 1356), *coeur*, *plaire*, *réjouir*, *char-
mant*.

        La langue amoureuse apporte l'unique occurrence de *tribut* ; et
c'est, bien sûr, Antiochus qui l'emploie ("(...) Peut-être sans colère/
Alliez-vous de mon coeur recevoir le tribut" v. 192-193) mais Racine met
dans la bouche de Bérénice et Titus des images de même nature (Bérénice :
"(...) dans les *pleurs*, moi seule, je me noie" v. 1316 ; Titus : "Crois
qu'il m'en a coûté, pour vaincre tant d'amour,/Des combats dont mon coeur
saignera plus d'un jour" v. 453-454).

        Les passions sont tumultueuses et l'amour est en conflit avec
des intérêts supérieurs, d'où l'excédent de termes évoquant la "tristesse
majestueuse" : *pleurs*, *désunir* ("Ce piège n'est tendu que pour nous désunir" v. 910 ; Bérénice), *tourment*, *excès* (*excès d'honneurs*, *excès d'amour*,
l'excès de la douleur, citation ci-après), *douleur* ("L'excès de la douleur accable mes esprits" v. 1218), *triste*, *trouble* ("Eclaircissez le trouble où vous voyez mon âme" v. 879), *regret* (dont *à regret*), *mélancolie*,
désespoir et *traverses*.

        L'autre pôle est le sentiment de l'honneur, finalement victorieux
des passions, qui anime Titus et finit par gagner Bérénice. Celui-ci apporte l'excédent des mots : *empereur* (qui désigne autant une manière d'être
et une qualité de l'âme que la fonction de souverain), *pourpre* (en tant
que symbole de la dignité souveraine), ainsi que des termes liés aux attributs héroïques : *grandeur*, *éclat*, *gloire*, *dignité*, *honorable* et enfin
univers dont l'excédent marque la gloire éclatante des protagonistes et,
au terme du drame, la valeur exemplaire de leur renoncement :

        "Adieu, servons tous trois d'exemple à l'*univers*
         De l'amour la plus tendre et la plus malheureuse
         Dont il puisse garder l'histoire douloureuse"
                                           v. 1502-1504.

        f. *Bajazet*

        Après deux pièces romaines, Racine choisit un sujet contemporain :
"L'éloignement répare en quelque sorte la trop grande proximité des temps :
car le peuple ne met guère de différence entre ce qui est, si j'ose ainsi
parler, à mille ans de lui, et ce qui en est à mille lieues" (1). Alors que

---

(1) J. RACINE, Seconde Préface de *Bajazet*.

l'intrigue de la pièce précédente était des plus simples (1) et ne se
dénouait pas par la mort, *Bajazet*, au contraire, est une tragédie san-
glante et très riche en incidents. Malgré cela, la structure du vocabulaire présente beaucoup de similitudes dans les deux tragédies. En tous
points, la progression se poursuit de façon régulière :

- le nombre moyen de mots par alexandrin continue à décroître tandis
que l'indice pronominal augmente : il atteint ici sa valeur la plus élevée. L'on n'en conclura pas pour autant que le style est familier, mais
simplement que la valeur des indices est probablement la trace d'un style
moins pur que partout ailleurs dans l'oeuvre théâtrale de Racine. Les
contemporains, dont Boileau, notaient ici ou là quelques négligences et
les exégèses postérieures ont en général confirmé ce jugement. E. Vinaver,
par exemple, note que "dans les vers amorphes dont s'émaille la pièce
(Mon malheur n'est-il pas écrit sur son visage [v. 1222]... Ah ! de la
trahison me voilà donc instruite [v. 1269]) aucune voix racinienne ne se
fait entendre, et même les quelques trouvailles qu'on y relève (...) restent, dans l'atonie générale, trop dispersées pour rétablir le courant
poétique" (2). Peut-être E. Vinaver est-il trop sévère, mais il faut admettre que le sujet de cette tragédie moderne et exotique a dû contribuer
au changement de ton. En effet, des personnages turcs du XVIIe siècle,
inévitablement privés du prestige et de la dignité de Grecs et de Romains
agrandis par plus d'un siècle d'humanisme, devaient s'exprimer dans une
langue moins pompeuse, ne serait-ce qu'au nom de la vraisemblance.

- tout en restant plus pauvre que celui des tragédies de Corneille,
le vocabulaire continue à s'enrichir, mais l'apport lexical est très réduit. Le lexique est d'ailleurs moins étendu que celui de *Bérénice*. Cette
sobriété peut surprendre compte tenu de l'originalité du cadre et du thème
de la pièce. Cela est probablement dû à un choix délibéré de Racine.

La discrétion de la couleur locale se manifeste surtout par un
déficit significatif des effectifs des noms propres, mais aussi par la
rareté des vocables spécifiquement turcs : on rencontre seulement *janissaire, serrail, sultan, sultane* et *visir*. Comme l'indique J.-G. Cahen,
certains vocables devaient être évités parce qu'ils n'étaient pas suffisamment francisés, par exemple *mufti, uléma* ou *bizéhamis* (ce dernier terme
désignant les "muets"), mais d'autres auraient pu être employés sans inconvénient, par exemple *cimeterre* que Corneille avait utilisé dans *Le Cid*.
Racine évite de s'appesantir sur le pittoresque (3), mais réussit à évoquer

---

(1) Comme l'écrit Ph. BUTLER, *"Bérénice (...) est (...) un cas limite plutôt
    qu'un cas typique de l'art racinien". Classicisme et baroque dans l'oeu-
    vre de Racine*, Paris, Nizet, 1959, p. 133.

(2) E. VINAVER, *Racine et la poésie tragique*, Paris, Nizet, 2e éd., 1963,
    p. 60.

(3) A cet égard, quatre vers extraits d'une tirade d'Acomat apportent quelques
    enseignements :
        "Pour moi, j'ai su déjà par mes brigues secrètes
        Gagner de notre loi les sacrés interprètes :
        Je sais combien, crédule en sa dévotion,
        Le peuple suit le frein de la religion."   v. 233-236.
    Les deux premiers vers ne comprennent aucun vocable propre à la pièce
    alors que Racine y parle des mufti et des ulémas (*les sacrés interprètes*).
    Les deux suivants, qui ne comprennent que des termes courants, comportent
    trois vocables caractéristiques : *crédule* est en excédent dans la pièce
    ainsi que *religion* ; *dévotion* n'apparaît pas dans le reste du théâtre de
    Racine ni dans le théâtre de Corneille.

les moeurs des Turcs d'une part "par référence implicite au ciel de l'Islam, à la foi musulmane, à cette imbrication permanente et fondamentale du politique et du religieux" (1), et d'autre part par la rudesse des caractères et la menace permanente de la mort : *"Bajazet* est la plus sauvage et la plus secrète de toutes les tragédies de Racine, la tragédie du guet-apens, où le crime semble muet comme les serviteurs" écrit Th. Maulnier (2). La "barbarie" explique le déficit de termes désignant des valeurs de la société française contemporaine : *courage* et *gloire* ; et le déficit de termes relatifs à la parenté et à la filiation (*père, fils, enfant, sang, mère, nom*) témoigne d'une particularité de la pièce dès sa conception : *Bajazet* ne repose ni sur le tragique dynastique (3) ni sur la fatalité du sang : c'est d'abord l'histoire d'un complot.

Le vocabulaire caractéristique positif comprend beaucoup de vocables qui reflètent l'atmosphère de la tragédie. Certains mettent en évidence les intrigues et la défiance : *crédulité, parjurer, adresse, foi, soupçon, feindre, feinte, perfide, perfidie, intelligence, crédule, inquiet* auxquels il faut ajouter des termes qui dénotent l'omniprésence de signes incertains, ambigus ou trompeurs : *pressentir, informer, manifeste, surprendre, étonner, signal, détromper* et *confirmer*. D'autres sont relatifs à l'issue des actions engagées : *péril, incertain, obstacle, succès* et *événement*. D'autres enfin dénotent plus directement l'enjeu des antagonismes, parmi lesquels les plus révélateurs sont *vie, mort* et *vivre*. Ces trois vocables ne sont excédentaires que dans *Bajazet*. L'excédent provient d'abord du sujet, particulièrement rude, de la pièce mais on peut en outre penser que, l'action ne reposant pas sur le fatum des tragédies tirées de l'antiquité gréco-latine, l'expression plus crue des menaces continues et insistantes qui pèsent sur les protagonistes correspond à la nécessité d'entretenir la tension dramatique : ce n'est probablement pas par hasard que les mêmes mots sont excédentaires dans *Le Cid* de Corneille, qui est aussi une tragédie "moderne".

Le vocabulaire de la parole et de la communication est toujours abondant. Il ne s'agit plus d'aphasie, sauf pour le vocable *muet*. Nous avons déjà vu certains vocables marqués négativement ; d'autres, assez nombreux sont moins marqués : *éloquent, répliquer, discours, déclarer, récit, prononcer, répondre, mot, proposer, entrevue* et *rapporter* ; certains sont liés aux péripéties : *écrit* (subst. masc.), *seing* et *lettre*.

Le thème de l'amour apporte, parmi les vocables les plus significatifs : *amant* (qui désigne Bajazet), *épouser, amour, jaloux* et *rivale*. En revanche *haine* et *haïr* sont déficitaires. Ce vocabulaire, assez banal, est intéressant en ce sens qu'il s'oppose à d'autres pièces de Racine, notamment *Bérénice*, où des termes plus nombreux et plus variés révèlent l'intériorisation du drame. Ici, l'amour, comme la politique, est avant

---

(1) M. DESCOTES, "L'intrigue politique dans Bajazet", *Revue d'histoire littéraire de la France*, 3, 1971, p. 415.

(2) Th. MAULNIER, *Racine*, Paris, Gallimard, 1935, p. 264.

(3) Bajazet est le frère d'Amurat et "Du père d'Amurat Atalide est la nièce" (v. 169). Ces liens de parenté ne sont pas des ressorts tragiques mais des données politiques.

tout l'occasion de rivalités.

Dans *Bérénice* on rencontrait un effectif important de vocables
relatifs au "temps". Ici leur nombre est plus restreint. Le passé apporte
récent, mot propre à la pièce, et quelques emplois de *temps* ("Ils regret-
tent le temps à leur grand coeur si doux,/Lorsqu'assurés de vaincre, ils
combattaient sous vous" v. 47-48) ; le présent apporte l'excédent de
journée et surtout de *prompt*, qui traduit la pression exercée par le
temps dans l'exécution d'un projet qui demande de la rapidité.

Mais ici c'est, par la variété du vocabulaire, le lieu qui
domine : *serrail, entrée, palais, sortir, garde* (subst. masc.), *demeure,
porte, muet* et *mur(s)*. Il faut dire que, pour la première fois, le drame
se déroule dans un lieu verrouillé comme une prison, le sérail. La critique moderne a été très attentive à cet aspect de la pièce : "*Bajazet*
constitue une recherche aiguë sur la nature du lieu tragique", écrit R.
Barthes (1) ; et O. de Mourgues : "Aucune des portes de *Bajazet* n'ouvre
sur l'extérieur ; elles n'ouvrent que sur la mort" (2).

g. *Mithridate*

Avec *Mithridate*, Racine revient, comme dans *Britannicus*, à la
tragédie historique. L'action présente des analogies avec certaines pièces
de Corneille :

- avec *Nicomède* : la situation de Monime entre Pharnace et Xipharès
est semblable à celle de Laodice entre les deux frères amoureux d'elle.

- avec *Polyeucte* : Monime demande à Xipharès de l'éviter toujours
(II, 6) avec la même grandeur d'âme que Pauline.

- avec *Attila* : la scène où Monime avoue à Mithridate qu'elle aime
Xipharès (III, 5) rappelle Ildione faisant un aveu semblable à Attila.

Comme dans *Bajazet*, et à l'inverse de *Bérénice*, Racine use de
coups de théâtre, de l'imprévu et de péripéties. La pièce commence par une
fausse nouvelle, puis l'on assiste au retour du roi que l'on croyait mort.
Le dernier acte est particulièrement riche en surprises et en incidents :
méprise de Monime qui essaie de se pendre, retour de Xipharès que l'on
croyait mort et enfin méprise de Mithridate qui se donne la mort parce qu'il
se croit vaincu.

De plus, l'atmosphère est souvent cornélienne : les luttes politiques tiennent une grande place, l'héroïsme guerrier réapparaît et plusieurs personnages font preuve d'une générosité peu coutumière chez Racine.

_____

(1) R. BARTHES, op. cit., p. 99.

(2) O. de MOURGUES, *Autonomie de Racine*, Paris, José Corti, 1967, p. 45.

Cependant, malgré ses aspects cornéliens, *Mithridate* s'inscrit
très bien dans l'évolution de Racine. C'est même, d'après la structure
et le contenu du vocabulaire, la pièce qui correspond le mieux à un "état
moyen" de la tragédie racinienne.

En effet, selon la plupart des caractères qui ont été étudiés,
Mithridate se place vers le milieu de la série des onze tragédies. La
seule exception notable concerne l'indice pronominal qui est élevé (plus
élevé notamment que celui de quatorze tragédies de Corneille). Mais on
sait que chez Racine les valeurs de ce rapport augmentent jusqu'à *Bajazet*
et décroissent ensuite. *Mithridate* amorce la diminution qui se poursuivra
graduellement jusqu'aux tragédies sacrées.

Le nombre moyen de mots par alexandrin (8,92) est voisin de
celui de l'ensemble des onze tragédies (8,87) tout en étant beaucoup plus
faible que celui des dix-huit tragédies de Corneille (9,20).

La distribution des catégories grammaticales est telle que
Mithridate est la pièce qui s'écarte le moins de la norme. De ce point
de vue, elle est proche des deux premières tragédies : *La Thébaïde* et
Alexandre, ainsi que de celles qui lui sont immédiatement antérieures :
Bérénice et *Bajazet*.

Les caractères les plus sensibles au contenu lexical sont aussi
révélateurs. Selon la richesse du vocabulaire croissante, elle est au
sixième rang parmi les onze tragédies (et reste cependant plus pauvre que
treize tragédies de Corneille) alors qu'elle atteint seulement le troisième rang pour les valeurs de Vh corr. Par conséquent *Mithridate* atteint
une richesse que son apport lexical, plutôt faible, ne laissait pas prévoir : son vocabulaire n'est pas original ; comme celui d'*Andromaque*, il
se distingue peu du fonds commun racinien.

Cette économie de moyens se manifeste aussi par le nombre restreint des vocables entrant dans le vocabulaire caractéristique positif
et par les valeurs relativement faibles des écarts réduits. Le contenu de
nos listes n'est pas particulièrement significatif ; les vocables en excédent sont essentiellement thématiques. Un groupe appréciable est constitué de termes de guerre : *mutin, allié, soldat, rebelle, opprimer, sédi-
tieux, révolter, vaincre, guerre, victorieux* et quelques emplois de *place*
("J'ai vu (...)/Vaincus et renversés les Romains et Pharnace,/Fuyant vers
leurs vaisseaux, abandonner la place" v. 1614-1616). Le vocabulaire maritime qui apparaîtra sous d'autres formes dans *Iphigénie*, apporte ici *pi-
rate, vaisseau* et *naufrage*. On observe aussi, partiellement lié à ces
thèmes, un grand nombre de vocables dont, suivant les cas, tous les emplois
ou certains emplois seulement sont en rapport avec le "lieu" ou avec la
notion d'"'espace" ; sur ce point *Mithridate* contraste avec *Bajazet* ; dans
le vocabulaire commun : *foyer* ("Attaquons dans leurs murs ces conquérants
si fiers ;/Qu'ils tremblent, à leur tour, pour leurs propres foyers" v.
833-834), *marais, envoyer, retraite* ("En quels lieux avez-vous choisi votre retraite ?" v. 184), *ailleurs, ici* ("Tout m'abandonne ailleurs ? tout
me trahit ici ?" v. 1013), *traverser, partout, contrée, partir* et *vers*
(prép.) ; parmi les noms propres (sans être exhaustif) : *Danube, Euphrate,
Euxin, Phase, Bosphore, Caucase, Colchide, Espagne, Europe, Gaulois, Ger-
manie, Grèce, Ionie, Italie, Orient, Pont* et *Rome*. D'autres thèmes de la
pièce n'ont qu'une incidence très discrète sur le vocabulaire caractéris-

tique. Ainsi, pour l'amour : *amour, hymen, penchant* ("Ah ! si d'un autre
amour le penchant invincible/Dès lors à mes bontés vous rendait insensible" v. 1299-1300) ; pour le diadème : *trente* ("(...) un roi qui (...)//
Fondait sur trente Etats son trône florissant" v. 875-877), *bandeau* (le
bandeau royal), *tissu* ("Et toi, fatal tissu, malheureux diadème" v. 1500),
rival et *diadème* ; de même pour la vieillesse : *quarante* ("Ainsi ce roi,
qui seul a, durant quarante ans,/Lassé tout ce que Rome eut de chefs importants" v. 9-10), *faix* ("Malgré le faix des ans et du sort qui m'oppri-
me" v. 459), *blanc* ("Jusqu'ici la fortune et la victoire mêmes/Cachaient
mes cheveux blancs sous trente diadèmes" v. 1039-1040) et *naguère* ; et,
pour la ruse et la tromperie : *déguisement, indice* et *trahir*.

        Le vocabulaire de la communication se fait plus rare ; l'excé-
dent le plus notable concerne trois vocables en relation avec les péripéties de tragédie : *démentir, nouvelle* (subst.) et (faux) *bruit*.

        Certains vocables rappellent *Alexandre*, ils concernent les
vertus héroïques et la grandeur d'âme : *devoir* (subst. et verbe), *digne,
pardon, glorieux, estime*. Ces termes rappellent les grandes pièces cornéliennes ; on peut ajouter, parmi ceux qui sont en intersection avec
le vocabulaire caractéristique de Corneille : *autorité, choix, conten-
tement, effort, intérêt, parti, sentiment, tyrannie* et *tyrannique*. En
contrepartie, il faut noter l'excédent, dans *Mithridate*, d'un vocabulaire proprement racinien : *dessein, disgrâce, fidèle, funeste, malheur,
malheureux, songer, tendresse* et *tourmenter*.

        Enfin, bien que la scène soit à Nymphée, et que Mithridate soit
roi du Pont, le vocabulaire caractéristique ne comprend, hormis quelques
noms propres, aucun terme spécifiquement oriental.

h. *Iphigénie*

        Après *Mithridate*, Racine revient à une tragédie directement ins-
pirée des auteurs grecs. Le choix du sujet s'explique par l'intérêt que le
poète a toujours porté à la Grèce, mais aussi, comme l'indique A. Adam
dans son *Histoire de la littérature au XVIIe siècle*, par l'actualité littéraire : l'opéra tirait de plus en plus ses sujets des légendes grecques
et par ailleurs certains grands esprits voyaient dans la plupart des tragédies de leurs contemporains "une forme dégénérée de l'art dramatique et
souhaitaient un retour aux Anciens, c'est-à-dire aux Grecs".

        Selon nos données, la structure du vocabulaire d'*Iphigénie* mani-
feste, sur certains points, des caractères qui sont conformes à une évolution chronologique régulière, alors que sur d'autres il y a au contraire
des modifications assez profondes :

        La longueur moyenne du mot et l'indice pronominal continuent à
décroître : le style deviendrait donc plus solennel et plus lyrique.

Le vocabulaire continue à s'enrichir, mais l'étendue du lexique diminue par rapport à *Mithridate*. Le potentiel lexical de la pièce est donc moins élevé qu'on ne pourrait le penser au vu de l'étendue réelle de son vocabulaire.

L'accroissement du vocabulaire dans l'ordre chronologique des tragédies est plus sensible que dans l'ordre inverse. Par conséquent, le contenu lexical d'*Iphigénie* a plus de points communs avec *Phèdre* et les tragédies sacrées qu'avec les pièces antérieures : dans *Iphigénie*, Racine renouvelle son inspiration et sa manière.

La distribution des catégories grammaticales montre au contraire des caractères analogues à ceux des premières pièces. *Iphigénie* est pauvre en adjectifs (vocables) et les occurrences elles-mêmes sont déficitaires, comme c'était le cas dans *Andromaque* et *Britannicus*. Le rapport verbe/adjectif confirme une parenté entre ces trois pièces. Selon la distribution de toutes les classes grammaticales, les pièces les plus proches d'*Iphigénie* sont *Alexandre*, *Britannicus* et *Bérénice*.

D'après son vocabulaire, *Iphigénie* est donc une pièce de synthèse et de transition : retour au passé selon un critère formel et annonce de l'avenir selon le contenu.

L'abondance relative du vocabulaire caractéristique met en évidence ce qui est nouveau dans cette tragédie. Le trait dominant est incontestablement la présence d'un grand nombre de vocables employés dans leur sens le plus concret. Le vocable *sang* par exemple :

"Remplissez les autels d'offrandes et de *sang*"   v. 199.
[Achille qui] "suça même le *sang* des lions et des ours" v. 1100 (1).
"Jamais de plus de *sang* ses autels n'ont fumé"   v. 1604.

Par ailleurs, le vocable *poil* qui n'apparaît dans aucune autre tragédie :

"L'oeil farouche, l'air sombre et le *poil* hérissé"
[il s'agit de Calchas] v. 1744.

ou encore *fer* et *flamme* :

"Mais le *fer*, le bandeau, la *flamme* est toute prête"   v. 905.

Il faut mentionner aussi quelques vocables thématiques : ceux qui appartiennent au domaine maritime *(rame, flotte, poupe, vent, vaisseau, rivage, rive)* et ceux qui sont relatifs au sacrifice et à la "fable" mythologique : *augurer, gorge, dieux, autel, bûcher, sacrifice, victime, offrande, immoler, couteau, bourreau, déesse, sort, fumer* ("Me montrer votre coeur fumant sur un autel" v. 976), *bandeau* ; pour les noms propres : *Diane, Jupiter* et *Neptune*.

D'autres vocables thématiques n'apportent rien à la connaissance du vocabulaire de la pièce *(père, époux, mère, fille,* etc.).

Le vocabulaire de la communication est ici d'une variété exceptionnelle. Plusieurs vocables pourraient aussi bien appartenir au vocabulaire caractéristique d'autres tragédies : *remercier, prouver, demander, approuver, prière, menacer, ordonner, serment, langage, accuser* (pour certains emplois seulement), *promettre*. Ce qui est propre à *Iphigénie*, c'est

---

(1) Racine tire ce vers de Stace, *Achilléide*, II, 385-386 : "On dit que j'ai sucé volontiers (...) la moelle encore chaude des lions". (D'après R.-C. KNIGHT, *Racine et la Grèce*, Paris, Nizet, 2e éd., 1974, p. 315).

d'abord un ensemble de termes amenés par les secrets, les mensonges inuti-
les d'Agamemnon : *divulguer, billet, écrire, interroger, avertir, taire* ;
c'est aussi le vocabulaire des rapports avec la divinité : *sentence* (divine), *oracle, prédire, exaucer, interroger* ; et c'est enfin le vocable
nom dont la fréquence exceptionnelle provient pour une grande part de la
confusion d'identité entre Eriphile et Iphigénie :

> "... votre *nom* fut changé dès l'enfance"   v. 437.
> "Sous un *nom* emprunté sa noire destinée
> Et ses propres fureurs ici l'ont amenée"   v. 1757-1758.

A. Niderst écrit à propos d'*Iphigénie* : "La schématisation des
caractères, la naïveté des mensonges, des prétextes, des colères, des
affrontements, rend cette tragédie enfantine et amusante" (1). Le vocabulaire caractéristique considéré dans son ensemble donne bien le sentiment qu'*Iphigénie* est proche d'un conte. Il est vrai qu'il faut être prudent dans cette affirmation car la méthode quantitative, qui met en évidence le "haut du panier" du lexique, crée une amplification qui pourrait
conduire à accuser les traits. Cependant des éléments typiques du conte
sont là : l'heureuse innocence (*félicité, bonheur* : "Quel bonheur de me
voir la fille d'un tel père " v. 546, *heureux*), les rites (le sacrifice,
le mariage : *hymen, hyménée, festin*), le vocabulaire concret et les
images même : "Mais qui peut dans sa course arrêter ce torrent ?" v. 107
[il s'agit d'Achille]. Seul le vocabulaire "technique" du tragique, assez
discret (*sang, sort*), et celui de la grandeur (*noblesse, honneur*) nous
rappelle qu'*Iphigénie* est une tragédie régulière.

i. *Phèdre*

La dernière tragédie profane de Racine fut, en 1677, un échec.
Une cabale soutenait contre elle la *Phèdre* de Pradon qui triompha quelque
temps, mais disparut définitivement de la scène après une vingtaine de
représentations. La pièce de Racine reste, en revanche, l'un des chefs-
d'oeuvre du théâtre français les plus joués.

C'est encore une pièce tirée des auteurs grecs. Le ton et la
manière sont ici plus fidèles à la poésie antique que dans *La Thébaïde,
Andromaque* et *Iphigénie*. "Comme il l'avait déjà fait pour *Iphigénie*, mais
avec plus d'audace et de continuité, il donne à son dialogue cette intensité, cette richesse qu'il admirait chez ses modèles. (...) [Les person-
nages] s'expriment dans une langue qui n'est pas celle des simples mortels,
qui a la grandeur religieuse, la tension, la luxuriance du langage des
héros dans la tragédie grecque" (2).

---

(1) A. NIDERST, *Les tragédies de Racine. Diversité et unité*, Paris, Nizet,
    1975, p. 121.

(2) A. ADAM, *Histoire de la littérature française du XVIIe siècle*, Paris,
    Domat/Del Duca, t. IV, 1950, p. 369.

Les caractères statistiques du vocabulaire continuent pour la plupart leur progression, mais les écarts se creusent et *Phèdre* se détache des huit pièces précédentes.

- La diminution de l'indice pronominal et du nombre moyen de mots par alexandrin se poursuit : la langue est très travaillée et le style est à la fois solennel et lyrique.
- Le vocabulaire devient beaucoup plus riche ; sur ce point *Phèdre* dépasse d'ailleurs toutes les tragédies de Corneille hormis *Médée*. L'indice Vh corr. atteint une valeur extrêmement élevée (106,96 contre 18,50 pour *Andromaque* et 31,41 en moyenne pour les huit premières tragédies), ce qui montre que le vocabulaire est aussi très original. Par ailleurs le lexique potentiel de *Phèdre* atteindrait l'effectif de 3519 vocables alors que celui des pièces précédentes serait toujours inférieur à 3000.

Il y a une solution de continuité et même un renversement complet en ce qui concerne la distribution de plusieurs catégories grammaticales : dans le tableau p. 80, *Phèdre* est très éloignée des huit autres tragédies profanes et occupe une position intermédiaire entre elles et les deux tragédies sacrées. Les mots fonctionnels, qui étaient plutôt excédentaires jusqu'à *Iphigénie*, sont significativement déficitaires à partir de *Phèdre* - ce qui explique que le nombre de mots par alexandrin est faible - et, inversement, les substantifs ainsi que les adjectifs et. adverbes de manière, en déficit jusque là, sont en excédent - ce qui va de pair avec l'augmentation brusque de la richesse du vocabulaire.

L'abondance et la variété des adjectifs et des adverbes est l'un des traits les plus remarquables de *Phèdre*. Racine les utilise fréquemment dans des figures suggestives, ou des alliances neuves, qui apportent des effets poétiques propres à la langue de la pièce :

"Non que par les yeux seuls *lâchement* enchantée
J'aime en lui sa beauté, sa grâce tant vantée"   v. 437-438.
"Aux portes de Trézène, et parmi ces tombeaux,
Des princes de ma race *antiques* sépultures,
Est un temple *sacré formidable* aux parjures."   v. 1392-1394.
"Cette *indigne* moitié d'une si belle histoire"   v. 94.
"Osai jeter un oeil *profane, incestueux*"   v. 1624.

Comme on pouvait le prévoir, compte tenu principalement de l'originalité et de la richesse du vocabulaire, et secondairement de l'excédent des adjectifs et des substantifs, les vocables caractéristiques sont très nombreux.

Il y a parmi eux un effectif important de termes concrets, réalistes. Ce qui n'était dans *Iphigénie* qu'une tendance devient ici un principe esthétique : "le caractère exceptionnel des événements /légendaires/ donne sinon un *sens plus pur*, du moins une valeur plus poétique aux *"mots de la tribu"* (1). On rencontre ainsi une série de vocables qui trahissent le réalisme des évocations mythologiques : *crin, dragon, géant* (d'Epidaure), *gueule, taureau, monstre, coursier, cheval, char*. Mais la

_____

(1) J.-G. CAHEN, op. cit., p. 143.

mythologie proprement dite n'est pas seule en jeu : on a montré que le
vocabulaire de *Phèdre* reste très riche si l'on élimine le récit de Théramène... et il en serait vraisemblablement de même si l'on supprimait toutes
les références aux légendes grecques. Il faut mentionner aussi, par exemple, des vocables relatifs au corps humain (ou à ses fonctions) : *nourriture, veine, cheveu, corps, nourrir, front, lait, lèvre, os, saigner,
teint.* Plusieurs sont inhabituels dans le genre tragique. La présence de
certains est justifiée par le fait que Phèdre est mourante dès le début
de la pièce ("Depuis que votre corps languit sans nourriture" v. 194)
mais ce n'est pas le cas de tous, ainsi Hippolyte :

> "C'est peu qu'avec son *lait* une mère amazone
> M'ait fait *sucer* encor cet orgueil qui t'étonne" v. 69-70.

Le thème de la mort est omniprésent, d'où l'excédent de *mortel,
crime, expirant, mourant, vivant, mort* (subst. masc.), *saigner.* Le vocabulaire de la passion est lui-même envahi par l'image de la mort. La passion de Phèdre est destructrice et dévorante. Racine s'applique plus
encore que dans les pièces précédentes à redonner leur force expressive
à des vocables qui n'apparaissent que dans des clichés et des emplois
métaphoriques du langage amoureux chez la plupart de ses contemporains :

> "Ma *blessure* trop vive aussitôt a saigné"   v. 304.
> "J'ai *langui*, j'ai séché, dans les *feux*, dans les larmes"
>   v. 690.
> "Un *trouble* s'éleva dans mon âme éperdue"   v. 274.

Un autre aspect remarquable du vocabulaire caractéristique est
la présence de couples ou de réseaux de vocables antithétiques (qui figurent parfois dans le même vers). On rencontre ainsi *rougir* et *pâlir* :"Je
le vis, je *rougis*, je *pâlis* à sa vue" v. 273 ; avec une incontestable
valeur symbolique, l'opposition de la "glace" et du "feu" : *froid* (adj.),
froid (subst.), *glace, transir* opposés à *ardeur, brûler, flamme* : "Je
sentis tout mon corps et *transir* et *brûler*" v. 276 ; et l'opposition de
la "lumière" et de l'"ombre" : *clair, flamme, jour* et *lumière* opposés à
caverne, forêts (au fond des), *ombre, noircir* et *nuit* : "Et dérober au
jour une *flamme* si *noire*" v. 310. Enfin, l'opposition de la "pureté" et
de l'"impureté" est au centre du drame. "Le drame poétique de Phèdre n'est
pas tellement un conflit entre l'esprit de pureté et l'esprit d'impureté :
c'est, à la suite d'une fatalité obscure, l'éviction de l'esprit de pureté
par l'esprit d'impureté. Progressivement l'impureté envahit les lieux et
les âmes, s'installe sur le monde. L'air devient "empoisonné" (v. 1360)"
(1). Des vocables en excédent tels que : *chaste, innocent, noble, pudeur,
pudique, pureté, serein* (mais il faut noter que *joie, paix, plaisir* sont
déficitaires) s'opposent à : *coupable, crime, empoisonner, honte, honteux,
horrible, impudique, infâme, inceste, incestueux, licence, méprisable,
odieux.*

Le vocabulaire caractéristique est toujours riche en termes relatifs à la communication : *désaveu, éluder* (les discours de quelqu'un),
*dépeindre, réciter, voeu, implorer, accuser, crier, cri, vérité, silence,
parole, reproche, langue, parjure,* ainsi qu'un vocable-clé : *aveu,* car
c'est l'aveu de Phèdre qui la perdra :

---

(1) M. CRESSOT, "Une langue d'art : la langue de Phèdre", *Le Français Mo-
    derne,* X, 3, 1942, p. 175.

"Je meurs pour ne point faire un *aveu* si funeste" v. 226.

La rivalité avec Corneille a pris fin et la politique n'est
plus qu'un arrière-plan, d'où le déficit de mots tels que *roi*, *peuple*,
paix, *trône* et *empire*.

Notons enfin l'excédent des vocables *dieu(x)* et *déesse*. Les
dieux sont constamment présents dans *Phèdre*, comme Dieu le sera dans les
tragédies sacrées.

2. Les tragédies sacrées de Racine

a. Parties lyriques et parties dramatiques

Dans les tragédies sacrées, nous avons pu établir que la structure du vocabulaire n'était pas identique dans les passages lyriques et
dans les passages dramatiques.

Par rapport aux passages dramatiques, les passages lyriques
sont excédentaires en adjectifs et en substantifs, et déficitaires en
verbes. Cela provient du fait que les choeurs sont moins tournés vers
l'action que les parties dialoguées.

La valeur de l'indice pronominal est extrêmement basse dans
les choeurs. On sait que c'est là un caractère habituel de la poésie lyrique.

La longueur moyenne du mot, en revanche, est presque la même
dans les sous-ensembles. Il est remarquable que la différence de genre
ne se fasse pas sentir sur un indice qui s'est révélé très discriminant
lorsqu'on a comparé les pièces de Racine à celles de Corneille.

Une étude approfondie de l'étendue relative du vocabulaire nous
a permis d'établir que les choeurs d'*Esther* et le reste de la pièce sont
d'une richesse sensiblement équivalente alors que les choeurs d'*Athalie*
sont moins riches que les parties dramatiques. Par ailleurs, dans *Esther*, les
choeurs comprennent 194 vocables exclusifs alors que dans *Athalie* ils n'en
comprennent que 94 ; la différence de longueur des choeurs dans chaque
pièce n'explique pas à elle seule une telle différence. Cela confirme le
fait que Racine n'a pas usé du choeur de la même manière dans ses deux
tragédies bibliques.

b. *Esther*

Racine revient au théâtre en 1689 dans des circonstances qui l'autorisent à prendre des libertés à l'égard du genre tragique. *Esther*, pièce en trois actes précédés d'un prologue, n'est pas une tragédie régulière.

La structure du vocabulaire s'oppose plus radicalement que jamais à celle des premières tragédies profanes.

La longueur moyenne du mot décroît encore par rapport à *Phèdre* et l'indice pronominal est le plus faible de tous. Les catégories grammaticales dont les effectifs s'écartent le plus de la norme sont les mêmes que dans *Phèdre* (excédent d'adjectifs et de noms communs et déficit de mots fonctionnels ainsi que de verbes), mais les écarts sont beaucoup plus accentués. Tout cela s'explique par le lyrisme des choeurs et par la solennité et la gravité des dialogues.

L'étendue relative du vocabulaire dépasse celle de toutes les autres tragédies de Racine et de Corneille, sauf *Médée*. Le vocabulaire est donc d'une richesse exceptionnelle. L'apport lexical d'*Esther*, dans la suite chronologique des pièces, est significativement élevé : Racine s'y renouvelle de façon très appréciable. Cependant, l'indice Vh corr, qui est très élevé, reste légèrement inférieur à celui d'*Athalie*. Par conséquent le vocabulaire de la première tragédie sacrée est un peu moins original que celui de la seconde, bien qu'il soit plus riche.

L'examen du vocabulaire caractéristique montre que la richesse et l'originalité d'*Esther* sont dues pour une grande part à l'emploi de vocables concrets. C'était déjà le cas dans *Phèdre* mais pour des raisons différentes. Racine transpose ici le langage de la Bible dont on connaît le caractère concret. Parmi ces vocables, il faut surtout mentionner ceux qui désignent des réalités du monde animal ou végétal, ou même minéral, que le poète emploie dans des images ou des clichés propres au lyrisme biblique. Certains n'apparaissent que dans *Esther* : *agneau* ("Le lion rugissant est un agneau paisible" v. 724), *colombe, essaim, léopard, paille* ("Qu'ils soient comme la poudre et la paille légère" v. 367), *reptile, roseau, rugissant, tronc* ("J'adorerais un dieu sans force et sans vertu,/ Reste d'un tronc par les vents abattu" v. 764-765) et *vautour* ("Tout doit servir de proie aux tigres, aux vautours" v. 179) ; d'autres y sont significativement excédentaires : *cèdre, lion, airain* ("Un coeur d'airain" v. 868), *loup* ("Faibles agneaux livrés à des loups furieux" v. 306), *coursier, tonnerre* et *eau*.

Les notations concrètes à propos de l'humain sont nombreuses, en particulier dans deux domaines liés à différents titres au thème religieux : il s'agit de l'habillement et de la "table" ; le premier apporte *vêtement, atours, cilice, habillement, habiller* ainsi que *(se) parer, revêtir* et *lambeaux* ("Je l'ai trouvé [Mardochée] (...)/Revêtu de lambeaux (...)" v. 438 et 439 ; Mardochée a déchiré ses vêtements en signe de deuil) ; le second : *mets, breuvage, libation, vin* et *festin*.

Comme dans *Phèdre* encore, on trouve au centre du drame l'opposition entre d'une part la pureté et la sérénité et d'autre part l'impureté et le mal. Mais ici ce sont de loin les vocables connotés positivement qui dominent : le vocabulaire d'*Esther* est aussi celui d'une pièce de collège. Les termes dénotant la grandeur de Dieu, l'innocence du peuple juif en captivité ou les beautés du pays des Hébreux, sont souvent en excédent dans la pièce, particulièrement dans les choeurs qui doivent beaucoup à la poésie des Psaumes de David. N'apparaissent que dans *Esther* des vocables tels que : *abondance, fécond, opulence, pacifique* ("Que Dieu jette sur vous des regards pacifiques" v. 128), *prospérer* ("Il fait que tout prospère aux âmes innocentes" v. 68) et *riant*. Les vocables simplement excédentaires sont encore plus nombreux : *agréable, innocence, paisible, innocent* ("Le peuple innocent" v. 792), *magnifique, riche, fertile* ("Sacrés monts, fertiles vallées" v. 142 et 151), *douceur, serein, bon, heureux, doux, beauté, adorable, aimable, félicité, pur*. Les vocables connotés négativement sont employés notamment à propos du personnage d'Aman et de sa volonté d'exterminer les Juifs : *impie* ("L'impie Aman" v. 170, 313, 754), *méchant* ("Révoquer d'un méchant les ordres sanguinaires" v. 1197), *impur* ("Cette bouche impure" v. 173), *barbare* ("C'est lui. C'est ce ministre infidèle et barbare" v. 1093) et *horrible* ("Cieux, éclairerez-vous cet horrible carnage" v. 177).

Le vocabulaire caractéristique positif comprend des termes relatifs au thème religieux : *éternité, glorifier, hérésie, jeûne, louange, pécher, profanation, sanctifier* ne figurent que dans *Esther* : *impie, profane, fête* ("Et du Dieu d'Israël les fêtes sont cessées" v. 88), *ciel, célébrer, saint, sacré, Eternel, prosterner, impiété, cantique, chant, culte, tribu, ange, démon, bénir, divinité, idole, malédiction* y sont significativement excédentaires. On constate que les vocables spécifiquement bibliques sont assez rares. "Sans doute était-il impossible à Racine de restituer exactement ce climat [religieux] : le caractère édifiant de sa pièce en eût été trop difficilement accessible au spectateur" (1).

Le dramaturge ne s'est pas senti obligé de respecter rigoureusement l'Histoire. D'où la présence, probablement volontaire, de quelques anachronismes : *salon* ("Et ce salon pompeux est le lieu du festin" v. 827) ainsi que *ligue* ("Pour dissiper leur ligue il n'a qu'à se montrer" v. 223) et *édit* ("Et le Roi, trop crédule, a signé cet édit" v. 172) qui évoquaient des souvenirs récents pour les contemporains de Racine : la Révocation de l'Edit de Nantes et la Ligue d'Augsbourg.

Le vocabulaire de la communication est marqué par le contenu "politique" de la pièce : *édit, avis, conseil, arrêt* et surtout par son contenu religieux : *calomnie, louange, maudire, chanter, célébrer* et *malédiction*.

_____

(1) G. SPILLEBOUT, *Le vocabulaire biblique dans les tragédies sacrées de Racine*, Genève, Droz, 1968, p. 191.

Esther est plus qu'une pièce politique, comme le vocabulaire
religieux l'atteste, cependant le vocabulaire du pouvoir apporte l'excédent de quelques termes - dont plusieurs sont employés indifféremment à
propos du roi, de la reine ou de Dieu : *nation* (qui désigne dans la plupart des cas le peuple juif), *pourpre, monarque, sceptre, majesté, trône*
et *gouverner*.

Dans les tragédies sacrées, les passions et l'amour n'ont plus
leur place, d'où l'absence, ici, de mots tels qu'*amant, ardeur, flamme,
brûler, émouvoir* et le déficit d'*amour* et *aimer*.

Avec *Esther*, pour la première fois, les mots fonctionnels sont
très nombreux dans nos listes (le vocabulaire caractéristique positif
comprend notamment *le* (article), *durant, pendant, notre* (adj), *toi, leur*
(poss), *de, ainsi, ni, comme, dans, nous, tout, ce* (adj) ; et le vocabulaire caractéristique négatif *vous, je, me, ne, si* (conj), *mon, que,
mais, point* (adv), *ou, elle, quoi*). Cela est l'indice de changements pro-
fonds dans la langue du poète.

c. *Athalie*

Quand Racine reçoit l'ordre d'écrire une seconde pièce pour les
demoiselles de Saint-Cyr, il revient à la tragédie régulière en conservant
malgré tout les choeurs. *Athalie* est une pièce en cinq actes, dont l'action
respecte mieux les lois du genre tragique qu'*Esther*. "L'intrigue d'*Athalie*
est plus soignée, plus soumise à la vraisemblance, que celle d'*Esther*. Elle
soutiendrait la comparaison avec celle de beaucoup de tragédies contempo-
raines." (1)

Selon nos données, *Athalie* a beaucoup de points communs avec la
première tragédie sacrée, cependant les différences avec les tragédies
profanes sont souvent un peu moins marquées.

Les valeurs de l'indice pronominal et du nombre moyen de mots
par alexandrin restent parmi les plus faibles, le style reste donc empreint
de solennité. Le vocabulaire est toujours très riche : *Athalie* est au
troisième rang par ordre de richesse décroissante dans le classement des
29 tragédies des deux auteurs, mais la pièce qui la suit immédiatement
est *Phèdre*, et *Britannicus* n'est pas loin.

Pour la distribution des catégories grammaticales, on rencontre
les mêmes écarts par rapport à la norme que dans *Esther* (excédent d'adjectifs et de noms communs, déficit de mots fonctionnels). Mais un caractère propre à *Athalie* est l'excédent significatif des noms propres. C'est

---

(1) R. C. KNIGHT, *Racine et la Grèce*, Paris, Nizet, 2e éd. 1974, p. 387.

d'ailleurs la tragédie de Racine qui comprend le plus grand nombre de
noms propres différents (65 contre 19 dans *La Thébaïde*, et 37 en moyenne
dans les dix tragédies précédentes ; notons en outre qu'aucune tragédie
de Corneille n'atteint cet effectif). Cela est dû, comme l'a montré J.-G.
Cahen, au soin tout particulier que Racine a accordé à la couleur locale
dans sa dernière pièce.

C'est encore la couleur locale, ainsi que l'emploi de termes
concrets - notamment dans le récit du songe d'Athalie et la prophétie de
Joad - qui expliquent que l'indice Vh corr atteint ici sa valeur maxima :
Athalie est la tragédie de Racine qui a le vocabulaire le plus original.

Parmi les vocables thématiques qui entrent dans le vocabulaire
caractéristique positif, il faut d'abord mentionner ceux qui appartiennent
au domaine religieux. Beaucoup ne figurent dans aucune autre pièce, et
particulièrement pas dans *Esther* : *arche, blasphème, chaire, chérubin,
encensoir, holocauste, huile* ("huile sainte" v. 1411 et 1515), *lévite,
ministère* ("Ce lévite à Baal prête son ministère" v. 40), *miséricorde,
mitre, pain* ("[Dieu] Les nourrit au désert d'un pain délicieux" v. 352),
parfum ("Les parfums et les sacrifices/Qu'on devait en ce jour offrir sur
tes autels" v. 1189-1190), *parvis* ("De ses parvis sacrés j'ai deux fois
fait le tour" v. 1101), *pécheur, pontife, prêtrise, sainteté, sanctuaire,
sauveur, sel* ("Je présente au grand prêtre ou l'encens ou le sel" v. 674),
superstition, tabernacle, tiare, trésor (de David) et *trompette* ("La trompette sacrée" v. 6) ; d'autre sont significativement en excédent dans
Athalie : *temple, prêtre, saint, chanter, blasphémer, livre* ("Dans son
livre divin on m'apprend à la lire [la loi de Dieu]" v. 663), *impie, consacrer, sacré, divin, autel, impiété, prophète, ministre* ("Né ministre du
Dieu qu'en ce temple on adore" v. 923), *zèle* ("Est-ce que de Baal le zèle
vous transporte ?" v. 916), *loi, profaner, ange, encens, louer, profane,
saintement, zélé, (se) prosterner, bénir, cantique, idolâtre, prier* (dans
la plupart de ses emplois), *prière*. On peut remarquer que l'évocation de
la vie religieuse est plus insistante et beaucoup plus précise ici que
dans *Esther*. Cela était inévitable car l'action d'*Athalie* se déroule dans
le temple de Jérusalem et a pour protagonistes Joad, le grand prêtre, et
Mathan, prêtre apostat et sacrificateur de Baal.

Un autre aspect remarquable du vocabulaire caractéristique est,
comme dans *Esther* et dans la Bible, la présence de termes désignant ou
évoquant des réalités naturelles. Parmi les vocables exclusifs, on rencontre : *acier, arbre, bouc, chien, dévorant, fange, génisse, huile, lis*
("Un jeune lis, l'amour de la nature" v. 781), *lin, mamelle* ("Vois-tu cette
juive fidèle,/Dont tu sais bien qu'alors il suçait la mamelle" v. 1723-1724),
oiseau, plomb, pluie, racine ("De cet arbre séché jusque dans ses racines"
v. 140), *rosée, sel* et *ver* ("... Un fragile bois que malgré mon secours/
Les vers sur son autel consument tous les jours" v. 921-922) ; et parmi les
vocables excédentaires : *désert* (subst. masc.), *fleur, airain, éléments,
fiel, ours* ("Un malheureux enfant aux ours abandonné" v. 1255), *troupeau,
herbe* et *terre*.

Comme dans la plupart des tragédies régulières, certains vocables excédentaires se réfèrent au temps *(aube, instant, heure* et *temps)*
et au lieu *(parvis, sanctuaire, enceinte, temple, cité, porte, édifice,
assiéger* et *demeure* : "En ce temple où tu fais ta demeure sacrée" v. 1127).

Athalie n'est pas qu'une pièce religieuse, c'est l'histoire
d'une révolution de palais, d'une prise de pouvoir, et finalement de la
mise à mort d'Athalie. C'est aussi le moment où se joue le sort de la
"race de David", d'où l'importance de l'enjeu dynastique : *usurper, orphelin, enfant, héritier, parent, maison* ("Et quand Dieu, (...)/Voudrait
que de David la maison fût éteinte" v. 1436-1437), *tribu, race, naissance*
et *mère.* Le passé, et particulièrement celui d'Athalie qui avait entrepris "d'éteindre entièrement la race royale de David" (1), contribue largement à apporter dans nos listes des termes relatifs à la violence et à
la mort qui rappellent les tragédies profanes les plus sanglantes : *meurtrir, homicide* (subst. masc. et adj.), *acier* ("J'ai senti tout à coup un
homicide acier" v. 513), *écraser* ("... Et vous ne craignez pas//(...)
qu'en tombant sur lui ces murs ne vous écrasent" v. 1021 et 1024), *exterminateur, factieux, glaive, horreur, massacrer, égorger, carnage, ravage,
poignard, couteau, frapper, membres* ("Et de son corps hideux les membres
déchirés" v. 118), *exterminer, formidable* ("Ce formidable amas de lances
et d'épées" v. 1181), *terrasser, meurtrier, terrible, assassin* et *terreur.*

Le vocabulaire de la parole et de la communication est encore
très varié. Comme c'est souvent le cas chez Racine, l'intrigue dépend
d'une donnée tenue secrète à certains personnages, ce qui explique l'excédent de *menteur, mensonge* et *révéler.* La plupart des autres vocables
concernent la religion et les rapports avec la divinité : *invoquer, dé-
voiler* ("Cessons de nous troubler. Notre Dieu quelque jour/Dévoilera ce
grand mystère" v. 1226-1227), *précepte* ("Il venait révéler aux enfants
des Hébreux/De ses préceptes saints la lumière immortelle" v. 343-344),
blasphème, chanter, blasphémer, consacrer, prophète, publier ("Chantons,
publions ses bienfaits" v. 314, 320 et 322), *louer, promesse* ("Laissant
à Dieu le soin d'accomplir sa promesse" v. 1442), *menace* ("J'avais tantôt rempli d'amertume et de fiel/Son coeur déjà saisi des menaces du ciel"
v. 877-878), *cantique, prier* et *prière.*

Comme dans *Esther,* on notera que le langage galant et le vocabulaire des passions alimentent le vocabulaire déficitaire, en particulier :
*amant, tourment, soupirer, coeur, amour, aimer, douleur, vainqueur, voeux,
soupir, plaire, haine* et *oeil.*

Il faut encore signaler la présence d'un grand nombre de mots
fonctionnels dans nos listes. La langue des tragédies sacrées se parti-
cularise par le déficit de la plupart des pronoms, des conjonctions et
des adverbes, ainsi que par l'excédent des déterminants et de certaines
prépositions. Cette question mériterait d'être approfondie dans une autre
étude que celle-ci, qui disposerait de données relatives à la construction des phrases.

---

(1) J. RACINE, Préface d'*Athalie.*

3. Racine et Corneille

La comparaison entre les deux grands classiques a apporté à notre étude des résultats précieux.

On sait maintenant que le vocabulaire de Corneille est plus riche que celui de Racine lorsqu'on s'en tient aux tragédies écrites entre 1659 et 1677. Mais on sait aussi que la sobriété lexicale n'est pas un fait constant chez Racine : *Phèdre* et les tragédies sacrées sont, avec *Médée*, les pièces les plus riches de toutes celles que nous avons analysées. Nous devons ajouter que la pauvreté des premières pièces de Racine elles-mêmes ne doit être considérée que comme relative. Si l'on se fie aux dépouillements de Th. Aron (1), on devrait en effet admettre que *Bérénice* est probablement plus riche que *Phèdre et Hippolyte* de Pradon, et *Andromaque* sûrement plus riche que l'*Ariane* de Th. Corneille. Il se pourrait donc que les pièces qualifiées ici de pauvres paraissent riches si l'on poursuivait la comparaison avec d'autres auteurs.

A plusieurs reprises les caractères statistiques ont révélé qu'il y avait, selon la structure du vocabulaire, plus d'unité dans l'oeuvre tragique de Corneille que dans celle de Racine. Ainsi, lorsqu'on a examiné le classement des 29 tragédies selon les valeurs de V_1 corr et selon la richesse du vocabulaire, on a constaté que les pièces de Corneille étaient plutôt ramassées dans les positions intermédiaires, alors que celles de Racine étaient disséminées et figuraient aux deux extrêmes. L'accroissement du vocabulaire dans les deux oeuvres a mis en évidence un phénomène du même ordre : la courbe du vocabulaire cumulé est beaucoup plus régulière pour l'aîné que pour son jeune rival. Par conséquent le contenu lexical est plus homogène chez Corneille que chez Racine. Ce qui se manifeste au niveau lexical est vraisemblablement le reflet de différences plus profondes entre les deux auteurs. Il y a par exemple chez Corneille une certaine constance dans la technique dramatique. A partir de sa deuxième tragédie (*Le Cid*), les principes essentiels de sa dramaturgie sont en place et ne subiront pas de modifications importantes jusqu'à *Suréna*. Racine, au contraire, n'a cessé de renouveler ses sujets, ses sources, et de modifier - ne serait-ce que partiellement - sa manière. Dans certains cas cela a eu des répercussions sensibles sur le vocabulaire des pièces : nous pensons particulièrement à *Britannicus*, à *Phèdre* et aux tragédies sacrées. On ne peut pas exclure non plus l'influence, sur la structure du vocabulaire, de facteurs apparemment plus secondaires, telle que la conception du héros. Les héros de Corneille sont souvent des "types", ce qui pourrait amener une relative stabilité

---

(1) Th. ARON, "Racine, Thomas Corneille, Pradon : remarque sur le vocabulaire de la tragédie classique", *Cahiers de Lexicologie*, 11, II, 1967; p. 60. Malheureusement cet auteur n'évalue pas la longueur des pièces qu'il a dépouillées en nombre de mots, mais en nombre de vers. Par ailleurs les principes de son dépouillement ne sont pas exactement les mêmes que les nôtres. Par conséquent une comparaison rigoureuse avec nos données n'est pas possible.

555

du fonds lexical, dont le renouvellement proviendrait alors principalement des situations. Les héros de Racine ont, à partir d'*Andromaque*, un caractère unique, incomparable et, en tant que tels, ils ont peut-être une influence plus directe sur l'apport de vocables nouveaux.

Nous avons vu en outre que les deux auteurs évoluaient de façon inverse (selon les indices N/A, V₁ corr - donc aussi selon le potentiel lexical de leurs pièces - et selon la richesse du vocabulaire). Le fait le plus notable est que le vocabulaire des tragédies de Corneille s'appauvrit avec le temps tandis que celui des tragédies de Racine s'enrichit. Cette question a fait l'objet de commentaires détaillés au chapitre VII. En bref, il nous semble que la sobriété croissante de Corneille s'explique, comme l'a montré Ch. Muller, par les "fatigues de l'âge" - le vieillissement ne jouant pas pour Racine qui a cessé d'écrire pour le théâtre alors qu'il était dans la force de l'âge. Mais, au-delà des faits biographiques, le mouvement de contraction, puis d'extension lexicale, dont témoigne la suite des 29 tragédies, fournit probablement une image de l'évolution du goût et du genre tragique entre *Médée* et *Athalie* : si la tragédie régulière s'est d'abord affinée sous l'influence des théoriciens et des dramaturges eux-mêmes, elle a dû ensuite s'enrichir, se régénérer, pour soutenir la concurrence des pièces à machines et de l'opéra.

Nos listes de vocables caractéristiques (annexe pp. 352-371) constituent un document qui pourrait rendre des services appréciables dans toutes les études portant sur le contenu lexical des deux oeuvres. Pour exploiter nos données intégralement, et dans de bonnes conditions, il faudra attendre que soit réalisée une concordance complète des tragédies de Corneille (1) ; nous sommes cependant en mesure de donner dès maintenant quelques indications sur les traits distinctifs de chaque auteur.

L'absence, dans les pièces de Racine, de vocables employés par Corneille s'explique souvent par le thème des tragédies mais aussi par l'histoire de la langue ou par les contraintes métriques :

- Les deux poètes n'appartiennent pas à la même génération. Les emplois de certains vocables avaient commencé à vieillir au moment où Racine écrivait ses tragédies ; par exemple *amollir* au sens de "rendre un sentiment plus faible" : "Une larme d'un fils peut *amollir* la haine" *Rodogune*, v. 728 ou *fard* au sens de "feinte, dissimulation" : "De ses pleurs tant vantés je découvre le *fard*" *Rodogune*, v. 733. Et d'autres commençaient à sortir de l'usage ; par exemple *affété, choir, conniver, ensoufrer, fast* (dont la forme est une survivance du XVIe siècle), *heur, impollu,* etc.

- Les contraintes métriques ont pour effet de rendre les mots longs assez rares chez les deux auteurs, mais peut-être encore plus chez l'un que chez l'autre. Nous avons vu que beaucoup d'adverbes en -*ment* et de substantifs en -*ion* appartenaient au vocabulaire exclusif de Corneille ; c'est aussi le cas d'autres vocables : par exemple *accommodement, avertissement, calomniateur, désobéissance, générosité, immortalité, insensibilité.* Il faut noter que, parallèlement, d'autres vocables longs n'appa-

_____

(1) La réalisation d'une concordance du théâtre de Corneille est en cours, par B.C. Freeman (University of Virginia).

raissent que chez Racine, mais ils ne sont pas nombreux : *empoisonnement*, *emprisonnement*, *exterminateur* et *incrédulité*.

Ce qui nous paraît véritablement propre à Corneille, c'est le nombre et la variété des termes abstraits. En nous bornant à ceux qui commencent par la lettre A, nous devons citer : *admiration*, *adversité*, *agitation*, *aigreur*, *aise*, *allégeance*, *âme*, *animosité*, *antipathie*, *appréhension*, *arrogance*, *assiduité*, *avidité*. On sait que le style cornélien se caractérise par l'expression des idées dans toute leur vigueur abstraite, et le plus souvent sans recourir à des images. D'autres chercheurs ont attiré l'attention sur certaines particularités dans l'emploi de ces mots : "On constate à la lecture de son oeuvre la fréquence [de] procédés particulièrement goûtés des ruelles. Parmi eux, il convient de signaler la présence de nombreux substantifs abstraits au pluriel. (...) Cet artifice rhétorique convient parfaitement à la tendance profonde de Corneille comme à celle de la préciosité ." (1)

Les vocables exclusifs de Racine sont au contraire volontiers des termes concrets qui n'apparaissent, pour la plupart, que dans ses dernières pièces. Jusqu'à *Mithridate*, Racine apporte peu de vocables inemployés chez son rival, mais à partir d'*Iphigénie*, et surtout de *Phèdre*, en s'inspirant des évocations concrètes de la poésie des Tragiques grecs et du langage biblique, il enrichit le vocabulaire de ses oeuvres et se distingue de plus en plus de son prédécesseur.

Le vocabulaire caractéristique met aussi en évidence des différences de nature grammaticale. Parmi les vocables les plus fortement excédentaires chez Corneille, on rencontre beaucoup de mots de relation et particulièrement des conjonctions : *et*, *si*, *ou*, *que* et *quand*. Par conséquent les phrases de Corneille tendent à être plus complexes, plus construites que celles de Racine. Chez ce dernier, ce sont notamment des interjections qui sont en excédent : *ah*, *eh* (et *hé*), *hélas* et *ô*. C'est là l'indice d'une plus grande spontanéité du dialogue.

L'examen des vocables "lexicaux" en excédent chez un auteur ou l'autre nous permet de confirmer des faits mis en évidence dans de nombreuses études antérieures.

Ainsi, chez Corneille, les vocables les plus excédentaires sont souvent liés aux valeurs héroïques. On rencontre notamment des substantifs tels que *bien*, *mérite*, *devoir*, *droit*, *vertu*, *honneur*, *estime* et des adjectifs comme *grand*, *fort*, *bon*, *haut* (et son contraire *bas*), *digne* (et *infâme*), *illustre* et *généreux*. Il faut remarquer cependant qu'on ne rencontre ni *gloire*, ni *glorieux*; ni *victorieux*, qui est, au contraire, en excédent chez Racine. L'oeuvre de ce dernier est évidemment marquée par la désaffection du vieux sublime, mais son vocabulaire, sinon ses personnages, en conserve quelques traces, en particulier dans des emplois propres à la langue galante.

---

(1) R. LATHUILLERE, *La Préciosité. Etude historique et linguistique*, t. 1, Genève, Droz, 1966, pp. 524-525.

D'autres vocables "cornéliens" se réfèrent à la force, l'énergie et l'action : *faire* (dont l'excédent est si considérable qu'il mériterait à lui seul une étude approfondie), *agir, effort, force, fort* (adj. et adv.) et *action*. Leur fréquence exceptionnelle doit être mise en rapport avec les attributs des héros de Corneille qui ont l'âme forte, sont toujours animés de la volonté de dominer, et, contrairement à certains héros de Racine, ignorent la faiblesse, la langueur et la déchéance. Après *Alexandre*, les personnages de Racine s'abandonnent souvent à leurs passions et à leur destin, d'où l'excédent révélateur de vocables qui les opposent à la puissance et à la raison cornéliennes : *doute, égarement, égarer, faible, infortuné, languir, remords, soin* et *trouble* (subst.).

Les tragédies des deux auteurs sont toutes, à différents degrés, des drames politiques. Pourtant, le vocabulaire caractéristique de Racine est presque muet sur cette question alors que celui de Corneille paraît assez riche : on trouve en bonne place, avec un excédent très significatif, *tyran, couronne* et *sceptre* ; et ce qui est encore plus symptomatique, l'adjectif et le substantif *politique* dont la fréquence n'est pas négligeable chez lui, n'apparaissent pas dans les pièces de Racine. L'explication de cette différence réside probablement dans le fait que la dramaturgie cornélienne assume l'enjeu politique en tant que tel, tandis que Racine le ramène aux passions privées et le résout à ce niveau lorsqu'il ne le réduit pas à un simple prétexte, comme dans *Bérénice*.

Parmi les vocables lexicaux excédentaires chez Racine, on rencontre tous ceux qui sont depuis longtemps considérés comme typiquement raciniens, notamment *oeil (yeux), regard, cruel, pleurs, larmes, pleurer, transport(s), fureur, douleur* et *douloureux*. Sur ce point, il serait utile de poursuivre la comparaison avec des auteurs tels que Quinault et Pradon.

En ce qui concerne la conception ou le support du tragique, Racine se distingue surtout par des termes dont certains emplois, parfois tous, dénotent ou connotent le lignage et "cette forme particulièrement astreignante du destin qu'on appelle l'hérédité" (1). Parmi les vocables propres à Racine on peut retenir *tribu, orphelin, issu* ("Et du sang de ses rois il est beau d'être issu" *La Thébaïde*, v. 417), *rejeton, tige* ("D'une tige coupable il craint un rejeton" *Phèdre*, v. 107) ; et parmi les vocables en excédent : *fils, enfant, mère, fille, aïeux, fatal* ("Reste d'un sang fatal conjuré contre nous" *Phèdre*, v. 51), *fleur* ("Chère et dernière fleur d'une tige si belle" *Athalie*, v. 1491), *père, race, reste, nom* ("L'héritier de mon sceptre, et surtout de mon nom" *Mithridate*, v. 618), *débris* ("Seul reste du débris d'une illustre famille" *Britannicus*, v. 556), *sang, héritier* et *incestueux*. L'importance accordée à ce thème est un trait qui rapproche l'oeuvre de Racine du théâtre antique.

Mais nous voudrions surtout attirer l'attention sur des traits d'autant plus dignes d'intérêt qu'ils sont moins apparents.

---

(1) G. MAY, "L'unité de sang chez Racine", *Revue d'Histoire littéraire de la France*, LXXII, 2, 1972, p. 217.

De nombreux termes ayant quelque rapport avec l'espace (le
lieu) et le mouvement figurent dans le vocabulaire caractéristique de
Racine. Des adverbes : *dans, devant, loin, partout* ; des verbes : *aller,
amener, approcher, avancer, conduire, courir, demeurer, fuir, marcher,
partir, quitter, ramener, retenir, venir* ; des substantifs : *approche,
camp, contrée, départ, entrée, lieu, pas, porte* et *temple*. Ils sont tous
polysémiques ou susceptibles d'avoir des emplois figurés. Nous pensons
cependant, après avoir consulté les contextes chez Racine, que c'est leur
sens le plus concret qui crée la différence avec Corneille. Leur excédent
est certainement dû au concours de divers facteurs (1), mais celui qui
nous semble primordial est la conception même du lieu tragique. Chez
Corneille, le lieu où se déroule la tragédie est généralement "neutre",
c'est simplement l'endroit des débats. Chez Racine, le lieu n'est pas
indifférent à la situation dramatique ; au contraire, il en est souvent
un des éléments fondamentaux. Malgré des velléités de départ ou de fuite,
les héros en sont la proie et n'en sont délivrés qu'avec le dénouement :
Andromaque est prisonnière de Pyrrhus, Bajazet est au sérail et Joas est
élevé dans le temple de Jérusalem, pour ne citer que les exemples les
plus obvies.

Au nombre des vocables "raciniens", on compte aussi un effectif important de termes relatifs à la perception, l'intellection et la
communication. Nous ne citerons que ceux qui sont très excédentaires :
*annoncer, appeler, chercher, confier, confirmer, croire, déclarer, en-
tendre, gémir, ignorer, informer, méditer, observer, reconnaître, songer,
troubler* ainsi que *cri, bouche, discours, mémoire, oeil (yeux), pensée,
regard* et *voix*. Dans les mêmes domaines, Corneille a aussi quelques vocables de prédilection : *choix, choisir, considérer, résoudre, trouver*
et il faut mentionner aussi, tirés de son vocabulaire exclusif : *clameur,
discours, éloge, harangue, haranguer, imprécation* et *orateur*. Par contraste, ces vocables mettent en évidence ce qu'il y a de spécifique chez
Racine. Les termes de Corneille paraissent illustrer le fait que l'intellection et la communication sont compris comme des actes positifs et
volontaires destinés à agir sur les autres. La plupart des termes de Racine dénotent au contraire, d'une part l'intériorisation du drame (*chercher, croire, gémir, méditer, songer, troubler, mémoire, pensée*), et
d'autre part, par rapport à Corneille, l'hypertrophie de la parole par
rapport à l'action (*annoncer, appeler, confirmer, bouche, discours, oeil,
regard* et *voix*) : "Le héros [racinien] vit dans un monde de signes",
écrivait R. Barthes (2).

---

(1) Racine emploie volontiers des verbes de mouvement pour montrer le
    trouble de ses personnages ; par exemple :

"Mais que vois-je ? Mon fils, quel sujet vous *ramène* ?
Où *courez*-vous ainsi tout pâle et hors d'haleine ?"
Athalie v. 379-380.

(2) R. BARTHES, op. cit., p. 63.

Ces remarques sur le vocabulaire caractéristique ne sont qu'un
début - et un essai - d'exploitation des données que nous avons regrou-
pées. Nos listes sont une machine à poser des questions (peut-être ina-
perçues jusqu'à présent). Pourquoi *mauvais* ne figure-t-il pas dans le
théâtre de Racine alors qu'il est assez fréquent chez Corneille, et,
chez celui-ci, dans des emplois qui ne paraissent pas incompatibles avec
le génie racinien:"mauvais destin" *Pompée* v. 515, "mauvais sort" *Horace*
v. 198 et *Polyeucte* v. 383, "mauvais soupçons" *Cinna* v. 1487 ? Est-ce
la polysémie seule qui explique l'excédent spectaculaire de *soin* chez
Racine ? Cela provient-il de la très large zone de sens que recouvre ce
mot, qui va de la souffrance morale (au sens de "souci", "inquiétude",
"préoccupation") aux marques d'amour ("... Mes pleurs, belle Eriphile,/
Ne tiendraient pas longtemps contre les soins d'Achille" *Iphigénie*,
v. 593-594) en passant par les "précautions", le "zèle", les "occupa-
tions" ou plus généralement l'"intérêt porté à quelque chose ou quelqu'un" ?
Ou est-ce aussi le choix du poète qui préfère un monosyllabe à ses synonymes polysyllabiques ? Comment s'explique la fréquence exceptionnelle
de plusieurs pronoms (*en, y, celui, ce*) chez Corneille ? Et celle de
certains possessifs (*son, votre*) chez Racine ?... Et enfin : le parallèle entre Racine et Corneille serait-il inépuisable ?

CHAPITRE XV

CONCLUSIONS SUR LA METHODE

La statistique lexicale est un instrument contraignant et parfois délicat. Contraignant en particulier dans la phase de collecte des
données. Délicat surtout dans la phase d'exploitation : en effet,
l'adéquation de tous les modèles statistiques doit constamment être discutée et vérifiée. La pertinence des indices stylistiques, à défaut d'être
avérée, reste, pour parler comme Kant, un sujet ou une proposition "problématique".

La qualité des données est la condition *sine qua non* de la
valeur de la recherche, il a donc fallu être aussi précis que possible
dans le dépouillement des textes. La lemmatisation et, par exemple, le
comptage des parties du discours sont un exercice rebutant et fastidieux,
mais qui a le mérite de maintenir le contact avec les textes et les
contextes et, par là, d'éviter les conclusions hâtives ou les généralisa-
tions trompeuses qui sont des dangers permanents dans l'interprétation
des statistiques sous toutes leurs formes.

En outre, la lemmatisation a un autre avantage : des statistiques
portant sur des listes non lemmatisées ne sont que des comptages de formes
qui, certes, peuvent faire l'objet d'un traitement quantitatif, mais n'autorisent légitimement aucune conclusion sur le contenu des textes d'où
sont tirées ces formes. La lemmatisation introduit un chaînon essentiel
dans le déroulement de l'analyse. C'est elle qui garantit la continuité
qui va du texte porteur de signification à l'interprétation lexicologique
des résultats numériques : la lexicologie ne peut être réduite à une
morphologie.

Compte tenu de l'état d'avancement de la statistique lexicale,
il était inévitable que des problèmes de méthode fussent abordés et déve-
loppés au cours de cette étude. Les procédés utilisés appartiennent presque tous à l'arsenal le plus éprouvé des méthodes quantitatives, cependant
l'emploi de chacun est encore une mise à l'épreuve - et l'occasion d'une
expérimentation qui s'ajoute à celles d'un ou de plusieurs prédécesseurs.

Nous avons pu constater la fragilité de certains outils statistiques ; il s'agit en particulier des indices :
    - l'indice de structure v_m, de Yule-Herdan, dont le calcul est
très long, varie en fonction des hautes fréquences et n'apporte aucun
renseignement qui ne puisse être obtenu par des procédés plus simples. On
pourra sans dommage l'écarter définitivement de tous les travaux de statistique lexicale.
    - les indices "stylistiques", eux, ne sont pas aussi décevants
mais paraissent moins discriminants sur les tragédies que sur des textes
bien différenciés. Il nous semble que, lorsque l'on compare des textes
entre lesquels il n'y a pas de différences très profondes, ni N/A, ni P/p
ne permettent d'établir avec une entière certitude qu'un style est plus
ou moins familier ou relâché qu'un autre ; ils n'apportent que des présomptions.

Les modèles que nous avons employés ont un rendement supérieur à celui des indices :

- Nous avons suffisamment insisté sur les limites du modèle probabiliste appliqué au vocabulaire pour nous abstenir d'y revenir ici. En dépit de ses limites - et avec quelques précautions - il a permis d'obtenir des résultats solides et nuancés, par exemple sur la richesse du vocabulaire et l'accroissement lexical.

- Comme nos données nous le permettaient, nous avons essayé d'apporter une modeste contribution au sujet de deux applications de la série de Waring. La formule de Waring-Herdan paraît avoir sur nos textes un champ d'action plus restreint qu'on ne le dit généralement car, selon nos données, ses bornes d'utilisation seraient situées entre $N > 1000$ et $N < 25000$. Cette constatation a des effets secondaires qui ne sont pas négligeables : la méthode de M. Dubrocard pour établir la richesse du vocabulaire et celle de B. Dolphin et Ch. Muller pour le calcul du lexique virtuel ne doivent pas être appliquées aux distributions de textes de n'importe quelle longueur. La distribution de Waring avec les estimateurs de D. A. Ratkowsky semble avoir une zone de validité plus étendue. Nos expériences ne contribuent pas à en fixer les bornes ; elles restent néanmoins utiles car elles tendent à montrer que, dans les limites d'application de la méthode de G. Herdan, la nouvelle procédure n'apporte pas de résultats meilleurs.

Il importe d'insister sur le fait que, pour les questions relevant des faits de structure, les méthodes présentées dans ce travail sont celles qui ont subsisté après de nombreux essais. C'est parfois à contre-coeur qu'il a fallu renoncer à discuter tel ou tel autre procédé digne d'intérêt du point de vue de la méthode, mais qui risquait d'alourdir considérablement l'analyse pour peu de profit quant à la connaissance de l'oeuvre de Racine.

Dans une étude telle que celle-ci, il convient que les choix méthodologiques soient adaptés aux types de résultats escomptés. Ainsi, ici ou là, et par exemple pour notre analyse des vocables de fréquence 1, il a paru suffisant de recourir à un procédé très simple - cela n'implique nulle concession à la facilité - dans la mesure où des résultats approximatifs ne nuisaient pas à nos conclusions. Inversement, lorsque l'imprécision nous a paru dommageable et qu'aucune méthode ne s'est révélée adéquate, nous avons préféré renoncer. A cet égard, on pourra constater que la question de la connexion lexicale (i. e. la mesure de la parenté lexicale des textes), dont l'intérêt stylistique est incontestable, n'est pas même abordée. C'est qu'aucun des procédés connus n'est insensible aux effets conjugués de la longueur des textes en présence, de l'étendue et de la structure de leur vocabulaire et que par conséquent l'on ne peut rien en tirer que de douteux : nos résultats resteront donc dans un tiroir.

On notera aussi que des instruments statistiques simples, d'un emploi extrêmement répandu comme le test de Pearson et le calcul de l'écart réduit sont parmi ceux qui ont permis des progrès décisifs vers une meilleure connaissance et une meilleure caractérisation des oeuvres de Racine. Nous n'en voulons pour preuves que l'apport du premier dans la comparaison des pièces prises deux à deux en fonction de la répartition des parties du discours et la contribution du second à la mise au point du vocabulaire caractéristique.

L'un des traits constants des travaux de statistique lexicale - dont le nôtre - est que les développements méthodologiques sont lourds en regard des résultats.

Il y a à cela des raisons qui tiennent à la méthode elle-même. La mise en place des données et l'analyse demandent en effet beaucoup de rigueur et de prudence car la plupart des procédures en sont encore au stade expérimental. Il en découle inévitablement une apparente pauvreté en comparaison du foisonnement des interprétations empiriques. En revanche les résultats sont incontestablement plus sûrs.

D'autres raisons tiennent à l'objet de la recherche : le vocabulaire est isolé des autres faits de langue et pris dans un ensemble de pièces de théâtre dont les parties constituantes (les rôles, les actes et les scènes) nous sont inaccessibles. Cependant le mérite de notre étude est aussi de fournir un point de départ à des recherches plus limitées qui la compléteraient. Nous pensons par exemple à l'exploitation du vocabulaire caractéristique, mais aussi à l'analyse des cooccurrences, qui pourrait montrer, notamment, que chez Racine, des hémistiches entiers se retrouvent dans des pièces différentes. Nous pensons aussi à l'étude des vocables placés à la rime, ou encore à l'étude du vocabulaire par rôle, qui ferait à coup sûr apparaître des différences significatives entre la langue des protagonistes et celle des confidents.

ANNEXES

ANNEXE 1
DISTRIBUTION DES
FREQUENCES DANS LES 11 TRAGEDIES DE RACINE

Fréquence	Vocabulaire commun	Noms propres	V	Fréquence	Vocabulaire commun	Noms propres	V
F	Vc	Np		F	Vc	Np	
1	569	111	680	42	12	0	12
2	302	37	339	43	7	0	7
3	197	33	230	44	14	1	15
4	151	13	164	45	10	2	12
5	124	10	134	46	10	0	10
6	89	3	92	47	7	0	7
7	98	7	105	48	4	0	4
8	78	12	90	49	7	2	9
9	57	9	66	50	9	0	9
10	55	7	62	51	12	0	12
11	61	6	67	52	3	0	3
12	43	2	45	53	6	1	7
13	47	7	54	54	7	0	7
14	47	3	50	55	7	0	7
15	39	7	46	56	4	1	5
16	40	1	41	57	7	1	8
17	37	4	41	58	5	0	5
18	42	2	44	59	11	0	11
19	27	4	31	60	5	0	5
20	20	3	23	61	7	0	7
21	32	5	37	62	3	0	3
22	30	3	33	63	9	0	9
23	15	2	17	64	3	1	4
24	23	2	25	65	6	0	6
25	22	0	22	66	11	1	12
26	23	1	24	67	6	0	6
27	17	1	18	68	5	0	5
28	13	1	14	69	4	0	4
29	15	1	16	70	7	1	8
30	14	2	16	71	3	2	5
31	16	1	17	72	2	0	2
32	14	1	15	73	6	0	6
33	11	1	12	74	5	0	5
34	15	4	19	75	3	0	3
35	10	0	10	76	4	0	4
36	7	2	9	77	4	1	5
37	8	3	11	78	2	1	3
38	11	0	11	79	6	0	6
39	6	2	8	80	2	0	2
40	12	2	14	81	1	0	1
41	10	0	10	82	3	0	3

F	Vc	Np	V	F	Vc	Np	V
83	5	0	5	136	1	0	1
84	4	0	4	137	1	0	1
85	3	0	3	138	1	0	1
86	2	0	2	139	1	0	1
87	1	0	1	140	1	0	1
88	4	0	4				
89	1	0	1	148	2	0	2
90	3	0	3	149	1	0	1
91	2	0	2	150	1	0	1
92	3	0	3				
93	1	0	1	152	1	0	1
94	3	0	3	153	2	0	2
95	1	0	1	154	1	0	1
96	1	0	1	155	1	0	1
97	4	0	4				
98	3	0	3	158	2	0	2
99	1	0	1	159	1	0	1
100	1	0	1	160	2	0	2
101	1	0	1	161	1	0	1
102	4	0	4	162	1	0	1
103	2	0	2	163	2	0	2
104	1	0	1	164	1	0	1
105	2	0	2	165	1	0	1
106	2	0	2	166	1	0	1
107	1	0	1	167	4	0	4
109	1	0	1	170	1	0	1
111	1	0	1	173	1	0	1
112	2	0	2				
113	2	0	2	177	1	0	1
114	1	0	1				
115	1	0	1	179	1	0	1
116	0	1	1	180	2	0	2
117	2	0	2				
118	3	0	3	182	1	0	1
119	1	0	1	183	1	0	1
120	2	0	2				
121	1	0	1	185	1	0	1
122	2	0	2	186	1	0	1
123	1	0	1				
124	1	0	1	190	1	0	1
125	5	0	5	191	1	0	1
129	3	0	3	196	2	0	2
				197	1	0	1
131	1	0	1				
132	1	0	1	199	2	0	2
135	2	0	2	203	1	0	1

F	Vc	Np	V	F	Vc	Np	V
206	1	0	1	336	1	0	1
208	0	1	1	345	1	0	1
213	1	0	1	353	1	0	1
214	1	0	1	359	1	0	1
216	1	0	1	370	1	0	1
229	1	0	1	374	1	0	1
232	1	0	1	375	1	0	1
233	1	0	1	384	1	0	1
234	1	0	1	404	1	0	1
238	1	0	1	423	1	0	1
244	1	0	1	424	1	0	1
251	2	0	2	435	1	0	1
255	1	0	1	441	1	0	1
264	1	0	1	445	1	0	1
265	1	0	1	461	1	0	1
269	1	0	1	467	1	0	1
274	1	0	1	469	1	0	1
275	1	0	1	484	1	0	1
286	1	0	1	485	1	0	1
288	1	0	1	497	1	0	1
289	1	0	1	503	1	0	1
291	1	0	1	528	1	0	1
299	1	0	1	533	1	0	1
312	2	0	2	546	1	0	1
316	2	0	2	571	1	0	1
317	1	0	1	579	2	0	2
326	1	0	1				
329	1	0	1				

ANNEXES

F	Vc	Np	V	F	Vc	Np	V
586	1	0	1	1230	1	0	1
590	1	0	1	1331	1	0	1
604	1	0	1	1524	1	0	1
629	1	0	1	1921	1	0	1
644	1	0	1	2060	1	0	1
672	1	0	1	2170	1	0	1
675	1	0	1	2512	1	0	1
684	1	0	1	2533	1	0	1
738	1	0	1	2631	1	0	1
762	1	0	1	2690	1	0	1
795	1	0	1	2722	1	0	1
872	1	0	1	2899	1	0	1
881	1	0	1	2930	1	0	1
884	1	0	1	3351	1	0	1
901	1	0	1	3622	1	0	1
973	1	0	1	3820	1	0	1
986	1	0	1	4208	1	0	1
997	1	0	1	4584	1	0	1
1082	1	0	1	7990	1	0	1
1136	1	0	1	9441	1	0	1

ANNEXE 2

INDEX STATISTIQUE

Abréviations utilisées

CO   Code des catégories grammaticales (v. pp. 81-84)

THE   La Thébaïde

ALE   Alexandre le Grand

AND   Andromaque

BRI   Britannicus

BER   Bérénice

BAJ   Bajazet

MIT   Mithridate

IPH   Iphigénie

PHE   Phèdre

EST   Esther

ATHA   Athalie

PRO   Prologue d'Esther

CHA   Choeurs d'Athalie

CHE   Choeurs d'Esther

TOTA   Total des 11 tragédies

RE   Répartition : nombre de pièces où le vocable
       est employé

AJ   ADJECTIF

ART   ARTICLE

AV   ADVERBE

CONJ   CONJONCTION

PERS   PERSONNEL

POSS   POSSESSIF

PREP   PREPOSITION

PRON   PRONOM

S   SUBSTANTIF

SF   SUBSTANTIF FEMININ

SM   SUBSTANTIF MASCULIN

V   VERBE

Rem. En raison de contraintes d'espace pour le traitement
informatique, les vocables les plus longs ont été abrégés.

	CO	THE	ALE	AND	BRI	BER	BAJ	MIT	IPH	PHE	EST	ATHA	PRO	CHA	CHE	TOTA	RE
À	0	293	340	324	302	261	292	329	328	294	248	340	15	47	55	3351	11
ABAISSEMENT	2	0	0	0	0	0	0	0	1	0	0	1	0	1	0	12	2
ABAISSER	1	1	4	1	2	1	0	1	0	0	2	0	1	0	2	12	7
ABANDONNER	1	9	10	11	6	1	6	5	6	7	4	9	1	1	1	82	11
ABATTRE	1	0	0	2	0	1	0	0	0	1	1	3	0	0	1	14	6
ABHORRER	1	4	6	0	0	0	0	0	1	1	0	0	0	0	0	7	3
ABÎME	2	1	1	0	0	0	0	0	0	0	1	3	0	0	0	8	6
ABJECT	3	0	3	0	0	0	0	0	0	0	1	0	0	0	0	1	1
ABOLIR	1	0	0	1	1	0	0	1	0	0	0	1	0	0	0	3	3
ABOMINABLE	3	0	0	1	1	0	0	3	1	0	1	0	0	0	1	3	2
ABONDANCE	2	0	0	0	0	0	0	0	0	0	2	0	0	0	0	2	1
ABORD	2	4	4	4	3	0	5	2	1	2	0	4	1	2	1	29	9
ABORDER	1	0	1	0	0	0	0	3	0	3	0	0	0	0	0	7	3
ABRÉGER	1	0	0	0	0	0	0	1	1	1	0	0	0	0	0	3	3
ABREUVER	1	0	0	1	0	0	0	0	0	1	0	0	0	0	0	1	1
ABRI	2	7	1	1	3	4	3	4	1	5	2	1	3	0	1	4	3
ABSENCE	2	0	1	0	3	0	0	0	2	1	2	1	0	0	1	26	9
ABSENT	3	3	1	1	2	1	3	6	1	0	1	1	0	0	0	8	5
ABSOLU	3	3	1	0	2	1	0	1	7	6	1	1	0	0	1	12	8
ABUSER	1	3	1	1	5	8	3	4	4	0	2	3	0	0	0	32	11
ACCABLER	1	4	2	2	5	2	3	6	4	5	2	1	0	1	0	55	11
ACCEPTER	2	0	1	4	0	0	1	1	0	2	0	0	0	0	0	21	10
ACCÈS	3	0	0	1	0	0	1	0	0	1	0	1	0	1	0	2	2
ACCESSIBLE	1	0	0	0	0	0	1	0	0	1	0	0	0	0	0	1	1
ACCOMMODER	1	2	0	1	1	0	1	0	0	1	1	3	0	1	0	3	3
ACCOMPAGNER	1	3	1	0	1	1	2	0	0	1	1	4	0	0	0	17	9
ACCOMPLIR	3	0	0	1	0	1	1	3	0	1	0	1	0	0	0	17	8
ACCORD	2	8	2	6	1	2	2	5	5	2	1	0	0	1	0	5	5
ACCORDER	1	1	0	0	1	0	1	3	0	0	1	0	0	0	1	34	11
ACCOURIR	1	1	0	6	0	2	3	0	0	2	1	0	0	0	0	1	1
ACCOUTUMER	1	1	0	0	0	0	0	0	0	2	1	0	0	0	0	5	5
ACCROÎTRE	1	1	0	0	1	0	2	0	2	2	1	0	0	0	0	7	3
ACCUEIL	2	1	2	2	2	2	0	5	0	2	0	2	0	0	0	9	6
ACCUSATEUR	1	1	0	0	8	0	2	2	0	2	0	0	0	0	0	4	2
ACCUSER	2	1	1	0	1	5	0	5	1	1	0	2	0	0	0	51	10
ACHEMINER	1	0	0	0	0	0	0	0	0	1	0	0	0	0	0	1	1
ACHETER	1	0	1	2	2	0	1	1	1	1	1	1	0	0	0	11	7
ACHEVER	1	9	4	8	0	0	7	0	0	0	1	5	0	0	0	50	11
ACIER	1	0	0	0	1	0	0	1	0	0	0	1	0	0	0	1	1
ACQUÉRIR	1	0	2	1	2	0	1	1	1	1	0	1	0	0	0	3	3
ACQUITTER	1	2	0	0	2	0	0	0	3	1	0	0	0	0	0	7	7
ACTION	2	6	6	3	9	25	6	7	3	2	1	2	0	0	0	70	5
ADIEU	28																11

	CO	THE	ALE	AND	BRI	BER	BAJ	MIT	IPH	PHE	EST	ATHA	PRO	CHA	CHE	TOTA	RE
ADMETTRE	1	0	0	0	0	2	0	0	0	0	1	0	0	0	0	3	2
ADMIRABLE	3	0	0	0	0	0	0	0	0	0	1	0	0	0	0	1	1
ADMIRATEUR	2	6	7	5	0	0	0	1	2	0	3	0	0	0	0	1	1
ADMIRER	1	0	0	0	0	1	1	3	0	1	1	3	0	0	3	32	10
ADOPTER	1	0	0	0	4	0	0	0	0	0	0	0	0	0	0	5	2
ADOPTION	2	0	1	0	0	0	0	0	0	1	1	0	0	0	0	1	1
ADORABLE	3	3	2	5	0	0	0	0	5	0	0	0	0	0	1	2	2
ADORATEUR	2	6	8	1	0	1	4	5	0	1	8	1	0	3	0	5	4
ADORER	1	0	1	0	5	7	2	0	1	4	1	0	0	0	5	51	11
ADOUCIR	1	1	0	3	1	1	5	2	0	3	0	0	0	0	1	16	8
ADRESSE	2	0	1	0	1	0	2	1	0	0	2	2	0	1	0	12	5
ADRESSER	1	0	0	0	2	0	0	1	0	0	1	0	0	0	0	14	8
ADROIT	3	0	0	0	1	0	0	0	0	2	0	0	0	0	1	4	3
ADULTÈRE AJ	3	0	0	0	0	0	0	0	1	2	0	0	0	0	0	3	2
ADULTÈRE SM	2	0	0	0	0	0	0	0	0	0	0	1	0	0	0	2	1
AFFABLE	3	1	0	1	0	0	2	1	1	0	1	0	0	0	1	1	2
AFFAMER	1	1	3	0	3	0	0	1	0	2	0	1	0	0	0	2	8
AFFECTER	1	0	3	0	3	4	2	2	2	0	0	0	0	0	0	12	7
AFFERMIR	1	5	5	1	0	0	0	0	0	5	1	1	0	0	0	16	1
AFFLICTION	2	1	0	1	2	1	3	4	2	0	0	0	3	0	0	1	9
AFFLIGER	1	0	2	0	3	0	0	0	0	0	0	1	0	0	0	27	6
AFFOIBLIR	1	2	0	1	4	2	3	0	2	3	1	0	0	0	0	9	2
AFFRANCHI	2	0	3	1	4	1	0	6	7	0	8	1	1	0	0	5	7
AFFRANCHIR	1	0	0	0	1	1	2	2	3	1	2	7	0	1	1	16	9
AFFREUX	3	6	3	3	2	0	0	2	0	1	1	0	0	0	0	44	8
AFFRONT	2	0	0	2	0	0	2	0	0	3	0	0	0	0	0	15	6
AFFRONTER	1	3	1	0	2	1	1	1	1	0	2	0	0	0	0	7	3
AFIN	2	0	6	0	0	3	2	0	0	4	1	3	0	0	1	14	7
ÂGE	1	9	3	1	0	0	1	0	3	0	5	1	0	0	0	13	7
AGIR	2	2	1	3	2	0	0	0	0	0	2	2	0	0	1	11	9
AGITER	1	0	1	2	0	1	2	1	0	0	4	0	0	3	2	25	2
AGNEAU	2	2	3	0	0	1	1	0	0	1	0	0	0	0	3	2	1
AGRÉABLE	3	0	0	9	7	4	3	2	0	6	1	8	0	0	3	5	11
AH	8	29	25	39	37	31	38	37	42	20	10	8	0	0	0	316	8
AIDER	1	2	3	0	1	1	1	1	0	2	5	7	0	0	2	11	9
AÏEUL	2	2	0	4	1	1	1	0	0	1	0	0	0	0	0	42	3
AIGLE	2	1	0	0	1	1	0	0	2	0	1	0	0	0	2	3	8
AIGRIR	1	0	2	1	4	1	0	0	0	0	0	0	0	0	0	14	1
AIGUILLON	1	0	0	0	0	0	0	0	1	3	0	0	0	0	0	1	1
AIGUISER	2	5	2	0	0	0	0	10	0	3	3	1	0	0	0	1	2
AILE	1	1	0	0	3	0	4	1	1	0	2	2	0	0	1	4	1
AILLEURS	2	0	3	8	3	3	4	0	2	0	5	6	0	0	0	44	11
AIMABLE	3	0	1	0	1	4	0	0	0	0	0	0	0	3	4	28	10

	CO	THE	ALE	AND	BRI	BER	BAJ	MIT	IPH	PHE	EST	ATHA	PRO	CHA	CHE	TOTA	RE
AIMER	1	28	27	45	29	47	37	33	20	33	5	12	0	8	4	316	11
AINSI	30	12	5	11	9	2	8	11	7	3	14	10	0	1	1	94	11
AIR 1	2	1	1	1	0	2	0	0	4	4	1	3	0	1	1	16	8
AIR 2 ALLURE	2	0	0	0	0	0	0	1	1	0	1	3	0	0	0	5	3
AIRAIN	3	1	1	0	0	0	0	0	0	0	2	1	0	0	0	6	3
AISÉ AJ	3	1	0	0	0	1	2	1	0	1	0	0	0	0	0	6	5
AISÉMENT	1	1	1	0	1	1	1	0	1	3	1	0	0	0	0	5	4
AJOUTER	2	2	5	7	6	5	2	3	3	3	4	7	0	0	0	9	7
ALARME	2	0	6	2	3	2	2	2	5	3	2	1	0	0	0	49	11
ALARMER	1	0	0	0	3	0	0	0	2	2	1	1	0	0	4	25	11
ALLÉGRESSE	1	0	9	2	1	1	0	0	0	1	0	1	0	0	0	4	4
ALLÉGUER	1	0	0	2	0	0	1	1	6	0	0	0	0	0	1	3	2
ALLER	23	51	57	82	58	57	68	59	66	38	26	28	1	0	0	590	11
ALLIANCE	2	1	2	1	0	0	0	2	0	0	0	2	0	0	0	8	6
ALLIÉ AJ S	1	1	0	0	1	0	0	4	1	0	1	0	0	0	0	8	4
ALLIER	1	3	2	4	3	2	5	1	3	2	0	1	2	0	0	4	4
ALLUMER	0	0	3	7	8	6	0	5	3	5	5	3	0	0	0	26	10
ALORS	3	3	0	0	1	0	0	2	1	0	2	2	0	2	0	50	11
ALTÉRER	2	1	0	0	0	0	0	0	1	0	1	0	0	1	0	8	5
ALTIER	1	0	0	0	5	0	0	9	6	9	0	7	0	0	0	4	3
AMANT	3	8	13	11	11	11	32	0	16	1	1	2	0	2	1	114	9
AMAS	2	0	0	0	5	0	0	9	0	0	0	0	0	1	0	4	3
AMASSER	1	0	0	0	0	0	0	0	0	1	1	2	0	0	0	3	3
AMATEUR	23	0	0	0	0	0	0	0	0	0	1	0	1	0	0	1	2
AMBASSADE	2	0	0	3	1	1	1	1	0	0	1	0	0	0	0	3	1
AMBASSADEUR	2	0	1	4	1	0	0	0	0	0	0	0	0	0	0	6	3
AMBITIEUX	23	2	0	0	2	1	1	1	1	1	0	0	0	1	0	5	4
AMBITION	2	9	1	0	1	1	1	0	6	0	2	7	0	0	0	15	6
ÂME	2	27	26	22	11	12	11	12	14	13	12	4	0	3	1	159	11
AMENER	1	3	0	3	4	2	3	1	1	2	1	4	0	0	1	40	11
AMERTUME	2	1	7	9	8	0	0	0	1	1	1	4	0	0	0	5	5
AMITIÉ	2	3	6	7	8	10	14	7	2	9	3	1	0	3	0	76	11
AMOUR	2	10	16	9	10	10	3	9	4	0	2	0	0	0	0	67	10
AMOUREUX	2	28	29	43	32	54	74	64	43	38	10	20	2	9	3	435	11
AMPLEMENT	3	0	2	3	1	8	1	4	0	4	0	0	0	0	0	23	7
AMUSEMENT	3	0	0	0	0	0	1	1	0	0	0	0	0	0	0	7	1
AN	2	0	0	7	0	1	0	0	1	0	1	7	0	1	0	1	2
ANCÊTRE	2	4	0	0	9	7	3	8	6	0	0	2	0	0	0	2	9
ANÉANTIR	1	0	0	0	1	0	0	0	0	0	1	1	0	0	0	47	2
ANÉANTIR	2	0	0	0	1	0	0	0	0	0	0	3	0	1	1	9	2
ANIMER	1	7	4	2	2	1	2	3	1	1	2	4	2	1	1	29	11
ANNALE	2	0	0	0	0	0	0	0	0	0	1	0	0	0	0	1	1

	CO	THE	ALE	AND	BRI	BER	BAJ	MIT	IPH	PHE	EST	ATHA	PRO	CHA	CHE	TOTA	RE
ANNÉE	2	4	0	0	3	3	1	3	0	0	0	0	0	0	0	14	5
ANNONCER	1	3	1	2	2	4	1	1	3	0	3	5	0	1	0	25	10
ANTIQUE	3	0	1	2	0	0	0	1	0	2	2	2	0	0	1	11	3
APAISER	1	4	1	0	0	0	4	1	4	3	4	1	0	0	1	25	9
APERCEVOIR	1	0	0	0	1	0	0	0	0	1	0	0	0	0	0	4	4
APLANIR	1	0	0	0	0	0	0	0	0	0	0	0	0	0	0	1	1
APPAREIL	2	0	0	2	0	0	0	1	2	0	1	2	0	0	0	9	6
APPARENCE	2	0	1	1	1	0	2	1	0	0	0	0	0	0	0	10	7
APPAROÎTRE	1	0	0	0	6	6	0	0	1	0	1	0	0	0	0	16	1
APPARTEMENT	1	0	0	0	2	2	3	0	0	1	0	0	0	0	0	2	5
APPARTENIR	2	1	0	0	2	0	1	0	0	2	1	0	0	0	0	13	2
APPAS	2	2	3	3	5	0	3	1	0	0	0	0	0	0	0	13	7
APPELER	1	11	4	0	0	3	1	5	10	0	13	5	1	0	0	64	11
APPESANTIR	1	0	0	0	2	3	3	1	0	0	1	0	0	0	0	3	3
APPLAUDIR	1	0	1	0	2	1	1	0	1	0	1	0	0	0	0	9	6
APPLAUDISSMT	1	0	0	0	0	1	0	0	0	1	1	0	0	0	0	4	2
APPLIQUER	1	1	0	0	2	0	2	1	2	0	0	0	0	0	0	18	4
APPORTER	1	9	2	3	0	3	7	5	7	3	0	5	0	0	0	62	9
APPRENDRE	1	0	5	0	3	2	2	1	1	2	0	0	0	0	0	62	11
APPRENTISSAGE	2	0	0	0	2	0	0	0	0	0	0	0	0	0	1	3	2
APPRÊT	2	1	5	5	8	3	8	8	1	0	2	2	0	0	0	22	9
APPRÊTER	1	0	0	0	0	0	0	0	0	1	0	0	0	0	1	1	1
APPRIVOISER	1	1	0	1	2	1	2	0	0	0	0	2	0	0	0	7	5
APPROCHE	2	0	4	4	2	1	2	3	1	0	4	0	0	0	0	41	11
APPROCHER	1	1	7	7	9	1	9	5	2	2	0	4	0	0	0	22	9
APPROUVER	1	1	0	0	0	0	2	6	6	0	4	1	0	0	2	44	11
APPUI	2	0	0	0	0	0	0	0	0	0	1	1	0	0	0	21	1
APPUYER	1	1	5	5	7	0	0	0	0	0	0	0	0	0	0	120	11
ÂPRE	3	8	0	0	0	0	0	0	1	1	0	0	0	1	0	1	1
APRÈS	0	18	16	15	3	0	3	3	0	1	3	0	0	0	1	2	11
AQUILON	2	0	3	0	6	0	0	7	0	1	0	3	0	0	0	15	2
ARBITRE	2	2	0	0	0	0	0	0	1	0	0	0	0	0	0	1	8
ARBRE	2	0	3	3	3	0	0	0	0	0	0	4	0	0	1	1	1
ARC	2	0	0	2	0	0	0	0	0	0	0	1	0	0	0	1	1
ARCHE	2	3	2	0	0	0	0	3	0	1	3	1	1	0	1	4	1
ARDENT	2	8	8	0	0	3	0	7	1	7	0	4	0	0	3	24	11
ARDEUR	3	2	18	5	2	6	4	0	0	0	0	1	1	0	0	54	10
ARIDE	3	2	1	0	4	0	0	5	0	1	0	0	0	0	1	1	1
ARMÉE	2	5	12	5	6	3	4	3	4	0	3	3	0	1	3	51	11
ARMÉE	1	5	11	0	1	2	0	5	18	7	0	8	0	0	0	55	9
ARMER	1	4	6	5	4	7	4	3	13	9	2	9	1	0	0	53	11
ARRACHER	1	5	1	5	1	0	5	5	2	0	7	1	1	0	3	76	11
ARRÊT	2	5	1	4	3	0	1	1	2	0	4	1	0	0	0	22	9

	CO	THE	ALE	AND	BRI	BER	BAJ	MIT	IPH	PHE	EST	ATHA	PRO	CHA	CHE	TOTA	RE
ARRÊTER	1	15	19	11	18	9	9	10	18	5	1	5	0	0	0	120	11
ARRIÈRE	0	0	0	1	0	0	0	1	0	0	1	1	0	0	0	2	2
ARRIVER	1	1	0	0	1	0	5	6	7	4	0	0	0	0	0	32	9
ARROSER	2	0	1	3	2	1	0	0	3	0	1	1	0	0	0	5	3
ART	2	0	0	0	2	0	0	0	0	2	0	0	1	0	1	5	3
ARTIFICE	2	0	1	3	2	0	5	2	5	3	4	6	1	0	0	26	9
ASILE	1	1	2	0	0	0	0	2	3	2	2	0	0	0	0	13	6
ASPECT	2	0	1	3	2	0	2	3	3	2	1	4	0	0	0	20	8
ASPIRER	1	0	1	0	1	0	0	1	2	2	2	1	0	0	0	14	7
ASSASSIN	23	1	0	4	2	0	2	1	0	0	0	6	0	1	0	14	4
ASSASSINAT	2	0	0	1	1	0	0	1	0	0	0	0	0	0	0	5	5
ASSASSINER	1	1	1	3	2	0	2	0	0	2	1	4	0	0	0	8	6
ASSAUT	2	1	0	0	1	0	1	1	1	0	1	1	0	0	0	6	6
ASSEMBLAGE	2	0	0	0	0	0	0	0	0	0	0	0	0	0	1	1	11
ASSEMBLÉE	2	0	2	0	5	3	4	1	7	0	3	5	0	2	0	35	10
ASSEMBLER	1	0	0	0	1	1	0	1	0	0	0	4	0	0	0	15	6
ASSEOIR	1	0	2	2	1	1	3	1	1	0	0	2	0	0	0	15	8
ASSERVIR	0	4	3	3	7	0	6	1	9	0	3	4	0	0	1	102	11
ASSEZ	3	0	9	1	2	0	0	0	2	0	0	0	0	0	0	7	4
ASSIDU	1	0	0	7	1	0	0	0	0	0	0	1	0	0	1	9	6
ASSIÉGER	2	0	1	0	0	0	2	0	0	0	0	0	0	0	0	1	11
ASSIETTE	1	0	3	1	0	0	1	0	0	0	0	1	3	0	0	4	3
ASSOCIER	1	1	3	1	0	0	0	0	0	0	0	1	0	0	0	2	2
ASSOUVIR	1	0	0	0	0	0	0	0	0	0	0	1	0	0	0	1	4
ASSUJETTIR	1	1	1	0	0	0	4	0	0	4	0	3	0	0	0	4	4
ASSURANCE	2	0	0	0	1	0	0	0	0	0	0	0	0	0	0	1	11
ASSURER	2	4	0	0	2	6	16	16	7	4	5	6	0	0	2	92	11
ASTRE	2	0	0	0	0	0	0	1	0	1	2	2	0	0	1	7	7
ATOUR	2	0	1	1	0	0	0	0	0	0	1	0	0	0	0	1	1
ATTACHE	2	0	0	0	1	0	0	3	0	0	0	1	0	0	0	1	1
ATTACHEMENT	1	2	0	1	2	7	4	9	7	6	3	3	0	0	0	50	11
ATTACHER	2	0	0	1	0	0	0	0	0	3	0	0	0	0	0	2	1
ATTAQUE	1	2	13	1	1	7	0	4	1	3	1	4	0	0	0	30	8
ATTAQUER	2	3	0	1	0	0	0	0	0	2	0	0	0	0	0	6	5
ATTEINDRE	1	1	2	1	1	0	0	1	0	0	1	1	0	0	0	6	5
ATTEINTE	1	0	0	0	1	0	0	0	32	7	0	1	0	0	0	244	11
ATTENDRE	1	18	28	27	21	39	20	31	4	1	3	2	0	0	2	12	7
ATTENDRIR	1	3	0	0	6	1	1	1	0	1	0	1	0	0	0	15	7
ATTENTAT	2	1	0	1	0	0	1	1	1	1	0	0	0	0	1	5	5
ATTENTE	2	1	1	0	2	1	2	0	0	2	1	1	0	0	0	4	3
ATTENTER	2	1	0	0	0	1	1	1	1	2	0	0	0	0	0	7	5
ATTENTIF	3	0	0	2	0	1	0	0	0	2	1	1	0	0	0	5	5
ATTESTER	1	0	0	0	1	3	1	1	2	2	2	1	0	0	1	15	9

	CO	THE	ALE	AND	BRI	BER	BAJ	MIT	IPH	PHE	EST	ATHA	PRO	CHA	CHE	TOTA	RE
ATTIRER	1	2	2	4	2	3	1	6	1	3	2	5	0	1	0	31	11
ATTISER	1	0	0	0	3	0	0	0	1	0	0	0	0	0	0	1	1
ATTRAIT	2	1	3	5	0	1	5	1	1	0	3	1	0	1	1	21	9
ATTRIBUER	1	0	0	0	0	0	0	0	0	0	0	0	0	0	0	1	1
AUBE	2	0	0	0	0	0	1	0	0	0	0	1	0	0	0	1	1
AUCUN	2	2	0	0	6	0	0	3	2	1	0	1	0	0	0	21	9
AUDACE	23	1	4	3	6	1	2	2	3	4	4	7	0	0	1	43	11
AUDACIEUX	2	1	3	0	0	1	5	6	0	2	6	1	0	0	2	13	5
AUDIENCE	1	0	0	0	1	0	0	3	0	0	0	0	0	0	0	1	1
AUGMENTER	2	0	0	0	0	0	0	0	0	2	0	0	0	0	0	3	2
AUGURE	1	0	0	0	1	0	0	1	0	0	0	0	0	0	0	1	1
AUGURER	1	0	0	0	0	0	0	0	0	0	0	0	0	0	0	1	1
AUGUSTE AJ	3	0	1	0	2	1	2	0	1	2	3	4	1	1	1	17	8
AUJOURD-HUI	0	8	13	10	5	6	9	7	2	8	8	13	1	1	1	92	11
AUPARAVANT	0	0	0	0	0	0	0	0	5	0	0	0	1	4	0	1	1
AUPRÈS	0	2	2	1	0	1	0	1	1	2	4	3	3	0	3	18	9
AURORE	2	0	0	0	0	0	0	3	1	0	3	0	0	0	3	7	3
AUSPICES	2	0	0	0	2	0	0	1	2	1	0	0	1	0	2	4	3
AUSSI	0	16	8	7	5	4	8	5	0	2	3	7	0	0	0	73	11
AUSSITÔT	3	4	0	3	1	1	0	3	8	1	2	1	0	0	0	16	8
AUSTÈRE	3	0	0	0	1	2	0	0	0	3	1	0	0	0	0	10	7
AUSTÉRITÉ	2	0	0	0	0	0	0	0	1	0	1	1	0	0	0	2	2
AUTANT	0	4	9	9	8	1	5	7	0	2	2	5	1	0	1	60	11
AUTEL	2	4	3	10	4	6	0	9	3	5	2	24	0	0	0	93	8
AUTEUR	2	2	0	2	2	0	0	1	36	2	1	2	0	0	0	20	8
AUTORISER	1	0	3	0	0	0	3	2	6	0	0	0	0	0	1	9	5
AUTORITÉ	2	0	0	0	2	0	0	2	1	1	1	1	0	0	0	6	4
AUTOUR	0	0	4	5	3	4	4	1	1	2	0	0	0	0	1	22	9
AUTRE	30	33	22	24	25	22	34	30	2	20	13	22	0	3	3	254	11
AUTREFOIS	3	0	2	2	1	4	1	3	19	3	5	5	0	0	0	27	10
AUTREMENT	0	0	0	0	0	0	0	0	3	0	0	0	0	0	2	1	1
AUTRUI	2	0	0	0	0	0	0	0	1	0	2	0	0	0	0	2	1
AVANCE	1	1	0	0	1	1	2	0	0	1	0	1	0	0	0	8	7
AVANCER	0	6	6	2	2	2	1	4	1	2	2	7	0	0	0	32	10
AVANT	3	0	7	7	4	5	7	6	4	6	3	9	0	0	0	62	11
AVANT-COUREUR	0	2	0	0	0	0	0	0	6	0	0	0	0	0	0	1	1
AVANTAGE	2	3	3	1	1	0	0	5	0	1	1	1	0	0	0	13	6
AVARE	3	1	1	0	0	0	0	0	0	2	0	0	0	0	0	6	5
AVEC	0	23	28	35	33	40	35	36	1	25	27	33	3	3	4	345	11
AVENIR V	1	0	0	0	0	0	0	1	30	0	0	0	0	3	0	11	1
AVENIR SM	2	0	1	0	2	2	1	0	0	1	1	1	0	1	0	1	1
AVENTURE	2	0	0	0	1	0	0	0	0	2	0	0	0	0	0	8	8
AVERSION	2	0	0	0	0	0	0	0	0	1	1	0	0	0	0	2	2

	CO	THE	ALE	AND	BRI	BER	BAJ	MIT	IPH	PHE	EST	ATHA	PRO	CHA	CHE	TOTA	RE
AVERTIR	1	3	0	0	3	0	4	0	5	3	0	0	0	0	0	20	6
AVEU	2	0	1	1	1	2	1	4	0	4	0	0	0	0	0	17	7
AVEUGLE	23	0	2	2	2	5	4	4	3	0	2	4	0	1	0	21	9
AVEUGLEMENT	2	1	1	1	1	1	1	1	1	0	1	0	0	0	0	5	5
AVEUGLER	1	0	2	1	1	0	1	0	1	2	1	1	0	0	1	8	6
AVIDE	3	1	0	0	0	1	0	3	0	0	1	0	0	0	0	5	5
AVIDEMENT	3	0	0	0	0	0	0	0	0	1	1	0	0	0	0	3	2
AVILIR	1	0	0	0	1	1	0	2	0	0	0	0	0	0	0	3	1
AVIS	2	0	0	0	1	0	0	2	3	4	6	6	0	0	0	22	6
AVOIR	206		192	263	266	228	327	248	239	304	135	223	4	15	37	2631	11
AVOUER	1	3	11	5	9	6	3	3	4	7	2	2	0	0	0	55	11
BAIGNER	1	2	1	1	1	2	0	1	1	1	0	3	0	0	0	12	8
BAISER	1	0	0	0	0	0	0	0	0	0	3	1	0	0	0	5	3
BAISSER	1	0	1	0	2	2	0	0	1	1	1	1	0	0	0	4	4
BALANCE	2	0	0	0	0	1	1	0	1	0	2	0	0	0	0	8	5
BALANCER	1	0	1	0	2	0	0	0	2	2	0	1	0	0	0	15	8
BANDEAU	2	0	0	0	0	0	1	4	4	4	1	5	0	0	3	16	5
BANNIR	1	0	0	0	8	1	0	6	1	0	0	2	0	0	0	24	8
BANNISSEMENT	2	0	3	1	1	1	1	3	0	3	7	0	0	2	3	2	2
BARBARE	23	5	1	4	1	2	3	1	1	3	0	2	0	0	0	43	10
BARBARIE	2	0	1	0	0	0	0	1	1	0	1	0	0	2	0	6	6
BARRIÈRE	2	0	2	0	0	0	0	1	0	0	2	1	0	0	0	7	6
BAS AJ AV	3	3	1	0	1	0	1	0	1	3	0	0	0	0	3	13	9
BASSESSE	2	0	2	0	1	0	0	0	1	0	7	1	0	2	0	2	3
BATAILLE	2	4	0	0	0	0	0	1	0	0	0	0	0	0	0	8	2
BATAILLON	1	0	3	0	0	0	0	0	0	0	2	3	0	0	1	2	2
BÂTIR	1	0	0	0	0	0	1	0	9	0	0	0	0	1	1	3	2
BATTRE	3	0	0	1	0	0	0	7	0	0	5	0	0	0	0	2	2
BEAU	3	16	22	6	8	8	6	0	2	7	3	3	0	4	3	94	11
BEAU-PÈRE	2	2	0	0	3	0	1	3	0	0	0	0	0	0	0	2	1
BEAUCOUP	2	6	2	6	3	1	2	0	2	1	2	0	0	0	1	15	6
BEAUTÉ	2	1	3	0	0	5	0	3	2	0	0	0	0	1	0	26	10
BÉLIER	2	0	3	0	1	1	1	0	0	1	5	4	0	0	0	1	1
BÉNIR	2	1	3	0	3	0	0	9	0	0	3	0	0	1	0	12	5
BERCEAU	2	0	0	0	0	0	0	0	0	0	0	0	0	0	0	4	3
BESOIN	2	1	0	1	1	1	1	3	1	2	2	2	0	3	2	14	7
BIEN AV	3	49	47	51	23	36	27	26	16	16	6	15	0	3	0	312	11
BIEN SM	2	0	4	6	0	0	2	5	1	1	3	1	0	4	2	28	11
BIENFAIT	2	2	1	0	5	4	8	1	2	1	9	1	0	1	0	42	9
BIENHEUREUX	23	0	1	8	1	7	1	2	0	1	1	1	0	0	0	8	9
BIENTÔT	2	9	15	0	2	1	1	6	1	4	2	8	0	1	0	96	6
BILLET	3	0	0	0	0	0	1	0	4	0	0	0	0	0	0	3	11
BIZARRE	3	0	0	1	0	0	1	0	2	0	0	2	0	0	0	3	2

	CO	THE	ALE	AND	BRI	BER	HAJ	MIT	IPH	PHE	EST	ATHA	PRO	CHA	CHE	TOTA	RE
BLÂMER	1	0	2	0	0	1	0	0	1	0	0	0	0	0	0	4	3
BLANC	3	0	0	0	0	0	0	1	0	0	0	0	0	0	0	1	1
BLANCHIR	1	0	0	0	0	0	0	0	0	0	0	1	0	0	0	1	1
BLANCHISSANT	3	0	0	0	0	0	0	0	2	0	0	0	0	0	0	2	1
BLASPHÈME	2	0	0	0	0	0	0	0	0	0	0	1	0	0	0	1	1
BLASPHÉMER	1	1	0	0	0	0	0	0	0	0	0	0	0	0	0	1	2
BLESSER	1	0	2	1	3	4	0	0	3	4	1	6	0	1	1	7	8
BLESSURE	2	1	1	1	0	0	0	0	0	2	0	1	0	0	0	19	3
BOIRE	1	0	0	0	0	0	0	0	0	1	1	1	0	0	1	4	3
BOIS	2	0	1	0	0	0	0	0	1	1	1	1	0	1	0	3	3
BON AJ AV	23	2	9	0	0	0	0	5	4	1	3	3	0	2	2	10	5
BONDISSANT	3	0	6	0	0	0	0	8	0	1	0	0	0	0	0	10	10
BONHEUR	2	2	4	7	11	4	7	2	1	1	6	2	0	1	1	67	11
BONTÉ	2	1	0	1	13	6	12	0	4	1	2	9	0	7	3	73	10
BORD	2	0	3	1	1	1	0	1	4	3	1	2	0	0	1	31	4
BORNE	1	4	0	0	0	0	0	0	6	2	2	0	0	0	0	6	6
BORNER	2	0	0	0	0	1	0	0	1	4	1	0	0	0	0	14	1
BOUC	2	1	0	5	3	0	1	0	0	0	0	6	1	0	0	1	9
BOUCHE	2	0	0	0	9	0	1	0	5	6	0	1	0	1	4	55	19
BOUCLIER	2	0	2	0	0	0	0	0	0	0	3	0	0	0	0	1	1
BOUILLANT	3	1	0	0	1	0	0	0	0	1	0	0	2	1	0	2	1
BOUILLON	2	0	1	1	6	0	0	1	3	1	0	1	0	2	0	7	4
BOURREAU	2	1	0	1	0	0	0	0	1	1	0	2	0	0	0	7	4
BOUT	2	2	4	1	2	0	2	0	9	13	3	4	2	3	3	28	11
BRAS	23	16	22	1	0	0	7	8	10	0	8	14	0	2	2	125	11
BRAVE	1	1	1	1	0	0	5	0	4	3	0	5	0	0	0	15	9
BRAVER	2	0	3	0	0	0	6	1	0	0	3	0	0	0	1	25	7
BREUVAGE	2	0	0	0	0	0	0	0	0	3	1	0	0	0	0	1	1
BRIDE	2	0	0	0	1	0	0	1	0	0	1	1	0	0	0	3	2
BRIGAND	2	1	0	2	2	0	0	0	1	2	0	0	0	1	0	8	6
BRIGUE	1	0	3	0	0	0	2	0	0	0	2	1	0	0	0	10	6
BRIGUER	3	1	2	1	3	0	1	1	1	1	1	0	0	0	0	4	4
BRILLANT AJ	1	2	0	0	0	0	0	0	0	0	1	1	0	0	0	19	8
BRILLER	1	1	2	1	0	0	0	1	0	3	3	1	0	0	0	15	6
BRISER	1	0	5	0	6	0	0	0	6	0	0	3	0	1	1	1	1
BROUILLER	2	1	1	0	0	4	0	2	2	1	4	0	1	0	0	9	10
BRUIT	3	0	10	0	1	3	7	0	9	1	0	7	0	2	2	69	2
BRÛLANT	1	1	1	0	1	0	2	5	7	1	4	0	0	0	0	3	10
BRÛLER	1	2	8	4	0	3	1	0	0	11	0	3	0	1	0	45	2
BRUTAL	3	0	0	0	0	1	0	0	0	1	0	1	0	0	0	1	3
BÛCHER	2	0	3	0	0	0	0	0	0	0	1	0	0	0	0	8	2
BUT	2	0	0	0	0	1	0	0	1	1	1	0	0	0	0	2	1
BUTTE	2	0	0	0	0	0	0	0	1	0	0	0	0	0	0	1	1

	CO	THE	ALE	AND	BRI	BER	BAJ	MIT	IPH	PHE	EST	ATHA	PRO	CHA	CHE	TOTA	RE
CABALE	2	0	0	0	0	0	0	0	0	0	1	0	0	0	0	1	1
CABINET	2	0	0	0	0	1	0	0	0	0	0	0	0	0	0	1	1
CACHER	1	5	5	9	14	7	11	12	17	22	13	14	0	1	2	129	11
CACHOT	2	0	0	0	0	0	0	0	0	0	0	1	0	0	0	1	1
CALME AJ	3	0	0	0	0	0	0	0	0	0	1	0	0	0	0	17	1
CALME SM	2	1	5	2	3	0	2	0	1	0	2	4	0	0	1	18	7
CALMER	1	3	0	1	3	1	1	1	0	1	4	2	0	0	2	2	10
CALOMNIE	2	0	0	0	0	0	0	0	0	0	0	0	0	0	1	59	1
CAMP	2	7	11	0	2	1	6	5	19	0	2	7	0	0	1	7	9
CAMPAGNE	2	1	1	1	0	0	0	1	1	1	1	0	0	0	1	4	7
CANTIQUE	2	0	1	0	0	0	0	0	0	0	1	2	0	0	1	7	2
CAPABLE	3	1	0	0	2	1	0	1	0	1	0	2	0	1	2	13	5
CAPRICE	1	2	0	0	3	2	3	0	0	2	5	1	0	0	0	37	7
CAPTIF	23	0	8	7	0	1	2	1	6	0	0	1	0	0	0	2	10
CAPTIVER	1	1	2	0	2	2	0	0	0	4	2	0	0	1	3	21	2
CAPTIVITÉ	2	0	0	0	0	0	0	0	0	0	0	0	0	0	0	1	1
CAR	2	1	2	2	2	5	4	2	2	0	0	0	0	1	1	4	9
CARACTÈRE	3	0	0	0	0	0	0	0	0	1	0	0	0	0	0	6	1
CARESSANT	3	0	0	0	0	0	0	0	1	1	0	0	0	0	0	11	1
CARESSE	2	0	0	0	2	0	1	1	1	0	0	1	0	0	0	7	3
CARESSER	1	0	0	0	0	0	1	4	0	0	4	5	0	0	0	16	5
CARNAGE	2	2	1	1	1	0	0	0	1	0	0	1	0	0	0	12	4
CARRIÈRE	2	1	0	0	0	0	0	0	0	1	1	2	0	0	1	6	6
CAUSE SF	1	2	2	1	1	0	2	1	1	2	1	0	0	0	0	16	9
CAUSER 2	2	1	1	0	0	0	0	0	0	3	0	0	0	0	0	7	6
CAVERNE	2	0	3	0	1	0	0	1	3	1	3	0	1	0	0	12	1
CE AJ	0	197	135	107	164	192	180	196	201	134	163	252	12	31	26	1921	11
CE PRON	0	112	80	105	92	59	90	90	93	56	48	76	10	10	11	901	11
CÉDER	1	8	6	1	4	6	2	8	9	7	2	1	0	1	0	51	11
CÈDRE	2	0	0	0	0	0	0	0	0	0	0	0	0	0	2	3	1
CEINDRE	3	2	0	1	0	0	0	0	1	0	0	2	0	1	0	4	2
CELA	1	0	0	6	0	2	2	1	0	0	1	0	3	0	0	13	3
CÉLÈBRE	3	0	0	0	0	0	0	0	0	0	4	1	0	0	0	2	5
CÉLÉBRER	1	0	0	0	0	0	1	0	0	0	0	2	0	0	3	8	2
CÉLER	1	0	0	0	0	1	2	2	1	1	0	1	0	0	0	7	4
CÉLESTE	3	4	6	9	1	0	0	1	3	2	7	0	0	0	4	7	5
CELUI	3	11	3	7	11	1	4	4	2	3	3	6	1	1	0	55	3
CENDRE	2	0	0	0	0	0	0	4	0	1	0	3	0	0	0	24	11
CENSEUR	2	1	7	7	2	9	1	0	1	0	4	0	0	0	2	2	8
CENT	6	0	4	9	8	6	15	8	6	1	5	8	1	0	0	40	1
CEPENDANT	2	2	0	0	0	0	1	0	0	5	0	0	0	1	0	79	10
CERCUEIL	2	5	0	0	0	0	0	0	0	0	0	0	0	0	0	1	11
CÉRÉMONIE	2	0	0	0	0	0	0	0	1	0	0	1	0	0	0	2	2

	CO	THE	ALE	AND	BRI	BER	BAJ	MIT	IPH	PHE	EST	ATHA	PRO	CHA	CHE	TOTA	RE
CERTAIN	3	0	3	3	2	2	4	5	1	3	3	0	0	0	0	26	9
CERTES	0	0	1	0	0	0	0	0	0	1	0	0	0	0	0	2	2
CESSE	2	0	3	3	4	8	4	0	3	1	1	1	0	2	0	28	9
CESSER	1	0	1	1	4	2	0	6	4	9	1	7	0	1	0	41	10
CHACUN	0	6	0	2	5	2	0	2	4	1	1	2	0	2	0	21	8
CHAGRIN SM	2	7	0	2	5	2	6	0	1	4	4	2	0	0	0	28	9
CHAGRINER	1	2	0	0	0	0	1	0	1	1	0	0	0	0	0	1	1
CHAÎNE	2	0	5	3	0	0	0	0	0	1	0	0	0	0	0	14	6
CHAIR	2	2	0	0	0	0	0	0	0	0	0	0	1	0	0	3	1
CHAIRE	2	0	0	0	0	2	1	0	0	1	1	3	0	1	0	12	7
CHALEUR	2	0	4	0	1	0	0	0	0	0	2	1	0	0	0	6	5
CHAMBRE	2	2	0	1	2	1	3	0	7	2	4	4	0	0	1	31	9
CHAMP	3	3	6	0	0	0	0	0	0	0	0	1	0	0	0	1	1
CHANCELANT	1	0	0	1	0	0	0	0	0	0	0	0	0	0	0	3	3
CHANCELER	1	0	0	0	0	1	1	1	1	1	1	0	0	1	0	3	3
CHANGEMENT	2	2	0	1	2	4	3	0	8	2	2	0	0	2	1	16	5
CHANGER	1	5	0	0	6	6	0	0	0	0	6	7	0	7	3	38	10
CHANT	2	0	0	1	0	0	4	1	0	0	1	0	0	0	0	3	3
CHANTER	1	0	0	0	0	0	1	0	0	0	0	0	0	0	0	16	2
CHAQUE	0	2	0	0	1	2	0	0	0	2	2	10	0	0	0	19	9
CHAR	2	0	1	1	2	0	0	0	1	0	0	0	0	2	2	10	6
CHARGER	1	1	4	6	12	2	6	1	8	5	5	5	0	3	0	52	10
CHARMANT	3	0	7	2	5	2	0	7	0	0	3	3	0	1	2	26	8
CHARME	2	6	3	2	4	1	4	0	2	2	2	2	0	0	3	57	10
CHARMER	1	1	1	0	1	2	1	3	1	5	4	1	0	0	0	16	10
CHASSER	3	7	0	1	0	5	0	0	0	1	2	0	0	0	0	22	7
CHASTE	1	0	0	0	1	4	0	1	0	0	6	0	0	0	0	6	2
CHÂTIER	2	1	0	0	0	1	0	0	0	0	1	0	0	7	0	1	1
CHÂTIMENT	1	0	1	1	0	0	0	0	0	2	0	0	0	0	4	5	4
CHATOUILLER	2	0	1	0	0	0	0	0	1	0	2	2	0	0	0	1	1
CHEF	2	1	1	4	2	2	4	3	6	2	4	5	1	3	3	22	8
CHEMIN	3	1	5	16	5	3	7	8	10	5	16	24	1	4	4	53	11
CHER	1	22	37	16	15	15	18	11	7	21	16	17	1	7	3	164	11
CHERCHER	1	13	0	28	20	20	18	23	25	27	17	0	1	3	3	238	11
CHÉRIR	1	1	0	1	0	0	2	2	4	0	4	1	0	0	0	20	7
CHÉRUBIN	2	5	0	0	0	0	0	0	0	0	0	0	0	0	0	1	1
CHEVAL	2	0	0	0	0	0	0	0	0	3	0	1	0	0	0	4	2
CHEVEU	2	0	0	3	1	6	1	3	1	3	1	0	0	0	0	6	4
CHEZ	2	1	3	3	0	0	0	0	0	0	1	1	0	0	0	31	11
CHIEN	2	0	0	0	0	0	0	0	0	0	0	0	0	0	0	3	1
CHIMÈRE	2	3	0	0	0	0	0	0	0	0	1	0	0	0	0	3	1
CHOC	2	1	3	0	0	0	0	0	0	0	0	0	0	0	0	1	1
CHOISIR	1	5	3	1	10	3	5	5	3	2	4	3	0	0	1	44	11

	CO	THE	ALE	AND	BRI	BER	BAJ	MIT	IPH	PHE	EST	ATHA	PRO	CHA	CHE	TOTA	RE
CHOIX	2	3	5	3	10	6	1	8	3	2	2	0	0	0	0	43	10
CHOSE	2	4	0	1	0	0	0	0	0	0	1	0	0	0	0	6	3
CHUTE	2	3	2	3	3	0	1	1	0	0	3	1	0	0	0	14	7
CIEL	2	33	7	20	20	28	30	23	37	28	42	34	1	7	17	289	11
CILICE	6	0	0	0	0	0	0	0	0	0	1	0	0	0	0	7	1
CINQ	2	0	3	0	0	7	0	0	0	0	1	0	0	0	0	6	2
CITE	1	0	0	0	0	0	0	0	0	0	1	0	0	4	0	6	1
CITER	2	0	0	0	0	1	0	0	1	0	0	5	0	0	0	11	1
CITOYEN	2	0	0	0	0	0	0	0	0	1	0	0	0	0	0	2	2
CLAIR	3	8	0	0	0	0	0	0	1	1	0	1	0	0	0	17	1
CLANDESTIN	3	0	0	0	1	0	0	0	1	0	0	0	0	0	0	7	5
CLARTÉ	2	0	0	1	0	0	0	0	1	1	1	1	0	3	0	7	1
CLÉMENCE	2	0	1	0	1	0	0	0	0	0	2	3	0	0	0	2	2
CLIMAT	2	0	0	0	0	0	0	2	0	1	0	0	0	4	0	8	5
CŒUR	2	35	74	61	52	68	57	49	34	44	34	25	4	4	9	533	11
COHORTE	2	0	3	0	0	0	1	1	0	0	3	2	0	0	2	3	3
COIN	2	0	0	2	7	3	6	6	6	8	4	1	0	0	0	80	2
COLÈRE	2	12	7	12	0	0	0	0	0	0	0	9	3	3	2	80	11
COLOMBE	2	0	1	1	1	3	6	0	6	0	4	7	0	0	0	2	11
COLONNE	2	0	0	0	9	0	0	0	0	1	2	0	1	0	0	2	2
COLORER	1	0	1	0	0	0	0	0	0	0	0	0	0	0	0	4	4
COMBAT	2	21	19	3	0	6	7	6	3	2	2	4	0	0	2	72	10
COMBATTANT	2	1	0	0	1	2	0	0	0	0	3	0	3	1	0	1	1
COMBATTRE	1	1	18	6	9	6	3	5	8	3	7	5	1	4	2	55	11
COMBIEN	0	1	3	6	1	6	8	7	6	4	5	6	0	1	0	61	11
COMBLE	2	2	1	3	0	1	4	4	3	2	2	5	0	0	0	22	9
COMBLER	1	0	1	0	0	1	0	0	5	2	3	0	0	0	1	14	6
COMMANDEMENT	2	1	0	0	1	4	0	0	0	0	0	0	0	1	0	1	1
COMMANDER	1	3	0	5	1	7	3	6	7	2	4	6	1	3	2	42	11
COMME	0	21	15	11	12	7	12	8	8	12	19	27	1	2	8	152	11
COMMENCER	1	9	3	3	10	1	4	4	3	5	5	6	0	0	1	54	11
COMMENT	0	0	1	4	0	2	3	6	1	4	2	6	0	3	2	28	9
COMMERCE	2	0	0	3	0	6	0	0	0	0	0	0	0	0	0	9	1
COMMETTRE	1	7	0	1	1	2	2	6	2	1	1	3	0	0	1	21	8
COMMUN AJ	3	8	3	2	4	0	5	0	0	4	5	0	1	0	0	38	10
COMPAGNE	2	0	0	0	6	2	0	1	1	1	0	0	0	0	0	7	3
COMPAGNON	2	0	1	0	0	0	0	0	0	1	1	0	1	0	0	3	3
COMPARABLE	3	0	0	1	0	0	0	0	0	0	1	0	0	1	0	1	1
COMPARER	1	0	0	0	0	1	0	0	1	1	1	0	0	0	0	2	2
COMPAROÎTRE	1	0	0	0	2	0	0	0	0	0	0	0	0	0	3	2	2
COMPATIR	1	1	0	0	0	1	0	1	1	0	0	0	0	0	0	1	1
COMPLAIRE	1	0	1	0	0	0	0	0	1	0	0	0	0	0	0	6	4
COMPLAISANCE	2	0	0	0	2	2	4	3	1	1	0	2	0	0	0	13	6

	CO	THE	ALE	AND	BRI	BER	BAJ	MIT	IPH	PHE	EST	ATHA	PRO	CHA	CHE	TOTA	RE
COMPLAISANT	3	0	0	0	0	0	0	0	1	0	0	0	0	0	0	1	1
COMPLICE	23	1	1	1	1	0	2	1	3	0	0	1	0	0	0	7	6
COMPLOT	2	0	2	1	2	0	1	1	1	2	2	5	0	0	0	15	8
COMPOSER	1	0	0	0	0	0	0	0	0	0	0	1	0	0	0	1	1
COMPRENDRE	1	1	0	0	1	1	0	2	2	0	0	2	0	0	0	7	5
COMPTE	2	0	0	1	0	2	3	4	1	0	0	1	0	0	0	11	8
COMPTER	1	1	5	5	5	0	0	0	1	2	1	0	0	0	0	34	9
CONCERT	2	0	0	0	0	0	4	4	1	0	0	1	0	0	0	1	1
CONCEVOIR	1	0	3	3	6	0	0	0	1	2	0	0	0	0	0	21	7
CONCLURE	1	0	1	1	0	0	0	0	1	0	0	0	0	0	0	3	3
CONCOURS	2	1	0	0	0	0	0	0	1	0	0	0	0	0	0	3	1
CONCURRENT	23	0	0	0	0	0	0	0	1	0	0	1	0	0	0	1	2
CONDAMNABLE	3	1	0	8	7	3	0	4	0	5	1	3	0	0	1	59	11
CONDAMNER	1	0	0	0	1	0	1	1	9	0	3	1	0	0	0	4	4
CONDITION	2	4	3	8	6	2	7	4	0	5	7	5	0	0	1	72	11
CONDUIRE	1	1	0	0	0	3	2	1	0	5	2	2	0	0	0	22	10
CONDUITE	2	3	0	0	1	0	3	4	1	1	1	0	0	0	1	14	8
CONFESSER	1	0	0	0	2	2	3	1	0	1	1	1	0	0	0	8	5
CONFIANCE	2	1	0	0	2	3	2	1	1	0	0	0	0	0	0	8	3
CONFIDENCE	2	0	0	0	2	1	0	0	0	3	0	4	0	0	0	4	3
CONFIDENT	1	0	0	2	8	1	4	3	1	0	3	2	0	0	0	33	10
CONFIER	1	0	1	0	0	1	0	5	0	4	0	3	0	0	1	10	4
CONFINER	1	0	4	1	1	1	0	3	1	0	0	1	0	0	0	16	8
CONFIRMER	1	0	0	0	0	0	6	4	0	1	6	1	0	0	1	36	10
CONFONDRE	1	1	0	1	0	0	0	3	1	3	1	1	0	0	0	5	4
CONFORME	3	0	2	2	0	0	0	0	0	0	0	1	0	0	0	2	2
CONFORMER	1	1	0	1	0	1	2	0	1	2	1	2	0	0	0	14	9
CONFUS	3	0	0	0	0	0	0	0	0	0	0	1	0	0	3	7	6
CONFUSION	2	0	0	0	0	0	0	0	0	0	0	0	0	0	3	2	2
CONGÉDIER	1	1	3	1	0	1	2	2	1	5	1	2	0	0	0	2	2
CONJUGAL	3	0	0	0	1	0	0	0	0	0	0	0	0	0	0	11	8
CONJURER	1	0	1	2	1	1	3	2	1	1	1	1	0	0	3	5	4
CONNOISSANCE	2	0	11	13	12	1	1	5	1	2	3	2	0	0	0	140	11
CONNOÎTRE	10	0	20	11	3	0	0	15	11	17	8	13	1	0	3	5	3
CONQUÉRANT	2	0	7	1	0	0	0	1	0	0	0	0	0	0	0	11	5
CONQUÉRIR	1	0	1	1	0	1	3	1	1	0	0	0	0	0	0	5	5
CONQUÊTE	2	0	6	6	6	2	6	2	7	5	0	7	0	0	0	29	5
CONSACRER	2	5	3	0	1	0	5	3	0	0	0	5	0	1	3	12	10
CONSEIL	2	0	8	6	6	2	2	1	5	5	1	0	0	0	0	54	1
CONSENTEMENT	1	1	2	0	0	0	0	1	0	0	0	0	0	0	0	1	1
CONSENTIR	1	3	4	11	7	3	2	0	5	3	1	7	0	0	3	41	9
CONSERVER	1	5	1	3	3	1	3	7	5	2	2	5	0	1	0	31	11
CONSIDÉRER	1	3	0	1	0	0	0	0	2	0	0	8	0	0	0	6	3

	CO	THE	ALE	AND	BRI	HER	BAJ	MIT	IPH	PHE	EST	ATHA	PRO	CHA	CHE	TOTA	RE
CONSOLER	1	4	2	1	2	5	2	3	3	1	0	1	0	1	0	22	10
CONSPIRER	1	1	1	2	1	1	2	1	0	1	1	0	0	0	0	11	9
CONSTANCE	2	1	0	3	1	6	1	1	1	0	0	0	0	0	0	14	7
CONSTANT	3	2	2	0	0	5	1	0	0	0	0	1	0	0	0	10	4
CONSTERNER	1	0	0	0	1	0	1	0	0	0	0	0	0	0	0	3	1
CONSTRUIRE	1	0	0	0	0	0	0	0	0	0	0	1	0	0	0	3	1
CONSUL	2	1	1	0	2	2	0	0	4	0	0	0	0	0	0	4	2
CONSULTER	1	1	2	6	5	2	7	3	4	0	1	2	0	0	1	28	9
CONSUMER	1	0	0	1	2	0	0	0	2	2	1	2	0	0	0	12	7
CONTAGIEUX	3	0	3	0	0	0	0	0	0	0	0	1	0	0	0	6	1
CONTEMPLER	1	0	0	0	0	2	0	0	1	0	1	1	0	0	0	6	5
CONTENIR	1	0	0	0	3	0	1	0	0	1	0	0	0	0	0	2	2
CONTENT	3	1	4	4	3	6	8	5	7	4	2	2	0	0	0	42	10
CONTENTEMENT	2	0	0	0	0	2	0	1	0	1	0	0	0	0	0	1	1
CONTENTER	1	1	3	0	2	3	1	1	1	1	1	3	0	0	1	13	8
CONTER	1	0	0	0	0	1	1	3	2	0	1	2	0	0	0	18	8
CONTINUER	1	3	1	0	2	0	0	0	1	0	0	0	0	0	1	16	4
CONTRAINDRE	1	0	0	1	2	0	0	2	4	1	1	3	0	0	0	10	9
CONTRAINTE	2	3	1	1	2	0	2	1	2	0	0	2	0	0	1	10	7
CONTRAIRE	23	4	3	3	7	3	6	3	3	0	2	0	2	4	3	32	9
CONTRE	0	5	28	14	15	8	15	27	33	19	17	18	2	4	3	199	11
CONTRE-TEMPS	2	0	0	0	0	0	0	0	0	0	0	0	0	0	0	1	11
CONTREDIRE	1	0	2	0	2	0	0	3	2	0	1	0	0	0	0	2	2
CONTRÉE	2	0	0	0	2	0	1	2	1	2	0	1	0	0	0	9	5
CONVAINCRE	1	0	0	0	0	0	0	1	1	0	1	1	0	0	0	9	6
CONVENIR	1	0	1	1	1	0	1	0	0	0	2	0	0	0	0	4	4
CONVIER	2	0	0	0	0	0	0	0	2	1	2	7	0	0	0	5	5
CORNE	1	0	1	0	0	0	0	0	0	0	0	0	0	0	0	1	1
CORPS	1	0	0	0	1	0	1	1	0	0	0	0	0	0	1	15	8
CORRIGER	2	1	0	0	0	0	0	0	0	0	2	0	0	1	0	1	2
CORROMPRE	1	0	1	0	0	0	0	3	0	1	0	1	0	1	0	2	1
CORRUPTEUR	2	0	0	0	0	0	0	0	0	5	2	0	0	1	0	1	1
CÔTÉ SM	2	1	2	3	1	2	0	4	2	0	0	7	0	0	0	25	11
COUCHANT SM	2	0	0	0	0	0	0	0	0	0	0	0	0	0	1	3	2
COUCHE	1	0	0	0	0	0	0	1	0	1	0	0	0	0	0	2	2
COUCHER	1	1	0	0	0	3	0	2	0	0	2	2	0	0	2	2	2
COULER	1	0	2	0	1	0	0	0	0	0	0	0	0	0	0	30	10
COULEUR	2	1	9	5	6	3	1	9	6	2	3	8	0	0	0	11	5
COUP	2	7	1	24	17	10	5	8	16	4	6	3	0	1	0	117	11
COUPABLE	2	3	0	4	4	1	3	3	3	6	4	1	0	1	0	47	11
COUPE	2	0	0	0	3	0	0	0	0	1	1	0	0	0	0	5	3
COUPER	1	0	0	0	0	0	0	3	0	0	0	0	0	0	0	2	2
COUPLE SM	2	0	0	0	0	0	0	0	0	0	1	0	0	0	0	1	1

	CO	THE	ALE	AND	BRI	BER	BAJ	MIT	IPH	PHE	EST	ATHA	PRO	CHA	CHE	TOTA	RE
COUR SF	2	3	1	4	28	14	1	1	0	1	5	2	0	1	0	50	10
COURAGE	2	7	17	5	3	2	1	6	4	0	1	4	0	0	1	50	11
COURAGEUX	3	1	0	0	0	0	1	0	0	0	0	1	0	1	0	3	3
COURBER	1	0	0	1	0	0	0	0	0	1	2	1	0	1	1		2
COURIR	1	15	18	15	11	8	17	23	22	8	7	5	0	2	2	149	11
COURONNE	2	9	3	7	2	5	8	3	0	1	0	1	0	0	0	16	6
COURONNER	1	0	4	3	0	0	0	1	3	0	6	2	1	0	3	47	10
COURROUCER	1	0	1	0	0	0	0	0	0	0	0	0	0	0	0	1	1
COURROUX	2	21	19	23	13	8	5	5	6	7	9	9	0	2	2	119	11
COURS	2	11	5	0	7	0	0	1	2	2	4	4	2	0	2	53	11
COURSE	2	0	0	0	1	0	1	0	3	5	0	0	0	0	0	8	5
COURSIER	2	0	1	0	0	0	0	0	0	1	2	1	0	0	0	7	2
COURT AJ	3	1	0	0	0	1	0	1	0	5	0	0	0	0	0	5	5
COURTISAN	2	1	0	0	0	0	0	0	0	1	2	1	0	1	0	1	1
COUTEAU	2	0	0	0	0	1	0	0	0	0	0	0	0	0	0	9	3
COÛTER	1	5	5	2	4	0	2	3	4	3	7	6	2	1	0	29	10
COUTUME	2	1	1	0	0	1	0	1	3	0	0	0	0	0	0	2	2
COUVERT	2	1	0	0	0	0	0	0	0	0	5	0	0	0	0	2	11
COUVRIR	1	1	4	6	4	1	2	5	19	5	7	6	2	1	5	45	11
CRAINDRE	1	12	19	28	27	18	22	11	15	24	15	21	2	1	5	216	11
CRAINTE	2	3	8	1	8	7	5	2	5	25	7	7	0	3	4	58	11
CRAINTIF	3	0	0	0	1	0	1	1	0	0	0	0	0	0	0	3	3
CRÉANCE	2	0	0	1	1	0	0	0	0	0	0	0	0	0	0	1	1
CRÉATURE	2	0	0	1	2	0	0	0	0	0	2	0	0	0	0	6	4
CRÉDIT	2	0	0	0	0	0	3	1	3	1	3	0	0	0	0	10	5
CRÉDULE	3	0	0	2	0	0	3	0	0	0	0	0	0	0	0	4	2
CRÉDULITÉ	2	0	1	0	0	0	0	0	0	0	1	1	0	0	0	1	1
CREUSER	1	0	0	0	0	2	0	0	0	0	0	1	0	0	0	4	1
CREVER	2	0	0	5	6	1	2	5	6	3	3	5	0	2	0	11	11
CRI	1	3	3	0	0	4	0	0	0	10	1	2	0	0	3	50	5
CRIER	2	3	3	5	6	2	7	10	6	25	8	5	0	0	3	8	11
CRIME	2	31	7	11	17	4	2	8	3	9	4	3	0	0	1	131	11
CRIMINEL	23	8	1	4	3	0	2	0	3	1	0	0	0	0	0	45	10
CRIN	2	1	0	1	0	0	1	0	0	0	1	7	0	1	1	1	1
CROIRE	1	22	37	56	45	35	46	41	34	25	16	17	0	2	1	374	11
CROÎTRE	1	0	2	1	2	0	2	0	3	1	1	0	0	0	0	14	8
CROUPE	2	0	0	0	0	0	0	0	0	1	0	0	0	0	0	1	1
CROYABLE	3	0	0	0	2	0	0	2	0	1	0	0	0	0	0	1	1
CRUAUTÉ	2	0	4	4	8	3	1	2	1	1	5	2	0	0	0	17	9
CRUEL	23	28	23	23	8	23	14	15	27	19	0	11	0	4	1	177	11
CRUELLEMENT	3	1	0	0	0	0	0	0	0	0	1	0	0	0	0	1	1
CULTE	2	0	0	0	1	0	0	0	0	0	2	1	0	0	1	4	1
CULTIVER	1	0	0	0	0	0	0	0	0	1	0	2	0	0	0	3	3

	CO	THE	ALE	AND	BRI	BER	BAJ	MIT	IPH	PHE	EST	ATHA	PRO	CHA	CHE	TOTA	RE
CURIEUX	3	0	0	0	0	0	0	0	0	0	1	0	0	0	0	4	3
CURIOSITÉ	2	0	0	0	0	0	0	0	0	1	0	0	0	0	0	1	11
DAIGNER	2	1	1	3	2	2	9	6	0	5	3	7	3	2	1	54	9
DANGER	3	2	2	2	3	0	2	3	2	2	0	1	0	1	0	17	7
DANGEREUX	0	0	0	1	0	0	0	0	2	2	0	1	0	1	0	15	11
DANS	49	59	71	96	74	82	80	92	90	82	109	0	0	0	0	884	3
DARD	0	3	1	1	0	0	0	0	0	1	0	0	0	0	0	4	7
DAVANTAGE	2	0	1	1	0	0	4	1	2	1	0	0	0	0	0	13	11
DE	620	719	699	791	623	722	727	798	721	631	939	0	36	142	162	7990	11
DÉBARRASSER	0	0	0	1	0	0	0	0	0	0	0	0	0	0	0	1	1
DÉBATTRE	1	0	0	0	0	0	0	0	0	0	0	0	0	0	0	1	1
DÉBORDER	1	0	0	0	0	0	0	0	0	0	0	1	0	0	0	1	1
DEBOUT	3	0	0	0	0	0	0	0	0	0	0	0	0	0	0	3	9
DÉBRIS	2	0	1	0	1	1	2	3	0	1	1	3	0	0	0	12	3
DÉCELER	1	0	0	0	0	0	1	0	0	1	0	0	0	0	0	3	7
DÉCEVANT	3	0	0	0	0	0	0	0	0	0	0	0	0	0	0	1	1
DÉCEVOIR	1	3	0	0	1	1	2	2	0	1	3	3	0	0	0	8	4
DÉCHIRER	1	0	1	1	0	2	1	0	3	3	0	0	0	0	2	16	1
DÉCHOIR	1	0	0	0	0	0	0	0	0	0	0	0	0	0	0	1	1
DÉCIDER	1	1	0	0	0	0	0	0	0	0	0	0	0	0	0	4	1
DÉCLARER	1	0	3	1	2	9	13	2	3	5	2	5	0	0	0	51	11
DÉCLIN 1	2	0	0	0	0	0	0	0	3	0	0	0	0	0	0	1	1
DÉCLINER	1	0	0	1	0	0	0	0	3	0	0	0	0	0	0	1	1
DÉCOULER	1	0	0	0	0	0	0	0	5	0	3	0	0	0	0	1	10
DÉCOUVRIR	1	0	5	6	2	7	7	3	1	2	1	3	0	0	0	34	8
DÉDAIGNER	1	0	2	0	0	2	2	0	0	0	0	0	0	0	0	19	2
DÉDAIGNEUX	3	0	2	0	0	0	0	0	0	0	0	0	0	0	0	8	4
DEDANS	2	0	0	0	0	0	0	0	0	2	0	0	0	0	0	2	2
DÉDIER	0	1	0	0	0	0	1	1	0	0	0	0	0	1	1	5	1
DÉESSE	1	0	0	0	0	0	0	2	0	1	0	0	0	0	0	2	4
DÉFAILLANT	2	0	0	0	0	0	0	0	0	0	0	0	0	0	0	1	3
DÉFAILLIR	3	0	0	0	0	0	0	0	0	0	0	0	0	0	0	4	11
DÉFAIRE	1	0	0	0	0	0	1	0	0	1	0	0	0	0	0	1	8
DÉFAITE	1	0	0	0	0	0	0	1	0	0	0	0	0	0	0	1	7
DÉFAUT	2	0	5	0	0	0	1	1	0	0	0	1	0	0	0	8	1
DÉFENDRE	2	2	9	6	3	1	0	2	17	8	3	1	0	0	2	3	5
DÉFENSE	1	1	3	4	3	1	4	0	0	3	0	1	0	0	1	80	5
DÉFENSEUR	2	0	5	0	1	0	1	1	1	1	0	2	0	0	2	17	7
DÉFÉRENCE	2	0	0	0	0	0	1	0	0	0	0	0	0	0	0	12	1
DÉFÉRER	2	0	0	0	0	0	0	0	0	0	0	0	0	0	0	1	7
DÉFIANCE	2	0	1	0	1	1	2	2	0	1	0	0	0	0	0	7	1
DÉFIER	1	0	5	1	0	0	2	3	1	0	0	0	0	0	0	8	5

	CO	THE	ALE	AND	BRI	BER	BAJ	MIT	IPH	PHE	EST	ATHA	PRO	CHA	CHE	TOTA	RE
DÉFIGURER	1	0	0	0	0	0	0	0	0	1	0	0	0	0	0	1	1
DÉGAGER	1	0	2	3	1	1	0	0	1	0	0	0	0	0	0	8	5
DÉGÂT	2	1	0	0	0	0	0	0	0	0	0	0	0	0	0	1	1
DÉGOUTTANT	3	0	0	0	0	1	0	0	0	1	0	0	3	0	0	1	1
DEGRÉ	2	0	0	0	2	1	1	0	0	1	1	1	0	0	0	6	5
DÉGUISEMENT	2	0	0	0	0	0	0	2	0	0	0	0	0	0	0	3	2
DÉGUISER	1	0	1	2	2	0	1	1	0	1	1	1	0	0	0	10	7
DEHORS	0	0	4	0	0	0	0	2	0	1	1	1	1	0	1	4	4
DÉJÀ	0	1	4	1	1	0	2	0	0	1	1	3	0	0	3	0	1
DÉLÀ	0	4	11	11	17	10	0	12	26	23	13	28	1	0	2	179	11
DÉLAISSER	1	0	1	1	1	0	1	1	0	1	2	1	0	0	0	7	6
DÉLATEUR	2	0	0	0	1	0	0	0	0	0	0	0	0	0	0	2	2
DÉLIBÉRER	1	0	0	0	0	0	0	0	0	0	0	0	1	0	0	1	1
DÉLICE	2	0	0	0	0	0	0	0	1	0	0	0	3	0	0	4	3
DÉLICIEUX	3	0	0	0	0	1	0	0	0	0	0	1	3	1	0	3	3
DÉLIVRANCE	2	0	1	4	2	0	0	0	0	4	2	0	0	1	1	1	1
DÉLIVRER	1	0	0	1	0	1	0	1	1	0	1	3	0	0	1	13	6
DEMAIN	0	0	0	1	0	0	1	3	0	9	7	4	0	1	0	18	11
DEMANDER	1	11	13	13	9	6	7	12	24	0	0	1	0	1	3	118	6
DÉMARCHE	2	1	0	0	0	0	0	0	0	0	0	0	0	0	2	4	4
DÉMÊLÉS	2	1	0	0	0	1	1	0	2	2	3	2	0	0	0	20	8
DÉMENTIR	1	0	2	2	3	3	2	6	0	3	0	0	0	0	0	5	3
DEMEURE	1	4	6	0	1	1	4	0	0	3	3	2	1	0	1	50	11
DEMEURER	0	2	1	1	1	1	0	2	1	0	2	0	3	1	0	7	5
DEMI	2	0	0	0	0	0	3	1	0	0	0	0	0	0	0	5	4
DÉMON	3	3	0	0	0	0	0	0	0	0	0	0	0	0	0	5	2
DÉNATURÉ AJ	1	2	0	1	0	0	0	1	1	0	1	0	0	0	0	2	1
DÉNIER V	1	0	1	0	1	0	0	0	0	4	0	1	0	0	0	1	1
DÉNOUER	2	1	0	1	0	5	2	2	2	2	0	0	0	1	0	8	4
DÉPART	1	0	0	0	1	0	0	1	1	0	0	0	0	0	0	17	2
DÉPEINDRE	2	0	1	1	0	0	0	0	0	1	1	1	0	0	0	3	1
DÉPENDANCE	1	0	0	0	1	0	0	0	0	0	0	0	0	0	0	3	2
DÉPENDANT	3	0	0	0	0	0	0	0	0	0	2	0	0	0	0	2	1
DÉPENDRE	1	0	1	1	2	1	6	4	2	0	0	1	0	0	0	2	2
DÉPENS	2	0	3	3	0	2	2	0	1	1	0	0	0	0	0	25	10
DÉPEUPLER	1	0	1	1	3	1	1	0	1	1	1	1	1	0	0	10	9
DÉPIT	2	0	0	0	1	1	0	0	1	1	0	0	0	0	0	1	1
DÉPLAIRE	1	1	4	4	0	2	0	3	0	0	2	0	0	0	1	10	5
DÉPLAISIR	2	1	4	2	2	3	2	1	1	0	1	1	0	0	0	11	6
DÉPLORABLE	3	0	2	1	3	3	0	1	0	2	1	1	3	0	0	8	5
DÉPLORER	1	1	0	0	0	0	0	0	1	5	0	0	0	0	0	11	6
DÉPLOYER	1	1	0	0	0	0	0	2	2	1	1	1	1	0	0	2	2
DÉPOSER	1	0	0	0	0	1	0	0	0	1	1	0	1	0	0	3	3

	CO	THE	ALE	AND	BRI	BER	BAJ	MIT	IPH	PHE	EST	ATHA	PRO	CHA	CHE	TOTA	RE
DÉPOSITAIRE	2	0	0	1	2	1	2	0	1	0	0	1	0	0	0	8	6
DÉPOSSÉDER	1	0	0	0	0	0	0	0	1	0	0	0	0	0	0	1	1
DÉPÔT	2	0	0	0	1	1	0	0	0	0	1	2	1	0	0	5	4
DÉPOUILLE	2	0	1	2	2	1	1	1	0	3	3	0	0	1	1	13	7
DÉPOUILLER	1	0	2	1	1	1	0	5	0	0	2	4	3	0	0	11	6
DEPUIS	10	5	1	7	13	11	8	0	7	14	3	8	0	0	1	82	11
DÉRÉGLER	1	0	1	0	0	0	0	0	0	0	0	0	0	0	0	1	1
DÉRISION	2	0	3	0	0	1	0	0	0	4	1	0	0	0	0	1	1
DERNIER	23	12	2	7	7	13	9	9	5	6	2	6	0	1	1	79	11
DÉROBER	1	0	2	2	4	3	1	1	3	6	1	4	0	0	0	27	10
DERRIÈRE	0	0	5	0	1	0	6	0	9	0	1	0	0	0	0	2	2
DES	0	10	1	0	11	8	0	13	0	4	5	10	0	0	2	90	10
DÉSABUSER	1	0	0	0	0	1	0	0	0	2	0	1	0	0	0	8	5
DÉSALTÉRER	1	0	4	0	0	0	0	0	0	0	0	1	0	0	0	1	9
DÉSARMER	1	0	0	2	1	2	2	1	1	1	0	0	0	0	0	18	1
DÉSAVEU	2	4	0	0	0	0	0	0	0	0	0	0	0	0	0	1	3
DÉSAVOUER	1	0	6	1	0	1	3	2	4	6	0	0	0	0	3	4	10
DESCENDRE	1	0	2	1	2	0	0	4	0	0	8	5	0	2	0	45	5
DÉSERT SM	2	6	0	0	1	0	0	1	0	0	1	5	0	0	0	10	2
DÉSERT AJ	3	0	0	2	0	1	0	0	0	0	0	0	1	0	0	3	1
DÉSERTER	1	0	0	0	1	0	0	1	0	0	0	0	0	0	0	2	1
DÉSERTEUR	2	0	2	0	0	0	0	0	0	0	0	2	0	0	0	2	1
DÉSESPÉRER	1	2	1	1	3	1	5	1	2	1	1	0	0	0	0	18	9
DÉSESPOIR	2	2	0	5	1	6	4	4	2	3	0	1	0	0	1	34	11
DÉSHÉRITER	1	0	3	0	1	0	0	0	0	0	0	0	0	0	0	1	1
DÉSHONNEUR	2	0	0	0	0	0	0	1	1	0	0	1	0	1	0	6	4
DÉSHONORER	1	0	6	0	0	1	5	2	2	2	6	0	0	0	0	42	11
DÉSIR	2	4	1	2	9	4	0	1	2	1	0	1	1	0	0	9	6
DÉSIRER	1	2	0	0	7	3	0	2	0	1	0	0	0	0	0	11	2
DÉSOBÉIR	1	1	3	0	1	1	2	1	1	0	3	0	0	0	0	27	7
DÉSOLER	1	0	2	0	0	0	0	3	0	1	1	1	0	0	0	23	10
DÉSORDRE	2	1	0	2	2	3	4	6	2	2	5	5	1	1	0	125	11
DÉSORMAIS	0	0	3	2	0	0	0	23	3	4	0	0	0	0	0	3	2
DESSEIN	2	0	1	6	16	4	5	0	10	0	0	8	0	1	0	10	7
DESSILLER	1	0	2	0	1	0	9	1	0	0	0	0	0	0	0	52	11
DESSOUS	0	12	0	0	0	0	19	3	0	1	3	0	0	0	0	27	10
DESSUS	0	0	3	1	1	0	0	6	1	2	3	2	0	0	0	22	11
DESTIN	2	2	1	1	6	3	5	2	8	3	3	3	0	0	0	3	9
DESTINÉE	2	2	2	1	0	4	4	4	4	0	3	1	0	0	0	2	2
DESTINER	1	4	3	3	4	2	2	2	2	0	1	1	0	0	0	1	7
DESTRUCTEUR	23	0	1	0	0	0	0	0	1	0	0	0	0	0	0	4	1
DÉSUNIR	1	1	0	0	0	2	0	0	0	0	0	0	0	0	0	4	3
DÉTACHER	1	0	1	0	0	1	0	0	1	0	1	0	0	0	0	3	3

	CO	THE	ALE	AND	BRI	BER	BAJ	MIT	IPH	PHE	EST	ATHA	PRO	CHA	CHE	TOTA	RE
DÉTERMINER	1	0	0	0	1	0	1	1	1	0	0	1	0	0	0	5	5
DÉTESTABLE	3	2	0	1	0	0	1	0	0	3	2	2	0	0	0	11	6
DÉTESTER	1	1	0	3	0	1	0	0	2	4	3	2	0	0	0	16	7
DÉTOUR	2	0	1	2	2	0	4	4	2	3	0	0	0	0	5	18	10
DÉTOURNER	1	4	3	3	4	2	0	1	3	3	5	7	0	0	0	35	5
DÉTROMPER	1	0	0	0	2	0	2	0	0	1	0	0	0	2	2	25	3
DÉTRUIRE	2	2	5	0	1	3	0	3	2	2	3	5	0	2	2	26	9
DEUIL	6	0	0	0	0	0	0	0	0	0	0	0	0	0	0	2	1
DEUX	6	57	12	0	12	10	11	19	6	7	24	19	0	1	5	158	11
DEVANCER	1	1	2	1	0	0	0	1	4	1	1	2	0	0	0	12	6
DEVANT	0	11	3	5	8	8	10	1	13	12	1	17	1	2	5	102	11
DÉVELOPPER	1	0	0	0	1	0	0	1	0	1	0	0	0	0	0	3	3
DEVENIR	1	10	5	7	8	8	9	4	3	3	2	4	0	1	0	69	11
DEVIN	2	0	0	0	0	0	0	0	0	0	0	0	0	0	0	2	1
DÉVOILER	1	0	0	0	0	0	0	0	0	0	0	0	1	1	0	2	1
DEVOIR V	1	45	29	30	39	24	39	50	49	25	16	29	1	2	0	375	11
DEVOIR SM	2	1	3	3	2	9	3	15	4	4	1	1	1	0	1	46	11
DÉVORANT	3	0	0	0	0	0	0	0	0	0	0	1	1	0	0	1	1
DÉVORER	1	0	2	0	1	3	1	1	1	3	3	2	0	0	0	19	10
DÉVOTION	2	0	0	2	0	0	0	0	0	0	0	0	0	0	0	1	1
DÉVOUER	1	0	0	0	1	1	1	2	1	0	0	1	0	0	0	5	4
DEXTÉRITÉ	2	0	0	0	0	0	0	0	0	1	0	0	0	0	0	1	1
DIADÈME	1	1	3	3	3	2	2	7	3	1	4	4	0	1	7	36	10
DICTER	2	0	0	0	1	1	0	1	3	1	3	0	0	0	0	13	6
DIEU	2	34	5	24	16	13	0	16	79	56	17	9	0	2	7	259	10
DIFFÉRENCE	2	1	1	0	0	1	0	0	0	0	0	0	0	0	0	3	3
DIFFÉREND	2	0	1	0	0	0	0	0	0	0	0	0	0	0	0	1	1
DIFFÉRENT	3	1	1	0	1	0	0	2	3	1	2	0	0	0	0	4	4
DIFFÉRER	1	1	2	3	0	0	3	0	0	2	0	1	0	1	0	18	8
DIFFICILE	3	0	0	0	0	0	0	0	0	0	0	0	0	0	0	2	2
DIFFICULTÉ	2	0	0	0	1	0	1	1	7	9	2	4	0	1	0	74	11
DIGNE	3	5	8	3	6	0	0	6	0	1	0	0	0	0	0	4	4
DIGNEMENT	3	0	1	0	1	1	1	0	0	1	0	0	0	0	0	2	2
DIGNITÉ	2	0	0	0	0	1	1	0	0	1	0	2	0	0	0	9	6
DILIGENCE	1	0	0	0	2	0	2	1	4	0	0	1	0	0	0	3	3
DIMINUER	1	1	0	0	0	4	0	0	0	0	0	0	0	0	0	2	2
DIRE	1	27	37	50	47	54	40	44	45	38	22	37	1	9	3	441	11
DISCERNER	2	0	0	0	0	0	0	0	0	1	0	0	0	0	0	2	2
DISCORD	2	1	0	0	0	0	0	0	0	0	1	1	0	0	0	1	1
DISCORDE	2	3	3	5	16	7	23	11	14	14	7	2	0	0	1	8	6
DISCOURS	2	0	0	0	2	0	1	0	0	0	0	0	0	0	0	105	11
DISCRET	3	1	1	0	2	1	1	1	1	4	1	2	0	0	1	3	2
DISGRÂCE	2	1	1	0	5	1	4	5	1	2	1	1	0	0	0	22	10

	CO	THE	ALE	AND	BRI	BER	BAJ	MIT	IPH	PHE	EST	ATHA	PRO	CHA	CHE	TOTA	RE
DISPARAÎTRE	1	0	0	0	0	2	1	2	0	1	1	4	0	2	0	11	6
DISPENSER	1	0	0	0	0	0	0	0	0	1	0	1	0	1	0	2	2
DISPERSER	1	3	1	1	0	0	1	2	1	1	4	3	1	0	1	14	8
DISPOSER	1	0	6	6	1	3	2	4	2	1	0	0	0	0	0	29	9
DISPUTER	1	2	7	2	6	4	3	0	3	2	1	2	0	0	0	30	9
DISSIMULER	1	0	0	3	1	0	0	3	0	0	2	0	0	0	0	10	5
DISSIPER	2	0	1	2	1	0	1	0	3	1	4	3	0	0	0	13	7
DISTANCE	1	1	0	0	1	0	0	0	0	0	0	0	0	0	0	3	2
DISTINGUER	1	0	0	1	1	1	1	2	1	0	0	0	0	0	0	5	4
DISTRAIRE	3	1	0	0	2	0	0	0	0	0	0	2	0	0	0	6	3
DIVERS	3	1	3	1	0	1	1	1	0	0	2	8	0	0	0	13	9
DIVIN	2	1	3	1	4	1	1	0	1	2	1	0	0	0	0	16	6
DIVINITÉ	1	0	0	0	0	0	0	0	0	0	0	0	0	0	0	2	2
DIVISER	2	0	0	0	0	0	0	0	1	0	0	0	0	0	0	1	1
DIVISION	1	1	0	0	0	0	0	1	0	0	0	0	0	0	0	2	2
DIVORCE	2	1	0	0	5	0	0	0	0	0	0	0	0	0	0	5	1
DIVULGUER	1	0	0	0	0	0	0	0	0	0	0	0	0	0	0	1	1
DIX	6	0	0	4	0	0	0	1	1	1	3	6	0	0	0	7	2
DOCILE	3	0	0	0	0	0	0	1	0	0	1	2	1	1	0	4	3
DOMESTIQUE S	2	0	3	0	0	0	0	1	1	1	1	0	0	0	0	1	1
DOMINATION	2	2	2	1	1	1	1	7	0	0	1	1	1	1	1	15	8
DOMPTER	1	2	17	30	17	14	19	12	21	11	21	6	1	5	4	199	9
DON SM	0	2	17	21	19	9	18	25	13	11	14	20	2	5	5	173	11
DONC	1	7	16	18	26	19	30	2	31	26	14	15	0	1	0	229	11
DONNER	0	0	0	0	0	0	0	0	1	0	0	17	0	0	0	2	11
DONT	1	0	0	0	0	0	0	1	0	1	0	1	0	0	0	1	2
DORMIR	2	1	0	1	1	1	1	4	1	0	8	0	0	0	5	37	11
DOS	2	4	8	1	2	0	8	0	16	2	4	8	2	5	2	136	11
DOUBLE	0	4	9	13	16	20	4	3	0	18	0	4	0	2	0	8	4
DOUCEUR	2	4	0	0	0	2	8	5	5	0	6	7	0	0	0	59	11
DOULEUR	2	14	6	6	5	5	0	7	7	3	1	4	0	4	8	74	11
DOULOUREUX	3	1	5	5	8	7	10	6	6	5	0	0	0	2	0	3	4
DOUTE	2	5	2	4	0	1	0	0	0	0	1	4	0	0	0	73	11
DOUTER	1	7	7	0	6	6	8	7	1	4	1	0	0	1	8	73	11
DOUTEUX	3	0	0	0	0	0	0	0	0	1	1	4	0	0	0	3	2
DOUX	3	0	3	0	1	0	0	1	1	0	0	0	0	1	0	73	11
DRAGON	2	0	0	0	0	0	0	0	0	1	0	1	0	0	0	1	1
DRAPEAU	1	0	0	4	0	0	0	2	0	0	0	0	0	0	0	5	3
DRESSER	2	0	3	0	1	0	2	1	1	1	0	1	0	0	0	5	1
DROIT AJ	3	9	2	0	0	3	1	0	0	0	0	1	1	0	0	1	5
DROIT SM	2	2	0	4	5	1	1	2	6	7	0	1	0	0	0	44	4
DUR	2	0	4	0	0	0	0	1	0	0	0	2	0	0	0	8	11
DURABLE	3	0	0	1	0	0	0	0	0	1	0	1	0	1	0	3	3

	CO	THE	ALE	AND	BRI	BER	BAJ	MIT	IPH	PHE	EST	ATHA	PRO	CHA	CHE	TOTA	RE
DURANT	0	1	0	0	1	0	0	1	0	0	1	0	0	0	0	4	4
DURÉE	2	0	3	0	0	0	0	0	1	1	1	1	0	0	0	3	3
DURER	1	4	1	0	0	0	0	1	1	1	0	0	0	0	0	7	4
DURETÉ	2	0	0	0	1	0	0	1	0	0	0	0	0	0	0	2	2
EAU	2	0	3	3	0	0	2	1	0	0	2	1	0	1	2	17	4
ÉBLOUIR	1	0	0	1	0	0	1	1	0	2	1	1	0	0	1	12	8
ÉBRANLER	1	2	2	0	0	1	0	3	2	1	0	3	0	1	0	1	7
ÉCAILLE	2	0	0	0	0	0	1	0	4	1	0	0	0	0	0	1	1
ÉCARTER	1	0	3	0	1	1	3	2	2	3	6	0	0	2	2	27	7
ÉCHAPPER	1	0	0	1	0	0	4	0	0	6	3	0	0	0	1	36	10
ÉCHAUFFER	2	0	3	3	0	0	0	0	0	2	0	0	0	0	0	5	4
ÉCHELLE	1	0	0	1	1	1	0	0	0	0	4	0	0	0	0	1	1
ÉCLAIR	2	0	0	0	0	0	0	0	1	0	0	2	0	0	2	6	3
ÉCLAIRCIR	1	0	0	0	3	3	3	0	3	3	0	1	0	1	0	25	9
ÉCLAIRCISSMT	2	0	0	0	1	1	4	1	1	1	0	1	0	0	0	4	4
ÉCLAIRER	2	1	2	1	2	2	1	0	4	2	0	1	2	1	2	19	8
ÉCLAT	2	0	12	0	8	8	3	2	4	0	5	4	0	0	0	38	9
ÉCLATANT	3	1	3	0	2	0	1	0	0	3	3	3	0	0	0	111	6
ÉCLATER	1	0	1	0	0	0	3	0	4	2	1	0	0	0	0	53	11
ÉCLORE	1	0	0	0	0	1	0	0	0	0	7	1	0	1	0	1	1
ÉCOULER	0	0	0	1	0	3	1	0	0	0	1	1	0	0	1	2	2
ÉCOUTER	1	8	10	4	8	0	6	9	9	12	8	0	0	0	0	95	11
ÉCRASER	1	0	0	9	0	2	0	5	0	0	0	5	0	0	0	1	1
ÉCRIRE	1	0	0	0	0	1	2	0	5	0	1	1	0	0	1	15	7
ÉCRIT SM	2	0	0	0	1	1	1	0	0	0	0	1	0	0	0	1	1
ÉCUEIL	2	0	0	0	0	0	1	1	0	0	0	0	0	0	1	4	4
ÉCUME	2	0	0	0	0	0	0	7	0	2	1	0	0	0	0	3	2
ÉDIFICE	1	0	0	0	0	1	6	1	0	0	2	0	0	0	0	3	2
ÉDIT	2	0	0	2	1	0	0	2	0	2	0	0	1	0	0	1	1
EFFACER	1	0	0	0	0	1	0	0	0	0	1	2	0	0	0	18	8
EFFAROUCHER	1	0	2	0	5	0	1	3	8	0	1	3	0	0	0	3	3
EFFET	2	10	6	5	3	0	4	0	0	0	1	4	0	0	0	59	11
EFFORCER	1	3	1	3	1	1	6	7	9	0	2	0	0	0	0	6	4
EFFORT	2	8	1	0	0	2	0	1	5	0	0	0	0	0	0	49	10
EFFRAYANT	3	0	0	0	5	0	2	1	1	0	2	2	0	0	0	4	3
EFFRAYER	1	1	0	0	0	0	0	0	2	2	0	3	0	0	0	18	9
EFFROI	2	2	1	0	1	1	4	0	0	0	2	3	0	0	0	21	8
EFFRONTÉ	3	0	5	0	0	0	1	3	1	3	0	1	0	0	0	1	1
EFFROYABLE	3	0	0	0	0	0	0	0	0	1	2	0	0	1	0	7	5
EFFUSION	2	3	0	1	0	1	0	1	1	0	2	3	0	0	0	1	1
ÉGAL	23	0	4	0	1	0	2	0	0	1	0	0	0	0	0	18	9
ÉGALEMENT	3	3	2	1	0	1	0	1	0	1	3	3	0	0	0	6	4
ÉGALER	1	1	2	1	0	0	0	1	1	0	1	1	0	0	0	8	7

	CO	THE	ALE	AND	BRI	BER	BAJ	MIT	IPH	PHE	EST	ATHA	PRO	CHA	CHE	TOTA	RE
ÉGARD	2	0	0	0	0	0	0	0	0	0	0	1	0	0	0	1	1
ÉGAREMENT	1	0	0	0	1	0	0	0	0	1	0	1	0	0	0	4	4
ÉGARER	1	0	0	1	2	3	1	1	1	7	4	3	0	0	0	20	9
ÉGORGER	8	3	3	1	0	0	2	0	8	9	8	6	0	1	3	14	4
EH (& HÉ)	1	14	19	24	7	22	12	11	8	10	20	19	0	0	2	153	11
ÉLANCER	2	0	1	0	0	0	0	0	0	1	1	0	0	0	0	3	3
ÉLÉMENT	1	0	0	0	0	0	0	0	0	0	0	2	0	1	0	3	3
ÉLEVER	2	6	4	7	5	4	4	6	6	4	6	2	0	1	1	61	11
ÉLITE	1	0	0	0	0	0	0	0	0	0	0	1	0	0	0	2	2
ELLE	2	40	25	61	64	68	78	21	73	49	20	47	0	5	8	546	11
ÉLOIGNEMENT	1	0	1	0	0	0	0	0	0	3	0	0	0	2	0	5	3
ÉLOIGNER	2	3	0	4	9	2	0	3	3	3	0	1	0	0	1	29	10
ÉLOQUENCE	3	3	0	0	0	0	1	0	0	0	1	0	0	0	0	2	2
ÉLOQUENT	1	0	0	0	0	0	1	0	0	0	0	0	0	0	0	1	1
ÉLUDER	1	0	0	0	0	0	0	0	1	0	0	0	0	0	0	1	1
EMBARQUER	2	0	0	1	0	0	0	0	0	0	1	1	0	1	0	5	4
EMBARRAS	3	0	0	0	0	0	0	0	1	0	0	0	0	0	0	1	1
EMBARRASSANT	3	0	0	0	0	0	2	0	1	2	0	0	0	0	0	6	5
EMBARRASSER	1	0	0	0	0	0	0	0	1	0	1	0	0	0	0	1	1
EMBELLIR	1	0	0	0	0	0	0	0	1	0	1	0	0	0	0	1	1
EMBRASER	2	0	0	2	0	0	2	2	5	2	2	3	0	0	0	15	8
EMBRASSEMENT	1	1	2	2	4	0	0	2	0	0	0	0	0	0	0	12	6
EMBRASSER	2	1	0	9	7	0	3	2	0	5	0	5	0	0	0	44	11
ÉMINENT	1	5	1	0	0	2	0	0	0	3	0	0	0	0	0	1	1
EMMENER	3	0	0	0	0	0	1	0	1	0	0	3	0	0	0	16	10
ÉMOUVOIR	1	0	0	1	1	0	5	0	0	1	0	0	0	0	0	3	2
EMPARER	1	3	2	0	0	1	4	2	1	2	0	2	0	0	0	10	6
EMPÊCHER	1	0	0	0	0	0	3	0	1	5	0	0	0	0	0	45	3
EMPEREUR	1	3	2	0	32	0	0	0	0	0	0	0	0	0	0	1	1
EMPESTER	2	0	0	4	0	1	5	8	4	3	7	1	0	2	0	125	11
EMPIRE	1	0	0	0	30	0	0	1	1	0	0	2	0	0	1	12	7
EMPLOI	2	4	0	1	1	0	1	1	1	0	1	4	0	0	3	13	8
EMPLOYER	1	0	0	0	1	24	3	1	0	0	0	0	0	0	0	1	1
EMPOISONNEMT	2	0	0	0	1	2	0	0	1	0	2	0	0	1	0	8	4
EMPOISONNER	1	0	0	0	2	1	0	0	0	0	0	0	0	0	0	2	2
EMPOISONNEUR	2	0	0	0	1	0	2	1	0	1	0	1	0	0	0	9	6
EMPORTEMENT	2	1	12	3	1	0	4	0	0	2	0	0	0	0	1	32	11
EMPORTER	1	2	0	4	1	0	2	2	1	3	1	2	0	3	3	2	1
EMPREINDRE	1	0	0	0	0	0	0	1	0	1	0	0	0	0	0	10	6
EMPRESSEMENT	2	0	3	1	0	2	2	4	6	0	2	3	0	3	1	18	9
EMPRESSER	1	1	0	0	3	0	1	1	3	1	0	0	0	0	0	10	6
EMPRISONNEMT	2	0	0	0	1	1	0	0	0	0	2	3	0	0	0	1	1

	CO	THE	ALE	AND	BRI	BER	BAJ	MIT	IPH	PHE	EST	ATHA	PRO	CHA	CHE	TOTA	RE
EMPRISONNER	1	0	1	0	1	0	0	0	0	0	0	0	0	0	0	2	2
EMPRUNTER	1	0	0	1	2	2	0	1	2	1	1	1	3	0	0	11	8
EN PREP	0	103	123	117	92	74	88	119	94	80	64	128	3	13	18	1082	11
EN ADV	0	69	66	73	81	47	59	70	58	54	24	28	1	1	6	629	11
ENCEINTE SF	2	0	2	0	0	0	0	0	0	0	1	0	0	0	0	12	5
ENCENS	1	0	0	0	0	0	0	0	3	3	5	1	0	2	1	2	2
ENCENSER	2	0	0	0	0	0	0	0	0	1	0	5	0	1	0	1	1
ENCENSOIR	2	0	0	0	0	0	0	0	0	0	1	0	0	0	0	1	1
ENCHAÎNEMENT	1	0	3	0	3	0	0	0	2	0	1	1	0	0	0	15	8
ENCHAÎNER	1	0	0	0	0	0	1	2	0	1	2	0	0	0	0	1	1
ENCHANTER	3	0	0	0	1	0	0	0	0	0	0	0	0	0	0	2	2
ENCHANTEUR	0	0	0	0	0	0	0	0	0	0	0	0	0	0	0	1	1
ENCLIN	3	0	0	0	0	0	0	0	0	1	0	1	0	0	0	1	1
ENCORE	0	32	37	52	31	41	29	37	30	27	15	28	0	2	5	359	11
ENCOURAGER	1	0	2	2	0	0	0	1	1	0	0	0	0	0	0	5	3
ENDORMIR	2	0	3	0	0	1	1	0	0	0	1	0	0	0	1	5	3
ENDROIT	1	3	0	1	1	0	2	0	0	1	0	1	0	0	0	4	4
ENDURCIR	1	0	3	0	0	0	0	0	2	2	0	0	0	0	0	11	6
ENDURER	2	2	0	1	1	0	7	0	0	1	2	0	0	0	0	4	3
ENFANCE	2	1	0	2	5	0	0	2	3	2	4	6	0	0	2	33	9
ENFANT	1	0	0	0	1	0	1	3	7	1	12	82	0	11	6	118	9
ENFANTER	2	6	4	1	0	0	0	0	0	1	1	1	0	1	0	3	3
ENFER	2	0	0	1	2	0	4	1	1	4	2	1	0	0	1	14	5
ENFERMER	1	0	0	0	0	2	6	0	0	1	0	2	1	1	0	17	8
ENFIN	0	21	16	41	17	25	46	24	19	18	18	20	0	0	3	255	11
ENFLAMMER	1	1	2	1	1	0	1	2	1	1	5	0	1	1	0	17	11
ENFLER	1	0	0	0	3	1	0	0	0	1	0	1	0	0	0	3	2
ENFONCER	1	0	0	1	0	0	0	0	0	0	1	0	0	0	0	3	3
ENFREINDRE	1	1	0	0	0	0	1	0	0	0	0	1	0	0	0	1	1
ENFUIR	1	0	0	0	0	0	1	0	0	0	0	1	3	0	0	2	2
ENGAGEMENT	2	2	0	0	0	1	6	0	2	3	0	0	0	0	0	2	2
ENGAGER	1	2	13	6	6	1	0	0	0	2	0	3	0	3	3	42	9
ENGLOUTIR	1	0	0	0	0	0	0	0	0	0	0	0	0	0	0	2	1
ENIVRER	1	0	0	1	1	1	0	0	0	0	0	1	0	0	0	3	3
ENLACER	1	0	0	0	0	0	0	0	1	0	0	0	0	0	0	1	1
ENLÈVEMENT	2	0	0	0	1	1	5	3	5	1	0	0	0	0	0	2	2
ENLEVER	1	1	1	9	5	6	2	0	9	8	1	1	1	1	1	24	8
ENNEMI	23	29	35	20	16	2	5	25	5	18	18	22	2	2	4	203	11
ENNUI	2	3	3	9	6	0	2	7	9	4	3	0	0	0	0	44	10
ENNUYER	1	0	0	0	0	0	0	0	5	0	1	0	1	1	0	1	1
ENNUYEUX	3	0	1	0	0	0	0	0	0	0	0	0	0	0	0	1	1
ENRICHIR	1	0	0	1	1	1	0	1	1	0	0	0	0	0	0	2	2
ENSANGLANTER	1	1	3	1	1	1	0	0	2	0	0	0	0	0	0	9	6

ANNEXES

	CO	THE	ALE	AND	BRI	BER	BAJ	MIT	IPH	PHE	EST	ATHA	PRO	CHA	CHE	TOTA	RE
ENSEIGNER	1	0	1	0	0	1	0	0	0	1	0	1	0	0	0	4	4
ENSEMBLE	23	0	1	1	0	0	0	1	1	0	1	0	0	0	0	5	5
ENSEVELIR	1	0	2	2	1	0	0	1	3	3	0	2	0	0	0	14	7
ENSUITE	1	0	1	0	0	0	0	0	0	0	0	0	0	0	0	1	1
ENTASSER	1	0	0	1	0	0	0	0	0	0	0	0	0	0	0	1	1
ENTENDRE	3	2	9	11	23	29	18	21	24	16	12	17	0	7	3	182	11
ENTIER	1	5	7	4	4	8	3	1	4	5	5	3	0	0	1	49	11
ENTOURER	1	0	1	0	0	0	2	0	0	2	0	1	0	0	0	6	4
ENTR.OUVRIR	1	1	0	0	0	0	0	0	1	0	0	2	0	0	0	4	3
ENTRAILLES	2	1	3	5	1	0	0	0	0	1	0	2	0	0	0	4	3
ENTRAINER	1	1	6	3	1	3	2	3	9	4	1	1	0	0	0	25	9
ENTRÉE	1	4	1	0	5	7	12	7	2	3	5	3	0	0	0	89	11
ENTRÉE	0	0	15	1	15	0	5	3	0	0	2	3	0	0	0	17	1
ENTREMISE	2	0	3	3	1	0	0	0	1	0	0	0	0	0	0	1	1
ENTREPRENDRE	1	0	1	0	0	2	4	1	1	4	1	2	0	0	0	18	7
ENTREPRISE	2	0	5	1	1	1	2	2	1	3	1	5	0	0	0	11	8
ENTRER	1	0	1	4	2	3	5	1	1	0	0	1	0	0	0	37	11
ENTRETENIR	1	1	1	1	4	2	3	1	3	4	0	0	0	0	0	19	9
ENTRETIEN	2	1	2	2	7	3	2	0	2	2	0	0	0	0	0	31	8
ENTREVOIR	1	0	4	3	0	1	2	1	0	1	1	4	0	0	0	7	5
ENTREVUE	1	3	0	1	0	1	2	1	1	0	0	0	0	0	0	6	3
ENVELOPPER	1	0	2	0	1	0	0	0	0	0	1	0	0	0	0	3	7
ENVENIMER	0	1	0	0	0	0	1	1	0	1	1	0	0	0	2	13	2
ENVERS	2	0	2	0	4	2	4	3	2	1	2	4	0	0	1	2	3
ENVI (A L.)	2	0	0	1	4	1	0	3	2	1	1	0	0	1	2	4	3
ENVIE	1	2	1	2	1	1	0	0	3	1	1	5	0	0	0	6	5
ENVIER	3	0	5	3	2	2	1	2	0	4	2	0	0	2	2	23	10
ENVIEUX	1	1	1	0	1	1	4	0	2	1	1	4	0	1	1	14	8
ENVIRONNER	1	2	0	0	0	0	1	0	3	0	0	1	0	0	0	2	2
ENVISAGER	1	0	1	1	3	1	0	2	3	2	2	0	1	0	0	24	10
ENVOYER	3	0	1	0	0	2	0	7	4	0	0	0	0	0	0	6	4
EPAIS	1	0	0	4	0	1	0	0	0	8	0	5	0	1	0	31	9
EPANCHER	1	5	0	0	1	0	3	3	3	4	0	0	0	0	0	2	2
EPARGNER	1	0	8	2	2	2	0	0	0	2	0	4	0	0	0	5	4
EPARS	3	1	1	0	3	1	2	0	3	0	2	0	0	1	0	44	10
EPÉE	2	5	0	0	0	0	0	3	0	1	2	2	0	0	0	9	4
EPERDU	3	1	0	0	1	1	0	2	3	8	0	0	0	0	0	4	4
EPIER	1	0	0	1	1	0	0	2	3	4	1	2	0	1	0	9	9
EPLORÉ	3	0	0	2	0	1	1	2	0	2	1	2	0	0	0	17	2
EPOUSE	2	0	0	0	2	5	4	0	0	0	1	0	0	0	0	2	1
EPOUSER	1	0	0	11	2	0	1	0	5	3	1	1	0	0	0	17	8
EPOUVANTABLE	3	0	0	0	0	0	0	0	1	1	1	0	0	0	0	38	7
EPOUVANTE	2	1	0	0	1	0	0	0	0	0	0	1	0	0	0	2	2

	CO	THE	ALE	AND	BRI	BER	BAJ	MIT	IPH	PHE	EST	ATHA	PRO	CHA	CHE	TOTA	RE
ÉPOUVANTER	1	1	1	3	2	2	2	2	4	6	0	1	0	0	0	24	10
ÉPOUX	2	0	0	19	6	2	5	12	23	17	2	1	0	0	0	87	9
ÉPRENDRE	1	0	2	2	0	0	0	1	2	1	1	0	0	1	0	7	5
ÉPREUVE	2	0	0	2	1	1	0	1	2	1	0	0	0	0	0	2	2
ÉPROUVER	1	2	4	0	2	0	4	3	3	3	3	1	0	0	0	26	10
ÉPUISER	1	0	0	0	1	1	2	0	0	0	0	2	0	0	0	7	4
ÉQUITABLE	3	1	0	0	0	0	0	0	0	0	0	0	0	0	0	1	1
ÉQUITÉ	2	0	0	1	0	0	0	0	0	1	0	1	0	0	0	6	4
ÉRIGER	1	1	0	0	0	1	0	1	0	0	1	0	0	0	0	5	5
ERRANT	3	1	0	1	2	0	0	2	5	7	1	5	0	0	0	4	3
ERRER	1	0	1	0	3	4	5	0	0	0	2	0	0	0	1	35	10
ERREUR	2	0	1	1	0	0	0	1	5	7	2	2	0	0	0	1	1
ESCADRON	2	0	0	0	0	0	27	4	0	0	0	1	0	0	0	7	5
ESCLAVAGE	23	4	6	6	2	1	1	0	0	1	5	0	0	1	1	57	11
ESCLAVE	2	1	0	0	1	0	0	0	2	2	0	2	0	0	0	4	4
ESCORTE	2	1	0	0	0	0	5	1	0	0	1	1	0	1	0	2	1
ESPACE	2	2	0	3	2	3	4	2	2	0	0	0	0	1	0	24	10
ESPÉRANCE	1	8	3	4	3	10	7	6	2	1	5	7	0	1	2	57	11
ESPÉRER	2	6	9	6	1	13	5	4	5	6	3	2	0	0	1	59	11
ESPOIR	2	3	3	4	6	4	0	0	4	9	8	11	0	0	2	59	11
ESPRIT	2	1	3	0	1	0	0	1	1	1	0	0	0	0	0	3	3
ESSAI	2	0	0	0	0	0	0	0	0	0	0	0	0	0	0	1	1
ESSAIM	1	0	1	1	3	1	1	1	0	1	1	2	0	0	0	9	6
ESSAYER	2	0	0	3	0	2	3	3	3	1	0	0	0	0	0	1	1
ESSIEU	2	0	0	0	0	0	1	0	1	2	1	3	0	0	0	9	6
ESSUYER	1	0	0	0	1	2	0	0	4	1	0	0	0	0	0	10	4
ESTIME	1	0	4	3	2	0	0	3	0	1	1	0	0	0	0	9	7
ESTIMER	1	0	2	2	1	1	0	1	1	1	1	1	0	0	0	7	11
ET	0	412	304	312	288	258	347	401	388	302	249	361	14	40	54	3622	11
ÉTABLIR	1	0	1	0	2	1	0	1	2	0	0	2	0	3	0	5	3
ÉTALER	1	0	1	0	0	2	0	0	6	0	1	0	0	0	0	5	4
ÉTAT 1 état	2	5	4	7	7	2	8	6	1	1	1	2	0	3	1	41	9
ÉTAT 2 État	2	8	25	5	10	10	12	12	2	0	8	2	0	0	2	84	11
ÉTEINDRE	1	3	1	3	7	3	1	1	1	1	2	5	0	0	1	22	9
ÉTENDARD	2	0	3	2	4	8	2	1	0	0	0	2	0	0	0	8	6
ÉTENDRE	1	0	0	1	0	0	0	0	0	1	0	2	0	0	0	12	6
ÉTENDUE	2	0	3	5	3	0	0	6	5	0	1	1	1	0	0	6	9
ÉTERNEL	23	0	0	0	9	0	0	0	0	1	12	0	0	0	0	63	9
ÉTERNISER	1	0	0	0	0	0	0	0	0	0	0	1	0	0	0	1	1
ÉTERNITÉ	2	0	1	1	0	0	0	0	0	0	1	0	0	1	1	2	2
ÉTINCELANT	3	0	0	0	0	0	0	0	0	0	0	1	0	0	0	2	2
ÉTINCELER	1	0	0	0	0	0	0	0	0	0	1	1	0	0	0	2	2
ÉTONNANT	3	0	0	0	0	0	0	0	2	0	0	1	0	0	0	3	2

	CO	THE	ALE	AND	BRI	BER	BAJ	MIT	IPH	PHE	EST	ATHA	PRO	CHA	CHE	TOTA	RE
ÉTONNEMENT	2	0	0	0	2	0	1	0	2	0	1	0	0	0	0	6	4
ÉTONNER	1	5	2	0	7	2	11	5	8	5	2	6	0	1	0	53	10
ÉTOUFFER	1	1	2	3	1	0	1	1	1	2	0	2	0	0	0	17	8
ÉTRANGE	3	2	1	0	2	0	2	0	2	4	8	1	0	0	2	11	7
ÉTRANGER	1	0	0	1	2	2	2	1	3	4	8	13	1	3	2	38	10
ÊTRE V	23	361	204	278	283	202	271	268	272	251	242	298	6	47	72	2930	11
ÉTROIT	3	0	0	1	0	0	0	0	0	0	0	2	0	0	0	3	2
ÉTUDE	2	0	0	0	0	0	0	0	0	0	0	0	0	0	0	1	1
ÉTUDIER	1	0	1	1	3	1	7	10	8	2	7	1	0	0	1	2	2
EUX	0	5	0	0	0	0	0	0	0	0	0	4	0	0	1	53	11
ÉVANOUIR	1	0	3	1	3	0	1	0	1	2	1	1	0	0	1	5	4
ÉVEILLER	1	0	0	0	0	1	0	0	1	1	2	4	0	0	2	3	2
ÉVÉNEMENT	2	1	0	0	0	0	2	0	0	4	1	0	0	0	0	6	5
ÉVIDENT	3	0	0	1	7	5	3	5	3	2	0	0	0	0	0	1	1
ÉVITER	1	3	0	4	2	0	1	1	1	0	1	3	0	0	0	50	11
EXAMINER	1	0	0	1	0	0	0	0	0	2	0	0	0	0	0	15	7
EXAUCER	1	0	0	0	0	5	0	0	4	4	2	4	0	0	0	8	3
EXCELLER	1	0	0	0	0	0	1	0	0	0	0	0	0	0	0	1	1
EXCEPTER	1	0	1	1	1	0	0	1	3	1	0	1	0	0	0	11	2
EXCÈS	2	4	5	5	2	5	2	5	2	4	2	2	1	0	0	20	9
EXCITER	1	3	0	0	11	2	0	3	1	0	2	1	0	0	1	38	10
EXCLURE	1	0	0	0	2	0	0	0	3	3	2	0	0	0	0	4	3
EXCUSABLE	3	0	0	0	0	0	0	0	0	1	0	0	0	0	0	2	1
EXCUSER	2	1	1	0	3	4	2	0	4	2	2	2	0	0	2	25	10
EXÉCRABLE	3	0	0	0	0	0	0	0	3	0	0	1	0	0	0	3	2
EXÉCUTER	1	2	1	1	3	1	5	3	1	3	2	5	0	0	0	8	6
EXEMPLE	2	0	2	2	0	2	2	0	2	1	1	0	1	0	0	36	11
EXEMPT	3	0	7	1	0	0	0	0	0	2	0	0	0	0	0	2	2
EXEMPTER	1	1	0	1	1	0	1	0	0	0	0	0	0	0	0	1	1
EXERCER	1	1	1	0	0	1	0	1	1	1	1	0	0	0	0	8	6
EXERCICE	2	0	1	0	2	1	0	0	0	0	0	1	0	0	0	1	1
EXHALER	1	1	0	0	6	2	0	1	1	1	0	0	0	0	0	9	8
EXIGER	2	0	1	1	1	0	0	0	0	0	2	0	0	0	2	17	5
EXIL	1	1	0	0	3	1	1	1	1	1	0	1	0	0	0	7	5
EXILER	2	1	0	1	3	0	1	0	0	7	0	0	0	0	0	10	2
EXPÉRIENCE	1	0	0	9	3	6	7	0	0	2	2	1	0	0	2	4	3
EXPIRANT	3	0	1	2	3	0	8	1	1	2	0	0	0	0	0	10	10
EXPIRER	1	2	6	8	8	10	1	4	1	4	0	5	0	0	0	51	11
EXPLIQUER	2	2	13	1	0	3	7	4	5	4	5	1	0	0	0	56	9
EXPLOIT	2	3	2	1	3	1	7	5	3	2	5	0	0	0	0	33	10
EXPOSER	1														1	32	

	CO	THE	ALE	AND	BRI	BER	BAJ	MIT	IPH	PHE	EST	ATHA	PRO	CHA	CHE	TOTA	RE
EXPRÈS AJ	3	0	0	0	0	0	0	0	0	1	0	0	0	0	0	1	1
EXPRÈS AV	3	0	0	1	1	0	0	0	0	0	0	0	0	0	0	2	2
EXPRIMER	1	0	0	0	0	0	0	1	0	1	1	1	0	1	0	6	6
EXTERMINATEUR	23	0	0	0	0	0	1	0	0	0	0	1	0	1	1	1	1
EXTERMINER	3	0	0	0	0	0	0	0	0	0	2	2	0	0	4	4	2
EXTRÊME	3	8	4	3	0	4	0	0	0	6	0	4	0	0	0	46	9
EXTRÉMITÉ	2	1	0	0	0	2	0	2	2	0	0	0	0	0	0	6	4
FABLE	2	1	0	1	0	0	0	2	1	0	0	0	0	0	0	3	3
FACE	2	0	1	0	1	1	0	1	1	3	0	0	0	0	0	9	6
FÂCHER	1	1	0	0	0	0	0	0	0	0	1	0	0	0	0	2	2
FÂCHEUX	3	0	3	2	1	0	0	1	0	1	0	0	0	0	0	4	3
FACILE	3	2	0	0	2	2	0	0	0	2	0	0	0	0	0	16	8
FACILITÉ	2	1	3	0	1	0	2	2	2	0	0	0	0	0	0	2	2
FACILITER	1	0	0	0	1	0	1	0	0	0	0	0	0	0	0	2	2
FAÇON	2	0	0	0	0	0	1	0	0	0	0	0	0	0	0	1	1
FAÇONNER	1	0	1	0	1	0	0	0	0	0	0	1	0	0	0	1	1
FACTIEUX	1	0	0	0	0	0	0	0	0	0	0	0	0	0	0	1	1
FAILLIR	1	0	0	0	0	1	0	0	0	0	0	0	0	0	0	1	1
FAIM	2	2	0	0	0	0	0	0	0	1	0	0	0	0	0	3	2
FAIRE	1	103	82	97	94	67	102	84	78	52	46	76	1	9	9	881	11
FAISCEAU	2	0	0	0	1	1	0	0	1	0	0	0	0	0	0	2	2
FAIT SM	2	1	5	0	0	0	0	1	0	1	1	0	0	0	0	11	7
FAÎTE	2	0	0	0	0	0	0	0	0	0	0	1	0	0	0	2	2
FAIX	2	0	2	3	0	0	0	0	0	0	0	0	0	0	0	4	2
FALLOIR	1	45	37	43	34	50	56	40	45	25	20	29	0	0	0	424	11
FAMEUX	3	0	2	0	1	0	0	0	2	1	4	5	0	0	0	16	7
FAMILLE	2	1	0	6	5	0	0	2	6	4	2	3	0	0	0	29	8
FANGE	2	0	0	0	0	0	0	0	0	0	0	1	0	0	0	1	1
FANTÔME	2	0	0	0	0	0	0	0	0	0	0	1	0	0	0	1	1
FARDEAU	2	0	0	0	0	0	0	1	1	1	0	0	0	0	0	5	5
FARDER	1	0	0	1	1	1	0	0	0	0	0	2	0	0	0	1	1
FAROUCHE	3	0	3	0	3	0	0	0	3	6	3	1	0	0	1	23	7
FASTE	2	5	0	4	0	4	8	6	0	0	0	7	0	0	0	1	1
FATAL	3	1	1	0	3	0	1	0	1	12	5	0	0	1	1	75	11
FATIGUE	2	1	0	0	0	1	2	1	1	0	0	1	0	0	0	1	1
FATIGUER	1	0	1	0	4	0	0	0	0	1	1	0	0	0	0	13	9
FAUSSEMENT	3	0	0	2	0	3	3	3	4	1	0	2	0	0	0	1	1
FAUX	3	4	1	5	2	1	2	6	3	2	1	3	0	0	0	20	9
FAVEUR	2	0	8	2	5	0	3	1	1	3	2	2	0	0	0	44	11
FAVORABLE	3	0	2	0	2	0	3	0	0	0	2	0	0	0	0	16	9
FAVORI SM	2	1	3	0	0	0	1	1	1	0	0	0	0	0	0	1	1
FAVORISER	1	0	2	0	4	0	0	0	0	0	0	0	0	0	0	9	9
FÉCOND	3	0	0	0	0	0	0	0	0	0	1	0	1	0	0	1	1

	CO	THE	ALE	AND	BRI	BER	BAJ	MIT	IPH	PHE	EST	ATHA	PRO	CHA	CHE	TOTA	RE
FEINDRE	1	2	0	1	7	0	8	6	4	1	1	1	0	0	1	31	9
FEINTE	2	0	0	0	1	0	3	1	0	1	0	1	0	0	0	7	5
FÉLICITÉ	2	0	0	0	1	0	1	1	7	1	0	1	0	0	1	13	5
FEMME	2	7	1	8	2	5	4	1	1	4	3	11	0	1	0	30	9
FER	3	1	15	0	0	0	0	1	0	8	0	7	1	0	2	68	10
FERME AJ	1	5	2	4	4	2	7	1	5	0	5	5	0	1	0	5	3
FERMER	2	0	3	0	0	0	0	0	5	5	2	1	0	0	0	43	11
FERMETÉ	2	0	0	0	1	0	0	1	0	0	0	0	0	0	0	1	1
FÉROCITÉ	3	0	0	0	0	0	0	0	0	0	0	1	0	0	0	1	1
FERTILE	2	0	0	0	1	0	0	0	0	0	3	1	0	0	0	7	5
FERVEUR	2	0	0	0	0	0	0	0	0	0	0	0	0	0	0	1	1
FESTIN	2	0	0	1	1	1	0	0	3	0	5	0	0	0	3	9	3
FESTON	2	0	0	0	0	0	0	0	1	0	6	1	0	0	1	4	3
FÊTE	2	0	0	9	3	1	2	0	1	0	3	2	0	0	2	14	6
FEU SM	2	1	9	0	0	2	0	0	4	7	1	0	0	0	0	56	11
FICTION	2	0	0	6	7	1	0	0	0	1	1	3	0	0	0	1	1
FIDÈLE	3	4	5	0	0	0	10	14	0	17	5	13	0	1	0	78	12
FIDÈLEMENT	3	0	0	0	1	7	1	0	0	0	0	0	0	0	0	5	1
FIDÉLITÉ	2	0	0	0	2	0	0	0	4	3	0	2	0	0	0	3	2
FIEL	2	0	0	0	0	0	0	0	0	0	0	1	0	0	0	5	4
FIER AJ	3	10	9	3	2	0	4	4	2	1	0	3	0	0	0	46	10
FIER V	1	0	0	0	4	0	2	0	0	5	4	1	0	0	0	10	5
FIÈREMENT	3	0	0	3	0	1	0	0	3	0	0	0	0	0	0	1	2
FIERTÉ	2	0	0	0	4	1	0	0	0	1	1	1	0	0	0	23	8
FIGURE	2	0	7	0	2	1	0	0	3	3	0	0	0	0	0	1	1
FIGURER	1	0	0	1	0	0	1	0	0	0	0	0	0	0	0	7	6
FIL	2	0	0	6	2	1	0	1	0	2	2	1	0	0	0	3	2
FILLE	2	5	2	8	0	1	4	0	7	7	1	16	0	0	0	129	8
FILS	2	56	2	82	23	2	0	50	6	52	13	46	3	1	5	329	11
FIN SF	2	1	3	5	3	5	7	3	2	3	6	5	0	0	1	32	10
FINIR	1	7	0	3	2	3	1	1	0	2	0	1	0	0	1	29	10
FIXE	3	0	0	0	0	0	2	0	0	0	0	0	0	0	0	1	1
FIXER	1	0	0	0	0	1	0	0	0	1	1	0	0	0	0	4	3
FLAMBEAU	2	2	3	0	2	2	0	5	2	2	0	0	0	0	0	12	7
FLAMME	2	4	0	0	1	5	4	0	11	12	2	5	0	2	0	61	10
FLANC	5	0	10	1	1	7	3	9	3	6	0	7	0	0	0	14	4
FLATTER	23	0	9	9	10	3	3	0	7	3	1	1	0	0	1	73	11
FLATTEUR	2	0	0	0	4	2	1	0	0	2	3	1	0	0	0	13	6
FLÈCHE	1	0	4	0	3	0	0	0	4	0	0	0	0	0	0	2	2
FLÉCHIR	1	0	0	0	0	0	1	1	0	7	3	0	0	0	1	30	9
FLÉTRIR	1	0	3	0	0	2	0	0	0	0	0	8	0	0	0	2	2
FLEUR	2	0	0	0	0	1	0	0	2	0	3	0	0	1	2	16	6
FLEUVE	2	1	0	1	0	0	0	0	0	1	3	0	0	0	0	3	3

	CO	THE	ALE	AND	BRI	BER	BAJ	MIT	IPH	PHE	EST	ATHA	PRO	CHA	CHE	TOTA	RE
FLORISSANT	3	0	0	0	1	0	0	1	0	0	1	0	0	0	1	3	3
FLOT	2	0	0	0	0	1	0	1	5	7	0	4	0	0	0	18	5
FLOTTANT	3	0	0	0	0	0	0	0	1	0	0	0	0	0	0	1	1
FLOTTE	2	0	0	0	0	0	1	0	1	0	0	0	0	0	0	1	1
FLOTTER	1	0	2	0	0	0	0	0	1	2	1	1	0	0	0	8	6
FOI	2	5	7	14	13	5	24	15	8	9	10	13	2	3	0	123	11
FOIBLE	3	1	1	2	4	5	2	4	8	8	7	5	0	3	0	53	11
FOIBLEMENT	3	0	3	0	0	0	1	0	0	0	1	0	0	0	1	3	3
FOIBLESSE	2	1	1	3	1	5	3	4	4	4	1	5	1	0	0	34	11
FOIS	2	9	3	18	12	23	17	15	18	19	9	15	1	3	1	157	11
FOL	3	0	0	0	0	0	0	1	2	1	1	0	1	0	1	9	5
FOND	2	1	1	3	3	2	1	2	2	2	2	4	1	1	1	29	11
FONDEMENT	1	0	0	0	1	0	1	1	0	1	0	2	0	0	0	6	5
FONDER	1	0	0	1	1	1	1	0	3	0	2	1	0	0	1	11	7
FONDRE	1	4	2	1	0	0	0	2	3	0	0	0	0	0	0	2	2
FORCE	2	5	1	5	3	0	2	5	0	5	5	4	0	3	0	29	10
FORCER	1	0	3	0	3	0	7	9	0	3	3	3	0	0	0	55	11
FORÊT	2	8	0	0	0	0	0	0	0	6	0	0	0	0	0	13	5
FORFAIT	1	0	1	0	1	0	1	0	0	2	0	1	0	0	0	1	1
FORGER	2	0	0	0	0	0	0	0	0	0	0	0	0	0	0	1	1
FORME	1	0	1	2	0	0	0	5	4	1	5	1	1	0	0	33	11
FORMER	1	0	0	1	3	0	5	3	0	0	0	0	0	0	0	4	2
FORMIDABLE	3	2	0	0	0	0	1	0	2	3	1	0	0	0	1	13	6
FORT AJ AV	3	0	0	2	0	0	0	0	2	6	0	1	0	0	0	4	3
FORT SM	2	0	3	0	1	0	0	0	0	2	1	0	0	0	1	2	2
FORTIFIER	1	0	0	0	1	1	7	6	4	5	5	0	0	0	0	45	11
FORTUNE SF	2	5	1	0	5	8	1	0	0	2	1	0	0	0	1	5	4
FORTUNÉ AJ	3	4	3	0	0	1	0	0	0	0	0	0	0	0	0	14	5
FOUDRE	2	0	0	0	0	0	0	0	0	0	0	0	0	0	0	1	1
FOUDROYER	1	0	0	2	1	5	1	6	7	3	5	2	0	0	1	1	4
FOUGUE	2	0	3	1	0	2	0	0	0	0	0	1	0	0	0	27	9
FOULE	1	0	0	0	0	0	1	0	0	1	1	2	0	0	1	7	4
FOULER	2	0	1	0	0	0	0	0	0	0	0	0	0	0	0	2	1
FOURBE SF	1	0	0	0	0	0	0	1	0	0	1	0	0	0	1	1	1
FOYER	2	0	0	0	0	2	0	3	7	0	0	1	0	0	0	2	1
FRACASSER	2	0	0	0	0	0	0	0	0	0	0	2	0	0	0	1	1
FRAGILE	3	0	2	5	4	2	2	3	2	1	5	0	0	2	0	2	1
FRAÎCHEUR	2	0	0	0	0	0	0	0	7	3	1	1	0	0	0	2	2
FRANCHIR	1	0	1	0	4	0	2	0	0	0	1	2	0	0	0	1	1
FRAPPER	1	4	0	0	0	2	0	3	0	3	0	12	0	0	1	49	11
FRAUDE	2	0	1	1	4	0	2	2	2	0	5	0	0	0	0	1	1
FRAYEUR	2	4	1	0	4	0	1	2	1	2	1	2	0	0	0	19	9
FREIN	2	0	0	0	2	0	1	0	1	4	0	3	0	0	0	11	5

	CO	THE	ALE	AND	BRI	BER	BAJ	MIT	IPH	PHE	EST	ATHA	PRO	CHA	CHE	TOTA	RE
FRÊLE	3	0	0	0	0	0	0	1	0	0	0	0	0	1	0	1	1
FRÉMIR	1	1	3	3	2	2	1	1	3	3	7	3	1	0	4	26	10
FRÉMISSEMENT	2	0	0	0	0	0	1	0	1	1	0	0	0	0	0	3	3
FRÈRE	2	54	16	2	17	2	14	17	5	9	5	9	0	0	1	150	11
FRISSONNER	1	0	0	1	0	0	0	0	1	1	1	1	1	0	0	5	5
FRIVOLE	3	1	0	0	0	0	1	0	2	2	3	3	0	0	0	11	5
FROID AJ	3	1	0	0	0	0	0	0	1	3	0	0	0	0	0	6	4
FROID SM	2	0	0	0	0	0	1	1	0	1	0	0	0	0	0	1	1
FROIDEUR	2	0	1	0	0	3	1	0	2	2	0	0	0	0	0	12	6
FRONT	2	0	7	4	3	0	1	8	5	10	13	8	1	2	1	59	9
FRONTIÈRE	2	0	2	0	0	3	1	0	0	0	1	0	1	0	0	45	3
FRUIT	1	2	2	4	3	1	4	3	7	6	0	8	0	1	0	45	10
FRUSTRER	1	0	2	0	0	1	0	0	1	0	1	0	0	0	0	5	1
FUGITIF	23	2	2	5	3	5	4	3	0	0	0	8	1	0	1	5	3
FUIR	1	1	0	0	0	0	0	0	1	2	3	0	0	0	2	125	11
FUITE	2	3	4	2	11	15	16	17	14	32	6	13	1	1	1	38	11
FUMANT	3	0	0	1	3	1	3	6	6	6	1	1	0	0	0	6	6
FUMÉE	2	0	0	0	0	1	1	1	0	1	0	2	1	0	0	3	2
FUMER	1	0	0	0	1	0	0	0	3	3	0	0	0	0	0	9	5
FUNÈBRE	3	0	0	0	0	0	0	0	0	0	0	0	0	0	0	2	1
FUNÉRAILLES	3	13	4	14	3	1	0	2	0	6	2	8	0	2	2	2	2
FUNESTE	2	16	2	13	6	9	10	22	15	16	7	0	1	2	0	121	11
FUREUR	2	1	1	3	0	6	13	16	19	17	7	20	0	1	1	135	11
FURIEUX	3	3	1	2	1	0	3	4	4	4	0	1	0	0	0	15	7
FURTIF	3	0	1	0	0	1	1	0	1	1	2	1	0	0	0	22	11
FUTUR AJ	3	0	0	0	2	0	0	0	5	0	1	0	0	0	0	1	1
GAGE	2	0	2	3	3	1	3	5	3	0	0	0	0	0	0	2	1
GAGNER	23	9	2	2	0	1	0	1	0	0	2	7	1	2	2	30	9
GARANT	1	1	2	2	3	1	0	1	3	1	1	0	0	0	0	19	7
GARANTIR	1	0	1	0	0	0	0	0	0	3	0	0	1	0	0	3	3
GARDE SF	2	0	2	2	1	0	6	2	5	3	0	1	0	0	0	3	3
GARDE SM	2	1	1	2	5	8	8	11	6	5	2	0	1	0	0	14	2
GARDER	1	0	9	1	5	0	0	0	0	1	1	7	1	0	0	25	5
GÉANT	2	0	0	2	0	3	0	2	7	6	4	0	0	0	0	82	8
GÉMIR	1	2	3	0	1	0	8	1	6	1	0	0	0	1	2	11	11
GÉMISSANT	3	0	0	2	0	3	0	0	0	6	3	1	0	1	0	1	1
GÉMISSEMENT	2	1	1	1	2	0	0	1	7	1	0	1	0	0	0	29	10
GENDRE	2	1	1	0	2	1	0	0	0	1	1	0	0	0	1	1	1
GÊNE	2	0	0	1	0	5	1	0	0	1	0	0	0	0	0	7	7
GÊNER	1	1	0	2	2	1	2	2	0	1	3	1	0	0	1	5	5
GÉNÉREUX	3	4	0	2	1	5	1	0	0	5	0	4	0	0	0	8	6
GÉNIE	2	0	6	0	2	0	2	1	0	0	3	0	0	0	0	33	10

	CO	THE	ALE	AND	BRI	BER	BAJ	MIT	IPH	PHE	EST	ATHA	PRO	CHA	CHE	TOTA	RE
GÉNISSE	2	0	0	0	0	0	0	0	0	0	0	1	0	0	0	1	1
GENOU	2	1	2	4	3	4	3	4	2	3	5	1	0	0	1	32	11
GENS	2	1	0	0	0	0	0	0	0	0	0	0	0	0	0	1	1
GESTE	2	1	0	0	2	0	0	0	0	0	0	1	0	0	0	4	3
GLACE	1	0	0	0	1	0	0	2	2	1	0	0	0	0	0	2	2
GLACER	2	1	1	1	1	2	2	1	0	4	2	3	0	0	1	21	1
GLADIATEUR	2	0	0	0	0	0	0	0	0	0	0	0	0	0	0	2	2
GLAIVE	1	1	0	1	0	0	0	0	0	0	4	7	0	1	2	11	2
GLISSER	1	0	0	0	0	0	0	3	0	1	0	0	0	0	0	1	1
GLOIRE	2	8	54	17	18	7	10	15	30	9	19	11	3	5	7	213	11
GLORIEUX	3	2	3	12	1	27	1	5	5	4	3	0	1	0	0	21	7
GLORIFIER	1	0	0	0	0	0	0	0	0	0	1	0	0	0	1	1	1
GORGE	2	0	0	0	0	0	0	0	1	0	0	0	0	0	0	1	1
GOUFFRE	2	0	0	0	0	0	0	0	0	0	0	1	3	1	0	1	1
GOÛT	2	1	0	0	1	0	1	1	0	0	1	0	0	0	0	13	1
GOÛTER	1	0	0	0	0	0	0	0	0	2	2	2	1	1	0	3	9
GOUTTE	2	1	0	1	3	2	0	0	0	0	0	1	0	0	0	8	1
GOUVERNER	1	0	0	0	1	0	0	3	0	0	2	2	0	0	0	1	1
GOUVERNEUR	2	4	1	0	7	0	1	5	4	0	3	0	0	0	1	67	4
GRÂCE	3	27	29	9	7	6	14	22	8	5	7	5	1	4	3	183	11
GRAND	1	7	2	5	5	15	12	1	3	8	18	32	3	4	1	42	11
GRANDEUR	2	0	0	3	1	11	1	1	1	0	4	5	0	0	0	10	10
GRAVER	1	3	1	1	1	0	0	0	1	0	1	0	1	0	1	5	5
GRÉ	2	0	0	1	1	0	0	0	1	0	1	2	3	0	0	10	7
GRONDER	1	0	0	0	0	0	0	0	0	0	0	0	0	0	1	2	1
GROS AJ	3	0	1	0	0	0	0	1	0	2	0	0	1	0	0	1	2
GROS SM	2	0	0	0	0	0	0	0	0	0	0	0	0	0	0	5	1
GROSSIER	3	3	0	0	1	0	0	2	0	1	1	0	0	0	0	7	5
GROSSIR	1	0	1	1	0	0	0	3	4	0	0	1	0	0	0	1	4
GUÈRE	0	3	0	0	0	0	0	0	2	0	0	4	0	0	0	51	3
GUÉRIR	1	0	9	2	0	0	0	9	0	1	2	1	0	0	0	12	9
GUERRE	2	17	9	0	0	0	3	0	3	0	0	0	0	2	0	3	3
GUERRIER	2	0	0	0	0	0	0	0	1	1	0	1	3	0	0	1	1
GUEULE	2	0	1	1	0	0	3	1	0	1	1	0	1	0	0	8	6
GUIDE	2	0	0	0	0	0	0	0	0	0	1	0	0	0	0	5	5
GUIDER	1	0	0	0	0	0	1	0	0	0	1	3	0	0	1	1	1
HABILLEMENT	2	0	3	0	0	0	0	0	0	0	1	0	0	0	0	5	3
HABILLER	1	0	0	0	0	0	0	0	0	1	1	2	0	0	0	2	1
HABIT	1	1	1	0	0	0	0	0	0	2	0	0	1	0	0	8	5
HABITANT	2	0	0	0	1	0	0	0	0	6	2	5	0	0	1	2	3
HABITER	1	0	1	0	1	0	1	0	0	0	0	0	0	0	0	5	2
HABITUDE	1	0	1	0	1	0	0	0	0	2	5	2	0	0	0	8	5
HAINE	2	24	15	28	5	10	4	13	7	16	5	5	0	0	0	132	11

	CO	THE	ALE	AND	BRI	BER	BAJ	MIT	IPH	PHE	EST	ATHA	PRO	CHA	CHE	TOTA	RE
HAÏR	1	22	9	22	6	8	2	4	3	10	4	4	0	0	1	94	11
HALEINE	2	0	0	0	2	0	0	0	0	0	0	1	0	0	0	1	1
HARDI	3	2	1	0	1	0	1	2	0	1	1	3	0	0	0	13	8
HARDIESSE	2	0	0	0	0	0	0	0	0	0	0	0	0	0	0	1	1
HARMONIE	2	0	3	0	2	0	0	0	0	0	1	0	0	0	1	10	1
HASARD	2	0	2	0	0	0	0	1	0	0	1	0	0	0	0	5	6
HASARDER	1	0	2	1	1	0	1	0	0	0	0	3	0	1	0	26	4
HÂTER	1	3	0	1	2	0	2	2	2	2	0	4	0	0	0	32	8
HAUT	3	9	4	2	3	3	5	1	6	0	1	5	0	1	1	10	2
HAUTAIN	3	0	1	0	1	1	2	0	2	0	0	1	0	0	0	2	10
HÉLAS	8	17	9	13	15	27	14	7	15	11	5	17	0	4	3	153	2
HÉRAUT	2	1	0	0	0	0	0	0	0	1	0	0	0	1	0	3	11
HERBE	2	0	0	0	0	0	0	0	0	1	1	2	0	0	0	3	3
HÉRÉSIE	2	0	0	0	0	0	0	0	0	1	1	0	0	0	0	1	3
HÉRISSER	1	0	0	0	0	0	0	0	0	0	1	0	0	0	0	3	1
HÉRITAGE	2	0	3	0	0	0	0	2	2	2	0	0	0	0	0	1	2
HÉRITIER	1	0	0	0	0	0	0	0	0	1	1	0	0	0	0	15	1
HÉROÏNE	2	0	0	0	0	0	0	0	0	0	0	0	0	0	0	1	5
HÉROÏQUE	3	1	0	0	0	2	0	2	5	8	5	8	0	0	0	4	1
HÉROS	3	9	1	3	0	0	0	0	0	0	0	0	1	1	0	1	2
HÉSITER	2	0	4	0	2	2	8	8	0	3	0	0	0	0	0	56	10
HEURE	1	4	1	3	0	0	2	0	4	1	5	1	0	0	1	1	1
HEUREUSEMENT	3	0	0	0	2	6	1	3	0	0	0	1	0	0	2	42	10
HEUREUX	3	4	0	2	1	0	8	9	2	1	2	3	0	0	1	3	10
HIDEUX	3	4	0	0	0	0	0	0	5	0	1	1	0	0	3	167	11
HIER	0	0	0	0	2	2	1	1	2	0	0	4	0	6	12	1	1
HISTOIRE	2	1	1	0	0	0	0	0	0	0	0	1	0	0	0	3	2
HOLÀ	8	0	0	0	0	0	0	0	0	0	0	0	0	0	0	16	8
HOLOCAUSTE	2	0	0	0	2	0	0	0	2	2	2	0	0	0	0	4	4
HOMICIDE AJ S	23	0	0	1	0	1	0	5	5	0	0	1	0	0	0	13	1
HOMICIDE SM	2	0	1	0	0	0	0	0	0	3	0	6	0	0	2	4	4
HOMMAGE	2	0	0	2	0	0	1	1	0	1	2	0	0	0	0	2	1
HOMME	3	2	5	0	1	2	2	0	2	1	0	0	0	0	0	11	7
HONNÊTE	2	1	2	0	0	0	9	8	10	0	1	1	0	1	0	21	8
HONNEUR	3	0	0	0	7	9	9	0	2	12	8	8	0	0	3	109	11
HONORABLE	3	1	1	2	1	0	0	4	1	1	0	0	0	2	0	2	11
HONORER	1	0	0	0	3	1	1	0	0	0	1	1	0	0	3	39	2
HONTE	2	1	1	2	2	3	1	8	5	5	0	0	0	1	0	39	11
HONTEUSEMENT	3	0	4	3	0	2	0	0	2	8	0	3	0	0	0	26	11
HONTEUX	3	3	2	1	1	0	2	4	1	0	3	0	0	0	0	1	10
HORIZON	2	3	3	2	0	0	0	2	0	0	1	1	0	0	0	2	1
HORMIS	0	2	0	0	0	0	0	0	0	0	0	0	0	0	0		1

	CO	THE	ALE	AND	BRI	BER	BAJ	MIT	IPH	PHE	EST	ATHA	PRO	CHA	CHE	TOTA	RE
HORREUR	2	9	0	5	5	2	3	5	10	7	9	20	0	4	1	75	10
HORRIBLE	3	2	1	0	0	0	0	0	2	7	4	3	0	0	2	20	7
HORS	0	0	0	0	0	1	0	0	0	0	0	2	0	0	0	3	2
HUILE	2	0	0	0	0	0	0	0	0	0	0	2	0	0	0	2	1
HUIT	6	0	3	1	2	6	0	1	0	0	0	2	0	1	0	9	3
HUMAIN	23	1	3	3	2	3	0	2	3	6	6	4	3	1	1	31	10
HUMANITÉ	2	0	0	0	0	1	0	1	0	0	2	0	0	0	0	1	1
HUMBLE	23	0	1	1	0	0	0	0	1	1	2	0	0	0	1	7	6
HUMECTER	1	0	0	0	0	0	0	0	0	1	0	0	0	0	0	1	1
HUMEUR	2	1	0	0	0	0	0	1	0	1	0	0	0	0	0	2	2
HUMIDE	3	0	0	0	0	0	0	0	2	2	2	0	1	0	0	7	1
HUMILIER	1	0	1	1	1	0	0	1	0	0	0	0	0	0	0	2	5
HURLEMENT	2	0	0	0	0	0	0	0	0	0	0	1	0	0	0	7	1
HYMEN	2	0	1	14	7	12	9	17	2	5	2	6	0	0	0	88	8
HYMENÉE	2	2	0	0	0	0	0	0	2	0	0	0	0	0	0	16	6
ICI	0	13	14	17	19	15	6	26	24	6	8	15	3	0	0	163	11
IDÉE	2	1	0	0	1	1	1	0	0	0	1	1	0	0	0	5	5
IDOLÂTRE	23	0	0	0	0	0	0	0	0	1	0	2	0	0	0	4	3
IDOLÂTRER	1	0	0	0	1	1	0	0	0	0	0	0	0	0	0	3	1
IDOLÂTRIE	2	0	0	0	0	0	1	0	0	1	1	1	0	0	0	1	1
IDOLE	2	0	0	0	2	0	0	1	0	1	1	0	0	0	1	2	5
IGNOMINIE	2	0	0	0	0	0	1	0	0	0	0	0	0	0	0	6	11
IGNORANCE	1	3	4	6	3	3	0	8	8	8	3	7	7	0	4	76	11
IGNORER	0	3	4	6	3	3	11	8	8	8	3	7	7	0	4	1	1
ÎLE	0	307	235	309	277	178	286	204	198	167	173	199	7	40	44	2533	2
ILLÉGITIME	2	0	0	1	0	0	0	0	0	0	0	0	0	0	0	1	9
ILLUSTRE	3	7	6	1	2	2	0	3	3	1	0	5	0	1	0	28	11
IMAGE	2	1	1	1	2	3	2	0	2	3	1	2	0	0	1	29	1
IMAGINAIRE	3	0	0	0	0	0	0	0	0	0	0	0	0	0	0	1	2
IMAGINER	1	0	0	0	0	0	0	0	0	0	0	0	0	0	0	2	1
IMBÉCILE	23	0	0	0	0	0	1	0	0	0	0	0	0	0	0	1	8
IMITER	1	1	1	0	1	1	0	1	3	2	4	6	0	0	0	11	4
IMMOBILE	3	3	2	7	0	0	0	5	1	1	1	0	0	1	1	6	9
IMMOLER	1	1	2	3	2	2	4	1	3	3	0	6	0	0	0	40	10
IMMORTEL	23	3	2	1	1	1	1	0	3	1	1	4	0	1	0	21	2
IMPARFAIT	3	1	2	1	0	0	0	0	0	3	0	0	0	0	0	3	7
IMPATIENCE	3	0	1	1	0	0	0	0	2	0	1	0	0	0	0	18	2
IMPATIENT	3	0	1	1	0	3	0	0	0	2	0	1	0	0	0	11	2
IMPÉRATRICE	2	0	0	1	0	0	0	0	2	0	1	0	0	1	0	4	4
IMPÉRIEUX	3	1	4	0	0	0	0	1	0	0	0	0	0	0	0	2	4
IMPÉTUEUX	3	0	1	0	0	0	1	1	0	0	1	0	0	1	1	5	2
IMPIE	23	0	0	0	0	0	0	0	1	1	8	11	0	4	6	21	4

	CO	THE	ALE	AND	BRI	BER	BAJ	MIT	IPH	PHE	EST	ATHA	PRO	CHA	CHE	TOTA	RE
IMPIÉTÉ	2	0	0	0	0	0	0	0	0	0	3	5	1	0	1	8	2
IMPITOYABLE	3	0	0	0	0	0	1	0	2	1	1	1	0	0	0	6	5
IMPLACABLE	3	0	0	0	1	0	0	1	0	3	1	4	0	0	0	9	5
IMPLORER	1	1	1	2	3	2	1	2	3	0	5	0	0	0	2	25	9
IMPORTANT	3	0	1	4	0	1	3	5	1	1	1	3	0	0	0	18	9
IMPORTER	1	0	0	4	4	3	3	2	1	1	1	1	0	0	0	19	9
IMPORTUN	23	0	0	0	4	5	3	2	2	4	0	5	0	0	0	29	8
IMPORTUNER	1	0	1	0	2	3	2	0	0	2	0	1	0	0	0	11	6
IMPORTUNITÉ	2	1	0	0	1	0	0	0	1	0	1	0	0	0	0	11	1
IMPOSER	1	1	1	0	2	4	3	0	0	1	0	3	0	0	1	19	8
IMPOSSIBLE	23	2	3	0	1	1	3	0	4	0	1	1	0	0	0	4	3
IMPOSTEUR	2	0	0	0	1	1	0	0	0	0	0	0	0	0	0	3	3
IMPOSTURE	2	0	0	0	0	1	0	0	1	0	1	2	0	0	0	4	3
IMPRÉVU	3	0	3	0	0	0	0	0	0	1	0	0	0	0	1	5	4
IMPRIMER	1	0	0	0	0	0	0	0	0	0	0	1	0	0	0	2	2
IMPRUDENCE	2	0	0	0	0	0	0	0	1	2	0	1	0	0	0	4	4
IMPRUDENT	3	0	3	0	0	0	0	0	0	1	0	0	0	0	0	7	3
IMPUDENCE	2	0	0	0	0	0	0	0	0	0	0	0	0	0	0	1	1
IMPUDENT	3	0	0	0	0	0	0	0	1	1	0	1	0	0	0	1	1
IMPUDIQUE	3	0	3	0	0	0	0	0	1	2	0	0	0	0	0	3	3
IMPUISSANCE	2	0	1	1	1	0	0	0	0	0	3	0	0	0	0	8	8
IMPUISSANT	3	0	1	0	3	1	3	0	5	0	6	2	0	0	0	9	5
IMPUNÉMENT	3	0	3	1	0	1	0	1	0	0	0	2	0	0	0	6	2
IMPUNI	3	0	0	0	0	0	2	0	1	0	0	1	0	0	0	6	3
IMPUR	3	0	1	3	3	0	0	0	0	0	3	0	0	0	0	18	10
IMPUTER	1	2	0	0	0	0	0	3	0	0	1	3	0	0	1	3	3
INACCESSIBLE	3	0	1	0	3	1	0	0	0	1	0	0	0	0	0	3	3
INANIMÉ	3	0	0	1	0	0	0	0	0	1	0	0	0	0	0	2	2
INCAPABLE	3	0	2	2	0	2	2	0	0	1	0	0	0	0	0	20	7
INCERTAIN	3	0	1	0	0	0	0	0	0	1	0	0	0	0	0	3	3
INCERTITUDE	2	0	0	0	1	0	0	0	0	0	0	0	0	0	0	1	1
INCESSAMENT	3	1	0	0	0	0	0	0	0	0	0	0	0	0	0	4	2
INCESTE SM	2	1	0	0	1	0	0	0	0	3	0	0	0	0	0	5	1
INCESTUEUX	1	2	0	0	0	1	0	0	0	2	0	2	0	1	0	1	1
INCLÉMENCE	2	0	0	0	0	0	1	0	0	0	0	0	0	0	0	3	1
INCOMPATIBLE	3	0	0	0	2	1	3	3	0	4	0	0	0	0	0	24	9
INCONNU	3	0	1	1	0	3	1	1	1	1	0	2	0	0	0	7	6
INCONSTANCE	2	1	1	1	0	0	0	0	0	1	0	0	0	0	0	3	3
INCONSTANT	3	1	0	0	1	0	0	0	0	1	0	0	0	0	0	3	1
INCRÉDULITÉ	3	0	0	0	0	0	0	0	0	0	0	0	0	0	0	1	1
INCROYABLE	3	0	0	0	1	0	0	1	1	1	0	1	0	0	0	3	3
INCURABLE	2	0	0	0	0	0	0	0	0	1	0	0	0	0	0	1	1
INDICE	2	0	0	0	0	0	1	1	0	0	0	0	0	0	0	1	1

	CO	THE	ALE	AND	BRI	BER	BAJ	MIT	IPH	PHE	EST	ATHA	PRO	CHA	CHE	TOTA	RE
INDIFFÉRENCE	2	0	0	3	0	2	1	0	1	0	0	1	0	1	0	8	5
INDIFFÉRENT	3	0	0	0	1	1	0	0	1	1	0	0	0	0	0	5	4
INDIGNE	3	2	7	3	3	2	10	4	4	7	1	4	0	0	0	47	11
INDIGNEMENT	1	1	0	0	1	0	0	0	1	0	0	0	0	0	0	3	3
INDIGNER	2	0	0	1	0	0	0	0	1	0	0	0	0	0	0	2	2
INDIGNITÉ	3	0	0	0	1	2	0	0	0	0	0	0	0	0	0	3	2
INDISCRET	3	0	0	1	1	1	0	1	2	0	0	3	0	0	0	8	5
INDOCILE	3	0	0	0	0	0	0	0	0	1	0	1	0	0	0	1	1
INDOMPTABLE	2	0	0	0	0	0	0	0	3	0	0	0	0	0	0	1	1
INDOMPTÉ	3	0	0	0	0	0	0	0	0	1	0	0	0	0	0	2	2
INDULGENCE	2	0	0	0	1	1	0	0	0	0	1	0	0	0	0	1	1
INDULGENT	3	0	0	0	0	0	0	0	0	0	0	0	0	0	0	1	1
INDUSTRIE	3	0	2	0	0	0	0	1	1	0	0	1	0	1	0	2	2
INEFFABLE	3	0	1	0	0	0	0	0	0	0	0	1	0	1	0	1	1
INÉPUISABLE	3	0	0	1	1	0	0	0	0	2	0	0	0	0	0	2	2
INÉVITABLE	3	1	0	0	0	1	3	1	1	2	1	1	0	0	0	4	3
INEXORABLE	3	0	0	0	0	0	0	0	0	1	2	0	0	0	0	9	7
INFAILLIBLE	3	0	3	0	1	0	0	0	1	1	0	1	0	0	0	8	5
INFÂME	23	0	0	0	1	0	0	0	0	1	1	0	0	0	0	6	6
INFAMIE	2	0	0	0	0	0	3	1	0	0	0	0	0	0	0	1	1
INFATIGABLE	3	0	1	0	0	0	0	0	0	1	0	2	0	0	0	1	1
INFECTER	1	0	0	0	2	1	0	0	0	2	1	0	0	0	1	4	3
INFERNAL	23	0	2	9	1	0	0	0	0	1	0	4	0	0	0	2	1
INFIDÈLE	3	0	0	3	0	0	6	6	0	0	3	0	0	0	0	33	10
INFIDÉLITÉ	2	1	0	0	0	3	0	0	0	0	0	1	0	0	1	2	2
INFINI	3	0	3	1	3	1	7	1	0	2	0	2	0	0	0	4	4
INFLEXIBLE	3	2	0	1	1	0	1	0	3	0	1	0	0	0	0	11	6
INFORMER	2	3	1	1	3	0	0	1	1	3	0	1	0	0	0	16	6
INFORTUNE SF	3	0	0	0	3	3	0	3	6	0	0	2	0	0	0	40	11
INFORTUNÉ AJ	3	5	0	1	1	1	0	0	0	0	4	0	0	0	0	1	3
INFRUCTUEUX	3	0	0	0	3	3	1	0	1	0	0	0	0	0	0	3	1
INGÉNIEUX	23	0	2	22	11	0	13	0	0	6	1	1	0	0	0	1	11
INGÉNUITÉ	2	0	0	3	2	4	0	7	2	0	0	3	0	0	0	3	3
INGRAT	23	2	0	2	0	0	2	0	0	3	4	0	0	1	0	88	11
INGRATITUDE	2	0	2	3	3	0	2	1	4	5	1	2	0	0	0	5	3
INHUMAIN	23	1	0	2	0	0	0	0	0	0	0	1	0	0	0	26	8
INIMITIÉ	2	0	1	0	0	2	0	0	2	0	0	1	0	1	0	15	7
INIQUITÉ	2	0	0	0	0	2	1	0	0	3	0	1	0	0	0	1	1
INITIER	1	0	0	0	5	5	0	0	0	0	0	1	0	0	0	1	1
INJURE	2	3	2	7	1	5	6	2	1	9	4	3	0	1	0	28	9
INJURIEUX	3	0	0	0	6	2	0	5	3	0	0	1	1	0	0	11	6
INJUSTE	23	5	2	2	0	5	6	5	8	9	1	4	0	0	0	53	11
INJUSTEMENT	3	2	0	0	0	0	0	0	0	0	0	0	0	0	0	2	1

	CO	THE	ALE	AND	BRI	BER	BAJ	MIT	IPH	PHE	EST	ATHA	PRO	CHA	CHE	TOTA	RE
INJUSTICE	2	3	0	2	6	3	1	0	4	2	2	3	0	0	1	26	9
INNOCENCE	2	3	0	4	3	1	1	2	2	7	12	5	1	3	5	40	10
INNOCENT	23	5	0	1	2	0	0	2	1	12	10	8	1	1	6	41	8
INNOMBRABLE	3	0	0	0	0	0	0	0	0	0	1	0	1	0	0	5	1
INONDER	1	1	1	0	0	0	0	2	0	0	0	1	0	0	0	5	4
INOUI	3	0	0	0	1	0	3	0	2	1	1	0	0	0	0	16	6
INQUIET	3	0	1	3	5	2	4	0	0	1	0	0	0	0	0	11	8
INQUIETER	1	1	4	1	1	1	1	0	0	0	1	1	0	0	0	8	7
INQUIETUDE	2	2	1	0	1	0	1	0	0	0	0	1	0	0	0	1	1
INSATIABLE	3	0	0	0	0	2	0	1	0	4	0	1	0	2	1	13	7
INSENSE	23	0	2	0	1	0	1	0	0	3	2	2	0	0	0	8	3
INSENSIBLE	3	2	0	0	0	0	0	0	0	0	0	0	0	0	0	3	3
INSENSIBLEMT	3	1	0	0	1	1	0	2	1	0	0	1	0	0	0	4	3
INSIGNE AJ	3	0	0	0	0	0	1	2	3	0	0	2	0	0	0	1	1
INSIPIDE	3	1	2	0	0	0	0	4	1	2	1	0	0	0	0	14	9
INSOLENCE	2	2	0	1	1	0	2	0	0	3	0	2	0	0	1	20	7
INSOLENT	23	2	0	0	1	0	0	0	0	0	5	4	0	0	0	30	11
INSPIRER	1	0	2	1	1	5	2	2	0	0	3	2	0	0	1	9	3
INSTANT SM	2	1	0	1	4	5	3	4	0	6	2	5	0	0	0	1	1
INSTINCT	2	2	6	0	0	0	7	0	3	1	0	1	0	0	0	50	9
INSTRUIRE	1	0	0	1	15	0	0	5	0	1	0	6	0	0	0	7	5
INSTRUMENT	2	0	0	2	0	0	0	1	3	1	3	1	0	0	0	9	5
INSULTER	1	0	1	0	0	1	4	1	0	1	2	0	0	0	0	1	1
INSUPPORTABLE	3	0	0	0	5	2	0	0	1	1	0	0	0	0	0	15	5
INTELLIGENCE	2	1	0	1	0	3	4	0	1	1	0	0	0	0	0	2	2
INTENTION	2	0	0	3	0	3	0	1	4	0	2	0	0	0	0	5	5
INTERDIRE	1	1	3	0	4	0	1	7	4	3	0	0	1	0	0	11	8
INTERDIT AJ	3	0	0	3	4	2	3	0	0	0	3	2	0	0	0	21	11
INTERESSER	1	2	4	0	1	3	5	1	3	2	9	0	0	0	0	51	8
INTERET	2	8	2	3	1	3	1	0	0	1	0	1	0	0	0	11	11
INTERPRETE	2	0	0	0	2	2	1	1	0	2	1	1	0	0	0	8	6
INTERROGER	1	1	0	0	0	0	1	0	0	0	1	0	0	0	0	6	9
INTERROMPRE	1	2	1	0	0	1	0	1	1	0	0	0	0	0	0	12	1
INTERVALLE	2	1	0	0	0	0	2	0	0	0	1	1	0	0	0	1	3
INTESTIN AJ	3	3	0	0	0	0	0	2	1	2	0	2	0	0	0	3	3
INTIMIDER	1	1	0	1	0	6	5	0	0	0	0	1	0	0	2	5	3
INTREPIDE	3	0	0	0	0	0	0	1	1	2	1	0	0	0	0	6	4
INTRODUIRE	1	0	3	1	0	5	0	4	6	0	2	1	1	0	0	4	3
INUTILE	3	0	4	0	6	0	0	0	0	0	1	1	0	0	0	38	10
INVARIABLE	3	0	0	0	0	0	0	2	0	0	0	0	0	0	0	1	1
INVENTER	1	0	0	0	0	0	0	0	0	0	0	1	0	0	0	5	4
INVENTEUR	2	0	0	0	0	0	0	2	0	1	1	1	0	0	0	1	1
INVESTIR	1	0	0	0	0	0	0	0	0	0	0	1	0	0	0	1	1

	CO	THE	ALE	AND	BRI	BER	BAJ	MIT	IPH	PHE	EST	ATHA	PRO	CHA	CHE	TOTA	RE
INVINCIBLE	3	1	4	0	3	1	3	1	1	2	0	0	0	0	0	16	8
INVISIBLE	3	0	0	0	1	1	1	0	0	0	1	0	0	0	0	3	3
INVITER	1	2	0	0	1	0	0	0	0	0	3	0	0	0	0	7	4
INVOLONTAIRE	3	0	0	0	0	1	0	0	0	0	0	1	0	1	0	1	1
INVOQUER	1	0	0	0	0	0	0	0	0	0	0	7	0	0	0	7	1
IRRÉPARABLE	3	0	0	0	0	0	0	0	0	0	0	1	0	0	0	1	1
IRRÉPROCHABLE	3	0	0	0	0	0	0	0	0	1	0	0	0	0	0	1	1
IRRÉSOLU	3	0	0	0	0	1	0	0	0	1	0	1	0	0	0	5	5
IRRITANT	1	0	4	0	1	1	1	4	7	0	3	0	3	0	0	1	1
IRRITER	1	1	0	5	1	2	4	0	1	1	1	1	0	0	1	54	4
ISSU	3	1	0	0	1	0	0	0	0	0	3	1	0	0	0	4	11
ISSUE SF	2	1	0	0	0	0	0	0	0	1	1	1	0	0	0	1	4
IVRE	3	0	0	0	0	0	0	0	0	0	0	1	0	0	0	2	1
IVRESSE	2	0	0	2	0	0	0	0	0	0	1	1	0	0	0	1	2
JADIS	2	0	1	0	3	2	1	2	1	3	2	3	1	0	0	18	1
JALOUSIE	3	4	6	2	5	4	3	1	7	0	1	0	0	2	3	6	8
JALOUX	0	17	12	13	10	30	13	7	20	5	26	4	0	7	13	50	6
JAMAIS	2	0	13	0	0	0	12	18	0	21	0	17	0	0	0	196	11
JANISSAIRE	2	0	0	0	0	0	4	0	0	0	0	0	0	0	0	4	11
JARDIN	3	0	0	0	0	1	0	0	1	1	1	0	0	0	0	1	1
JAUNISSANT	2	0	0	0	0	2	0	4	0	3	0	0	0	0	0	1	1
JAVELOT	0	0	0	0	0	0	0	0	0	0	0	0	0	0	0	1	2
JE	1	325	286	491	417	487	473	469	400	446	162	252	5	11	26	4208	11
JETER	2	2	6	4	3	3	6	6	5	4	7	11	1	3	2	57	11
JEU	3	0	0	0	0	0	0	0	0	0	3	0	0	1	0	3	1
JEUNE AJ	2	1	2	1	7	0	6	1	7	6	8	7	0	9	3	48	10
JEUNE SM	2	0	0	0	0	0	0	0	0	2	1	0	0	0	0	11	1
JEUNESSE	2	0	1	0	5	1	0	0	0	1	0	1	0	0	0	86	6
JOIE	2	6	4	0	8	6	9	7	14	2	0	6	0	0	2	31	11
JOINDRE	1	2	3	1	2	5	3	4	6	2	0	3	0	0	0	4	10
JONCHER	1	0	0	0	0	1	0	0	0	0	0	0	0	0	0	4	1
JOUER	2	0	0	1	1	0	1	1	0	1	2	0	0	0	0	4	4
JOUET	1	0	1	0	4	1	0	0	2	6	5	5	1	0	0	33	3
JOUG	2	0	2	1	4	3	2	4	2	2	1	2	0	0	0	34	9
JOUIR	1	0	4	4	8	4	9	5	2	3	5	3	0	2	2	353	10
JOUR	2	26	14	27	48	44	41	18	26	32	39	38	1	19	0	18	11
JOURNÉE	2	2	1	0	1	4	5	1	4	2	1	1	0	0	0	13	8
JUGE	2	0	1	1	0	1	1	3	0	0	0	4	0	0	0	1	7
JUGEMENT	1	0	0	0	3	5	2	6	4	3	0	1	0	0	0	41	1
JUGER	1	5	3	3	7	9	7	2	2	5	5	2	1	0	0	54	11
JURER	0	0	4	11	28	22	20	17	14	16	12	6	0	0	5	186	10
JUSQUE	1	11	16	15	5	5	13	8	13	18	9	15	0	1	5	101	11
JUSTE	23	6	8	8								8	0	2	2		11

	CO	THE	ALE	AND	BRI	BER	BAJ	MIT	IPH	PHE	EST	ATHA	PRO	CHA	CHE	TOTA	RE
JUSTEMENT	3	1	1	1	1	1	0	3	1	1	2	0	0	0	0	10	7
JUSTICE	2	7	1	2	3	3	3	5	2	3	3	5	1	3	2	35	11
JUSTIFIER	1	1	0	2	3	3	4	3	3	0	0	1	0	0	0	22	8
LÀ	2	5	3	3	2	2	3	8	7	2	5	1	0	1	0	68	1
LABYRINTHE	23	0	0	0	0	0	0	0	0	1	0	0	0	0	0	2	1
LÂCHE	3	4	8	4	2	2	3	3	6	6	0	5	0	0	0	40	10
LÂCHEMENT	1	1	0	0	0	0	0	0	1	1	0	0	0	0	0	3	3
LÂCHER	2	0	0	0	0	0	1	0	1	1	0	0	0	0	0	1	3
LÂCHETÉ	1	1	1	0	0	0	0	0	0	0	0	0	0	1	1	3	11
LAISSER	16	6	20	29	26	40	27	31	28	28	8	2	0	1	0	274	2
LAIT	2	0	0	0	1	0	0	0	1	1	0	0	0	0	0	2	2
LAMBEAU	2	0	0	0	0	0	0	0	0	0	0	0	0	0	0	2	1
LANCE	2	0	0	0	0	0	0	0	0	0	0	0	0	1	0	2	3
LANCER	1	0	0	0	0	0	0	0	0	0	0	1	0	0	0	7	9
LANGAGE	2	0	0	1	0	1	2	0	2	2	1	2	0	2	1	19	4
LANGUE	2	0	2	0	5	1	0	0	5	2	2	3	0	0	0	6	3
LANGUEUR	1	1	4	1	1	1	1	1	0	1	0	1	0	1	1	4	5
LANGUIR	3	0	0	0	0	0	0	0	0	3	0	0	0	0	0	10	5
LANGUISSANT	2	0	0	0	0	0	0	0	0	0	0	0	0	0	0	2	2
LARCIN	3	0	0	1	1	1	1	1	2	2	0	1	0	0	0	3	2
LARGE	2	0	0	0	0	0	0	0	0	0	0	0	0	0	0	2	1
LARGESSE	2	0	0	0	0	0	0	0	0	0	0	0	0	0	0	3	1
LARME	2	0	0	3	3	3	3	8	9	9	5	7	0	3	3	97	11
LAS	3	1	3	13	13	6	6	1	0	1	5	1	0	0	0	13	8
LASSER	1	1	0	2	1	0	1	4	3	0	2	1	0	0	0	27	9
LAURIER	1	5	5	3	3	3	2	2	0	0	2	0	0	0	0	15	5
LAVER	2	8	8	0	1	2	0	2	3	9	0	1	0	0	0	9	6
LE PRON	184	184	203	261	216	178	247	169	204	169	83	146	61	15	20	2050	11
LE ART	921	921	809	744	808	681	780	830	913	863	974	1118	0	178	292	9441	11
LEÇON	2	1	0	0	2	1	0	0	0	1	3	0	0	0	0	12	8
LÉGER	3	0	1	1	1	0	0	1	4	3	0	0	0	0	1	3	2
LÉGION	3	2	0	2	0	0	3	0	0	0	0	0	0	2	0	18	7
LÉGITIME	3	1	2	0	1	2	3	1	1	4	1	1	0	0	1	11	8
LENT	3	0	1	1	0	0	0	0	0	0	0	0	0	0	0	1	1
LENTEMENT	2	0	0	0	0	0	0	0	0	2	0	1	0	0	0	1	1
LENTEUR	2	0	0	0	0	0	0	0	0	0	0	0	0	0	0	1	1
LÉOPARD	2	0	0	0	0	0	0	0	0	0	1	0	0	0	0	1	3
LETTRE	0	66	42	47	45	9	8	46	42	19	55	65	2	3	5	503	11
LEUR POSS	0	7	4	8	6	1	57	8	12	4	3	13	1	2	3	71	11
LEUR PERS	1	0	2	2	4	0	5	0	0	5	4	6	0	0	0	24	7
LEVER V	2	0	0	0	0	0	1	0	0	0	0	1	0	0	1	15	1
LÉVITE	1	0	0	0	1	0	0	0	0	1	0	5	0	0	0	4	1
LÈVRE	2	0	3	0	0	0	0	0	0	0	0	0	0	0	0	2	2

	CO	THE	ALE	AND	BRI	BER	BAJ	MIT	IPH	PHE	EST	ATHA	PRO	CHA	CHE	TOTA	RE
LIBATION	2	0	0	0	0	0	0	0	0	0	1	0	0	0	0	1	1
LIBÉRAL	3	0	0	0	0	1	1	0	0	0	0	0	0	0	0	1	1
LIBÉRATEUR	23	0	5	0	8	0	3	1	2	0	0	1	0	0	0	2	2
LIBERTÉ	2	1	3	0	4	1	5	4	3	6	0	1	0	0	0	25	8
LIBRE	3	0	3	1	0	2	0	3	1	2	1	1	0	0	1	30	11
LICENCE	2	0	0	0	6	0	2	0	1	3	0	1	0	0	0	4	3
LIEN	2	0	0	1	0	3	3	1	3	0	1	1	0	0	0	19	7
LIER	1	0	0	1	9	6	2	3	0	0	0	0	0	0	0	21	9
LIEU	2	11	21	2	3	16	15	20	16	24	15	21	2	2	2	197	11
LIGUE	2	0	0	19	19	0	0	0	0	0	0	1	0	0	0	2	2
LIMITE	2	1	0	0	0	0	0	0	0	0	1	0	0	0	0	2	2
LIMITER	1	0	3	0	0	0	0	0	0	0	0	1	0	0	0	3	1
LIN	2	1	0	0	0	2	0	0	0	0	0	0	0	0	0	4	3
LION	3	0	0	0	3	0	0	0	1	3	2	3	0	0	1	1	1
LIQUIDE AJ	1	0	2	0	0	2	4	1	2	0	6	1	0	0	0	24	10
LIRE	2	0	0	0	7	0	0	0	0	0	3	0	0	0	1	1	1
LIS	2	0	0	1	0	2	1	2	7	4	1	2	0	0	0	21	8
LIT	2	0	8	0	4	0	0	0	0	0	1	6	0	0	0	7	2
LIVRE SM	1	3	0	0	0	0	0	0	0	0	0	0	0	0	0	58	11
LIVRER	2	8	14	8	14	15	4	7	12	20	5	28	0	9	1	135	11
LOI	0	11	9	6	2	12	18	23	23	9	8	6	1	2	0	139	11
LOISIR	2	0	2	1	9	0	1	5	5	1	4	1	0	0	1	11	8
LONG	3	0	3	0	2	7	7	23	12	5	0	2	0	0	0	45	11
LONGTEMPS	0	2	4	8	19	17	8	16	0	0	5	6	0	0	0	107	11
LONGUEUR	2	2	0	0	0	2	0	4	1	1	0	0	0	0	0	2	5
LORS	0	0	1	0	0	0	0	0	0	0	0	0	0	0	0	6	5
LORSQUE	0	8	5	4	11	14	5	4	5	5	5	5	1	0	1	77	11
LOUANGE	2	0	0	0	0	0	0	0	0	0	0	0	0	0	1	1	1
LOUER 2 VANTER	1	2	0	1	3	2	0	1	0	0	1	5	0	0	1	12	5
LOUP	2	0	0	0	0	0	0	0	0	0	0	1	0	2	0	2	1
LUEUR	2	0	0	1	0	0	0	0	0	0	0	0	0	0	0	1	1
LUI	0	56	78	105	84	57	79	48	61	42	51	77	8	9	9	738	11
LUIRE	2	1	1	0	2	0	1	1	0	0	2	3	0	2	1	6	3
LUMIÈRE	1	0	0	0	0	0	0	1	1	7	6	5	0	3	4	24	8
LUTTER	1	1	0	0	0	0	0	1	0	0	0	0	0	0	0	1	1
MACHINE	0	0	0	0	0	0	0	1	0	0	0	1	0	0	0	1	1
MADAME	82	48	41	57	84	41	70	50	52	32	8	8	1	0	0	484	11
MAGISTRAT	2	0	0	0	1	0	0	0	0	0	0	0	0	0	0	1	1
MAGNANIME	3	6	5	0	0	0	0	2	0	0	1	0	0	0	0	16	6
MAGNIFICENCE	3	0	0	1	0	1	0	0	0	0	0	1	0	3	0	5	3
MAGNIFIQUE	3	0	0	0	0	0	0	0	0	0	2	3	0	2	1	3	2
MAIN	2	22	25	19	28	14	32	35	35	35	27	40	2	2	6	312	11

	CO	THE	ALE	AND	BRI	BER	BAJ	MIT	IPH	PHE	EST	ATHA	PRO	CHA	CHE	TOTA	RE
MAINTENANT	0	2	3	0	0	4	5	10	3	4	2	1	0	0	0	34	9
MAINTENIR	1	0	0	0	0	0	0	0	0	0	0	0	0	0	1	5	2
MAINTIEN	2	0	0	0	0	3	1	0	0	1	0	0	0	0	0	2	2
MAIS	0	74	86	91	94	53	101	73	70	63	31	59	1	3	3	795	11
MAISON	2	0	0	0	0	0	0	0	0	0	0	5	0	1	0	7	7
MAÎTRE	2	7	20	9	16	5	8	3	3	3	6	3	0	0	2	83	11
MAÎTRESSE	2	0	5	4	3	1	7	5	3	1	3	3	0	0	0	31	10
MAJESTÉ	2	0	0	0	1	1	0	0	1	0	0	2	0	0	1	10	7
MAJESTUEUX	3	0	3	0	0	1	0	0	0	0	3	0	0	0	0	2	2
MAL AV	3	2	4	3	5	1	2	3	2	5	0	3	0	0	0	26	10
MAL SM	2	8	1	6	3	1	0	1	0	5	1	0	0	1	0	34	10
MÂLE	2	0	0	0	0	0	0	0	0	0	1	1	0	0	0	1	1
MALÉDICTION	0	0	0	0	0	0	0	0	0	0	0	1	0	0	0	2	2
MALGRÉ	2	15	11	15	8	5	17	12	3	10	1	3	0	0	0	83	10
MALHEUR	23	10	10	11	18	16	15	33	18	15	6	3	0	1	3	150	11
MALHEUREUX	10	0	2	11	4	13	13	20	6	13	10	9	0	1	2	111	11
MALICE	2	0	0	0	0	0	0	0	0	0	2	0	0	0	0	1	2
MALIGNITÉ	2	0	0	0	1	0	0	0	0	0	0	0	0	0	0	1	1
MAMELLE	2	0	0	1	0	0	1	0	1	0	0	1	0	0	0	3	3
MANDER	1	0	0	1	0	0	1	0	0	0	0	0	0	0	0	3	3
MÂNES	2	0	0	0	0	0	0	0	1	2	0	0	0	0	0	4	4
MANIE	2	0	0	0	0	0	2	0	0	0	0	0	0	0	0	1	1
MANIFESTE AJ	3	1	0	1	1	0	2	1	1	0	1	1	0	0	0	3	2
MANQUER	1	1	0	0	0	0	0	0	0	0	0	0	0	0	0	9	8
MARAIS	2	0	0	0	1	0	0	0	7	2	0	0	0	0	0	1	1
MARÂTRE	2	0	0	0	4	1	0	4	0	0	0	1	0	0	0	3	2
MARBRE	2	1	11	3	0	1	8	0	3	2	8	1	0	2	1	3	3
MARCHER	1	1	0	0	4	0	0	2	0	0	0	8	0	0	1	57	11
MARI	2	0	1	0	0	0	3	5	1	1	0	1	0	1	0	2	2
MARQUE	2	1	1	0	4	0	4	0	0	0	1	3	0	0	0	12	7
MARQUER	1	1	0	0	0	0	0	1	0	0	1	0	0	1	0	21	9
MASSACRER	1	0	0	0	0	0	0	0	0	1	1	0	0	0	0	9	2
MATELOT	2	0	0	0	0	1	0	0	2	1	0	3	0	0	0	4	2
MATERNEL	3	0	1	0	0	0	0	2	0	0	0	0	0	1	0	2	1
MATIÈRE	2	0	0	0	0	1	0	0	0	1	0	0	0	0	0	1	1
MATIN	2	0	0	0	0	0	1	0	0	1	1	0	0	0	0	2	5
MAUDIRE	1	0	0	0	1	0	0	0	0	0	1	2	0	1	0	7	1
MAXIME	2	0	0	0	0	0	0	0	0	0	0	0	0	0	0	1	3
ME	0	175	167	238	222	227	245	276	239	202	86	93	2	5	4	2170	11
MÉCHANT	23	5	1	0	0	0	1	0	2	1	8	13	3	0	4	27	4
MÉCONNOÎTRE	1	1	0	0	3	1	2	1	1	1	0	0	0	0	0	7	6
MÉDITER	1	0	0	0	1	0	0	0	0	0	0	1	0	0	0	9	6
MEILLEUR	3	0	0	0	0	0	0	0	0	1	0	0	0	0	0	2	2

	CO	THE	ALE	AND	BRI	BER	BAJ	MIT	IPH	PHE	EST	ATHA	PRO	CHA	CHE	TOTA	RE
MÉLANCOLIE	2	0	0	1	0	1	0	0	0	0	0	0	0	0	0	2	2
MÉLANGE	2	0	0	0	0	0	0	0	1	0	0	1	0	0	0	2	2
MÊLER	1	1	0	1	2	1	1	1	0	1	3	1	0	0	1	12	9
MEMBRE	2	0	0	0	0	0	0	0	0	0	1	2	0	0	1	3	2
MÊME	30	43	56	48	76	55	88	73	69	66	42	57	3	6	4	675	11
MÉMOIRE	2	1	3	0	6	6	4	5	1	5	1	1	1	2	2	46	11
MÉMORABLE	3	0	0	0	0	0	0	1	0	1	4	0	0	0	1	7	5
MENAÇANT	2	1	2	8	2	0	1	0	3	1	0	1	0	0	0	12	6
MENACE	1	0	4	2	4	2	2	1	2	1	1	4	0	1	0	37	11
MENACER	2	2	2	2	2	2	0	0	0	0	0	0	0	0	0	7	4
MÉNAGER V	1	0	4	1	1	0	1	1	2	2	1	2	0	1	1	3	3
MENDIER	1	0	2	2	1	0	0	0	0	0	0	0	0	0	0	10	7
MENER	1	0	1	0	1	0	1	1	1	1	2	0	0	0	0	10	6
MENSONGE	2	0	0	0	0	0	1	0	0	0	1	0	0	0	0	2	1
MENSONGER	3	0	0	0	0	0	0	0	0	0	2	2	0	1	0	5	3
MENTEUR	23	0	0	0	3	1	3	3	1	0	1	1	0	1	0	4	4
MENTIR	1	0	1	0	5	0	0	2	0	0	0	3	0	0	0	29	2
MÉPRENDRE	1	0	6	9	0	2	1	4	1	1	0	0	0	0	0	1	9
MÉPRIS	3	2	0	0	0	0	4	0	0	2	0	0	0	0	0	21	9
MÉPRISABLE	1	0	2	6	5	0	2	2	5	1	1	2	0	1	2	31	9
MÉPRISER	2	3	1	4	0	1	0	4	0	3	7	2	0	1	0	2	9
MER	2	1	0	0	0	0	0	0	9	5	1	2	0	0	0	31	10
MERCI SF	2	8	1	2	0	0	1	0	0	0	3	2	0	0	0	9	2
MÈRE	2	18	7	12	26	0	10	10	29	13	11	22	0	1	4	138	10
MÉRITE	2	0	1	0	0	3	0	0	1	0	0	2	0	0	0	7	4
MÉRITER	1	2	7	4	4	0	0	6	2	4	0	1	0	1	0	41	11
MERVEILLE	3	0	0	0	0	0	6	0	0	0	0	3	0	0	0	4	2
MERVEILLEUX	3	0	0	0	0	0	0	0	0	0	0	3	0	0	0	1	1
MESSAGE	2	0	1	0	0	0	0	0	0	1	0	0	0	0	0	6	6
MESURE	1	0	0	0	0	0	0	0	0	0	1	0	0	0	0	1	1
MESURER	2	0	0	0	1	0	0	3	0	0	0	1	0	1	0	4	2
MÉTIER	2	0	0	0	0	0	1	0	0	0	2	0	0	0	0	1	1
METS	1	0	3	6	0	6	6	4	0	0	1	1	0	0	0	122	11
METTRE	16	0	1	1	0	0	1	1	0	0	1	3	0	2	1	12	6
MEURTRE	2	0	3	0	0	0	0	0	0	2	1	3	0	0	0	8	5
MEURTRIER	23	0	1	0	8	11	0	0	5	0	0	2	0	0	0	2	1
MEURTRIR	1	0	0	0	3	6	6	4	6	6	0	1	0	1	1	1	1
MIDI SUD SM	2	0	3	9	7	1	0	9	4	7	3	1	0	0	2	58	10
MIEN	0	7	11	7	0	0	1	2	0	1	0	1	0	0	0	53	11
MIEUX	3	6	8	0	3	1	4	0	7	7	1	3	0	1	0	18	9
MILIEU AJ	2	2	4	7	7	1	6	2	0	6	6	3	0	2	2	91	11
MILLE AJ	6	10	4	0	10	1	1	0	0	1	0	1	0	0	1	3	1
MINISTÈRE	2	0	0	0	0	0	0	0	0	0	3	3	0	0	0	3	1

	CO	THE	ALE	AND	BRI	BER	BAJ	MIT	IPH	PHE	EST	ATHA	PRO	CHA	CHE	TOTA	RE
MINISTRE	2	1	0	0	4	0	2	0	0	0	3	8	0	0	1	18	5
MIRACLE	2	3	1	1	1	1	2	1	3	0	3	2	0	2	1	17	9
MISÉRABLE	2	2	0	0	1	0	0	1	0	3	3	2	0	0	0	14	6
MISÈRE	2	3	0	8	4	1	2	2	0	1	1	0	1	0	0	23	8
MISÉRICORDE	2	0	0	0	0	0	0	3	0	0	0	1	0	0	0	1	1
MITRE	2	0	0	0	0	0	0	0	0	0	0	1	0	0	0	1	1
MODÈLE	1	0	0	1	0	1	0	0	0	0	0	1	0	0	0	4	4
MODÉRER	3	0	0	1	1	0	1	0	0	0	0	0	0	0	0	3	3
MODESTE	3	0	0	2	2	0	0	0	0	1	0	1	0	0	0	6	4
MODESTIE	2	0	1	0	1	0	0	1	0	0	0	0	0	0	0	2	2
MŒURS	2	0	0	0	2	0	0	0	0	0	0	1	0	0	0	2	2
MOI	3	58	57	86	66	73	102	75	81	76	38	50	0	0	4	762	11
MOINDRE	3	2	9	2	3	1	2	9	2	2	1	2	1	0	1	35	10
MOINS	3	19	22	21	24	17	22	20	14	14	9	16	1	0	1	206	11
MOIS	2	2	0	1	1	2	3	1	3	1	1	0	0	0	0	18	9
MOISSON	1	0	1	0	0	0	0	0	1	0	0	0	0	0	0	3	3
MOISSONNER	2	1	3	0	2	0	0	0	2	1	0	1	0	0	0	3	3
MOITIÉ	2	0	3	0	0	0	1	0	1	0	1	0	0	0	0	18	2
MOL	3	0	1	0	2	0	0	0	2	0	1	1	0	0	0	2	3
MOLLESSE	2	0	0	0	0	0	1	0	0	0	0	0	0	0	0	3	11
MOMENT	2	8	5	10	15	40	23	22	15	11	11	5	1	0	1	165	11
MON	0	225	189	293	242	270	259	314	317	288	139	186	7	10	29	2722	11
MONARQUE	2	0	1	1	2	2	0	0	2	3	3	1	1	0	0	6	4
MONDE	2	4	6	2	0	0	1	2	0	18	2	2	0	2	0	24	9
MONSTRE	2	1	0	2	0	0	0	0	0	1	3	4	0	0	1	30	8
MONT	2	0	0	0	1	1	0	0	1	1	6	0	0	0	0	10	2
MONTAGNE	2	0	0	2	2	2	2	3	0	0	2	2	0	0	0	3	3
MONTER	1	12	6	6	0	0	5	5	0	7	4	14	0	0	6	22	6
MONTRER	1	6	0	0	1	4	0	0	8	0	0	0	0	0	1	79	11
MONUMENT	1	0	0	0	0	1	0	0	0	0	0	0	0	0	0	3	3
MORDRE	1	1	0	0	0	0	0	0	0	0	0	0	0	0	0	1	1
MORNE	3	0	0	0	0	0	0	0	0	0	0	0	0	0	0	1	1
MORS	2	0	0	8	1	1	2	2	1	1	8	6	0	0	2	1	1
MORT SF	2	20	8	18	11	30	22	15	18	18	8	4	0	0	2	157	11
MORT SM	2	7	6	3	1	1	2	4	0	2	20	8	0	0	3	30	8
MORTEL	23	1	4	0	2	2	0	10	11	23	1	0	0	3	5	84	10
MORTELLEMENT	3	1	3	4	1	2	1	1	6	2	0	0	0	0	0	1	1
MOT	1	5	0	0	2	0	1	10	0	2	0	0	0	0	0	58	10
MOUILLER	2	0	1	1	2	2	1	1	0	3	3	0	0	0	0	2	1
MOURANT AJ	3	1	2	2	2	2	2	11	14	14	1	1	0	0	0	10	7
MOURIR	1	31	15	29	12	12	25	11	22	3	2	1	0	0	0	180	11
MOUVEMENT	2	0	1	1	0	0	1	1	0	0	0	1	0	0	0	4	4
MOYEN SM	2	0	0	1	0	0	1	1	0	2	0	1	0	0	0	6	5

	CO	THE	ALE	AND	BRI	BER	BAJ	MIT	IPH	PHE	EST	ATHA	PRO	CHA	CHE	TOTA	RE
MUET	3	0	0	0	2	2	4	4	1	0	1	2	0	0	1	15	8
MUGIR	1	0	0	0	0	0	0	0	0	1	0	0	0	0	0	1	1
MUGISSEMENT	2	0	0	0	0	0	0	0	1	1	0	0	0	0	0	2	2
MUR SM	2	1	2	5	0	0	5	0	1	2	0	1	0	0	0	23	10
MUR AJ	3	0	0	1	0	1	0	0	0	1	1	0	0	0	0	1	1
MURAILLE	2	4	0	0	0	0	0	0	0	0	0	0	0	0	0	6	3
MÛRIR	1	0	0	0	0	0	0	0	0	0	0	0	0	0	0	1	1
MURMURE	2	0	2	2	1	2	1	1	1	0	0	1	1	0	0	13	7
MURMURER	2	0	3	0	2	0	0	0	0	0	0	0	0	0	0	9	5
MUTIN	23	0	0	0	3	1	2	1	1	0	0	1	0	0	0	4	2
MUTINER	1	0	1	0	2	0	0	0	0	0	0	0	0	0	0	2	2
MUTUEL	3	1	0	0	0	1	0	3	0	1	2	0	0	0	0	21	10
MYSTÈRE	1	0	0	1	3	0	0	0	0	3	1	4	0	0	1	2	2
NAGER	1	0	0	0	0	0	0	0	0	0	0	0	0	0	0	1	1
NAGUÈRE	2	4	1	0	3	2	0	1	4	0	1	0	0	0	0	24	8
NAISSANCE	2	0	0	0	2	1	0	0	1	2	1	8	1	0	0	12	7
NAISSANT	3	2	0	3	1	3	1	3	3	4	0	2	0	4	4	42	11
NAÎTRE	1	0	1	0	4	1	3	6	0	5	1	11	0	1	1	16	5
NATION	2	5	1	3	0	4	0	2	1	2	7	5	1	1	1	19	6
NATURE	3	0	1	0	0	0	0	0	0	0	5	3	0	1	2	4	1
NATUREL AJ	2	5	0	3	0	1	0	0	1	4	0	0	0	2	0		3
NAUFRAGE	0	2	0	0	0	0	0	2	0	1	0	0	0	0	0	4	11
NE	0	249	231	252	274	251	245	249	234	240	112	175	5	27	33	2512	2
NÉANT	3	0	0	1	1	4	4	1	0	0	1	0	0	0	0	12	6
NÉCESSAIRE	2	0	1	0	1	0	1	0	0	0	0	0	0	0	0	2	1
NÉCESSITÉ	2	0	0	0	1	0	0	1	0	0	0	1	0	0	0	1	2
NÉGLIGENCE	1	1	2	2	3	3	1	1	1	2	2	0	0	0	0	11	7
NÉGLIGER	2	0	0	0	0	1	0	0	0	0	0	0	0	0	0		1
NETTOYER	0	1	0	0	0	0	0	3	3	5	1	1	0	0	0	6	5
NEVEU	2	0	2	2	1	3	2	4	0	2	3	1	0	2	2	91	11
NI	0	13	6	4	6	5	8	14	8	6	13	8	1	0	0	3	2
NIÈCE	2	0	0	0	2	0	1	2	0	0	0	0	0	0	0	63	4
NIER	1	2	0	0	1	1	2	2	0	1	0	0	0	0	0		6
NOBLE	23	7	8	2	2	5	5	8	4	12	3	9	0	1	0	63	10
NOBLEMENT	3	1	1	0	0	1	1	0	0	1	0	0	0	0	1	4	4
NOBLESSE	2	0	0	0	0	0	0	0	0	0	0	0	0	0	0	4	2
NOCES	2	0	2	3	1	0	0	0	3	2	2	2	0	0	0	4	1
NOEUD	3	1	0	0	0	3	7	2	0	6	1	0	0	0	0	17	10
NOIR	3	8	2	0	1	0	2	4	3	5	1	1	0	0	0	27	9
NOIRCEUR	2	0	0	0	1	0	0	0	0	0	3	0	0	0	0	31	3
NOIRCIR	1	0	0	0	0	1	1	0	0	3	0	1	0	0	0	3	3
NOM	2	7	16	15	19	25	9	20	30	15	22	18	1	3	7	196	11
NOMBRE	2	0	3	1	2	3	2	1	1	1	5	5	0	1	0	18	8

	CO	THE	ALE	AND	BRI	BER	BAJ	MIT	IPH	PHE	EST	ATHA	PRO	CHA	CHE	TOTA	RE
NOMBREUX	3	0	3	0	0	0	1	1	0	0	3	3	0	0	2	8	4
NOMMER	1	0	3	0	2	2	0	2	5	0	3	6	0	0	4	34	9
NON	0	17	22	43	29	21	17	13	21	18	1	6	0	9	22	214	11
NOTRE AJ	0	28	37	32	32	16	27	25	35	28	46	64	0	9	22	370	11
NOTRE PRON	2	4	2	0	1	1	2	0	0	0	0	0	0	0	0	11	6
NOURRICE	2	0	0	0	0	0	0	3	0	0	0	4	0	0	0	4	4
NOURRIR	1	0	0	1	1	1	3	0	0	8	1	1	0	1	0	32	8
NOURRITURE	2	0	0	0	0	0	0	0	0	0	0	0	0	0	0	1	1
NOUS	0	61	66	50	35	38	52	48	82	21	57	76	0	22	30	586	11
NOUVEAU	3	4	7	7	15	12	8	10	6	11	6	11	0	1	3	97	11
NOUVELLE SF	2	1	0	0	3	3	2	5	4	2	0	11	0	0	0	20	7
NOYER V	1	0	0	3	0	0	0	1	1	1	1	0	0	0	0	8	6
NU	3	0	3	0	1	0	0	0	0	0	0	0	0	0	0	2	2
NUAGE	2	0	0	0	1	1	0	1	3	0	3	2	0	0	0	10	5
NUE SF	2	0	1	0	1	0	0	2	6	3	0	0	0	0	0	3	3
NUIRE	1	0	2	0	0	0	0	0	0	0	7	6	0	0	3	9	5
NUIT	2	4	0	8	8	4	0	1	0	4	1	1	0	2	0	51	10
NUL	30	0	0	0	0	0	0	2	0	0	0	0	0	0	1	1	1
NULLEMENT	3	14	4	13	7	8	15	13	13	15	39	43	1	26	21	180	10
O	8	9	0	6	14	2	11	9	5	2	6	2	0	0	3	69	10
OBÉIR	1	2	0	0	3	1	3	4	2	0	1	2	1	1	0	19	11
OBÉISSANCE	2	9	5	6	0	2	1	1	1	0	0	5	0	1	0	5	8
OBÉISSANT	3	0	1	0	4	1	5	2	3	7	4	1	0	1	0	51	5
OBJET	2	1	0	1	0	0	2	1	0	1	0	0	0	0	1	3	11
OBLIGER	1	0	0	0	4	1	0	3	2	0	1	1	0	0	0	13	3
OBSCUR	3	0	1	0	2	0	0	0	0	1	1	0	0	0	0	3	9
OBSCURCIR	1	0	1	0	1	1	0	0	0	0	0	0	0	0	0	3	3
OBSCURITÉ	2	0	2	0	0	2	0	1	0	3	1	2	0	0	1	5	4
OBSERVER	1	2	4	2	1	2	6	3	1	2	2	2	0	0	0	22	9
OBSTACLE	2	8	1	1	2	3	0	1	0	1	0	1	0	0	0	28	10
OBSTINER	1	1	1	2	1	0	4	1	4	1	1	0	0	0	0	10	6
OBTENIR	1	0	2	1	0	1	2	3	2	1	3	1	0	0	0	16	10
OCCASION	1	0	1	1	1	0	6	0	1	1	0	1	0	0	1	7	6
OCCUPER	2	2	4	0	8	3	0	7	4	1	3	0	0	0	0	34	11
OCÉAN	1	0	1	0	0	0	0	0	0	0	0	1	0	0	1	2	2
OCTROYER	2	0	2	2	0	0	3	0	0	0	1	0	0	0	0	1	1
ODEUR	2	0	1	0	4	1	3	7	0	3	4	4	0	1	2	54	11
ODIEUX	3	8	3	2	1	2	7	5	5	13	38	34	0	6	9	485	11
OEIL	2	12	41	61	73	52	37	25	47	65	3	1	1	0	11	1	1
OEUVRE	2	1	0	0	3	0	0	0	6	5	6	3	0	0	0	17	9
OFFENSE	2	2	1	2	3	1	7	1	1	1	3	1	0	0	1	55	11
OFFENSER	1	1	3	2	1	7	0	0	8	7	1	3	0	0	0	1	1
OFFENSEUR	2	1	0	0	0	0	0	0	0	0	0	0	0	0	0	1	1

	CO	THE	ALE	AND	BRI	BER	BAJ	MIT	IPH	PHE	EST	ATHA	PRO	CHA	CHE	TOTA	RE
OFFICE SM	2	2	0	0	0	0	0	0	0	0	0	1	0	0	0	3	2
OFFICIEUX	3	0	0	0	1	0	0	0	0	0	0	1	0	0	0	2	2
OFFRANDE	2	0	0	0	0	0	0	0	3	1	0	1	0	0	0	5	3
OFFRE	2	0	1	1	0	0	3	1	0	0	0	0	1	1	1	6	4
OFFRIR	1	6	11	6	3	6	7	8	7	7	8	9	0	0	1	78	11
OISEAU	2	0	0	0	0	0	0	0	0	0	0	1	0	0	0	1	1
OISIF	3	0	0	0	0	0	0	0	2	2	0	1	0	0	0	5	3
OISIVETÉ	2	0	1	0	0	0	1	0	0	0	0	0	0	0	0	5	3
OMBRAGE	2	1	0	0	1	0	2	0	0	1	4	1	0	0	0	6	5
OMBRE	2	2	2	0	3	0	3	3	8	8	4	6	0	2	2	31	8
ON	0	69	71	55	91	35	28	45	68	53	49	80	0	12	12	644	11
ONDE	2	0	0	0	0	0	0	0	0	1	0	0	0	0	0	3	3
OPINIÂTRE	3	0	0	0	1	0	0	0	0	0	1	3	0	0	0	1	1
OPPOSER	1	0	8	1	1	1	3	5	4	5	0	0	0	0	0	32	10
OPPRESSER	1	0	0	0	0	0	0	0	0	0	1	0	0	0	0	1	1
OPPRESSEUR	2	0	0	0	0	0	0	0	0	0	0	3	0	0	1	2	2
OPPRESSION	2	0	0	0	0	0	0	0	4	0	1	0	0	0	0	1	1
OPPRIMER	1	0	0	2	0	0	0	5	0	3	2	1	0	0	0	18	6
OPPROBRE	2	0	0	0	2	0	0	0	0	0	4	0	0	0	0	7	4
OPULENCE	2	0	0	0	0	0	0	0	0	0	1	2	0	0	0	2	1
OR SM	2	0	2	0	0	1	0	0	13	2	3	0	0	1	2	11	4
ORACLE	2	6	1	1	0	0	0	1	3	0	1	4	0	2	0	26	5
ORAGE	2	1	2	0	2	0	0	0	0	1	0	5	0	0	2	16	9
ORAGEUX	3	0	0	0	0	0	0	2	13	4	3	1	0	0	0	1	1
ORDINAIRE	3	2	6	1	0	0	0	6	14	2	12	0	0	0	0	11	5
ORDONNER	1	4	1	0	1	6	0	8	2	3	7	1	0	1	1	66	11
ORDRE	2	9	0	8	5	7	5	1	4	9	8	5	2	1	0	97	11
OREILLE	2	3	15	1	10	8	21	0	2	1	0	11	0	0	2	23	8
ORGUEIL	2	0	1	0	1	2	3	0	0	1	3	6	0	1	0	50	9
ORGUEILLEUX	23	1	0	1	5	0	0	0	0	1	5	2	0	0	0	9	7
ORIGINE	2	0	0	1	1	1	0	0	0	0	2	2	0	1	0	5	4
ORNEMENT	2	0	0	0	0	1	0	0	0	1	6	1	0	0	2	7	5
ORNER	1	0	0	0	1	0	0	0	0	0	0	5	0	1	2	11	3
ORPHELIN	2	0	0	0	0	0	0	0	0	0	0	5	0	1	0	7	2
OS	2	0	0	0	0	0	0	0	5	0	0	1	0	2	0	2	2
OSER	1	4	12	5	9	8	20	23	25	39	16	10	0	0	0	191	11
OTAGE	2	0	0	1	0	0	0	0	0	3	0	1	0	0	0	2	2
ÔTER	1	11	4	2	1	17	1	8	14	16	5	11	0	1	0	24	8
OU	0	33	25	33	29	30	31	23	24	29	24	50	1	14	5	251	11
OU où	0	27	24	34	1	10	26	28	35	2	2	3	0	0	0	336	11
OUBLI	2	0	1	0	33	0	2	2	0	2	2	4	0	0	0	11	6
OUBLIER	1	0	9	17	6	7	5	5	6	9	5	7	0	0	0	74	10
OUI	0	21	21	16	6	17	8	8	8	2	5	7	0	0	0	118	11

	CO	THE	ALE	AND	BRI	BER	BAJ	MIT	IPH	PHE	EST	ATHA	PRO	CHA	CHE	TOTA	RE
OUIR	1	1	1	0	2	2	0	1	2	2	0	0	0	0	0	11	7
OURS	2	0	0	0	0	0	0	0	1	0	0	2	0	0	0	3	2
OUTRAGE	2	0	0	2	1	1	2	4	5	3	1	4	0	0	0	22	8
OUTRAGER	1	1	1	1	1	1	0	4	2	5	1	2	0	1	0	21	11
OUVERTEMENT	3	1	0	0	0	0	0	0	0	0	0	0	0	0	0		11
OUVRAGE	2	1	3	0	2	2	2	1	3	2	6	4	1	0	3	35	10
OUVRIR	1	6	6	7	5	5	0	6	8	5	6	0	0	0	1	73	11
PACIFIQUE	3	0	0	0	0	0	0	0	0	0	1	1	0	0	1	1	1
PACTE	3	0	0	0	0	0	0	0	0	0	1	1	0	0	0	1	1
PAILLE	2	0	0	0	0	0	0	0	0	0	0	0	0	0	1	1	1
PAIN	2	0	0	0	0	0	0	0	0	0	1	1	0	0	0	2	1
PAISIBLE	3	0	0	0	0	1	1	0	0	1	0	0	0	1	2	8	5
PAIX	2	1	1	5	5	1	12	4	2	1	4	2	2	4	7	86	10
PALAIS	3	31	13	7	13	4	12	1	0	1	12	0	1	1	1	50	10
PÂLE		2	0	0	0	1	1	0	0	1	13	12	0	0	0	5	5
PÂLEUR	3	0	0	1	1	0	0	1	5	1	1	5	0	0	0		5
PÂLIR	2	0	0	0	0	1	0	0	0	1	1	1	0	0	0	4	6
PALME	1	0	1	0	0	0	1	1	1	4	1	0	0	0	0	13	1
PALPITANT	2	0	0	0	0	0	0	0	0	0	0	1	0	0	0	1	1
PÂMER	3	0	0	0	0	0	0	0	0	0	0	0	0	0	0	1	1
PAR	40	40	45	28	63	39	74	59	70	48	45	60	3	0	10	571	11
PARCE QUE	0	0	0	1	1	1	0	0	1	0	0	0	0	0	0	2	2
PARCOURIR	1	0	0	0	0	0	0	2	0	0	0	0	0	0	0	2	2
PARDON	2	0	2	1	1	0	0	2	3	3	0	0	1	0	0	5	3
PARDONNER	1	0	2	5	2	0	7	1	0	1	1	4	0	2	1	30	10
PAREIL	3	3	0	0	0	0	0	1	2	2	2	0	0	0	1	9	6
PARENT	2	2	0	1	0	0	2	2	3	1	0	3	0	0	0	15	7
PARER 1 ORNER	1	1	1	0	1	0	0	1	0	0	7	2	3	0	4	17	4
PARER 2	1	0	0	1	0	0	0	1	1	1	0	1	0	0	0	4	2
PARESSE	2	0	0	0	0	0	0	2	0	0	0	0	0	0	0	2	7
PARFAIT	3	0	1	1	0	0	1	1	0	0	1	1	0	1	1	7	1
PARFUM	3	0	0	0	0	0	0	1	1	0	0	0	0	0	0	1	1
PARFUMER	2	0	1	0	0	1	0	0	2	2	0	1	0	0	0	2	2
PARJURE AJ S	1	1	1	5	2	0	0	0	1	0	0	0	0	2	2	12	6
PARJURE SM	23	0	0	2	0	1	1	0	2	3	0	0	0	1	1	6	4
PARJURER	2	0	0	0	0	0	0	0	0	0	0	0	0	0	0	4	1
PARLER	18	18	17	20	39	31	24	20	18	14	18	6	1	11		233	11
PARMI	3	3	5	4	2	2	3	1	4	3	3	3	0	1	2	42	11
PAROÎTRE	8	8	7	5	12	10	10	8	7	9	8	14	1	1	1	99	11
PAHOLE	1	1	0	1	0	0	1	1	4	4	1	3	0	0	0	17	9
PARRICIDE AJ S	23	4	1	1	1	1	1	1	0	0	1	0	0	0	0	5	6
PARRICIDE SM	2	3	1	1	0	0	1	0	0	0	0	0	1	1	0	5	3
PART	2	5	4	4	3	2	2	7	4	3	3	9	1	1	2	49	11

	CO	THE	ALE	AND	BRI	BER	BAJ	MIT	IPH	PHE	EST	ATHA	PRO	CHA	CHE	TOTA	RE
PARTAGE	2	2	1	2	0	1	0	3	0	4	1	3	0	1	0	17	8
PARTAGER	1	4	1	4	4	1	1	2	1	2	3	3	0	0	3	26	11
PARTI	2	2	0	0	4	2	4	4	1	2	0	0	0	0	0	16	6
PARTIE	2	0	0	0	0	1	3	0	0	0	0	0	0	0	0	2	2
PARTIR	1	0	15	11	6	40	6	19	20	16	2	4	1	0	0	125	10
PARTOUT	0	0	0	5	6	1	0	13	5	4	0	9	0	0	1	58	9
PARVENIR	1	2	0	5	6	1	2	0	0	4	0	3	0	0	0	10	5
PARVIS	2	0	2	1	0	0	0	0	0	0	0	0	0	2	0	3	1
PAS AV	0	70	39	62	54	39	48	46	47	39	24	29	0	0	6	497	11
PAS SM	2	10	11	5	10	19	12	8	11	7	9	10	0	1	2	112	11
PASSAGE	2	2	0	1	1	2	2	1	1	0	1	1	0	0	0	19	10
PASSAGER AJ	3	0	5	0	0	1	1	0	0	0	1	1	0	0	0	3	3
PASSE	23	2	0	1	3	3	1	1	3	1	1	1	0	0	0	9	7
PASSÉ-TEMPS	1	0	0	0	1	0	0	0	0	0	0	1	0	0	0	1	1
PASSER	2	7	6	7	10	13	9	6	8	10	7	5	1	0	3	98	11
PASSION	3	1	0	0	1	1	0	0	0	3	1	1	0	0	0	7	4
PATERNEL	2	1	0	0	0	1	0	1	0	0	0	2	0	0	0	4	4
PATIENCE	2	3	3	0	1	2	0	0	0	1	0	0	0	0	0	2	2
PATRIE	2	0	2	0	1	0	0	1	0	0	1	0	0	0	1	14	7
PÂTURE	2	0	0	0	0	0	0	0	0	0	1	3	0	0	0	3	3
PAUPIÈRE	2	0	0	0	0	0	0	0	0	0	0	1	0	0	0	1	1
PAUVRE	23	2	1	4	2	3	2	3	3	2	1	3	0	0	1	4	2
PAVÉ SM	1	6	4	1	0	0	0	3	1	0	0	2	0	0	0	1	1
PAYER	2	0	0	0	0	0	0	0	0	0	1	0	0	0	0	26	11
PAYS	1	6	4	4	2	3	2	3	3	2	4	2	0	2	2	25	8
PÊCHER V	2	0	0	1	0	0	0	0	1	0	0	2	0	0	1	8	1
PÊCHEUR	1	0	0	1	0	0	0	0	0	0	0	2	0	1	0	2	1
PEINDRE	1	7	1	5	0	2	1	5	9	3	4	5	0	0	0	17	7
PEINE	2	0	2	0	0	8	6	0	0	0	7	2	0	0	3	71	11
PEINTURE	3	0	1	0	1	0	0	0	0	1	0	1	0	0	0	1	1
PENCHANT AJ	3	0	0	0	0	0	0	0	0	0	0	0	0	0	0	1	1
PENCHANT SM	2	0	0	1	0	0	2	3	0	2	1	0	0	0	0	7	3
PENCHER	0	1	0	0	0	0	0	1	0	0	1	4	0	0	1	9	6
PENDANT	1	1	0	1	1	0	0	0	1	0	1	0	0	0	0	10	3
PÉNÉTRER	3	4	0	0	1	2	2	2	0	1	0	4	0	2	1	6	5
PÉNIBLE	2	5	0	0	1	0	0	6	7	8	5	0	0	0	0	6	5
PENSÉE	2	0	0	3	8	5	10	9	10	8	1	5	0	1	0	59	10
PENSER SM	1	2	0	1	0	10	11	10	12	0	0	0	0	0	0	1	1
PENSER V	1	6	6	11	9	12	0	0	0	8	2	5	0	0	0	91	11
PENSIF	3	0	0	0	0	1	0	0	0	1	0	0	0	0	0	1	1
PENTE	2	2	0	2	1	1	2	0	1	0	0	0	0	0	0	2	1
PERCER	1	6	2	3	4	4	2	5	3	3	3	5	0	0	0	35	2
PERDRE	1	24	15	20	7	11	23	21	6	14	9	8	0	0	3	158	11

	CO	THE	ALE	AND	BRI	BER	BAJ	MIT	IPH	PHE	EST	ATHA	PRO	CHA	CHE	TOTA	RE
PÈRE	2	22	0	34	13	11	1	49	66	42	13	35	0	2	5	286	10
PERFIDE	23	4	1	6	2	0	12	10	5	10	9	0	1	1	1	56	10
PERFIDIE	2	0	0	2	2	1	3	0	1	2	1	1	0	2	0	11	7
PÉRIL	2	0	2	9	4	2	20	8	5	5	6	8	0	1	1	56	10
PÉRILLEUX	3	0	0	0	0	0	0	0	0	0	0	2	0	0	0	62	10
PÉRIR	1	3	7	8	2	0	7	5	7	4	9	10	0	1	1	62	10
PÉRISSANT	1	0	1	0	0	0	0	0	0	0	0	0	1	0	0	2	1
PERMETTRE	3	6	4	3	0	0	0	3	0	4	3	5	0	1	1	40	11
PERNICIEUX	1	1	0	0	0	0	0	0	0	0	0	0	0	0	0	2	2
PERSÉCUTER	3	0	4	0	1	1	0	0	0	3	3	1	0	0	0	15	6
PERSÉCUTEUR	2	0	0	1	0	0	0	0	2	1	0	0	0	0	0	8	6
PERSÉVÉRANCE	1	0	1	2	2	4	0	0	0	0	0	1	0	0	0	7	6
PERSÉVÉRER	1	0	1	1	0	0	0	0	1	0	1	0	0	0	0	2	3
PERSONNE PRON	0	0	0	1	0	0	0	1	0	0	0	0	0	0	0	2	4
PERSONNE SF	2	2	0	0	0	0	0	2	0	1	0	0	0	0	0	5	2
PERSUADER	1	0	3	0	2	2	3	2	0	4	0	1	1	0	0	5	7
PERTE	2	6	0	3	1	1	7	2	1	4	0	2	0	1	7	11	10
PESANT	3	0	5	0	0	0	0	0	0	4	0	5	0	0	0	38	1
PESANTEUR	2	0	0	0	0	0	0	0	0	1	0	0	0	0	0	1	1
PESER	1	0	0	1	1	0	0	1	0	1	1	1	0	0	1	5	5
PETIT	3	2	7	5	5	9	9	8	2	9	4	2	0	0	7	2	5
PEU	20	12	5	5	5	9	9	8	12	9	4	25	1	5	7	95	11
PEUPLE	2	26	20	13	12	12	11	3	8	3	31	29	0	5	0	166	11
PEUPLER	1	0	0	1	0	1	0	0	2	0	0	4	0	0	0	2	2
PEUT-ÊTRE	2	0	19	1	7	0	26	2	2	2	10	7	1	1	1	10	5
PIED	2	7	13	9	4	7	5	8	12	19	5	4	0	0	1	151	11
PIÈGE	2	1	1	0	1	1	1	1	6	9	8	0	1	1	1	76	11
PIERRE	2	0	0	0	0	0	0	0	1	0	1	4	0	0	0	14	10
PIÉTÉ	2	0	0	0	2	2	0	0	0	0	1	0	1	1	1	1	1
PILLAGE	1	0	0	0	0	0	0	0	2	0	0	2	0	0	0	5	3
PILLER	1	0	0	0	0	0	0	0	0	0	0	0	0	0	0	2	1
PIQUER	1	0	0	0	0	0	1	0	0	0	0	0	1	0	0	1	1
PIRATE	2	0	0	0	0	0	0	0	0	0	0	0	0	0	0	1	1
PIRE	3	1	0	0	0	0	0	1	0	0	2	0	0	0	0	2	1
PIS	3	7	0	5	2	2	3	3	0	5	5	7	0	1	1	44	11
PITIÉ	2	5	6	6	4	4	0	4	5	1	2	4	0	2	2	58	11
PLACE	1	3	0	7	1	1	3	1	2	1	7	4	0	0	0	20	9
PLACER	2	0	6	5	0	0	0	1	0	1	1	0	0	0	0	1	1
PLAIE	1	3	0	0	7	7	7	8	1	12	0	7	3	1	1	98	11
PLAINDRE	1	1	15	0	6	0	0	0	4	2	2	0	1	2	2	4	3
PLAINTE	2	1	0	1	1	1	2	1	2	3	1	0	0	0	0	18	9

	CO	THE	ALE	AND	BRI	BER	BAJ	MIT	IPH	PHE	EST	ATHA	PRO	CHA	CHE	TOTA	RE
PLAINTIF	3	0	0	0	0	0	0	0	0	2	0	0	0	0	0	2	1
PLAIRE	1	10	9	12	13	15	16	8	7	5	8	3	3	0	1	106	11
PLAISIR	2	5	5	10	13	8	11	2	5	1	4	6	1	4	2	70	11
PLANTER	1	1	1	1	0	6	0	8	0	9	0	0	0	0	0	63	1
PLEIN	3	0	4	0	6	6	0	0	4	0	4	10	0	6	2	2	11
PLEINEMENT	3	1	0	1	0	1	0	1	0	7	0	0	0	0	0	155	1
PLEURER	2	7	5	14	13	34	14	17	20	17	6	8	0	4	2	74	11
PLIER	1	5	10	10	7	7	4	3	18	3	4	8	0	0	3	1	11
PLOMB	1	0	0	0	0	0	0	0	0	0	1	0	0	0	0	1	1
PLONGER	2	2	2	2	0	1	1	1	2	0	2	1	0	1	1	19	10
PLOYER	1	0	1	0	0	0	0	0	0	0	1	5	0	0	0	2	2
PLUIE	2	0	0	0	0	0	0	0	0	0	0	0	0	0	0	11	1
PLUS	0	99	57	70	77	88	83	117	74	89	60	58	5	15	17	872	11
PLUTÔT	0	7	5	11	8	5	5	8	5	9	1	1	0	0	0	55	11
POIDS	2	0	1	0	1	1	1	2	0	1	1	2	0	0	0	10	8
POIGNARD	2	2	0	2	0	0	2	1	0	0	0	5	0	0	0	12	5
POIL	0	0	0	0	0	0	0	0	1	0	0	0	0	0	0	1	1
POINT AV	2	40	60	36	63	58	75	63	57	64	20	43	2	5	5	579	11
POINT SM	2	5	0	2	1	1	0	0	0	0	3	4	0	0	0	16	6
POINTE	2	0	0	0	0	0	0	0	1	1	0	0	0	0	0	2	2
POISON	2	0	0	0	5	1	0	5	4	4	0	1	0	0	0	16	5
POMPE	3	0	0	0	3	1	0	0	0	0	2	1	0	0	0	11	5
POMPEUSEMENT	3	0	0	0	0	1	0	0	2	1	1	2	0	0	0	2	5
POMPEUX	2	0	0	1	0	0	0	0	0	0	2	0	0	0	0	8	2
PONTIFE	2	1	0	0	0	1	2	0	0	0	0	0	0	0	0	2	5
POPULACE	2	0	0	3	1	1	2	3	3	1	0	1	0	0	0	1	1
PORT 1 MER	1	1	0	0	0	1	9	0	0	4	0	2	0	0	0	14	7
PORT 2	2	0	0	0	1	1	4	0	3	0	0	9	0	2	0	3	3
PORTE SF	2	0	2	2	5	7	0	0	9	0	0	1	0	3	0	46	8
PORTER	1	4	8	14	13	7	9	15	9	13	13	12	1	0	1	103	11
PORTIQUE	2	0	0	0	0	0	4	0	0	0	7	9	0	2	0	2	4
POSER	1	1	0	1	1	1	0	0	2	0	1	1	1	0	0	6	9
POSSÉDER	1	1	1	0	1	0	1	4	0	1	2	3	0	0	0	14	4
POSSESSEUR	1	0	0	0	1	0	0	1	0	0	0	1	0	0	0	2	2
POSSIBLE	1	1	1	0	0	1	1	0	2	0	1	0	1	0	0	1	3
POSTE SM	3	0	0	0	0	0	0	0	0	0	0	2	0	0	0	6	2
POSTÉRITÉ	2	0	0	0	0	0	0	0	0	3	3	0	0	0	0	4	1
POUDRE	2	1	0	0	0	1	0	0	0	0	0	0	0	0	0	1	1
POUDREUX	3	0	0	0	0	0	0	0	0	1	0	2	1	0	1	6	1
POUPE	2	1	3	0	0	0	0	0	1	0	0	0	1	0	0	4	1
POUR	0	124	92	120	107	105	105	117	112	84	71	99	7	15	6	1136	11
POURPRE	23	1	0	0	0	3	0	0	0	0	5	0	0	0	0	9	3

	CO	THE	ALE	AND	BRI	BER	BAJ	MIT	IPH	PHE	EST	ATHA	PRO	CHA	CHE	TOTA	RE
POURQUOI	0	4	10	10	5	14	12	10	12	14	2	10	0	2	0	103	11
POURSUITE	2	0	2	1	0	0	1	2	0	0	3	1	0	0	0	5	4
POURSUIVRE	1	2	3	6	5	0	3	7	3	6	0	7	0	0	2	40	10
POURTANT	0	2	2	2	1	0	3	1	1	2	0	1	0	0	0	21	9
POURVU	0	0	1	0	3	0	1	0	0	1	0	0	0	0	0	8	6
POUSSER	1	1	4	5	0	3	4	3	3	4	2	4	0	0	0	33	10
POUSSIÈRE	2	1	1	1	0	0	0	1	0	1	4	1	0	1	0	10	7
POUVOIR SM	1	1	7	8	10	0	6	4	7	5	4	3	0	0	2	57	11
POUVOIR V	2	2	92	96	100	123	101	104	101	89	43	70	0	6	14	997	11
PRATIQUE SF	2	0	0	0	1	0	0	0	0	1	1	0	0	0	0	1	1
PRÉCAUTION	2	0	0	0	1	0	0	0	0	1	0	1	0	0	0	3	3
PRÉCÉDER	1	1	0	1	0	0	0	0	0	0	0	1	0	1	0	5	5
PRÉCEPTE	2	0	0	0	3	0	0	0	0	0	0	2	0	1	0	2	1
PRÉCIEUX	2	1	0	1	0	3	1	0	1	0	2	5	0	0	1	18	8
PRÉCIPICE	3	0	6	0	3	1	0	1	0	5	0	1	1	0	0	3	3
PRÉCIPITER	2	2	0	0	0	1	5	0	2	0	0	3	0	0	0	29	9
PRÉDESTINER	1	1	0	0	3	0	0	0	0	0	1	0	0	0	0	1	1
PRÉDICTION	2	3	0	0	0	0	0	1	1	1	0	1	1	0	0	2	2
PRÉDIRE	1	0	2	1	0	0	1	0	6	2	0	2	0	1	3	14	7
PRÉFÉRER	1	0	0	0	2	0	0	1	1	0	1	0	0	0	0	14	7
PRÉMICES	1	0	0	0	3	2	0	2	1	8	0	2	0	1	1	7	4
PREMIER	2	3	2	6	2	9	8	10	9	22	5	6	0	0	3	83	10
PRENDRE	0	0	0	9	10	5	24	14	9	0	0	0	1	2	0	162	11
PRÉOCCUPER	1	1	0	19	18	9	1	1	0	5	5	17	0	0	2	56	4
PRÉPARER	1	0	9	0	1	0	10	4	12	4	0	0	0	1	1	48	11
PRÈS	1	1	3	6	4	3	4	5	8	0	4	8	0	0	0	9	10
PRÉSAGE	0	6	4	2	2	1	0	1	2	1	3	0	0	0	0	7	6
PRÉSAGER	2	0	1	0	1	0	0	0	2	2	1	1	0	0	0	7	5
PRESCRIRE	1	0	0	0	2	6	1	0	0	5	0	0	0	0	0	44	4
PRÉSENCE	1	2	3	0	2	3	5	6	3	3	0	4	0	0	0	15	11
PRÉSENT AJ S	2	3	0	3	4	2	1	2	0	4	2	1	0	0	1	17	7
PRÉSENT SM	23	0	3	0	4	0	2	1	1	3	1	1	0	0	0	51	9
PRÉSENTER	2	1	0	0	3	0	4	5	4	0	2	6	0	1	0	3	11
PRÉSERVER	1	1	8	2	4	0	0	1	0	0	2	0	0	0	0	1	3
PRÉSIDER	1	0	0	0	1	0	0	0	0	0	1	0	0	0	0	1	1
PRÉSOMPTUEUX	1	0	0	0	0	3	0	1	0	3	0	0	0	0	0	25	1
PRESQUE	2	0	5	1	1	0	4	2	3	1	0	2	0	1	2	12	10
PRESSANT	0	0	0	1	2	1	0	1	1	0	1	0	0	0	0	2	8
PRESSE SF	3	1	0	0	1	1	0	0	0	1	3	1	0	0	0	4	2
PRESSENTIMENT	2	0	0	0	1	3	0	0	0	6	0	0	0	0	0	71	4
PRESSENTIR	2	0	0	0	5	3	3	10	13	8	0	8	0	0	1	71	2
PRESSER	1	5	2	6	5	13	16	13	15	8	4	10	0	0	1	117	11
PRÊT AJ	3	6	7	13	8	13	16	13	15	8	6	10	0	0	1	117	11

	CO	THE	ALE	AND	BRI	BER	BAJ	MIT	IPH	PHE	EST	ATHA	PRO	CHA	CHE	TOTA	RE
PRÉTENDRE	1	6	11	10	14	4	5	18	9	3	1	2	0	1	0	83	11
PRÉTENTION	2	0	0	0	0	0	1	1	1	1	0	1	0	0	0	2	2
PRÊTER	1	1	0	2	3	1	3	1	1	3	4	7	0	1	0	24	9
PRÉTEXTE	2	0	1	2	1	0	1	0	1	0	0	0	0	1	1	5	4
PRÊTRE	2	0	0	1	0	0	0	0	2	0	0	31	0	0	0	34	3
PRÉTRISE	2	0	0	0	0	0	0	0	0	0	0	1	0	1	0	1	1
PRÉVALOIR	1	0	0	0	0	0	0	0	0	1	0	0	0	0	0	1	1
PRÉVENIR	1	3	6	7	4	4	6	3	5	1	5	2	0	0	0	46	11
PRÉVENTION	2	0	3	3	0	3	4	0	0	1	0	0	0	1	0	19	7
PRÉVOIR	1	0	3	3	3	3	0	0	0	0	0	1	0	1	0	2	2
PRÉVOYANCE	3	0	0	0	0	0	1	1	0	3	0	1	0	0	0	1	1
PRÉVOYANT	1	2	1	1	1	1	1	0	6	2	2	5	0	0	0	18	10
PRIER	2	20	0	4	4	16	9	20	4	11	8	7	0	0	0	19	8
PRIÈRE	2	30	21	8	14	26	9	20	4	11	8	12	0	1	1	154	11
PRINCESSE	2	13	6	0	6	5	0	3	10	2	2	0	0	0	0	65	9
PRINCIPE	2	0	0	0	0	0	0	0	1	0	0	1	0	0	0	1	1
PRINTEMPS	1	0	2	1	0	0	1	2	0	1	0	0	0	0	0	8	7
PRISER	23	1	4	2	3	0	0	0	3	3	1	0	0	1	0	9	6
PRISON	2	0	0	6	0	0	9	5	14	5	6	5	0	1	1	7	1
PRISONNIER	2	0	0	0	0	4	1	2	2	0	1	0	0	0	0	9	6
PRIVER	2	4	5	0	3	3	4	2	2	5	1	5	0	1	0	66	11
PRIVILÈGE	23	2	0	0	0	3	1	0	2	0	1	0	0	1	1	14	6
PRIX	3	0	0	0	0	0	1	0	0	1	0	0	0	0	0	1	1
PROCHAIN	1	0	0	0	0	0	1	0	0	1	0	0	0	1	0	2	2
PROCHE	1	0	0	1	0	2	0	0	0	1	0	3	0	0	0	1	1
PROCLAMER	2	0	0	0	0	0	0	0	0	1	0	1	0	0	0	5	3
PROCURER	3	0	0	0	0	0	1	0	1	1	0	0	0	0	0	1	1
PRODIGE	1	0	0	4	0	2	1	0	1	1	1	0	0	1	0	4	4
PRODIGIEUX	1	0	4	2	3	2	0	1	0	0	1	6	0	0	0	12	6
PRODIGUER	2	0	0	0	1	1	0	0	0	3	1	5	0	0	1	7	5
PRODUIRE	23	0	1	1	1	3	0	2	1	3	7	0	0	0	0	18	5
PROFANATION	1	0	1	2	0	1	1	0	0	3	1	5	0	1	0	10	4
PROFANE	3	0	3	0	2	3	2	3	2	2	2	8	0	0	0	23	6
PROFANER	2	0	2	5	0	1	0	1	0	5	4	4	0	1	0	3	8
PROFITER	2	4	1	2	0	3	1	3	4	3	2	0	0	0	0	23	2
PROFOND	1	2	2	1	2	1	1	1	1	4	0	1	0	1	0	24	9
PROGRÈS	1	0	0	0	0	0	0	0	0	1	0	0	0	0	0	6	6
PROIE	1	0	0	0	0	0	0	0	0	1	0	1	0	0	0	1	1

	CO	THE	ALE	AND	BRI	BER	BAJ	MIT	IPH	PHE	EST	ATHA	PRO	CHA	CHE	TOTA	RE
PROMESSE	2	0	0	2	2	2	5	3	2	1	0	7	0	1	0	24	8
PROMETTRE	1	4	11	17	9	7	12	7	16	2	6	7	0	0	0	98	11
PROMPT	3	0	0	1	7	7	17	4	6	7	5	7	1	0	0	49	9
PROMPTEMENT	3	3	3	0	0	3	1	0	1	2	2	3	0	0	0	11	6
PRONONCER	1	1	0	3	3	1	8	0	5	1	2	0	0	0	0	30	10
PROPHÈTE	1	0	0	0	0	1	0	0	0	0	2	3	0	3	0	8	3
PROPICE	2	0	0	0	0	1	0	1	0	0	0	0	0	0	0	1	1
PROPOS	2	0	0	0	0	0	0	0	0	1	0	0	0	0	0	1	1
PROPOSER	1	4	1	3	4	1	3	3	5	1	7	7	0	0	2	10	6
PROPRE	23	0	6	3	0	3	2	7	5	0	1	0	0	0	0	49	11
PROSCRIRE	1	1	0	0	0	1	0	0	0	1	1	0	0	0	1	5	2
PROSPÈRE	3	0	0	0	0	3	3	0	0	0	1	0	0	0	0	2	1
PROSPÉRER	1	0	0	0	3	0	0	0	0	0	1	3	0	0	0	5	3
PROSPÉRITÉ	2	0	3	0	0	0	0	0	0	0	1	0	0	0	0	7	3
PROSTERNER	1	1	0	0	0	0	1	1	2	1	3	0	0	1	0	3	2
PROTECTEUR	2	1	0	1	0	1	0	0	3	3	0	3	0	2	0	15	8
PROTÉGER	1	0	0	0	0	0	0	0	0	0	1	4	0	0	0	1	1
PROTESTER	1	2	0	1	1	0	1	1	0	1	0	0	0	0	0	9	4
PROUVER	2	4	1	1	0	0	0	0	2	0	2	1	0	0	0	20	5
PROVINCE	2	0	1	1	0	0	0	0	1	0	1	0	0	0	0	7	6
PRUDENCE	2	0	1	1	0	2	0	0	0	0	0	1	0	0	0	8	6
PRUDENT	3	0	1	1	1	0	0	0	1	1	2	0	0	0	0	8	3
PUBLIC AJ	2	0	0	0	2	0	0	0	0	0	0	1	0	0	0	10	5
PUBLIC SM	1	1	0	0	1	1	0	3	1	1	1	1	0	4	0	4	1
PUBLIER	3	0	0	0	1	0	0	0	0	0	0	0	0	0	0	9	5
PUBLIQUEMENT	2	0	0	0	1	0	0	0	2	3	3	1	0	0	0	1	1
PUDEUR	3	0	0	0	0	0	0	0	0	1	0	0	0	0	0	2	1
PUDIQUE	1	0	0	0	1	0	0	1	1	0	1	1	0	1	0	2	2
PUISER	0	18	11	9	3	6	8	8	9	8	4	7	0	0	2	95	11
PUISQUE	2	7	2	4	8	3	5	3	3	1	8	1	0	2	3	51	11
PUISSANCE	3	3	5	0	1	3	1	2	2	1	10	5	0	3	0	33	11
PUISSANT	1	3	3	8	9	1	6	10	4	7	5	5	0	1	1	53	11
PUNIR	3	6	3	0	1	1	0	0	0	2	1	5	0	0	0	14	6
PUR	2	0	0	0	0	0	0	0	0	1	0	1	0	3	2	3	2
PURETÉ	1	0	0	0	0	0	0	0	0	0	0	0	0	0	0	3	1
PURGER	0	0	0	8	0	0	0	0	0	3	3	15	1	6	6	190	11
QUAND	0	22	17	8	11	20	22	27	16	19	13	0	1	0	0	190	11
QUANT	0	0	0	0	0	0	0	0	0	0	0	2	0	0	0	2	2
QUARANTE	6	0	0	0	0	0	0	4	0	0	0	1	0	4	0	4	2
QUATRE	6	0	0	1	1	0	0	0	0	0	1	1	0	0	0	2	2
QUE	0	412	467	516	457	408	454	458	455	326	256	375	8	58	67	4584	11
QUEL	0	20	19	59	51	53	51	69	79	77	52	74	0	11	10	604	11
QUELQU,UN	0	1	0	1	0	0	1	1	1	0	3	0	0	0	1	7	5

	CO	THE	ALE	AND	BRI	BER	BAJ	MIT	IPH	PHE	EST	ATHA	PRO	CHA	CHE	TOTA	RE
QUELQUE	0	23	20	19	31	17	28	23	18	17	11	25	0	4	1	232	11
QUELQUEFOIS	0	1	1	4	5	2	3	0	2	2	1	5	0	0	0	22	9
QUERELLE	2	1	2	2	1	0	0	1	1	1	0	5	1	1	0	16	9
QUERELLER	1	1	0	0	0	0	1	0	1	0	0	0	0	1	0	3	3
QUI	0	72	117	115	118	81	99	145	174	95	99	115	9	27	30	1230	11
QUICONQUE	0	0	0	0	0	0	0	0	0	0	0	0	0	0	0	4	4
QUITTER	1	14	6	6	6	18	8	0	4	9	3	4	0	0	2	90	11
QUOI	0	21	26	26	44	36	34	12	28	19	8	20	0	1	2	291	11
QUOIQUE	1	0	3	1	3	1	0	0	3	3	0	2	0	0	0	25	9
RABAISSER	2	2	0	1	1	1	2	0	0	0	1	1	0	0	0	3	3
RACE	2	2	0	0	2	0	0	0	3	0	1	3	0	0	0	34	8
RACHETER	1	0	0	1	1	0	0	0	1	0	0	0	0	0	0	8	1
RACINE	2	0	0	0	0	0	1	0	0	0	0	1	0	0	0	6	1
RACONTER	1	0	1	1	0	0	0	0	0	0	0	1	0	0	0	1	1
RAFFERMIR	1	0	1	0	0	0	1	1	1	0	0	1	0	0	1	1	1
RAGE	2	9	1	9	8	9	6	9	9	4	2	7	0	3	0	36	10
RAISON	2	4	2	6	0	0	1	0	0	0	0	6	0	0	0	69	10
RAISONNEMENT	1	0	0	0	0	0	1	0	0	0	0	0	0	0	0	2	2
RAISONNER	1	1	3	1	1	1	1	1	1	1	1	1	0	0	0	3	3
RALENTIR	2	0	0	0	0	0	0	0	0	0	0	0	0	0	0	6	6
RALLUMER	2	0	0	1	1	1	0	1	2	1	1	1	0	0	0	3	1
RAMAS	2	2	0	0	0	0	0	0	0	0	0	0	0	0	0	6	1
RAME	1	1	3	1	0	1	2	1	2	1	0	1	0	0	0	2	1
RAMENER	1	2	0	0	4	5	0	7	1	1	0	1	0	0	0	17	10
RAMPER	1	1	0	1	0	1	4	3	0	4	4	0	0	0	0	70	11
RANG	2	18	3	2	10	0	1	0	8	2	2	1	0	0	0	24	11
RANGER	1	1	0	4	2	1	0	7	1	0	0	3	0	0	0	7	3
RANIMER	3	0	1	0	0	0	0	2	0	1	0	7	0	0	2	2	2
RAPIDE	1	3	0	0	0	0	0	0	0	0	0	1	0	0	0	55	11
RAPPELER	2	0	1	1	5	0	2	0	0	1	0	0	0	0	0	3	3
RAPPORT	1	0	0	0	0	0	0	0	0	0	0	0	0	0	0	6	2
RAPPORTER	1	1	0	0	2	0	0	2	0	0	2	3	0	1	0	3	2
RAPPROCHER	2	0	2	0	1	0	0	0	0	0	0	0	0	0	0	1	2
RAPT	3	1	0	0	0	0	3	2	1	1	2	3	1	0	0	8	10
RARE	3	0	2	0	1	1	0	0	0	1	0	0	0	0	0	7	11
RAREMENT	1	1	0	1	0	1	1	1	1	1	0	1	0	0	0	1	3
RASSASIER	1	1	1	1	1	0	2	0	3	0	0	3	0	0	0	15	10
RASSEMBLER	1	1	0	1	3	4	0	2	1	2	4	1	1	0	0	22	11
RASSURER	2	1	2	1	0	0	0	3	0	0	1	3	0	0	3	5	3
RAVAGE	1	0	1	0	1	0	0	1	1	2	0	0	0	0	0	2	2
RAVAGER	1	0	3	0	1	0	0	0	0	0	0	0	0	0	0	1	1
RAVALER	1	0	1	7	7	3	2	5	6	9	3	2	0	1	0	51	11
RAVIR	1	6	1	7	7	3	2	5	6	9	3	2	0	1	0	51	11

ANNEXES

	CO	THE	ALE	AND	BRI	BER	BAJ	MIT	IPH	PHE	EST	ATHA	PRO	CHA	CHE	TOTA	RE
RAVISSEMENT	2	0	0	0	0	0	0	0	1	1	0	1	0	1	0	3	3
RAVISSEUR	2	0	1	2	2	0	0	1	2	1	1	0	0	0	0	8	6
RAYON	2	1	0	0	0	0	0	0	0	0	1	1	0	1	0	2	2
REBÂTIR	1	0	0	0	1	1	0	0	0	0	1	0	0	0	0	1	1
REBELLE	23	3	5	5	1	0	1	7	1	6	0	2	0	0	0	28	10
REBELLION	2	0	0	0	0	0	1	0	0	0	0	0	0	0	0	2	2
REBROUSSER	1	0	0	0	0	1	0	0	0	0	0	1	0	0	0	1	1
REBUT	2	0	0	0	0	0	1	1	0	1	1	1	0	0	0	5	5
REBUTER	1	0	0	0	0	1	0	0	0	1	0	0	0	0	0	1	1
RECELER	1	0	0	0	0	0	0	0	1	0	0	0	0	0	0	1	1
RÉCENT	3	0	0	0	0	0	1	1	4	7	4	6	0	0	0	83	11
RECEVOIR	1	9	5	6	10	10	9	10	14	0	0	0	0	0	0	1	1
RECHAUFFER	1	0	0	1	0	0	0	0	0	0	0	0	0	0	0	1	1
RECHERCHE	2	0	0	0	1	1	1	1	0	0	0	1	0	0	0	10	7
RECHERCHER	1	2	2	2	1	1	7	2	3	3	2	1	0	0	0	22	9
RÉCIT	2	0	0	0	0	0	0	0	0	0	0	0	0	0	0	3	2
RÉCITER	1	0	0	0	1	0	0	0	0	1	0	0	0	0	0	1	2
RECOMMANDER	1	0	1	0	1	1	0	1	2	2	4	0	0	0	0	2	6
RECOMMENCER	2	0	0	0	1	1	0	1	1	0	0	0	0	0	0	2	5
RECOMPENSE	1	0	0	0	0	1	0	0	2	0	2	0	0	0	0	7	6
RECOMPENSER	1	0	0	0	0	1	0	0	1	0	0	0	0	0	0	14	11
RECONCILIER	2	0	0	0	0	0	0	0	0	0	0	0	0	1	0	3	2
RECONNOISSCE	3	0	0	0	1	0	5	1	0	0	0	0	0	0	0	1	3
RECONNOISSNT	1	0	0	0	6	6	5	7	9	9	0	1	0	0	0	14	4
RECONNOÎTRE	1	3	7	5	0	0	0	0	0	0	0	0	0	0	2	74	11
RECOURBER	1	0	0	0	0	0	0	0	0	1	0	0	0	0	0	1	1
RECOURIR	1	1	0	0	1	1	0	0	0	1	0	0	0	0	0	2	2
RECOURS	2	0	0	0	1	1	1	1	0	1	1	0	0	0	0	3	3
RECOUVRER	1	0	0	0	0	0	0	0	0	0	0	0	0	0	0	1	1
RECUEILLIR	1	0	0	0	2	2	4	1	1	0	1	0	0	0	0	4	4
RECULER	1	0	0	0	0	1	0	0	0	1	0	0	0	0	0	12	8
RECUSER	1	0	0	2	1	1	0	0	0	0	0	0	0	0	0	1	4
REDEMANDER	3	0	0	0	1	1	1	1	0	0	1	1	0	0	0	5	5
REDEVABLE	1	0	0	0	0	2	0	0	0	0	0	4	0	0	0	2	3
REDIRE	1	1	0	0	1	1	0	1	1	0	1	6	0	0	0	10	7
REDONNER	1	0	1	1	1	1	1	0	0	0	0	1	0	0	0	3	3
REDOUBLER	1	2	0	0	2	2	2	2	0	0	1	1	0	0	0	19	10
REDOUTABLE	3	1	0	2	1	1	1	1	2	7	0	1	0	0	0	25	9
REDOUTER	1	1	2	3	1	1	0	2	1	2	2	1	0	0	0	22	10
RÉDUIRE	1	2	0	3	3	3	2	4	2	2	2	1	0	1	0	17	10
REFERMER	1	0	0	0	1	1	0	0	2	1	0	2	0	0	0	2	2
REFUGE	2	0	0	0	0	0	0	0	0	0	0	1	0	0	0	2	1
REFUS	2	0	2	7	2	2	2	2	2	1	0	2	0	0	0	22	9

	CO	THE	ALE	AND	BRI	BER	BAJ	MIT	IPH	PHE	EST	ATHA	PRO	CHA	CHE	TOTA	RE
REFUSER	1	8	10	3	2	0	3	3	6	2	1	2	0	0	0	40	10
REGAGNER	1	0	0	1	0	0	2	1	0	0	1	0	0	0	0	5	4
REGARD	2	3	3	13	18	9	8	7	5	2	6	3	1	1	3	75	11
REGARDER	1	5	5	3	2	9	1	5	4	5	0	7	0	0	1	45	11
RÈGLE	2	0	1	0	0	0	0	1	0	0	0	1	0	0	0	3	3
RÉGLER	1	0	0	2	1	2	3	0	0	0	3	3	0	0	0	14	6
RÈGNE	2	5	0	0	5	2	0	0	0	0	0	0	0	0	0	15	4
RÉGNER	1	33	15	6	7	7	4	2	2	4	3	5	0	1	0	88	11
REGORGER	1	0	0	0	0	0	0	0	0	0	1	0	0	0	0	2	10
REGRET	1	3	1	7	7	8	7	2	5	5	1	0	0	1	1	46	5
REGRETTER	1	1	3	2	0	1	1	0	0	0	0	0	0	0	0	8	5
REHAUSSER	1	0	0	0	0	1	0	0	0	0	0	0	0	0	0	2	2
REINE	2	6	14	2	1	44	0	7	13	11	12	29	0	1	4	148	9
REJAILLIR	1	0	0	0	0	1	0	1	2	0	0	0	0	0	0	4	3
REJETER	1	0	0	0	0	0	0	0	0	3	2	2	0	1	0	10	5
REJETON	2	0	1	0	0	0	1	1	1	1	0	0	0	0	1	10	2
REJOINDRE	1	0	0	4	0	0	0	0	0	0	1	1	0	0	0	2	7
RÉJOUIR	2	0	0	0	0	1	0	1	1	0	1	0	0	0	0	1	2
RELÂCHE	1	0	1	1	0	0	0	0	0	1	0	0	1	0	0	3	1
RELÂCHER	1	0	0	1	0	0	0	0	0	0	0	0	0	0	3	2	3
RELÉGUER	1	1	2	1	1	0	0	0	0	0	3	0	0	0	0	15	3
RELEVER	1	0	0	5	1	1	2	0	1	0	0	0	0	0	0	1	8
RELIGIEUX	3	0	0	0	0	1	1	0	0	0	1	0	0	0	0	5	1
RELIGION	2	0	0	0	0	0	0	0	0	0	0	0	0	0	0	2	5
RELIQUE	1	0	2	0	0	0	2	0	0	0	0	0	0	0	0	5	4
RELUIRE	1	0	0	0	1	0	0	0	0	0	0	1	0	0	0	3	2
REMARQUER	2	0	0	0	1	0	0	0	0	1	0	0	0	0	0	2	3
REMÈDE	1	0	0	0	1	1	0	0	0	0	0	1	0	0	0	1	2
REMENER	2	0	2	0	1	0	3	2	2	2	0	0	0	0	0	2	1
REMERCIEMENT	1	1	0	0	0	0	1	0	7	0	0	1	0	0	1	1	1
REMERCIER	1	1	0	3	2	4	1	3	0	0	0	0	0	0	1	31	9
REMETTRE	1	5	0	1	0	1	2	4	0	1	2	0	0	0	0	8	7
REMONTER	2	3	0	4	4	0	2	0	2	1	2	0	0	0	1	27	7
REMORDS	2	0	0	1	0	3	4	0	1	8	3	0	0	0	0	18	5
REMPART	1	0	0	3	3	1	0	1	0	1	2	8	0	0	1	25	11
REMPLIR	1	0	0	0	0	1	0	1	0	2	0	1	0	0	0	1	4
REMPORTER	1	0	1	0	0	1	0	2	0	0	1	3	0	0	4	6	1
RENAISSANT	3	0	1	2	0	0	3	0	0	0	0	1	0	0	0	1	5
RENAÎTRE	1	0	0	0	1	0	3	0	0	0	0	4	0	0	0	14	1
RENCONTRE	2	1	0	2	1	1	0	0	2	0	0	0	0	1	0	5	8
RENCONTRER	1	1	0	2	1	1	0	0	0	0	0	0	0	0	0	1	11
RENDRE	1	26	31	37	18	17	23	18	23	22	14	22	0	1	4	251	11
RÊNE	2	0	0	0	0	0	0	0	0	3	0	0	0	0	0	3	1

	CO	THE	ALE	AND	BRI	BER	BAJ	MIT	IPH	PHE	EST	ATHA	PRO	CHA	CHE	TOTA	RE
RENFERMER	1	1	0	1	2	0	2	0	2	1	3	4	0	0	0	16	8
RENFORT	2	1	0	0	0	0	0	0	0	0	0	0	0	0	0	1	1
RENGAGER	1	0	0	0	0	0	0	0	0	0	0	1	0	0	0	1	1
RENOMMÉE	2	0	0	0	4	4	4	1	3	2	0	0	0	0	0	22	7
RENOMMER	1	0	4	0	0	0	0	0	1	0	0	1	0	1	0	2	2
RENONCER	1	0	1	1	2	6	1	2	1	2	0	1	0	0	0	18	10
RENOUVELER	1	1	1	0	1	1	2	0	0	0	0	1	0	0	0	9	6
RENTRER	1	2	1	3	1	2	4	2	3	0	1	2	0	3	3	18	9
RENVERSER	1	0	0	2	1	1	0	1	1	1	3	2	0	0	0	18	9
RENVOYER	1	4	1	4	0	3	0	2	3	0	0	4	0	0	0	14	8
REPAIRE	2	0	1	0	1	0	0	0	1	1	0	0	0	0	0	1	7
REPAÎTRE	1	0	1	0	0	2	0	1	0	0	1	0	0	0	0	4	1
REPANDRE	1	12	1	0	1	1	0	2	0	1	3	0	1	0	0	66	4
REPARER	1	2	5	0	0	2	0	1	0	1	6	0	0	0	2	7	11
REPASSER	1	0	0	4	2	1	1	0	8	0	1	9	0	0	3	7	5
REPENTIR SM	2	0	0	0	0	0	3	6	2	7	3	2	1	2	1	13	5
REPENTIR V	1	1	1	1	0	2	1	0	1	1	1	0	0	0	0	3	6
RÉPÉTER	2	0	0	0	0	1	3	1	1	1	3	0	0	0	0	1	3
RÉPLI	1	0	0	0	0	0	1	0	0	2	1	0	0	0	0	1	1
REPLIQUER	1	0	8	8	12	9	14	7	3	0	0	6	0	0	0	70	11
REPLONGER	1	0	2	2	1	2	3	2	1	1	3	1	0	0	0	17	9
RÉPONDRE	1	2	1	1	3	6	4	2	2	4	4	1	0	0	0	21	11
RÉPONSE	2	2	4	4	4	0	1	1	0	0	1	2	0	0	0	39	11
REPOS	2	6	0	2	0	0	1	2	0	0	0	0	0	0	0	21	9
REPOSER	1	0	6	1	2	1	1	0	0	4	1	1	0	0	0	10	7
REPOUSSER	1	1	1	4	0	0	1	0	1	2	3	2	0	0	0	27	10
REPRENDRE	1	7	2	5	2	0	3	0	5	2	4	0	0	0	0	6	3
REPRÉSENTER	1	0	1	2	0	0	3	0	1	2	1	1	0	0	0	1	1
RÉPRIMER	2	0	0	0	0	0	4	1	0	2	0	2	0	0	0	17	7
REPROCHE	1	1	1	0	2	3	1	0	2	0	0	0	0	0	0	19	10
REPROCHER	1	0	3	0	0	1	1	0	3	0	1	1	0	0	0	3	7
REPROUVER	1	0	0	1	0	0	0	0	0	4	0	0	0	0	0	2	10
REPTILE	2	2	0	0	0	0	2	2	2	2	1	0	0	0	0	1	2
RÉPUDIER	1	0	3	3	3	1	0	0	0	0	0	1	0	0	0	5	1
RÉSERVER	1	0	0	0	0	0	0	0	0	1	1	0	0	0	0	2	5
RÉSIDER	1	2	3	1	1	0	2	2	2	2	1	1	0	0	0	24	2
RÉSISTANCE	2	0	0	0	2	1	0	0	0	0	0	1	0	0	0	10	10
RÉSISTER	1	0	3	3	0	0	0	0	1	1	1	1	0	0	0	7	1
RÉSOUDRE	1	3	1	1	5	3	3	3	1	2	1	1	0	0	0	14	5
RESPECT	2	2	3	3	5	5	7	2	1	0	0	4	0	0	0	21	8
RESPECTABLE	3	0	2	2	0	0	0	2	2	4	3	0	1	0	0	48	8
RESPECTER	1	4	0	4	2	2	3	2	6	0	1	4	0	0	0	35	11
RESPECTUEUX	3	0	0	0	1	0	0	0	0	1	0	0	0	0	0	2	2

	CO	THE	ALE	AND	BRI	HER	BAJ	MIT	IPH	PHE	EST	ATHA	PRO	CHA	CHE	TOTA	RE
RESPIRER	1	1	2	1	4	7	4	5	2	9	5	3	1	0	0	43	11
RESPONSABLE	3	0	0	0	0	2	0	0	0	0	0	0	0	0	0	2	1
RESSEMBLER	1	1	0	0	2	2	0	2	0	0	0	2	0	0	0	5	3
RESSENTIMENT	2	3	1	2	2	2	1	0	0	0	0	1	0	0	1	11	7
RESSENTIR	1	0	0	0	0	0	0	0	4	0	2	0	0	0	1	13	5
RESSERRER	1	0	0	0	0	0	0	0	0	0	0	0	0	0	0	1	4
RESSORT	2	0	0	0	1	0	0	0	1	0	3	1	0	0	0	6	1
RESSOURCE	2	0	0	0	1	0	0	1	0	0	0	0	0	0	0	1	1
RESSOUVENIR S	1	0	1	0	0	0	0	0	0	0	0	0	0	0	0	3	2
RESSUSCITER	2	0	1	0	0	0	0	0	0	0	0	2	0	1	2	-	11
RESTE	2	3	11	13	8	10	10	12	10	10	8	10	1	3	1	105	11
RESTER	1	3	1	7	3	2	3	4	2	2	2	8	0	0	0	37	11
RETABLIR	1	1	0	0	0	0	0	0	0	0	0	2	0	0	0	3	2
RETARDEMENT	1	0	0	2	0	0	1	1	0	0	0	0	0	0	0	5	4
RETARDER	2	1	0	1	0	0	1	0	1	1	1	1	0	0	0	8	5
RETENIR	1	8	7	6	9	8	13	9	4	5	1	0	0	0	0	77	11
RETENUE	1	0	0	1	1	2	0	0	1	3	0	2	0	0	0	10	7
RETIRER	2	0	0	0	3	0	0	0	0	1	3	0	0	0	1	1	1
RETOMBER	1	3	1	2	4	1	4	1	5	0	3	1	0	0	0	22	9
RETOUR	2	1	1	0	0	1	0	5	7	5	0	0	0	0	1	5	5
RETOURNER	1	2	2	2	1	4	6	3	1	0	3	4	1	0	0	40	11
RETRACER	1	0	3	3	3	3	3	1	0	2	0	1	0	0	0	28	8
RETRAITE	2	0	0	5	0	2	0	0	1	0	3	0	0	3	0	9	4
RETRANCHEMT	2	1	0	0	1	0	1	1	0	0	0	1	0	1	0	15	7
RETRANCHER	1	0	0	0	0	0	0	5	0	3	0	1	0	4	0	3	1
RETROUVER	2	0	0	4	0	0	3	0	0	0	0	3	0	0	0	18	3
REUNION	1	3	0	0	2	1	0	0	0	1	0	1	0	0	0	1	8
REUNIR	2	0	0	3	1	0	1	1	1	0	0	1	0	0	0	11	1
REUSSIR	1	4	1	0	2	1	0	2	0	0	0	2	0	0	0	4	5
REVEIL	2	1	1	0	0	0	0	0	0	0	0	6	0	0	0	6	4
REVEILLER	1	1	1	2	2	0	4	0	0	2	0	2	0	0	1	11	3
REVELER	1	0	0	0	1	5	1	1	1	2	1	0	0	1	1	16	8
REVENIR	1	0	1	6	1	0	1	2	0	4	3	4	0	4	0	37	7
REVERER	1	1	0	1	0	0	1	0	0	0	1	2	0	0	0	10	10
REVERS	2	0	0	0	0	1	1	3	0	0	0	0	0	1	1	7	7
REVETIR	1	0	0	2	2	0	1	2	0	0	3	1	0	0	0	7	1
REVIVRE	1	0	2	5	3	5	1	0	5	5	1	0	0	0	1	37	4
REVOIR	2	0	3	0	0	0	0	3	0	2	2	4	0	2	1	1	5
REVOLER	1	1	0	0	0	0	0	1	2	0	0	0	0	0	1	37	11
REVOLTE	1	1	0	0	0	0	0	1	2	0	0	1	0	0	0	1	1
REVOLTER	2	1	0	1	0	0	0	1	1	2	0	1	0	0	0	3	3
REVOQUER	1	0	0	2	1	0	1	0	1	2	1	0	0	1	0	8	6

	CO	THE	ALE	AND	BRI	BER	BAJ	MIT	IPH	PHE	EST	ATHA	PRO	CHA	CHE	TOTA	RE
RIANT	3	0	0	0	0	0	0	0	0	0	1	0	0	0	1	1	1
RICHE	23	0	0	0	0	0	0	0	1	1	4	5	0	1	1	11	4
RICHESSE	2	0	0	0	1	0	0	0	0	1	3	2	0	0	1	7	4
RIDICULE AJ	3	0	0	0	0	1	1	0	0	0	0	0	0	0	0	1	1
RIEN	0	26	20	10	16	26	20	11	14	5	4	11	0	1	1	163	11
RIGOUREUX	3	3	0	1	0	1	1	1	1	2	0	1	0	0	0	11	8
RIGUEUR	2	5	6	5	1	5	3	1	4	7	2	0	0	1	0	39	10
RIRE V	1	0	1	3	1	1	0	1	1	0	0	2	0	0	0	9	6
RISÉE	2	0	0	0	0	0	0	0	0	0	1	0	0	1	0	2	2
RIVAGE	2	2	0	1	0	8	0	3	6	8	0	1	0	0	0	19	5
RIVAL	23	0	15	8	9	0	15	13	4	3	1	1	0	0	0	79	11
RIVE	2	0	1	0	0	0	1	3	4	1	3	0	0	0	0	13	6
RIVIÈRE	2	0	2	0	0	0	0	0	0	0	0	0	0	0	2	2	1
ROBE	2	0	0	0	0	0	0	0	0	0	0	1	0	0	0	1	1
ROCHER	2	0	1	0	0	0	0	1	0	3	0	1	0	1	0	6	4
ROI	2	53	58	13	2	13	3	48	26	16	66	89	7	8	14	384	10
ROMPRE	1	6	4	4	1	4	0	1	4	7	7	5	1	1	2	46	11
RONCE	2	0	0	0	0	0	0	0	0	1	0	0	0	0	0	1	1
RONGER	1	0	0	0	0	0	0	0	0	0	0	1	0	0	0	1	1
ROSEAU	2	0	0	0	0	0	0	0	0	0	1	0	0	1	0	2	1
ROSÉE	2	0	0	0	0	0	0	0	0	0	0	2	0	0	0	1	1
ROUGE	3	0	4	4	2	0	1	1	0	1	0	0	0	0	0	7	5
ROUGEUR	2	7	0	0	0	1	3	2	0	3	1	1	0	0	0	43	9
ROUGIR	1	0	0	0	0	0	0	0	1	0	0	0	0	0	0	1	1
ROULER	1	0	1	1	1	0	0	1	0	1	1	0	0	0	0	4	3
ROUTE	2	0	0	0	0	2	0	0	0	0	0	0	0	0	0	2	2
ROUVRIR	1	0	2	2	1	0	0	1	2	0	1	0	0	0	0	6	4
ROYAL	3	3	0	0	0	1	0	0	0	0	0	1	0	0	0	8	4
RUDE	3	0	3	0	0	0	1	0	0	0	1	0	0	0	0	4	3
RUDESSE	2	0	0	1	7	0	0	0	0	2	1	3	0	0	1	1	1
RUGISSANT	3	0	0	2	0	1	0	1	0	0	1	1	0	0	1	15	7
RUINE	2	0	0	0	1	3	1	0	0	0	0	0	0	0	0	5	4
RUISSEAU	2	1	2	2	0	2	6	0	0	0	0	0	0	0	1	1	1
RUMEUR	2	0	0	0	0	0	4	2	0	0	0	0	0	0	0	2	1
RUSE SF	3	0	0	2	2	0	6	3	2	6	0	0	1	1	3	47	2
SACRÉ AJ	2	1	2	0	2	1	0	4	1	0	11	16	0	0	0	47	1
SACRIFICE	1	1	0	4	0	1	0	0	1	0	2	5	0	0	0	31	9
SACRIFIER	1	2	4	1	1	0	0	1	4	1	0	2	0	1	0	26	8
SACRILÈGE AJ	3	1	1	0	0	0	3	0	2	1	0	5	0	1	2	9	8
SAGE	3	0	0	0	0	1	0	0	0	0	8	4	0	0	0	17	6
SAGESSE	2	0	0	0	2	1	0	0	0	1	3	0	0	0	0	7	6
SAIGNER	1	0	0	0	0	0	0	0	0	1	0	0	0	0	0	2	2
SAINT	23	0	0	0	2	1	3	0	2	1	14	41	3	0	5	64	7

	CO	THE	ALE	AND	BRI	BER	BAJ	MIT	IPH	PHE	EST	ATHA	PRO	CHA	CHE	TOTA	RE
SAINTEMENT	3	0	0	1	0	0	0	0	0	0	0	2	0	0	0	3	2
SAINTETÉ	2	0	0	0	0	0	0	0	0	0	0	1	0	0	0	1	1
SAISIR	1	1	1	3	1	1	5	3	2	1	0	2	0	0	0	20	10
SAISISSEMENT	2	0	0	0	0	0	1	0	0	0	1	0	0	0	0	2	2
SAISON	2	0	3	1	0	0	0	0	0	2	0	0	0	0	0	3	2
SALAIRE	2	0	0	2	3	0	0	0	0	0	2	0	0	0	0	7	3
SALON	1	0	1	0	0	0	0	0	0	0	0	0	0	0	0	1	1
SALUER	2	2	2	0	0	0	2	0	0	0	1	1	0	0	0	2	1
SALUT	3	1	0	2	3	0	0	0	0	0	0	2	0	0	0	13	7
SALUTAIRE	1	0	0	0	0	0	0	0	1	0	3	0	0	1	1	9	4
SANCTIFIER	2	0	2	0	0	0	2	0	0	0	0	3	1	0	0	1	1
SANCTUAIRE	2	0	0	2	0	0	0	0	0	0	1	0	0	1	0	3	1
SANG	69	0	11	32	16	11	15	20	51	36	20	36	0	0	5	317	11
SANGLANT	2	1	1	4	0	3	6	3	6	3	3	3	0	0	0	32	9
SANGLOT	2	0	0	0	0	1	0	0	1	0	1	2	0	0	0	5	4
SANGUINAIRE	3	0	0	0	0	0	1	1	4	0	0	1	0	0	0	10	5
SANS	0	36	50	50	56	63	64	56	54	32	27	40	2	1	6	528	11
SANTÉ	2	0	0	0	1	0	0	0	0	0	0	0	0	1	0	1	1
SATELLITE	2	6	0	0	0	0	0	2	0	0	0	1	0	0	0	26	10
SATISFAIRE	1	9	1	1	2	4	2	1	3	1	0	1	0	0	0	13	7
SAUVAGE	23	0	8	15	4	4	15	4	8	5	8	2	0	1	1	85	11
SAUVER	2	0	0	0	0	0	0	0	0	0	0	5	0	1	2	2	1
SAVANT	3	0	0	0	0	0	0	0	0	1	2	2	0	0	0	3	2
SAVOIR V	1	41	34	42	46	31	60	63	40	40	23	4	0	1	1	461	11
SCEAU	23	0	0	0	0	0	0	0	0	1	1	1	1	0	0	3	3
SCÉLÉRAT	1	0	0	0	0	0	0	0	0	2	0	0	0	1	0	2	1
SCELLER	2	0	0	0	0	0	0	2	1	0	0	3	0	0	0	2	1
SCEPTRE	2	6	4	1	2	2	1	0	0	2	6	0	0	0	0	27	9
SCIENCE	2	0	0	0	0	0	0	0	0	0	0	0	0	0	0	9	1
SCRUPULE	0	0	0	0	3	0	2	2	0	1	0	2	0	0	0	3	2
SE	106	106	99	94	115	60	87	82	85	90	68	100	8	17	21	986	11
SEC	3	0	0	0	0	1	0	0	0	0	0	0	0	0	0	1	1
SÉCHER	1	0	0	0	2	2	0	0	0	1	0	2	0	0	0	5	5
SECOND AJ	3	1	3	3	1	0	5	4	1	2	1	3	0	1	0	14	3
SECONDER	1	2	0	0	0	3	1	0	1	1	2	2	0	0	0	22	8
SECOURABLE	3	0	0	0	1	0	3	2	0	0	0	0	0	0	0	10	10
SECOURIR	1	1	3	4	4	2	4	1	1	1	10	1	1	0	0	14	1
SECOURS	2	3	6	3	4	4	5	10	7	6	6	7	0	0	2	55	9
SECRET AJ	3	6	4	4	17	11	14	9	7	5	5	5	0	2	0	51	11
SECRET SM	2	4	4	6	1	1	1	12	1	0	0	7	0	2	0	90	10
SECRÈTEMENT	3	0	0	0	1	0	0	0	0	0	2	0	0	0	0	3	10
SÉDITIEUX	3	0	0	0	0	0	0	2	0	0	0	0	0	0	0	5	3

	CO	THE	ALE	AND	BRI	BER	BAJ	MIT	IPH	PHE	EST	ATHA	PRO	CHA	CHE	TOTA	RE
SÉDITION	2	0	0	0	0	0	0	0	0	1	0	1	0	0	0	2	2
SÉDUCTEUR	2	0	0	0	0	0	0	0	0	0	0	1	0	0	0	1	1
SÉDUIRE	1	0	3	1	5	1	3	3	1	2	0	1	0	1	2	20	9
SEIGNEUR	82	22	59	64	76	83	33	62	60	51	31	38	0	12	1	579	11
SEIN	2	5	4	4	2	5	7	8	4	8	5	7	0	1	0	59	11
SEING	2	0	0	0	0	0	0	0	0	0	0	0	0	0	0	1	1
SÉJOUR	2	0	0	0	2	0	1	0	1	3	1	0	0	0	0	8	5
SEL	0	0	0	0	0	0	1	0	0	0	0	1	1	0	0	1	4
SELON	23	0	0	0	1	1	0	0	1	0	0	2	0	0	0	5	3
SEMBLABLE	1	0	0	0	0	0	0	2	0	1	0	3	0	0	0	6	11
SEMBLER	11	11	13	9	9	11	9	7	13	11	8	5	2	0	5	106	2
SEMENCE	2	0	1	0	0	0	0	0	0	0	1	0	1	0	0	2	8
SEMER	1	0	1	0	2	0	0	2	2	2	1	4	0	0	1	16	2
SÉNAT	2	0	0	0	0	14	0	0	0	0	0	0	0	0	0	23	1
SÉNATEUR	2	0	0	0	1	0	0	0	0	0	0	0	0	0	0	11	6
SENS	3	2	1	2	0	0	1	3	2	2	0	3	3	0	0	22	9
SENSIBLE	3	0	4	0	2	4	3	1	0	0	0	1	0	0	0	3	1
SENTENCE	2	0	0	0	0	0	0	0	3	0	0	0	0	0	0	1	1
SENTIER	2	0	3	1	0	0	0	0	1	0	1	0	0	0	0	1	11
SENTIMENT	1	2	4	8	1	1	4	6	1	2	2	1	1	0	0	23	11
SENTIR	1	1	6	0	4	8	6	4	7	6	0	6	0	0	1	66	3
SEOIR	1	9	0	3	0	0	1	1	0	0	2	2	0	0	0	4	11
SÉPARER	1	8	1	0	5	9	5	6	2	4	1	3	0	1	1	48	3
SÉPULTURE	2	0	0	0	0	0	0	1	0	1	2	0	0	0	0	3	3
SEREIN	3	0	2	7	1	0	0	0	0	2	1	0	0	0	0	5	2
SERMENT	2	0	0	3	4	6	4	1	9	4	0	4	0	0	0	41	1
SERPENT	2	0	0	0	0	0	0	0	1	0	0	0	0	0	0	4	1
SERRAIL	1	0	0	0	0	0	13	0	0	0	0	0	0	0	0	13	5
SERRER	3	0	0	0	0	0	1	2	0	0	0	2	0	0	0	1	5
SERVICE	3	0	2	2	0	0	1	1	0	0	2	1	0	0	1	9	11
SERVILE	1	0	0	0	0	0	1	7	8	8	1	1	0	1	4	6	2
SERVIR	1	12	16	12	2	3	12	0	0	0	0	12	2	0	0	102	11
SERVITUDE	2	0	0	0	3	0	0	0	0	0	10	0	1	0	0	1	2
SEUIL	2	0	0	0	0	0	0	9	9	9	1	1	1	1	0	4	1
SEUL	23	23	37	35	33	24	15	29	32	19	20	21	2	2	2	288	11
SEULEMENT	3	3	6	5	3	3	3	2	1	5	1	4	0	0	1	30	9
SÉVÈRE	1	1	1	3	6	3	4	0	6	3	3	0	0	0	0	38	11
SÉVÉRITÉ	2	0	0	0	0	0	0	0	0	0	0	2	0	0	0	2	1
SEXE	2	0	0	0	0	0	0	0	0	3	2	2	2	5	9	7	3
SI AV	0	34	61	44	27	32	34	36	38	43	27	28	1	3	7	404	11
SI CONJ	0	95	54	72	82	61	96	56	58	43	21	46	0	3	0	684	11
SIÈCLE	2	0	0	0	0	0	0	0	1	0	1	1	0	0	0	3	3
SIÈGE	2	0	0	0	0	2	2	0	0	0	0	0	0	0	0	4	2

	CO	THE	ALE	AND	BRI	BER	BAJ	MIT	IPH	PHE	EST	ATHA	PRO	CHA	CHE	TOTA	RE
SIEN	0	3	6	7	8	4	3	3	2	0	0	0	0	0	0	36	8
SIFFLER	1	0	0	1	0	0	0	0	0	0	0	0	0	0	0	1	1
SIGNAL	2	3	3	1	3	0	3	0	1	1	1	2	0	0	2	18	5
SIGNALER	2	0	0	0	0	0	0	2	1	1	2	1	0	0	2	10	10
SIGNE	1	0	0	0	0	0	0	0	0	1	0	1	0	0	0	2	2
SIGNER	2	0	0	0	0	0	0	0	0	0	0	0	0	0	0	2	2
SILENCE	2	0	3	5	8	9	10	5	6	12	3	5	0	2	0	66	10
SILLON	3	1	0	0	2	0	1	0	0	1	0	0	0	0	0	1	1
SIMPLE	3	3	0	2	2	1	1	1	1	1	1	2	0	0	0	9	7
SINCÈRE	3	1	3	0	2	3	5	0	1	2	1	2	0	0	1	25	11
SINCÉRITÉ	2	0	0	0	0	2	0	1	0	1	0	1	0	0	0	6	4
SINGULIER	3	0	0	1	2	0	0	1	1	0	1	0	0	0	0	1	1
SINISTRE	3	0	0	0	1	0	1	0	0	0	0	1	0	0	0	4	4
SINON	0	0	0	0	0	0	0	0	1	0	1	0	0	0	0	1	1
SITÔT	6	5	1	1	1	1	1	0	0	0	0	1	0	0	0	13	8
SIX	6	3	0	1	1	0	0	0	0	0	1	1	0	0	0	13	6
SOCIÉTÉ	2	2	21	3	11	1	2	0	5	5	12	12	0	4	12	79	11
SOEUR	2	1	0	0	2	1	0	0	2	6	0	1	0	0	0	8	7
SOI	2	0	0	3	1	0	1	0	1	2	0	2	0	0	0	6	4
SOIF	1	0	0	0	2	1	0	0	0	0	0	0	0	0	0	6	4
SOIGNEUX	3	0	0	0	0	0	1	0	2	0	0	2	0	0	1	6	4
SOIN	2	9	32	31	25	20	43	14	23	22	14	22	2	4	1	255	11
SOIR	2	0	0	0	8	1	2	2	0	0	0	7	0	0	0	1	1
SOIT	0	1	0	1	8	5	3	2	6	2	1	8	0	1	1	26	7
SOLDAT	2	5	0	1	0	0	0	1	1	0	3	2	0	0	0	54	9
SOLEIL	1	0	0	0	0	0	0	2	1	2	1	4	0	1	0	9	5
SOLENNEL	3	0	0	2	0	0	0	0	1	1	0	1	0	1	0	11	6
SOLENNISER	1	0	0	0	0	0	0	0	1	0	1	1	0	0	0	2	1
SOLENNITÉ	2	0	0	0	0	0	0	0	0	0	0	0	0	0	0	2	2
SOLIDE AJ	3	1	0	0	1	1	1	0	0	0	1	0	0	1	0	4	2
SOLITAIRE AJ	3	0	1	0	1	1	0	0	0	0	0	0	0	0	0	8	4
SOLITUDE	2	2	2	0	1	2	1	0	0	2	5	2	0	0	1	16	5
SOMBRE	3	1	1	0	1	0	1	0	0	0	1	1	0	0	1	8	8
SOMMEIL	2	1	2	0	2	1	0	0	2	3	1	1	0	1	1	8	6
SOMMEILLER	1	0	1	0	0	0	0	0	0	0	0	1	0	1	0	2	1
SOMMET	0	0	0	0	0	0	0	0	0	0	0	1	0	0	0	1	1
SON AJ	190	319	301	366	187	301	199	218	246	222	350		13	64	67	2899	11
SON SM	2	1	0	0	0	0	1	1	1	1	4	2	1	2	2	6	2
SONGE SM	1	6	4	22	7	6	13	16	11	10	4	14	0	2	0	23	7
SONGER	1	0	0	0	0	0	0	0	0	0	2	7	0	1	0	104	11
SONNER	1	6	12	17	5	8	11	17	19	9	3	8	0	0	0	115	11
SORT	2	6	0	0	0	0	0	0	0	0	0	0	0	1	0	1	1
SORTE	2	1	0	0	0	0	0	0	0	0	0	0	0	0	0		

	CO	THE	ALE	AND	BRI	BER	BAJ	MIT	IPH	PHE	EST	ATHA	PRO	CHA	CHE	TOTA	RE
SORTIE	2	2	0	0	0	1	1	1	0	0	0	0	0	0	0	5	4
SORTIR	1	13	4	12	7	14	20	4	7	14	9	18	0	2	3	122	11
SOUCI	2	0	0	0	0	0	1	0	0	0	0	1	0	0	0	1	1
SOUDAIN	3	3	0	0	3	1	2	4	1	5	2	1	0	0	0	22	9
SOUFFLE	2	0	0	0	0	0	0	0	0	5	1	1	0	0	1	1	2
SOUFFLER	1	0	0	0	0	5	4	0	4	1	9	6	0	0	0	97	11
SOUFFRIR	2	9	2	13	10	2	1	3	14	2	0	2	3	0	5	15	5
SOUHAIT	1	4	1	0	2	3	3	4	1	0	1	3	0	0	0	41	2
SOUHAITER	1	6	6	8	7	0	2	2	2	1	0	0	1	0	0	13	8
SOUILLER	2	2	5	0	0	0	1	1	0	2	1	1	0	1	0	2	7
SOULAGEMENT	1	1	0	0	2	0	3	0	1	2	0	1	0	0	0	14	11
SOULAGER	1	3	0	2	7	0	0	0	3	0	0	1	0	0	0	12	7
SOULEVER	1	1	2	3	0	1	1	1	5	0	1	2	1	0	0	44	11
SOUMETTRE	1	5	4	7	2	3	0	4	0	2	0	0	0	0	0	1	1
SOUMISSION	2	0	1	0	0	2	8	3	5	2	7	1	0	1	0	30	8
SOUPÇON	1	0	1	0	3	0	2	0	0	1	0	1	0	0	1	20	10
SOUPÇONNER	3	0	0	1	0	2	0	3	1	6	0	0	0	0	0	1	11
SOUPÇONNEUX	2	7	1	0	7	2	7	2	4	3	0	1	0	0	3	73	11
SOUPIR	1	3	6	8	2	10	1	1	3	3	1	0	0	0	0	24	10
SOUPIRER	2	1	5	1	3	5	0	0	2	3	6	2	0	0	1	12	6
SOURCE	3	1	0	0	1	0	0	1	1	3	1	0	0	0	0	12	7
SOURD	2	0	0	0	0	0	0	0	1	3	2	2	0	1	0	1	1
SOURIRE V	1	2	23	12	9	5	10	11	12	3	15	17	1	2	5	129	11
SOUS	0	1	1	3	3	0	0	0	2	0	0	0	0	0	0	10	5
SOUSCRIRE	1	0	0	0	1	1	2	0	3	0	4	1	1	0	0	4	3
SOUSTRAIRE	1	3	6	3	5	5	1	7	0	5	0	1	0	0	1	43	11
SOUTENIR	3	0	0	0	0	0	0	0	0	0	0	1	2	0	0	1	1
SOUTERRAIN AJ	0	0	0	0	0	0	0	0	0	0	0	1	0	0	0	3	2
SOUTIEN	2	1	3	4	3	5	2	3	4	2	2	1	0	0	1	28	10
SOUVENIR SM	2	3	9	9	6	9	6	0	2	5	0	6	0	0	1	56	11
SOUVENIR V	1	1	0	0	1	2	1	0	2	9	2	5	0	0	1	37	10
SOUVENT	0	5	0	0	2	2	2	3	2	0	7	1	1	0	0	21	9
SOUVERAIN AJ	3	3	2	2	5	1	4	6	0	0	5	2	0	0	1	11	6
SOUVERAIN SM	2	1	4	4	0	3	0	1	7	1	1	3	0	1	1	34	10
SPECTACLE	2	3	1	1	2	1	2	0	1	0	4	0	1	1	0	3	3
SPECTATEUR	2	0	0	0	0	0	0	0	1	0	3	1	0	0	0	13	7
SPLENDEUR	3	0	1	1	2	1	0	0	0	0	0	0	1	1	2	1	1
STABLE	2	0	0	0	0	0	0	0	0	0	0	0	0	0	0	2	2
STATUE	2	0	1	0	1	1	0	0	1	0	0	1	0	0	0	3	3
STÉRILE	3	0	0	0	0	0	1	0	1	0	0	0	0	0	0	6	5
STRATAGÈME	1	0	1	1	0	1	1	3	0	2	0	1	0	0	0	7	4
SUBIR	3	0	0	0	0	1	0	3	1	0	0	2	0	0	0	4	3
SUBIT	3	0	0	0	0	1	0	3	1	0	0	2	0	0	0	4	3

	CO	THE	ALE	AND	BRI	BER	BAJ	MIT	IPH	PHE	EST	ATHA	PRO	CHA	CHE	TOTA	RE
SUBITEMENT	3	0	0	0	2	0	0	0	0	1	0	0	0	0	0	3	2
SUBJUGUER	1	0	1	0	0	0	0	0	0	0	0	0	0	0	0	1	1
SUBLIME	3	1	0	0	0	0	0	0	1	0	0	0	0	0	0	2	2
SUBSTITUER	1	0	0	0	0	0	0	0	0	0	0	1	0	0	0	1	1
SUBTIL	3	0	0	0	0	0	0	0	0	0	0	1	0	0	1	3	1
SUCCÉDER	1	0	0	3	0	0	1	1	2	0	3	1	0	0	0	12	6
SUCCÈS	2	1	3	1	2	5	5	2	2	0	3	2	0	0	0	22	9
SUCCESSEUR	2	0	1	0	1	1	1	0	0	2	0	1	0	0	0	8	6
SUCCOMBER	1	1	0	0	0	0	0	1	1	1	0	1	0	0	0	8	5
SUCER	1	0	0	0	0	2	0	0	1	0	0	1	0	0	0	4	4
SUFFIRE	1	3	6	6	4	1	6	5	5	4	1	2	0	0	0	44	11
SUFFRAGE	2	0	2	2	0	0	1	1	0	0	0	0	0	0	0	9	7
SUGGÉRER	1	0	0	1	0	0	0	0	2	0	0	1	0	0	0	1	1
SUITE	1	1	2	2	2	3	2	3	2	1	1	2	0	0	0	18	9
SUIVRE	23	10	18	21	16	15	16	14	22	15	3	10	0	0	1	150	11
SUJET AJ S	2	5	8	1	4	0	1	0	0	0	8	3	0	0	1	27	6
SUJET SM	2	5	0	1	0	3	3	1	5	1	3	0	0	0	0	25	9
SULTAN	2	0	0	0	0	0	18	0	0	0	0	0	0	0	0	18	1
SULTANE	3	0	0	1	0	1	29	0	6	0	9	6	0	0	0	29	1
SUPERBE AJ	2	2	2	1	1	0	2	0	0	1	0	1	0	0	0	40	10
SUPERBE SF	3	3	0	0	0	1	0	1	0	0	1	0	0	0	3	40	1
SUPERFLU	2	0	2	2	2	2	0	0	0	2	0	1	0	0	0	15	9
SUPERSTITION	1	0	0	0	0	0	1	0	0	0	0	0	0	0	1	1	1
SUPPLÉER	1	0	0	0	0	0	0	0	0	0	0	1	0	0	0	1	1
SUPPLIANT	3	0	4	4	2	2	1	1	4	1	2	3	0	0	0	4	4
SUPPLICE	2	6	0	0	0	0	0	0	0	6	0	1	0	0	0	34	9
SUPPORT	2	0	0	0	0	0	0	2	1	0	0	0	0	0	0	2	2
SUPPRIMER	1	0	0	2	2	0	2	0	3	1	0	6	0	0	0	23	8
SUPRÊME	3	3	1	0	0	2	2	2	4	8	4	4	3	4	1	8	11
SUR PRÉP	0	29	45	52	48	26	37	26	42	38	40	84	3	9	9	467	6
SUR AJ	3	0	0	1	1	0	0	2	2	2	1	0	0	0	0	10	6
SUR-LE-CHAMP	0	0	0	0	0	0	0	0	1	0	0	1	0	0	0	2	2
SURCROÎT	2	0	0	1	0	0	1	0	0	0	0	0	0	0	0	3	2
SÛRETÉ	1	2	3	0	0	1	1	1	1	0	0	2	0	0	0	10	6
SURMONTER	1	1	1	0	0	2	1	1	0	1	0	0	0	0	0	5	5
SURPASSER	1	0	0	0	5	3	9	6	5	1	1	4	0	0	1	5	4
SURPRENDRE	1	0	5	0	0	1	1	1	0	1	0	1	0	0	0	39	9
SURPRISE	2	0	0	0	5	3	6	6	6	2	1	6	0	0	0	6	5
SURTOUT	0	7	3	3	0	1	0	0	0	1	0	0	0	0	0	44	11
SURVEILLANT S	2	0	0	0	3	3	1	1	1	1	4	1	0	0	0	1	1
SURVIVRE	1	1	1	4	1	0	0	0	1	0	0	0	0	0	0	12	6
SUSCITER	1	0	0	0	2	0	1	0	0	0	0	0	0	0	0	1	1
SUSPECT	3	0	1	0	3	1	0	1	0	0	0	1	0	0	0	7	5

	CO	THE	ALE	AND	BRI	BER	BAJ	MIT	IPH	PHE	EST	ATMA	PRO	CHA	CHE	TOTA	RE
SUSPENDRE	1	3	4	0	0	2	1	1	3	0	2	2	0	0	1	18	8
SYMPATHIE	2	0	0	0	0	0	0	1	0	0	0	0	0	0	0	1	1
TABERNACLE	2	0	0	0	0	0	0	0	0	0	5	1	0	1	1	8	1
TABLE	2	0	0	0	0	0	0	0	0	0	0	3	0	0	2	3	2
TÂCHE	2	2	2	2	1	0	2	1	0	0	2	0	0	1	0	11	6
TÂCHER	1	1	3	4	8	5	6	5	4	4	4	2	0	6	0	61	11
TAIRE	1	3	5	4	11	5	2	8	1	1	1	3	1	0	0	46	10
TANDIS	0	1	47	37	26	31	33	12	21	9	11	17	1	6	2	275	11
TANT	0	31	5	7	4	4	7	5	3	3	3	3	0	2	0	39	9
TANTÔT	0	1	0	5	2	2	5	5	4	1	1	8	0	0	2	27	11
TARD	0	1	2	2	4	2	4	5	2	0	1	2	0	0	0	21	8
TARDER	1	2	1	0	3	0	0	3	3	1	1	0	0	0	0	4	4
TARDIF	3	0	0	0	1	1	0	0	0	1	0	1	0	0	0	4	4
TARIR	1	0	0	0	0	0	0	0	0	0	0	0	0	0	0	1	1
TAUREAU	2	0	0	0	1	1	0	0	0	1	0	1	0	0	0	4	4
TE	0	17	32	38	18	14	34	29	19	50	28	20	2	9	8	299	11
TEINDRE	1	0	0	2	0	0	0	0	0	2	0	0	0	0	0	4	2
TEINT	2	0	2	2	0	0	0	0	1	1	1	0	0	0	0	2	2
TEL	3	6	5	8	4	1	7	7	8	7	7	8	0	2	2	58	11
TÉMÉRAIRE	23	1	2	2	1	2	1	2	0	4	0	5	0	0	0	18	8
TÉMÉRITÉ	2	0	0	0	0	0	0	0	0	1	0	0	0	0	0	2	2
TÉMOIGNAGE	2	0	0	0	1	0	0	0	0	0	0	1	0	0	0	2	2
TÉMOIGNER	1	1	3	6	6	11	8	7	6	9	2	3	0	0	1	61	10
TÉMOIN	2	0	1	0	1	1	0	0	1	0	1	0	0	3	0	3	3
TEMPÊTE	2	5	5	15	11	20	8	20	9	3	6	54	0	5	3	84	10
TEMPLE	2	4	1	1	0	2	1	3	4	9	11	29	0	1	0	167	11
TEMPS	3	4	12	6	20	20	26	20	9	9	11	29	0	5	0	26	10
TENDRE AJ	3	1	1	1	2	2	4	3	4	4	2	2	1	0	0	22	10
TENDRE V	1	3	1	0	2	1	3	1	3	1	0	4	1	0	0	1	1
TENDREMENT	3	0	1	0	7	3	7	7	10	4	2	4	0	0	1	57	11
TENDRESSE	2	2	1	7	0	0	0	0	0	5	1	0	0	0	0	1	1
TÉNÈBRES	2	0	0	0	0	0	0	0	0	0	0	2	0	1	0	3	2
TÉNÉBREUX	3	0	1	1	1	1	8	1	5	5	4	3	0	0	0	77	10
TENIR	1	14	12	8	8	8	8	7	2	3	0	0	0	0	1	3	2
TENTE	2	1	0	0	0	1	3	0	0	0	0	1	0	0	0	21	9
TENTER	1	0	2	2	1	1	0	6	2	3	0	0	0	0	0	2	2
TERME	2	1	0	0	1	1	4	3	2	1	1	1	0	0	0	14	9
TERMINER	1	1	1	0	0	0	1	0	1	1	0	0	0	0	0	1	1
TERNIR	1	4	0	0	0	0	0	0	0	0	0	1	0	0	0	4	2
TERRASSER	1	0	2	0	2	0	2	1	3	7	2	0	0	0	0	56	8
TERRE	2	7	10	0	0	0	1	3	1	3	5	5	0	6	6	21	9
TERREUR	2	1	3	0	0	0	0	1	2	3	2	5	0	9	1	19	6
TERRIBLE	3	1	0	0	0	0	0	1	2	3	7	5	0	0	0		

	CO	THE	ALE	AND	BRI	BER	BAJ	MIT	IPH	PHE	EST	ATHA	PRO	CHA	CHE	TOTA	RE
TÊTE	2	2	10	7	1	1	6	4	5	4	3	4	0	1	2	47	11
THÉÂTRE	2	0	0	0	1	1	0	0	0	0	0	0	0	0	0	2	2
TIARE	2	0	0	0	1	0	0	0	0	0	0	2	0	0	0	2	1
TIEN	0	0	3	0	0	0	1	0	0	0	0	0	0	0	0	5	3
TIERS SM	2	0	0	0	0	0	0	0	0	0	0	1	0	0	0	1	1
TIGE	2	0	0	0	0	0	0	0	0	0	0	0	0	0	0	2	2
TIGRE	2	0	0	0	0	0	0	0	0	1	0	1	0	0	2	4	2
TIMIDE	3	0	3	1	0	0	4	2	6	3	3	5	0	1	0	32	10
TIMON	2	0	0	0	1	1	0	0	0	0	0	0	0	0	1	1	1
TIRER	1	0	1	1	0	0	1	0	0	3	4	0	0	1	0	14	7
TISON	2	0	0	0	0	0	1	1	0	3	0	3	0	0	0	1	1
TISSER tistre	1	0	0	0	0	0	0	0	0	0	0	3	0	0	0	1	1
TISSU SM	2	0	0	0	0	0	1	0	0	0	0	0	0	0	0	1	1
TITRE	0	0	0	0	1	1	0	1	0	0	0	0	0	0	0	20	8
TOI	2	3	3	2	4	3	3	2	2	0	0	3	4	7	4	20	11
TOMBE	2	12	13	19	6	0	19	13	2	25	22	13	0	0	0	148	11
TOMBEAU	1	7	10	6	0	0	0	0	0	1	1	1	0	1	0	1	1
TOMBER	1	9	11	30	8	3	8	5	3	4	2	6	0	0	2	40	9
TON AJ	0	14	41	34	23	17	38	27	20	61	72	76	11	34	30	423	11
TON SM	2	0	0	1	0	0	0	0	2	0	0	0	0	0	3	1	1
TONNERRE	2	1	0	0	0	0	0	0	0	1	5	1	0	0	0	10	5
TORRENT	2	1	1	0	0	2	0	0	4	0	1	3	0	0	3	13	7
TORT	3	0	1	0	0	1	1	2	0	1	0	0	1	0	1	3	3
TORTUEUX	0	1	0	1	0	0	0	1	0	3	0	0	0	0	0	1	11
TÔT	1	0	0	0	4	2	1	2	1	3	2	2	0	0	3	20	11
TOUCHANT AJ	1	12	6	6	8	3	8	18	1	6	5	6	0	1	1	1	1
TOUCHER	0	30	16	30	37	26	18	18	20	18	11	10	0	6	6	63	11
TOUJOURS	2	8	8	1	5	0	0	1	0	0	1	0	0	0	0	234	11
TOUR SM	2	0	1	1	0	0	0	1	3	4	2	1	0	2	0	47	10
TOUR SF	1	3	3	3	1	6	1	2	0	1	1	0	0	0	0	5	5
TOURMENT	1	1	1	1	0	2	4	4	4	4	1	1	0	0	0	25	10
TOURMENTER	1	2	2	4	2	2	3	3	1	1	1	0	0	0	0	17	10
TOURNER	2	1	1	6	1	0	1	1	4	1	1	1	0	0	0	21	10
TOUT	30	129	87	123	106	128	124	142	133	111	117	131	12	16	23	1331	11
TOUT-PUISSANT	23	0	0	0	0	0	0	0	0	0	0	0	0	0	0	9	7
TOUTEFOIS	0	3	3	1	1	2	2	4	2	2	3	2	0	0	0	24	11
TRACE	2	1	1	1	1	1	2	1	1	0	0	1	0	0	0	17	10
TRACER	1	0	0	2	2	0	0	0	1	4	1	0	0	0	0	8	4
TRAFIQUER	1	0	0	0	0	0	0	0	0	0	0	0	0	0	0	1	1
TRAGIQUE	3	0	0	1	0	0	0	0	0	0	1	1	0	0	0	1	1
TRAHIR	1	3	7	6	2	2	2	13	5	7	2	2	0	0	1	66	11
TRAHISON	2	0	2	0	0	0	0	3	4	2	3	1	0	0	0	13	5
TRAÎNER	1	0	6	1	0	0	3	3	2	2	3	1	0	0	1	27	9

	CO	THE	ALE	AND	BRI	BER	BAJ	MIT	IPH	PHE	EST	ATHA	PRO	CHA	CHE	TOTA	RE
TRAIT	2	2	2	0	0	1	1	1	4	3	1	5	0	2	0	21	9
TRAITÉ SM	2	0	0	0	0	0	1	0	0	0	0	0	0	0	0	2	2
TRAITEMENT	2	0	3	2	1	0	0	2	0	0	0	0	0	1	0	4	2
TRAITER	1	1	5	4	1	0	5	8	0	2	7	6	0	0	1	19	7
TRAÎTRE	23	5	7	0	0	0	0	0	0	6	7	4	0	1	0	46	8
TRAME	2	0	0	0	0	0	0	0	0	0	1	0	0	0	0	1	1
TRAMER	1	0	0	0	0	0	0	0	0	0	0	0	0	0	0	2	1
TRANCHÉE	2	0	1	0	2	0	1	0	0	1	1	0	0	0	0	7	1
TRANCHER	1	0	0	2	0	1	4	3	5	2	0	1	1	0	0	27	5
TRANQUILLE	3	0	5	3	2	0	0	0	0	0	1	0	0	0	0	1	10
TRANQUILLEMT	3	0	0	1	4	0	0	0	0	1	0	0	0	1	0	1	1
TRANQUILLITÉ	2	0	1	0	2	0	0	0	0	2	3	1	0	0	0	4	3
TRANSGRESSEUR	2	0	0	0	3	0	0	0	0	0	0	0	0	0	0	1	1
TRANSIR	1	0	0	0	0	0	0	0	0	0	0	0	0	0	0	1	1
TRANSMETTRE	1	0	0	0	0	0	0	0	0	0	1	0	0	0	0	1	1
TRANSPLANTER	1	0	0	0	0	1	0	0	0	0	1	0	0	0	0	1	1
TRANSPORT	2	0	0	0	0	0	0	0	0	7	0	2	0	0	0	55	11
TRANSPORTER	1	3	0	0	0	8	3	5	8	3	1	1	0	0	1	7	7
TRAVAIL	2	1	5	0	0	0	0	0	1	0	1	0	0	0	0	5	4
TRAVAILLER	1	0	0	0	0	0	0	2	0	3	0	0	0	0	0	13	4
TRAVERS	2	0	3	1	1	1	1	0	1	0	0	1	0	0	0	2	3
TRAVERSE	1	0	1	2	0	1	1	2	0	3	0	0	0	0	0	17	9
TRAVERSER	1	0	3	0	2	7	3	4	0	0	0	1	0	0	0	15	2
TREMBLANT	3	1	0	2	1	1	3	1	1	6	0	6	0	0	0	59	9
TREMBLER	1	2	7	0	4	0	0	3	0	8	8	2	0	0	0	12	8
TREMPER	6	1	0	0	0	0	0	2	0	4	0	0	0	1	0	70	11
TRENTE	2	0	0	9	0	0	6	1	1	0	0	1	0	0	0	18	6
TRÉPAS	2	17	8	1	0	3	0	2	0	5	0	9	0	0	1	1	10
TRÉSOR	1	0	0	0	0	0	0	0	0	1	0	0	0	0	0	3	6
TRESSAILLIR	2	0	3	0	0	0	0	0	0	0	3	0	0	0	0	9	1
TRÊVE	2	3	0	0	1	1	0	0	0	3	0	5	0	0	0	2	3
TRIBU	2	0	0	1	0	1	0	0	0	0	1	0	0	0	0	9	2
TRIBUN	2	0	0	0	1	0	0	0	0	1	0	0	0	0	0	2	1
TRIBUT	2	0	1	1	1	2	1	1	6	0	4	0	0	0	0	9	7
TRIBUTAIRE	3	0	0	0	0	2	4	3	2	2	3	0	0	0	0	21	10
TRIOMPHANT	3	0	1	1	1	2	0	0	6	3	0	0	0	3	0	33	11
TRIOMPHE	2	1	0	5	0	2	1	0	2	0	0	0	0	3	0	1	1
TRIOMPHER	1	0	7	0	1	1	4	0	2	1	2	1	0	1	0	1	1
TRIPLE	3	0	0	1	0	3	0	3	0	4	0	0	0	3	3	113	11
TRISTE	3	0	9	5	0	7	5	0	3	1	2	8	0	3	1	1	1
TRISTESSE	2	0	1	0	1	1	0	0	0	4	2	0	0	1	0	1	11
TROIS	6	0	1	3	4	3	2	3	1	0	2	3	0	0	0	26	5
TROISIÈME	0	0	0	0	0	0	0	0	0	0	0	1	0	0	0	1	10

	CO	THE	ALE	AND	BRI	BER	BAJ	MIT	IPH	PHE	EST	ATHA	PRO	CHA	CHE	TOTA	RE
TROMPER	1	2	5	4	7	6	9	10	8	5	4	7	0	0	1	67	11
TROMPETTE SF	2	0	0	0	0	0	0	0	0	0	0	6	0	2	0	6	1
TROMPEUR	3	0	1	2	0	0	1	0	0	0	2	0	0	0	0	8	6
TRONC	2	0	0	0	1	0	0	0	0	0	0	0	0	0	0	1	1
TRÔNE	2	39	7	1	6	3	12	1	1	2	13	8	0	2	1	98	11
TROP	0	26	23	31	39	31	46	29	35	44	12	10	0	2	1	326	11
TROPHÉE	2	0	0	0	0	0	0	0	0	0	0	0	0	0	0	1	1
TROUBLE AJ	3	1	0	4	3	0	8	6	7	11	3	12	0	0	4	67	11
TROUBLE SM	1	1	1	11	11	10	8	6	8	9	10	10	0	2	4	84	10
TROUBLER	2	0	12	0	4	0	3	2	0	0	0	7	0	1	4	20	6
TROUPE	2	2	0	0	0	6	0	9	3	7	5	2	0	0	2	3	2
TROUPEAU	1	14	6	13	8	10	0	0	0	0	10	6	1	1	8	92	11
TROUVER	0	38	27	61	26	28	67	41	29	66	37	49	4	20	8	469	11
TU	1	0	2	2	1	2	0	1	0	1	0	0	1	0	0	9	6
TUER	2	0	0	1	0	2	0	0	1	1	1	0	0	0	0	5	5
TUMULTE	3	0	0	0	0	0	0	0	1	0	1	1	0	0	0	2	2
TUMULTUEUX	3	0	0	0	1	0	0	0	0	0	0	0	0	0	0	1	1
TUTÉLAIRE	2	0	0	0	0	0	0	0	0	2	0	0	0	1	0	4	3
TYRAN	2	9	12	1	3	0	1	2	1	4	0	5	0	0	0	36	7
TYRANNIE	3	1	0	0	0	0	0	1	0	0	1	0	0	0	0	6	5
TYRANNIQUE	1	0	1	0	0	0	0	0	0	0	0	0	0	0	0	1	2
TYRANNISER	1	0	0	0	0	0	2	2	0	0	0	0	0	0	0	3	11
UN	2	225	268	248	226	184	242	267	292	318	181	239	8	35	39	2690	11
UNION	3	1	0	1	0	1	0	1	0	1	0	0	0	0	0	3	3
UNIQUE	3	0	0	3	2	3	5	8	6	5	0	2	0	0	0	11	7
UNIR	1	2	0	1	6	2	2	0	1	2	2	5	1	3	6	35	10
UNIVERS	2	0	14	1	0	16	4	8	0	2	0	4	0	0	6	70	9
URNE	2	0	0	0	3	0	0	0	0	0	0	0	0	0	0	2	1
USAGE	1	0	0	0	0	0	4	1	1	0	1	1	0	0	0	17	3
USER	2	1	1	0	0	0	0	0	0	0	0	0	0	0	0	3	2
USURE	2	0	0	0	0	0	0	0	0	0	0	1	0	0	0	2	2
USURPATEUR	2	3	0	0	0	0	0	0	0	0	0	0	0	0	0	3	1
USURPER	1	0	0	0	0	0	0	0	0	0	0	2	0	0	0	2	1
UTILE	3	0	0	0	0	0	1	0	0	0	0	1	0	0	0	6	5
VAGABOND	2	1	0	0	0	0	0	0	0	0	0	1	0	0	0	2	2
VAILLANCE	2	0	2	0	0	0	0	0	0	2	0	0	0	0	0	3	1
VAILLANT	3	0	0	2	0	0	1	0	0	0	0	1	0	0	0	3	1
VAIN	3	13	16	2	13	4	12	16	18	17	12	14	1	2	2	137	11
VAINCRE	1	5	17	6	7	6	3	11	3	4	4	1	0	0	1	63	11
VAINEMENT	3	1	2	1	3	0	1	2	3	3	1	1	0	0	1	17	9
VAINQUEUR	23	9	34	6	1	3	4	6	6	4	3	9	0	0	1	77	11
VAISSEAU	2	0	0	8	0	1	2	13	11	3	0	0	0	0	0	38	6

	CO	THE	ALE	AND	BRI	BER	BAJ	MIT	IPH	PHE	EST	ATHA	PRO	CHA	CHE	TOTA	RE
VALEUR	2	1	17	1	0	2	3	3	5	0	2	0	0	0	2	34	8
VALLÉE	2	0	0	0	0	0	0	0	0	0	2	0	3	0	2	2	1
VALLON	2	0	0	0	0	0	0	0	0	0	0	1	0	1	0	1	1
VALOIR	1	2	0	2	1	1	0	3	2	1	1	0	0	0	0	13	8
VANITÉ	2	0	6	0	0	0	1	0	0	0	0	1	0	0	0	1	1
VANTER	1	1	0	3	2	1	0	0	2	2	3	0	0	0	1	24	10
VAPEUR	2	0	0	0	0	0	0	0	0	0	1	3	1	0	0	2	2
VASTE	3	0	1	0	0	1	0	0	0	0	3	1	0	0	0	7	4
VAUTOUR	2	0	0	0	0	0	0	0	0	1	2	2	0	0	0	2	1
VEILLE SF	2	0	0	0	0	0	1	0	0	0	0	0	0	0	0	2	2
VEILLER	1	0	1	0	1	0	0	0	0	0	1	0	0	0	0	14	10
VEINE	2	0	0	1	1	0	2	2	2	1	1	2	0	0	0	5	3
VENDRE	1	1	3	0	0	1	0	0	1	3	0	0	0	0	0	15	8
VÉNÉRABLE	3	0	0	1	3	0	2	3	0	0	1	1	0	0	0	1	10
VENGEANCE	1	6	9	10	0	1	0	0	2	3	6	0	0	0	0	57	10
VENGER	2	0	0	22	3	0	9	5	11	6	3	9	0	0	0	100	10
VENGEUR	3	0	0	1	1	2	0	0	1	1	2	0	1	0	0	19	8
VENIN	2	0	0	1	1	0	0	14	1	1	0	13	1	2	1	37	4
VENIR	1	25	31	51	30	50	49	47	52	36	20	54	0	0	0	445	11
VENT	2	2	0	1	0	0	0	1	17	1	4	1	1	0	0	25	6
VENUE	2	0	0	0	0	0	1	0	0	0	0	0	0	0	0	3	2
VER SM	2	0	0	0	0	0	0	0	0	0	0	1	0	0	2	1	1
VÉRITABLE	3	0	0	0	1	3	0	1	0	4	3	1	0	0	3	10	5
VÉRITÉ	2	0	0	0	1	1	1	1	4	5	6	7	0	0	0	19	7
VERS PRÉP	0	2	4	10	5	7	7	11	5	2	2	7	1	0	0	66	11
VERSER	1	9	2	2	1	5	1	1	2	1	7	5	0	2	1	35	11
VERTU	3	9	17	6	22	14	6	10	13	13	1	7	0	2	1	113	11
VERTUEUX	3	0	0	0	0	0	0	0	0	0	0	0	1	0	2	5	4
VESTALE	2	0	0	0	1	0	0	0	0	0	0	0	0	0	0	1	1
VESTIGE	2	1	1	0	0	0	0	0	0	0	2	0	0	0	0	1	1
VÊTEMENT	2	0	0	0	0	0	0	0	1	1	1	0	0	0	0	2	5
VEUVE	2	0	0	8	2	1	3	1	15	3	4	4	0	0	2	12	11
VICTIME	2	6	3	6	1	7	5	3	9	1	5	1	0	0	1	50	11
VICTOIRE	2	6	35	5	1	2	2	4	0	3	5	0	1	1	3	79	6
VICTORIEUX	3	0	2	2	0	0	0	4	1	0	0	11	2	0	3	17	2
VIDE	3	0	0	0	0	0	0	1	0	0	3	1	0	0	0	2	1
VIDER	1	0	0	0	0	0	3	0	0	0	0	0	0	1	0	1	1
VIE	2	17	9	17	12	8	4	17	16	15	13	11	0	0	3	170	11
VIEILLARD	2	0	0	0	0	0	0	0	0	0	3	1	0	0	1	4	2
VIEILLESSE	2	0	0	1	0	0	2	0	1	0	0	1	0	0	0	5	3
VIEILLIR	1	0	0	0	2	0	0	0	1	0	0	0	0	0	0	1	3
VIEILLISSANT	3	0	0	0	1	0	0	0	0	0	0	0	0	0	0	1	1
VIERGE	23	0	0	0	0	0	0	0	0	0	0	0	0	0	0	1	1

	CO	THE	ALE	AND	BRI	BER	BAJ	MIT	IPH	PHE	EST	ATHA	PRO	CHA	CHE	TOTA	RE
VIEUX	3	0	0	1	0	0	0	0	0	0	0	0	0	0	0	1	1
VIF	3	0	0	0	0	0	0	0	0	1	0	1	0	0	0	5	5
VIGILANT	3	0	3	0	0	0	0	0	0	0	1	2	0	0	0	3	2
VIGUEUR	2	1	0	1	0	0	0	0	0	0	0	0	0	1	0	5	3
VIL	3	0	1	0	0	1	2	1	1	2	3	6	0	0	0	16	7
VILLE	2	0	0	1	0	0	0	1	0	0	0	1	0	0	0	8	6
VIN	2	0	1	0	0	0	1	0	0	0	1	0	0	0	1	1	1
VINGT	6	0	0	0	0	0	0	1	3	0	0	2	0	0	0	13	6
VIOLENCE	2	2	2	0	0	3	2	4	0	4	0	5	0	2	0	23	9
VIOLENT	3	2	1	3	0	1	0	1	3	0	0	0	0	0	0	6	4
VIOLER	1	2	2	1	0	0	0	0	1	1	0	0	0	0	0	8	6
VISAGE	2	2	0	1	2	0	1	1	0	5	1	2	0	0	3	41	11
VISIBLE	3	0	2	1	0	2	0	0	0	0	0	0	0	0	0	2	1
VISIR	2	0	0	0	0	0	0	0	2	0	0	2	0	0	0	17	1
VISITER	0	0	0	0	0	0	0	0	4	1	0	0	0	0	0	1	1
VIVANT	2	0	0	0	0	0	0	0	0	3	1	0	0	0	0	10	5
VIVRE	1	10	9	6	3	0	0	0	0	12	5	3	1	1	0	112	11
VOEU	2	5	15	11	12	14	17	2	0	22	0	6	0	0	0	124	11
VOICI	2	9	4	1	7	17	0	15	13	2	0	4	1	6	0	42	10
VOIE	0	0	0	1	0	5	0	12	12	0	1	8	0	0	0	8	7
VOILA	2	3	2	14	6	1	18	0	1	2	6	0	0	0	0	70	11
VOILE SM	2	0	0	0	1	7	9	2	9	1	5	0	0	0	0	10	6
VOILE SF	1	0	0	0	0	3	4	5	0	2	1	0	0	0	0	3	2
VOILER	1	0	0	0	0	0	1	0	1	0	0	13	0	0	1	1	1
VOIR	23	85	89	100	102	114	95	88	84	91	48	77	2	0	13	973	11
VOISIN	2	1	1	2	0	2	9	1	2	3	0	1	0	1	5	11	7
VOIX	2	4	4	12	12	11	9	0	13	14	15	17	1	0	0	102	11
VOL DÉROBER	3	0	0	0	0	0	0	0	0	0	0	1	0	6	0	4	11
VOLAGE	1	2	2	0	0	0	0	0	0	3	0	1	0	0	1	26	2
VOLER 1 AIR	1	0	7	1	3	0	1	0	4	4	3	17	0	0	0	2	9
VOLER 2 DER	3	0	0	0	0	0	0	0	0	0	0	1	0	0	0	2	2
VOLONTAIRE	2	0	0	0	0	0	7	3	2	1	4	1	0	0	1	24	2
VOLONTÉ	3	0	0	0	3	0	0	0	0	2	0	0	2	1	0		6
VOLUPTUEUX	1	0	0	0	0	0	0	0	0	0	0	0	0	0	0		1
VOMIR	1	0	0	0	1	0	1	0	1	1	0	0	0	0	9	2	2
VOTRE AJ	0	112	170	137	180	149	113	116	205	141	84	117	2	5	9	1524	11
VOTRE PRON	1	7	7	2	4	5	0	0	0	0	1	3	0	0	0	42	11
VOULOIR V	1	80	74	70	69	56	72	62	67	53	26	43	0	4	0	672	3
VOUS	0	311	340	347	451	391	342	450	462	291	134	301	3	9	14	3820	11
VOÛTE	2	0	0	0	0	0	0	0	0	1	0	0	0	0	0	1	1
VOYAGE	2	0	0	1	0	0	1	2	2	1	0	0	0	0	0	7	5
VOYAGEUR	2	0	0	0	0	0	0	0	0	1	0	0	0	0	0	1	1

	CO	THE	ALE	AND	BRI	BER	BAJ	MIT	IPH	PHE	EST	ATHA	PRO	CHA	CHE	TOTA	RE
VRAI	3	6	4	1	3	6	9	4	6	2	2	2	0	0	0	45	11
VUE	2	2	4	11	7	9	6	6	4	6	1	3	0	0	0	59	11
VULGAIRE	23	2	0	0	0	0	2	1	0	0	0	1	0	0	0	6	4
Y	0	22	19	28	9	21	16	24	23	9	10	4	2	0	0	185	11
ZÈLE SM	2	0	3	1	4	3	3	4	7	2	10	15	1	1	1	52	10
ZÈLE AJ	3	0	0	0	0	0	0	0	0	0	1	2	0	0	0	3	2

NOM	CO	THE	ALE	AND	BRI	BER	BAJ	MIT	IPH	PHE	EST	ATHA	PRO	CHA	CHE	TOTA
AARON	7	0	0	0	0	0	0	0	0	0	0	5	0	0	0	5
ABIRON	7	0	0	0	0	0	0	0	0	0	0	1	0	0	0	1
ABNER	7	0	0	0	0	0	0	0	0	0	0	27	0	0	0	27
ABRAHAM	7	0	0	0	0	0	0	0	0	0	0	1	0	0	0	1
ACHAB	7	0	0	0	0	0	0	0	0	0	0	9	0	0	0	9
ACHÉRON	7	0	0	0	0	0	0	0	0	2	0	0	0	0	0	2
ACHILLE	7	0	0	12	0	0	0	0	58	0	0	0	0	0	0	70
ACHITOPHEL	7	0	0	0	0	0	0	0	0	0	0	1	0	0	0	1
ACOMAT	7	0	0	0	0	0	13	0	0	0	0	0	0	0	0	13
AEGINE	7	0	0	0	0	0	0	0	3	0	0	0	0	0	0	3
AFRICAIN	7	0	0	0	0	0	0	3	0	0	0	0	0	0	0	3
AGAMEMNON	7	0	0	3	0	0	0	0	16	0	0	0	0	0	0	19
AGRIPPA	7	0	0	0	1	1	0	0	0	0	0	0	0	0	0	2
AGRIPPINE	7	0	0	0	17	0	0	0	0	0	0	0	0	0	0	17
ALBINE	7	0	0	0	9	0	0	0	0	0	0	0	0	0	0	9
ALCIDE	7	0	0	0	0	0	0	0	0	3	0	0	0	0	0	3
ALEXANDRE	7	0	56	0	0	0	0	0	0	0	0	0	0	0	0	56
AMALEC	7	0	0	0	0	0	0	0	0	0	2	0	0	0	0	2
AMALÉCITE	7	0	0	0	0	0	0	0	0	0	3	0	0	0	0	3
AMAN	7	0	0	0	0	0	0	0	0	0	22	0	0	0	0	22
AMAZONE	7	0	0	0	0	0	0	0	0	3	0	0	0	0	0	3
AMNON	7	0	0	0	0	0	0	0	0	0	0	1	0	0	0	1
AMURAT	7	0	0	0	0	0	34	0	0	0	0	0	0	0	0	34
ANDROMAQUE	7	0	0	21	0	0	0	0	0	0	0	0	0	0	0	21
ANNIBAL	7	0	0	0	0	0	0	2	0	0	0	0	0	0	0	2
ANTIGONE	7	8	0	0	0	0	0	0	0	0	0	0	0	0	0	8
ANTIOCHUS	7	0	0	0	0	9	0	0	0	0	0	0	0	0	0	9
ANTIOPE	7	0	0	0	0	0	0	0	0	1	0	0	0	0	0	1
ANTOINE	7	0	0	0	0	1	0	0	0	0	0	0	0	0	0	1
ARABE	7	0	0	0	0	0	0	0	0	0	1	0	0	0	0	1
ARABIE	7	0	0	0	0	0	0	0	0	0	1	0	0	0	0	1
ARBATE	7	0	0	0	0	0	0	15	0	0	0	0	0	0	0	15
ARCAS	7	0	0	0	0	0	0	4	0	0	0	0	0	0	0	4
ARCAS	7	0	0	0	0	0	0	0	15	0	0	0	0	0	0	15
ARGIEN	7	1	0	0	0	0	0	0	0	0	0	0	0	0	0	1
ARGOS	7	5	0	2	0	0	0	0	8	0	0	0	0	0	0	15
ARIANE	7	0	0	0	0	0	0	0	0	2	0	0	0	0	0	2
ARICIE	7	0	0	0	0	0	0	0	0	17	0	0	0	0	0	17
ARSACE	7	0	0	0	0	16	0	0	0	0	0	0	0	0	0	16
ASAPH	7	0	0	0	0	0	0	0	0	0	0	2	0	0	0	2
ASIE	7	0	0	2	0	2	0	6	5	2	2	0	0	0	0	19
ASSUÉRUS	7	0	0	0	0	0	0	0	0	0	11	0	0	0	0	11
ASSYRIENS	7	0	0	0	0	0	0	0	0	0	1	0	0	0	0	1

	CO	THE	ALE	AND	BRI	BER	BAJ	MIT	IPH	PHE	EST	ATHA	PRO	CHA	CHE	TOTA
ASTYANAX	7	0	0	3	0	0	0	0	0	0	0	0	0	0	0	3
ATALIDE	7	0	0	0	0	0	22	0	0	0	0	0	0	0	0	22
ATHALIE	7	0	0	0	0	0	0	0	0	0	0	21	0	0	0	21
ATHÈNES	7	0	0	0	0	0	0	0	0	13	0	0	0	0	0	13
ATHÉE	7	0	0	0	0	0	0	0	0	0	0	4	0	0	0	4
ATRIDES	7	0	0	0	0	0	0	0	1	0	0	0	0	0	0	1
ATTALE	7	0	0	0	0	0	0	8	0	0	0	0	0	0	0	8
ATTIQUE	7	0	0	0	0	0	0	0	0	1	0	0	0	0	0	1
AUGUSTE	7	0	0	0	0	11	0	0	0	0	0	0	0	0	0	11
AULIDE	7	0	0	0	0	0	0	0	13	0	0	0	0	0	0	13
AXIANE	7	0	12	0	0	0	0	0	0	0	0	0	0	0	0	12
AZARIAS	7	0	0	0	0	0	0	0	0	0	0	3	0	0	0	3
BAAL	7	0	0	0	0	0	0	0	0	0	0	11	0	0	0	11
BABYLONE	7	0	0	0	0	0	0	0	0	0	8	0	0	0	0	8
BAJAZET	7	0	0	0	0	0	54	0	0	0	0	0	0	0	0	54
BENJAMIN	7	0	0	0	0	0	0	0	0	0	2	0	0	0	0	2
BÉRÉNICE	7	0	0	0	0	45	0	0	0	0	0	0	0	0	0	45
BESSUS	7	0	1	0	0	0	0	0	0	0	0	0	0	0	0	1
BOSPHORE	7	0	0	0	0	0	0	8	0	0	0	0	0	0	0	8
BRITANNICUS	7	0	0	0	34	0	0	0	0	0	0	0	0	0	0	34
BURRHUS	7	0	0	0	33	0	0	0	0	0	0	0	0	0	0	33
BYSANCE	7	0	0	0	0	0	7	0	0	0	0	0	0	0	0	7
BYSANTIN	7	0	0	0	0	0	1	0	0	0	0	0	0	0	0	1
CAIUS	7	0	0	0	1	0	0	0	0	0	0	0	0	0	0	1
CALCHAS	7	0	0	0	0	0	0	0	40	0	0	0	0	0	0	40
CALIGULA	7	0	0	0	4	0	0	0	0	0	0	0	0	0	0	4
CAPITOLE	7	0	0	0	1	0	0	0	0	0	0	0	0	0	0	1
CASSANDRE	7	0	0	1	0	0	0	0	0	0	0	0	0	0	0	1
CAUCASE	7	0	0	0	0	0	0	1	0	0	0	0	0	0	0	1
CÉDRON	7	0	0	0	0	0	0	0	0	0	0	10	0	0	0	10
CÉPHISE	7	0	0	36	0	0	0	0	0	0	0	0	0	0	0	36
CERCYON	7	0	0	0	0	0	0	0	0	1	0	0	0	0	0	1
CÉSAR	7	0	0	0	1	0	0	0	0	0	0	0	0	0	0	1
CÉSARÉE	7	0	0	0	0	7	0	0	0	0	0	0	0	0	0	7
CÉSARS	7	0	0	0	1	0	0	0	0	0	0	0	0	0	0	1
CHALDÉE	7	0	0	0	0	0	0	0	0	0	1	0	0	0	0	1
CHALDÉEN	7	0	0	0	0	0	0	0	0	0	1	0	0	0	0	1
CHRIST	7	0	0	0	0	0	0	0	0	0	0	1	0	0	0	1
CILICIE	7	0	0	0	0	0	0	1	0	0	0	0	0	0	0	1
CLAUDE-IUS	7	0	0	0	21	0	0	0	0	0	0	0	0	0	0	21
CLÉONE	7	0	0	10	0	0	0	0	0	0	0	0	0	0	0	10
CLÉOPATRE	7	0	0	0	0	1	0	0	0	0	0	0	0	0	0	1
CLÉOPHILE	7	0	3	0	0	0	0	0	0	0	0	0	0	0	0	3

	CO	THE	ALE	AND	BRI	BER	BAJ	MIT	IPH	PHE	EST	ATHA	PRO	CHA	CHE	TOTA
CLYTEMNESTHE	7	0	0	0	0	0	0	0	2	0	0	0	0	0	0	2
COCYTE	7	0	0	0	0	0	0	0	0	1	0	0	0	0	0	1
COLCHIDE	7	0	0	0	0	0	0	0	0	0	0	0	0	0	0	1
COLCHOS	7	0	0	0	1	4	0	4	0	0	0	0	0	0	0	4
COMAGÈNE	7	0	0	0	0	0	0	0	0	4	0	0	0	0	0	4
CORBULON	7	0	0	0	0	0	0	0	0	0	0	0	0	0	0	1
CORINTHE	7	34	0	0	0	0	0	0	0	0	0	0	0	0	0	34
CRÉON	7	0	0	0	0	0	0	0	0	0	0	0	0	0	0	4
CRÈTE	7	0	1	0	0	4	0	1	0	0	3	0	0	0	0	5
CYRUS	7	0	0	0	0	0	0	0	0	0	0	0	0	0	0	1
DACE	7	0	0	0	0	0	0	0	0	0	0	0	0	0	0	2
DANUBE	7	0	4	0	0	0	0	0	0	0	0	0	0	0	0	4
DARIUS	7	0	0	0	0	0	1	1	0	0	0	0	0	0	0	1
DATHAN	7	0	0	0	0	0	0	1	0	0	0	1	0	0	0	39
DAVID	7	0	0	0	0	0	0	0	0	0	0	38	0	0	1	3
DIANE	7	0	0	0	3	3	0	0	2	0	1	0	0	3	0	208
DIEU	7	0	0	0	0	0	0	0	0	0	59	149	3	36	32	1
DOEG	7	0	1	0	0	0	0	0	1	0	0	1	0	0	0	3
DOMITIUS	7	0	0	0	0	0	0	0	0	0	0	0	0	0	0	10
DORIS	7	0	0	0	0	0	0	0	0	0	0	0	0	0	0	3
ÉGÉE	7	0	0	0	0	0	1	0	0	1	1	0	3	1	0	3
ÉGYPTE	7	0	0	0	0	0	0	0	0	0	3	15	0	0	0	15
ÉLIACIN	7	0	0	0	0	0	0	0	0	0	0	0	0	0	0	1
ÉLIDE	7	0	0	0	0	0	0	0	0	0	0	0	0	0	0	2
ÉLIE	7	0	1	0	0	0	0	0	0	0	0	0	0	0	0	3
ÉLISE	7	0	0	0	0	0	0	0	0	2	3	2	0	0	0	1
ÉLISÉE	7	0	0	0	0	0	0	0	0	0	0	0	0	0	0	3
ÉNOBARBUS	7	0	0	0	0	0	0	3	0	0	0	1	0	0	0	11
ÉPHÈSE	7	0	0	0	1	0	0	0	0	1	0	0	0	0	0	3
ÉPHESTION	7	0	17	0	0	0	0	0	0	0	0	0	0	0	0	5
ÉPIDAURE	7	0	0	0	0	0	0	0	0	3	0	0	0	0	0	1
ÉPIRE	7	0	0	0	0	0	0	0	0	0	0	1	0	0	0	22
ÉRECHTÉE	7	0	0	0	0	0	0	0	0	0	0	0	0	0	0	16
ÉRIPHILE	7	0	0	0	0	0	0	0	0	0	0	0	0	0	0	1
ESPAGNE	7	0	0	0	0	0	0	0	0	0	0	0	1	0	0	30
ESTHER	7	0	2	0	0	0	0	0	0	0	30	0	0	0	0	8
ÉTÉOCLE	7	0	0	0	0	0	0	0	0	0	0	0	0	0	0	9
EUPHRATE	7	0	0	0	0	1	0	1	0	0	1	0	0	0	5	3
EUROPE	7	0	0	0	0	0	0	0	0	1	0	0	0	0	0	4
EURIBATE	7	0	2	0	0	0	0	3	0	0	0	0	0	0	0	1
EUXIN	7	0	0	0	0	0	0	1	0	0	0	0	0	0	0	1
FÉLIX	7	0	0	0	0	0	0	0	0	0	0	0	0	0	0	1
FURIES	7	0	0	0	1	1	0	0	1	0	0	0	0	0	0	1

	CO	THE	ALE	AND	BRI	BER	BAJ	MIT	IPH	PHE	EST	ATH	PRO	CHA	CHE	TOTA
GANGE	7	0	2	0	0	0	0	0	0	0	0	0	0	0	0	2
GAULOIS	7	0	0	0	1	0	0	0	0	0	0	0	0	0	0	1
GÉDÉON	7	0	0	0	0	0	0	0	0	0	0	1	0	0	0	1
GERMANICUS	7	0	0	0	4	0	0	0	0	0	0	0	0	0	0	4
GERMANIE	7	0	0	0	1	0	0	0	0	0	0	0	0	0	0	1
GREC	7	3	1	44	0	0	0	0	27	3	0	0	0	0	0	78
GRÈCE	7	5	0	25	0	0	0	0	13	6	0	0	0	0	0	49
HÉBREUX	7	0	0	0	0	0	0	0	0	0	1	8	0	0	0	9
HECTOR	7	0	0	40	0	0	0	0	0	0	0	0	0	0	0	40
HÉCUBE	7	0	0	1	0	0	0	0	0	0	0	0	0	0	0	1
HÉLÈNE	7	0	1	7	0	0	0	0	12	0	0	0	0	0	0	20
HELLESPONT	7	0	0	0	0	0	0	3	0	0	0	0	0	0	0	3
HÉMON	7	28	0	0	0	0	0	0	0	0	0	0	0	0	0	28
HERCULE	7	0	0	0	0	0	0	0	0	3	0	0	0	0	0	3
HERMIONE	7	0	0	36	0	1	0	0	0	0	0	0	0	0	0	37
HIPPOLYTE	7	0	0	0	0	0	0	0	0	39	0	0	0	0	0	39
HIPPOMÉDON	7	1	0	0	0	0	0	0	0	0	0	0	0	0	0	1
HYDASPE	7	0	8	0	0	0	0	0	0	0	0	0	0	0	0	8
IBRAHIM	7	0	0	0	0	0	1	0	0	0	0	0	0	0	0	1
ICARE	7	0	0	2	0	0	0	0	0	0	0	0	0	0	0	2
IDUMÉE	7	0	0	0	0	0	0	0	0	0	2	5	0	0	0	7
ILION	7	1	0	2	0	0	0	0	0	0	0	0	0	0	0	3
INDE FLEUVE	7	0	6	0	0	0	0	0	0	0	0	0	0	0	0	6
INDE PAYS	7	0	2	0	0	0	0	1	0	0	0	0	0	0	0	3
INDIEN	7	0	1	0	0	0	0	0	0	0	0	0	0	0	0	1
IOCASTE	7	21	0	0	0	0	0	0	0	0	0	0	0	0	0	21
IONIE	7	0	1	0	0	0	0	0	0	0	0	0	0	0	0	1
IPHIGÉNIE	7	0	0	0	0	0	0	0	21	0	0	0	0	0	0	21
ISMAEL ANCÊTRE	7	0	0	0	0	0	0	0	0	0	0	7	0	0	0	7
ISMAEL PERS	7	0	0	0	0	0	14	0	0	0	0	0	0	0	0	14
ISMÈNE	7	1	0	0	0	0	0	0	0	0	0	0	0	0	0	1
ISRAEL TRIBU	7	0	0	0	0	0	0	0	0	0	0	2	0	0	0	2
ISRAEL PERS	7	0	0	0	0	0	0	0	0	0	0	3	0	0	0	3
ISRAÉLITE	7	0	0	0	0	0	0	0	0	0	1	6	0	0	0	7
ITALIE	7	0	0	0	1	0	0	0	0	0	0	0	0	0	0	1
JACOB	7	0	0	0	0	0	0	0	0	0	0	13	0	0	0	13
JAHEL	7	0	0	0	0	0	0	0	0	0	0	1	0	0	0	1
JÉHU	7	0	0	0	0	0	0	0	0	0	0	1	0	0	0	1
JEPHTÉ	7	0	0	0	0	0	0	0	0	0	0	9	0	1	0	10
JÉRUSALEM	7	0	0	0	0	0	0	0	0	0	0	4	0	6	0	10
JEZABEL	7	0	0	0	0	0	0	0	0	0	0	1	0	0	0	1
JEZRAEL	7	0	0	0	0	0	0	0	0	0	0	1	0	0	0	1
JOAD	7	0	0	0	0	0	0	0	0	0	0	25	0	1	0	26

	CO	THE	ALE	AND	BRI	BER	BAJ	MIT	IPH	PHE	EST	ATHA	PHO	CHA	CHE	TOTA
JOAS	7	0	0	0	0	0	0	0	0	0	0	24	0	0	0	24
JORAM	7	0	0	0	0	0	0	0	0	0	0	3	0	0	0	3
JOSABET	7	0	0	0	0	0	0	0	0	0	0	17	0	0	0	17
JOSAPHAT	7	0	0	0	0	0	0	0	0	0	0	1	0	0	0	1
JOURDAIN	7	0	0	0	0	0	0	0	0	0	3	2	0	0	0	5
JUDA	7	0	0	0	0	0	0	0	0	0	0	3	0	0	0	3
JUDÉE	7	0	0	0	0	0	0	0	0	0	0	0	0	0	2	3
JUIF	7	0	0	0	0	0	0	0	0	0	33	11	0	0	0	45
JULES	7	0	0	0	0	0	0	0	0	0	0	0	0	0	0	2
JUNIE	7	0	0	0	29	0	0	0	0	0	0	0	0	0	0	29
JUNON	7	0	1	0	0	0	0	0	0	1	0	0	0	0	0	1
JUPITER	7	3	0	0	0	0	0	0	0	0	0	0	0	0	0	3
LAÏUS	7	3	0	0	0	0	0	0	0	0	0	0	0	0	0	3
LARISSE	7	0	1	0	0	0	0	0	0	0	0	0	0	0	0	1
LESBIEN	7	0	0	0	0	0	0	0	1	0	0	0	0	0	0	1
LESBOS	7	0	0	0	0	0	0	0	11	0	0	0	0	0	0	11
LEVI	7	0	0	0	0	0	0	0	0	0	0	4	0	0	0	4
LIDAN	7	0	0	0	0	0	0	0	0	0	0	1	0	0	0	1
LIVIE	7	0	0	0	2	0	0	0	0	0	0	0	0	0	0	2
LOCUSTE	7	0	0	0	1	0	0	0	0	0	0	0	0	0	0	1
MADIANITE	7	0	0	0	0	0	0	0	0	0	0	1	0	0	0	1
MALLIEN	7	0	1	0	0	0	0	0	0	0	0	0	0	0	0	1
MARDOCHÉE	7	0	0	0	0	0	0	0	0	0	15	0	0	0	0	15
MARS	7	0	0	0	0	0	0	0	0	0	0	1	0	0	0	1
MATHAN	7	0	0	0	0	0	0	0	0	0	0	20	0	0	0	20
MÉDÉE	7	0	0	0	0	0	0	0	1	0	0	0	0	0	0	1
MÉGÈRE	7	0	0	0	0	0	0	0	0	1	0	0	0	0	0	1
MÉNÉCÉE	7	9	0	0	0	0	0	0	0	0	0	0	0	0	0	9
MÉNÉLAS	7	0	0	0	0	0	0	0	7	0	0	0	0	0	0	7
MINERVE	7	0	0	0	0	0	0	0	1	0	0	0	0	0	0	1
MINOS	7	0	0	3	0	0	0	0	0	4	0	0	0	0	0	4
MINOTAURE	7	0	0	0	0	0	0	0	0	0	0	0	0	0	0	24
MITHRIDATE	7	0	0	0	0	0	0	24	0	0	0	3	0	0	0	3
MOÏSE	7	0	0	0	0	0	0	17	0	0	0	0	0	0	0	17
MONIME	7	0	0	0	0	0	0	0	0	0	0	0	0	0	0	9
MYCÈNES	7	0	0	0	0	0	0	0	0	1	0	2	0	0	0	2
NABAL	7	0	0	0	37	0	0	0	0	0	0	0	0	0	0	37
NARCISSE	7	0	0	0	0	4	0	0	6	9	0	0	0	0	0	11
NEPTUNE	7	0	0	0	73	0	0	0	0	0	0	0	0	0	0	77
NÉRON	7	0	0	0	0	0	0	0	2	0	0	0	0	0	0	2
NESTOR	7	0	0	0	0	0	0	0	2	0	0	2	0	0	0	2
NIL	7	0	0	0	0	0	0	0	0	0	0	0	0	0	0	2
NYMPHÉE	7	0	0	0	0	0	0	3	0	0	0	0	0	0	0	3

	CO	THE	ALE	AND	BRI	BER	BAJ	MIT	IPH	PHE	EST	ATHA	PRO	CHA	CHE	TOTA
OBED	7	0	0	0	0	0	0	0	0	0	0	0	0	0	0	1
OCCIDENT	7	0	0	0	0	0	0	0	0	0	0	1	0	0	0	1
OCTAVIE	7	3	0	0	19	0	0	0	0	0	0	0	0	0	0	19
OEDIPE	7	0	0	0	0	0	0	0	0	0	0	0	0	0	0	3
OENONE	7	0	0	0	0	0	0	0	0	19	0	0	0	0	0	19
OKOSIAS	7	12	0	0	0	0	0	0	0	0	0	8	0	0	0	8
OLYMPE	7	0	1	0	0	0	0	0	0	1	0	0	0	0	0	13
OMPHIS	7	0	0	0	0	0	8	0	2	0	0	0	0	0	0	1
ORCAN	7	0	0	30	0	0	0	0	0	0	0	0	0	0	0	8
ORESTE	7	0	0	0	0	0	0	0	0	0	0	0	0	0	0	32
ORIENT	7	0	0	0	0	10	0	0	0	0	0	1	0	0	0	14
OSMAN	7	0	0	0	0	0	1	3	0	0	0	0	0	0	0	18
OSMIN	7	0	0	0	0	2	18	0	0	0	0	0	0	0	0	2
OSTIE	7	0	0	0	1	0	0	0	0	0	0	1	0	0	0	9
OTHON	7	0	0	0	0	0	0	0	0	0	0	0	0	0	0	1
OTTOMAN	7	0	0	0	0	0	8	0	0	0	0	0	0	0	0	2
OURSE	7	0	0	0	0	2	0	0	0	0	0	0	0	0	0	2
PALESTINE	7	0	0	0	0	0	0	0	0	0	0	0	0	0	0	18
PALLANTE	7	0	0	0	0	0	0	0	0	2	0	0	0	0	0	1
PALLANTIDE	7	0	0	0	0	0	0	0	0	1	0	0	0	0	0	2
PALLAS	7	0	0	0	17	0	0	0	0	0	0	0	0	0	0	2
PANNONIEN	7	0	0	0	10	0	0	0	0	1	0	0	0	0	0	18
PANOPE	7	0	0	0	0	0	0	0	0	2	0	0	0	0	0	1
PARIS	7	0	0	0	0	0	0	0	3	0	0	0	0	0	0	2
PARQUE	7	0	0	0	0	0	0	0	0	1	0	0	0	0	0	3
PARTHE	7	0	0	0	0	0	5	6	2	0	0	0	0	0	2	2
PASIPHAE	7	0	0	0	0	0	0	0	2	0	0	0	0	0	0	8
PATROCLE	7	0	0	0	0	0	0	0	0	1	0	0	0	0	0	1
PAULIN	7	0	0	0	0	20	0	0	1	0	0	0	0	0	0	2
PELEE	7	0	0	0	0	0	0	0	0	0	0	0	0	0	0	20
PERIBEE	7	0	0	0	0	0	0	0	0	0	0	0	0	0	0	1
PERSAN	7	0	6	0	0	0	0	10	0	1	10	0	0	0	0	21
PERSE AJ & S	7	0	1	0	0	0	0	0	0	0	0	2	0	0	0	1
PERSE SF	7	0	1	0	0	0	0	0	0	0	0	2	0	0	0	3
PHAEDIME	7	0	0	0	0	0	0	0	0	0	0	0	0	0	0	10
PHARAON	7	0	0	0	0	0	0	49	0	0	0	0	0	0	0	2
PHARNACE	7	0	0	0	0	0	0	1	0	0	0	0	0	0	0	49
PHASE	7	0	0	0	0	0	0	1	0	0	0	0	0	0	0	1
PHEDRE	7	0	0	0	0	15	0	0	0	36	0	2	0	0	0	36
PHENICE	7	0	0	0	0	0	0	1	0	0	0	0	0	0	0	15
PHILISTIN	7	0	0	0	0	0	0	0	0	0	0	0	0	0	0	2
PHILOPOEMEN	7	0	0	0	0	0	0	0	0	0	0	0	0	0	0	1
PHOENIX	7	0	0	13	0	0	0	0	0	0	0	0	0	0	0	13

	CO	THE	ALE	AND	BRI	BER	BAJ	MIT	IPH	PHE	EST	ATHA	PRO	CHA	CHE	TOTA
PHRYGIE	7	0	0	1	0	0	0	0	1	0	0	0	0	0	0	1
PHRYGIEN	7	0	1	0	0	0	0	0	1	2	0	0	0	0	0	2
PIRITHOÜS	7	0	0	0	2	0	0	0	0	0	0	0	0	0	0	2
PISON	7	0	0	0	2	0	0	0	0	2	0	0	0	0	0	2
PITTHÉE	7	0	0	0	2	0	0	0	0	0	0	0	0	0	0	2
PLAUTUS	7	30	0	0	0	0	0	0	0	0	0	0	0	0	0	30
POLYNICE	7	0	0	0	0	0	0	0	0	0	0	0	0	0	0	1
POLYXÈNE	7	0	0	1	0	0	0	0	0	0	0	0	0	0	0	5
POMPÉE	7	8	0	0	0	0	0	0	0	0	0	0	0	0	0	5
PONT	7	0	71	0	0	0	0	5	0	0	0	0	0	0	0	71
PORUS	7	0	0	0	0	0	0	5	0	0	0	0	0	0	0	5
PRIAM	7	0	0	2	0	0	0	0	3	0	1	0	0	0	0	1
PROCUSTE	7	0	0	0	0	0	0	0	0	1	0	0	0	0	0	9
PYLADE	7	0	0	9	0	0	0	0	0	0	0	0	0	0	0	57
PYRRHUS	7	0	0	57	0	0	1	0	3	0	0	0	0	0	0	57
RHIN	7	0	0	0	0	0	0	0	0	0	1	1	1	0	0	1
RHODES	7	0	0	0	5	13	0	53	0	0	0	1	0	1	0	71
ROMAIN	7	0	0	0	35	52	53	29	0	1	0	1	0	0	0	116
ROME	7	0	0	0	0	0	1	0	0	0	0	0	0	0	0	53
ROXANE	7	0	0	0	0	0	0	0	0	0	0	0	0	0	0	1
ROXELANE	7	0	0	0	0	0	0	0	0	0	0	0	0	0	0	1
SALAMINE	7	0	0	0	0	0	0	0	0	0	0	0	0	0	0	1
SALOMON	7	0	0	0	0	0	0	0	0	1	0	0	0	0	0	1
SAMARIE	7	0	0	0	0	0	0	0	0	0	0	0	0	0	0	1
SAMUEL	7	0	0	0	0	0	0	0	0	0	0	0	0	0	0	1
SARMATE	7	0	0	0	0	0	0	0	0	0	0	0	0	0	0	1
SCAMANDRE	7	0	0	0	0	0	0	0	0	1	0	0	0	0	0	1
SCIRRON	7	0	0	0	0	0	0	1	0	2	3	0	0	1	0	12
SCYTHE	7	0	0	2	1	0	0	0	0	0	0	2	0	0	0	1
SÉNÉCION	7	0	3	0	7	0	0	0	1	0	0	0	0	0	0	9
SÉNÈQUE	7	0	0	0	3	0	0	2	0	0	0	0	0	0	0	3
SILANUS	7	0	0	0	3	0	0	0	0	1	0	0	0	0	0	2
SINAÏ	7	0	0	0	0	0	0	0	0	0	0	0	0	0	0	1
SINNIS	7	0	0	0	0	0	0	1	0	0	11	12	0	0	0	23
SION	7	0	0	0	0	0	8	0	0	0	0	0	0	12	7	8
SOLYMAN	7	0	0	0	0	0	0	0	0	0	5	0	0	0	0	1
SPARTACUS	7	0	3	0	0	0	0	0	3	2	0	0	0	0	0	8
SPARTE	7	0	0	3	0	0	0	0	0	0	0	0	0	0	0	5
SUSE	7	0	0	0	2	0	0	0	0	0	0	0	0	0	0	2
SYLLA	7	0	0	0	0	0	0	1	0	0	0	0	0	0	0	1
SYRIE	7	0	0	0	0	0	0	0	3	0	0	1	0	0	0	2
SYRIEN	7	0	0	0	0	0	0	0	0	0	0	0	0	0	0	1
TAXILE	7	0	37	0	0	0	0	0	0	0	0	0	0	0	0	37

	CO	THE	ALE	AND	BRI	BER	BAJ	MIT	IPH	PHE	EST	ATHA	PRO	C4A	CHE	TOTA
TÉLÉMAQUE	7	0	0	0	0	0	0	0	1	0	0	0	0	0	0	1
TÉNARE	7	0	0	0	0	0	0	0	0	1	0	0	0	0	0	1
THAMAR	7	0	0	0	0	0	0	0	0	0	1	0	0	0	0	1
THARÈS	7	0	0	0	0	0	0	0	0	0	1	0	0	0	0	1
THÉBAIN	7	14	0	0	0	0	0	0	0	0	0	0	0	0	0	14
THÈBES	7	13	0	0	0	0	0	0	0	0	0	0	0	0	0	13
THÉRAMÈNE	7	0	0	0	0	0	0	0	0	5	0	0	0	0	0	5
THÉSÉE	7	0	0	0	0	0	0	0	2	32	0	0	0	0	0	34
THESSALIE	7	0	0	0	0	0	0	0	2	0	0	0	0	0	0	2
THESSALIEN	7	0	0	0	0	0	0	0	1	0	0	0	0	0	0	1
THÉTIS	7	0	0	0	0	0	0	0	1	0	0	0	0	0	0	1
THRACE	7	0	0	0	0	0	0	0	1	0	0	0	0	0	0	1
THRASÉAS	7	0	0	0	1	0	0	0	0	0	0	0	0	0	0	1
THYESTE	7	0	0	2	0	0	0	0	0	0	0	0	0	0	0	2
TIBÈRE	7	0	0	0	4	0	0	0	0	0	0	0	0	0	0	4
TITUS	7	0	0	0	0	66	0	0	0	0	0	0	0	0	0	66
TRÉZÈNE	7	0	0	0	0	0	0	0	0	10	0	0	0	0	0	10
TROIE	7	0	0	24	0	0	0	0	20	0	0	0	0	0	0	44
TROYEN	7	0	0	17	0	0	0	0	6	0	0	0	0	0	0	23
TYNDARE	7	0	0	0	0	0	0	0	1	0	0	0	0	0	0	1
TYRIEN	7	0	0	0	0	0	0	0	0	0	0	5	0	0	0	5
ULYSSE	7	0	0	0	0	0	0	0	11	0	0	0	0	0	0	11
VASTHI	7	0	0	0	0	0	0	0	0	0	2	0	0	0	0	2
VÉNUS	7	0	0	0	0	0	0	0	0	7	0	0	0	0	0	7
VESPASIEN	7	0	0	0	0	3	0	0	0	0	0	0	0	0	0	3
XANTE	7	0	0	0	0	0	0	0	0	0	0	0	0	1	0	1
XIPHARÈS	7	0	0	0	0	0	0	31	0	0	0	0	0	0	0	31
ZACHARIE	7	0	0	0	0	0	0	0	0	0	0	4	0	0	0	4
ZAÏRE	7	0	0	0	0	0	15	0	0	0	0	0	0	0	0	15
ZARÈS	7	0	0	0	0	0	0	0	0	0	1	0	0	0	0	1
ZATIME	7	0	0	0	0	0	6	0	0	0	0	0	0	0	0	6

A N N E X E 3

V O C A B U L A I R E C A R A C T E R I S T I Q U E

Les vocables sont suivis de leur fréquence totale dans l'ensemble
qui sert de référence et, pour le vocabulaire caractéristique relatif,
de la valeur de l'écart réduit (voir explications pp. 177-182).

LA THEBAIDE

Vocabulaire caractéristique. Positif relatif (F ⩾ 2).

Beaucoup	15	4,30	Courroux	119	3,46
Pas (adv)	497	4,26	Règne	15	3,38
Bataille	8	4,14	Noir	31	3,38
Adoucir	16	4,09	Cruel	177	3,36
Magnanime	16	4,09	Absence	26	3,30
Puisque	85	4,08	Rien	163	3,28
Eloignement	5	4,07	Nôtre	11	3,25
Parricide (sm)	5	4,07	Réunir	11	3,25
Mourir	180	4,06	Princesse	65	3,23
Aussi	73	4,01	Guère	7	3,21
Chacun	21	4,00	Couronne	16	3,20
Commettre	21	4,00	Point (sm)	16	3,20
Ce (pron)	901	3,97	Peuple	166	3,18
Haut	32	3,90	Reprendre	27	3,18
Haine	132	3,86	Faire	881	3,15
Chasser	22	3,85	Fier (adj)	46	3,14
Sitôt	13	3,81	Cours	53	3,11
Parricide (adj-subst)	9	3,80	Accorder	34	3,07
Obstacle	28	3,73	Mal (sm)	34	3,07
Ame	159	3,70	Illustre	28	3,06
Le (art)	9441	3,63	Arme	61	3,04
Efforcer	6	3,59	Tenir	77	2,95
Considérer	6	3,59	Animer	29	2,95
Entrevue	6	3,59	Finir	29	2,95
Royal	6	3,59	Vouloir (v)	672	2,95
Verser	35	3,57	Fâcheux	4	2,93
Faim	3	3,56	Impossible	4	2,93
Office (sm)	3	3,56	Infini	4	2,93
Venue	3	3,56	Voici	42	2,93
Roi	384	3,55	Toucher	63	2,91
Leur (poss)	503	3,52	Grand	183	2,90
Oui	118	3,51	Perdre	158	2,89
Rage	36	3,47	Discorde	8	2,89

LA THEBAIDE

Vocabulaire caractéristique. Positif absolu.

Chimère	3	Offenseur	1
Trêve	3	Ouvertement	1
Usurpateur	3	Pis	1
Beau-père	2	Populace	1
Dénaturé	2	Propos	1
Espace	2	Ramper	1
Hormis	2	Renfort	1
Injustement	2	Sorte	1
Saluer	2	Témoigner	1
Choc	1	Tragique	1
Combattant	1	Vider	1
Courtisan	1		

Vocabulaire caractéristique. Positif relatif (F ⩾ 2).

Deux	158	12,21	Inhumain	26	5,38
Frère	150	11,86	Fils	329	5,35
Trône	98	10,92	Haïr	94	5,06
Régner	88	9,58	Rang	70	5,05
Paix	86	9,00	Chose	6	5,04
Sang	317	8,25	Muraille	6	5,04
Monter	22	7,63	Si (conj)	684	4,81
Ambition	15	7,05	Prince	154	4,75
Etre (v)	2930	6,95	Héroïque	4	4,70
Forfait	13	6,76	Diadème	36	4,65
Oter	24	6,45	Trépas	70	4,63
Guerre	51	6,24	Abhorrer	7	4,55
Combat	72	6,16	Céleste	7	4,55
Il	2533	6,10	Durer	7	4,55
Crime	131	6,08	Afin	14	4,53
Gagner	19	5,98	Enfer	14	4,53

Vocabulaire caractéristique. Positif relatif (F ≥ 2).

Vocabulaire caractéristique. Positif relatif (F > 2).

Mot	F	Valeur
Ennemi	203	2,82
Plus	872	2,78
Droit (sm)	44	2,77
Répandre	66	2,73
Nature	19	2,72
Pays	25	2,71
Commun (adj)	38	2,70
Pour	1136	2,65
Année	14	2,64
Aspirer	14	2,64
Borner	14	2,64
Flanc	14	2,64
Foudre	14	2,64
Terminer	14	2,64
Oracle	26	2,60
Satisfaire	26	2,60
Chérir	20	2,59
Couronner	47	2,54
Refuser	40	2,53
Ou	251	2,50
Sceptre	27	2,49
Ambitieux	5	2,48
Incestueux	5	2,48
Maintenir	5	2,48
Personne (sf)	5	2,48
Personne (pron)	5	2,48
Sortie	5	2,48
Vertueux	5	2,48
Souhait	15	2,47
Après	120	2,45
Ce (adj)	1921	2,41
Appeler	64	2,41
Empêcher	10	2,39
Gré	10	2,39

Mot	F	Valeur
Justice	35	2,37
Celui	65	2,35
Arrêt	22	2,33
Achever	50	2,33
Aussitôt	16	2,31
Quitter	90	2,31
Dieu	269	2,29
Se	986	2,28
Devoir (v)	375	2,27
Objet	51	2,27
Effet	59	2,25
Comme	152	2,24
Toujours	234	2,23
Farouche	23	2,22
Trouver	92	2,22
Seulement	30	2,20
Autre	264	2,19
Agir	11	2,19
Endurcir	11	2,19
Inflexible	11	2,19
Promptement	11	2,19
Rigoureux	11	2,19
Criminel	45	2,16
Ne	2512	2,15
Donner	173	2,14
Cher	164	2,14
Chambre	6	2,14
Envisager	6	2,14
Lors	6	2,14
Violent	6	2,14
Vulgaire	6	2,14
Devenir	69	2,13
Extrême	46	2,09
Commencer	54	2,08

Mot	F	Valeur
Appartenir	2	2,07
Assouvir	2	2,07
Battre	2	2,07
Concurrent	2	2,07
Coucher	2	2,07
Coutume	2	2,07
Couvert	2	2,07
Dedans	2	2,07
Déplorer	2	2,07
Division	2	2,07
Enfuir	2	2,07
Envenimer	2	2,07
Epouvante	2	2,07
Humeur	2	2,07
Impérieux	2	2,07
Pernicieux	2	2,07
Pire	2	2,07
Possible	2	2,07
Prospère	2	2,07
Rayon	2	2,07

Mot	F	Valeur
Recourir	2	2,07
Solide (adj)	2	2,07
Soulagement	2	2,07
Sublime	2	2,07
Terme	2	2,07
Vagabond	2	2,07
Dernier	79	2,05
Soeur	79	2,05
Désarmer	18	2,03
Renverser	18	2,03
Tour (sm)	47	2,02
En (adv)	629	2,02
Admirer	32	2,02
Avancer	32	2,02
Sujet (sm)	25	2,00
Absolu	12	2,00
Attendrir	12	2,00
Colère	80	2,00
Tombeau	40	1,97

LA THEBAIDE

Vocabulaire caractéristique. Négatif absolu.

a. Mots absents qui ont F ≥ 62

Mot	F		Mot	F		Mot	F
Partir	125		Malgré	83		Péril	66
Autel	93		Oublier	74		Saint	64
Secret (sm)	90		Univers	70		Eternel	63
Epoux	87		Partout	68			
Troubler	84		Silence	66			

b. Mots absents qui ont R = 10

Mot	F		Mot	F		Mot	F
Témoin	61		Jouir	34		Trois	26
Jurer	54		Confier	33		Dépendre	25
Zèle	52		Timide	32		Presque	25
Secret (adj)	51		Opposer	32		Lire	24
Tandis	46		Soupçonner	31		Autrefois	20
Maîtresse	38		Dévorer	30		Dérober	19
Pardonner	38		Réduire	27		Désordre	17
Inutile	36		Obtenir	27		Tranquille	16
Confondre	36		Veiller	27			14
Echapper	36						
Assembler	35						
Erreur	35						

LA THEBAIDE

Vocabulaire caractéristique. Négatif relatif (F ≥ 62).

V	F	Ec. réd.
Oeil	485	(-) 4,87
Quel	604	(-) 4,70
Seigneur	579	(-) 4,19
Son (adj)	2899	(-) 4,10
Ton (adj)	423	(-) 3,93
Entendre	182	(-) 3,64
Qui	1230	(-) 3,54
Dans	884	(-) 3,33
Oser	191	(-) 3,24
Contre	199	(-) 3,10
Dont	229	(-) 3,03
Enfant	118	(-) 3,03
De	7990	(-) 2,99
Soin	255	(-) 2,93
Heureux	167	(-) 2,89
Sous	129	(-) 2,88
Devant	102	(-) 2,77
Temps	167	(-) 2,69
Gloire	213	(-) 2,56
Nom	196	(-) 2,55

V	F	Ec. réd.
Longtemps	107	(-) 2,51
Fuir	125	(-) 2,50
Temple	84	(-) 2,44
Venir	445	(-) 2,31
Regard	75	(-) 2,26
Je	4208	(-) 2,25
Même	675	(-) 2,15
Bruit	69	(-) 2,14
Hymen	88	(-) 2,14
Ingrat	88	(-) 2,14
Discours	105	(-) 2,12
Reste	105	(-) 2,12
Trouble (sm)	67	(-) 2,09
Feu (sm)	66	(-) 2,07
Préparer	66	(-) 2,07
Bouche	65	(-) 2,05
Reine	148	(-) 2,01
Plein	63	(-) 2,00
Plaindre	98	(-) 1,98
Défendre	80	(-) 1,97
Peut-être	161	(-) 1,96

Vocabulaire caractéristique. Positif absolu.

Mot	F	Mot	F	Mot	F
Bouillant	2	Escadron	1	Planter	1
Océan	2	Exempter	1	Raffermir	1
Rivière	2	Façon	1	Recouvrer	1
Ruse	2	Forger	1	Retranchement	1
Vaillance	2	Joncher	1	Soumission	1
Âpre	1	Mâle	1	Subjuguer	1
Assiette	1	Message	1	Tendrement	1
Courroucer	1	Octroyer	1	Tranchée	1
Défaire	1	Palme	1	Trophée	1
Dérégler	1	Penchant (adj)	1	Vestige	1
Différend	1	Périssant	1		
Ennuyeux	1	Piller	1		

Vocabulaire caractéristique. Positif relatif (F ≫ 2).

Mot	F	Positif	Mot	F	Positif
Hommage	11	4,31	Bras	125	3,50
Héros	56	4,30	Estime	10	3,50
Son (adj)	2899	4,29	Languir	10	3,50
Ennemi	203	4,28	Oui	118	3,48
Coeur	533	4,19	Que	4584	3,44
Endormir	5	4,06	Accabler	55	3,43
Personne (sf)	5	4,06	Armée	55	3,43
Tien	5	4,06	Grand	183	3,40
Travailler	5	4,06	Ame	159	3,40
Vigueur	5	4,06	Brave	15	3,40
Défenseur	12	4,03	Briser	15	3,37
Soupir	73	3,98	Univers	70	3,37
Bien (adv)	312	3,95	Votre	1534	3,33
Forcer	55	3,91	Appui	44	3,32
Fer	68	3,88	Voler 1 (air)	26	3,28
Partout	68	3,88	Opposer	32	3,28
Sujet (adj-subst)	27	3,84	Inquiéter	11	3,25
Souiller	13	3,79	Rival	79	3,24
Chercher	238	3,71	Résistance	7	3,22
Fierté	23	3,68	Affermir	16	3,19
Sous	129	3,65	Magnanime	16	3,18
Refuser	40	3,64	Cent	40	3,18
Tombeau	40	3,64	Tête	47	3,08
Chaîne	14	3,57	En (prép)	1082	3,04
Moindre	35	3,55	Abaisser	12	3,04
Dessous	3	3,55	Chaleur	12	3,01
Douteux	3	3,55	Calme	17	3,01
Enfler	3	3,55	Avouer	55	3,01
Garantir	3	3,55	Envie	23	2,95
Imparfait	3	3,55	Blâmer	4	2,94
Progrès	3	3,55	Captiver	4	2,92
Tache	3	3,55	Envers	4	2,92
Douter	74	3,51	Paix	4	2,92
			Frontière	4	2,92

Vocabulaire caractéristique. Positif relatif (F ≫ 2).

Mot	F	Mot	F	Positif
Victoire	79	Orgueil	50	11,18
Vainqueur	77	Combat	72	10,99
Gloire	213	Tyran	36	8,57
Valeur	34	Vaincre	63	8,51
Guerrier	12	Engager	42	8,12
Province	20	Beau	94	7,32
Conquête	29	Eclat	38	6,87
Etat 2 (pays)	84	Maître	83	6,81
Attaquer	30	Tant	275	6,70
Conquérir	11	Traitement	4	6,44
Combattre	55	Prisonnier	7	6,29
Exploit	33	Abattre	14	6,23
Laurier	15	Afin	14	6,11
Soeur	79	Si (adv)	404	5,61
Ardeur	64	Roi	384	5,48
Défaite	8	Amitié	67	5,38
Courage	60	Fait (sm)	11	5,37

ALEXANDRE

Vocabulaire caractéristique. Positif relatif (F > 2).

Mot	n	F	Mot	n	F
Langueur	4	2,92	Arme	61	2,56
Terrasser	4	2,92	Soldat	54	2,54
Effort	49	2,89	Lâche	40	2,52
Bataille	8	2,88	Servir	102	2,48
Regretter	8	2,88	Traîner	27	2,48
Rude	8	2,88	Adorateur	5	2,47
Succomber	8	2,88	Conquérant	5	2,47
A	3351	2,86	Dédain	5	2,47
Entreprendre	18	2,86	Dresser	5	2,47
Disputer	30	2,83	Encourager	5	2,47
Marcher	57	2,82	Ferme (adj)	5	2,47
Monde	24	2,82	Hasarder	5	2,47
Vanter	24	2,82	Pardon	5	2,47
Fort (adj-adv)	13	2,81	Poursuite	5	2,47
Courroux	119	2,78	Remarquer	5	2,47
Captif	37	2,77	Seul	288	2,46
Douceur	37	2,77	Persécuter	15	2,46
Régner	88	2,75	Armer	63	2,45
Tomber	58	2,75	Effroi	21	2,44
Arrêter	120	2,74	Terre	56	2,41
Passage	19	2,71	Bientôt	96	2,38
Traiter	19	2,71	Briguer	10	2,38
Entre	89	2,71	Sûreté	10	2,38
Alarmer	25	2,70	Illustre	28	2,37
Entraîner	25	2,70	Vertu	113	2,37
Camp	59	2,69	Apprêter	22	2,32
Contre	199	2,65	Connoître	140	2,32
Esclave	67	2,65	Invincible	16	2,30
Admirer	32	2,63	Obtenir	16	2,30
Fondre	14	2,62	Disposer	16	2,30
Ensanglanter	9	2,61	Précipiter	29	2,27
Murmurer	9	2,61	Exemple	36	2,27
Eclater	53	2,61	Guerre	51	2,25

ALEXANDRE

Vocabulaire caractéristique. Positif relatif (F > 2).

Mot	n	F	Mot	n	F
Epargner	44	2,21	Emprisonner	2	2,06
Faveur	44	2,21	Fâcher	2	2,06
Inspirer	30	2,18	Gros (sm)	2	2,06
Mort (sm)	30	2,18	Habitant	2	2,06
Seulement	30	2,18	Habitude	2	2,06
Aider	11	2,17	Hautain	2	2,06
Eclatant	11	2,17	Imprimer	2	2,06
Souverain (sm)	11	2,17	Matière	2	2,06
Tâcher	11	2,17	Méprendre	2	2,06
Mien	68	2,17	Mol	2	2,06
Enfermer	17	2,16	Mutiner	2	2,06
Nous	586	2,15	Parfumer	2	2,06
Soin	255	2,15	Ployer	2	2,06
Brûler	45	2,14	Possible	2	2,06
Prince	154	2,14	Ravager	2	2,06
Atteinte	6	2,13	Semence	2	2,06
Egalement	6	2,13	Tribut	2	2,06
Violent	6	2,13	Mais	795	2,06
Tenir	77	2,12	On	644	2,04
Bruit	69	2,11	Désarmer	18	2,02
Soupirer	24	2,09	Egal	18	2,02
Champ	31	2,09	Impatience	18	2,02
Paix	86	2,09	Milieu	18	2,02
Vouloir (v)	672	2,07	Suspendre	18	2,02
Adorable	2	2,06	Rendre	251	2,02
Bataillon	2	2,06	Tour (sm)	47	2,01
Certes	2	2,06	Causer 2	12	1,99
Colonne	2	2,06	Etendre	12	1,99
Corrompre	2	2,06	Liberté	25	1,99
Couvert	2	2,06	Presque	25	1,99

Vocabulaire caractéristique. Négatif absolu.

a. Mots absents qui ont F ⟩ 61

Père	286	Hymen	88	Honneur	75
Fille	129	Epoux	87	Bouche	65
Enfant	118	Premier	83	Saint	64

b. Mots absents qui ont R = 10

Palais	60	Innocence	40	Frémir	26
Pensée	59	Changer	38	Espérer	24
Mot	58	Etranger	38	Réserver	24
Vengeance	57	Unir	35	Redouter	22
Nuit	51	Avancer	32	Mystère	21
Heure	42	Eloigner	29	Calmer	18

Vocabulaire caractéristique. Négatif relatif (F ⟩ 61).

V	F	Ec. réd.	V	F	Ec. réd.
Fils	329	(-) 5,23	Ordre	97	(-) 2,69
Quel	604	(-) 4,88	Ce (adj)	1921	(-) 2,67
Je	4208	(-) 4,49	Avoir	2631	(-) 2,64
O	108	(-) 4,16	Moment	165	(-) 2,60
Dieu	269	(-) 4,00	Malheureux	111	(-) 2,59
Ciel	289	(-) 3,81	Cher	164	(-) 2,58
Elle	546	(-) 3,45	Temple	84	(-) 2,45
Etre (v)	2930	(-) 3,43	Pleur	155	(-) 2,43
Mère	138	(-) 3,34	Depuis	82	(-) 2,41
Mon	2722	(-) 3,34	Plus	872	(-) 2,32
Sang	317	(-) 3,33	Tu	469	(-) 2,30
Jour	353	(-) 3,18	Dans	884	(-) 2,19
Fuir	125	(-) 3,15	Discours	105	(-) 2,14
Partir	125	(-) 3,15	Sortir	122	(-) 2,14
Cruel	177	(-) 3,06	Funeste	121	(-) 2,12
Fureur	135	(-) 2,99	Grâce	67	(-) 2,10
Honneur	109	(-) 2,89	Troubler	67	(-) 2,10
Tout	1331	(-) 2,86	Devant	102	(-) 2,08
			Perfide	66	(-) 2,08

ANDROMAQUE

Vocabulaire caractéristique. Positif absolu.

Mot	N	Mot	N	Mot	N
Ambassade	3	Etendre	1	Protester	1
Attaque	2	Honteusement	1	Raconter	1
Brouiller	1	Ile	1	Relâche	1
Consentement	1	Lueur	1	Siffler	1
Débattre	1	Nullement	1	Tombe	1
Ensuite	1	Penser (sm)	1	Tranquillement	1
Entremise	1	Procurer	1	Vieux	1

Vocabulaire caractéristique. Positif relatif (F > 3).

Mot	N	Valeur	Mot	N	Valeur
Fils	329	9,55	Songer	104	4,06
Veuve	12	6,76	Oublier	74	3,96
Non	214	5,29	Epoux	87	3,93
Ingrat	88	4,96	Parjure (adj-subst)	12	3,80
Le (pron)	2060	4,92	Consentir	41	3,79
Je	4208	4,81	Courroux	119	3,66
Ambassadeur	6	4,78	Aller	590	3,65
Rapporter	6	4,78	Croire	374	3,61
Enlever	24	4,68	Refus	22	3,57
Il	2533	4,64	Infidèle	33	3,48
Haïr	94	4,60	Mépris	33	3,48
Haine	132	4,59	Charme	57	3,43
Cela	13	4,51	Alléguer	3	3,38
Infidélité	4	4,47	Désert (adj)	3	3,38
Serpent	4	4,47	Enfin	265	3,32
Lui	738	4,39	Dépit	10	3,29
Dix	7	4,30	Rejoindre	10	3,29
Venger	100	4,27	Cendre	24	3,29
Misère	23	4,14	Dédaigner	19	3,28
Bien (adv)	312	4,13	Encore	359	3,23
Epouser	38	4,09	Rage	36	3,17
Que	4584	4,07	Relever	15	3,15
Coup	117	4,07	Déplaire	11	3,04

ANDROMAQUE

Vocabulaire caractéristique. Positif relatif (F > 3).

Mot	N	Valeur	Mot	N	Valeur
Mourir	180	3,03	Emportement	9	2,44
Eau	7	3,01	Essuyer	9	2,44
Voilà	70	3,00	Rire (v)	9	2,44
Mépriser	21	2,98	Assassin	14	2,44
Exploit	33	2,89	Renvoyer	14	2,44
Transport	65	2,89	Vaisseau	38	2,43
Conduire	72	2,88	Vue	59	2,40
Aimer	316	2,88	Me	2170	2,34
Destin	52	2,87	Conquérant	5	2,33
Rendre	251	2,84	Encourager	5	2,33
Prodiguer	12	2,82	Ingratitude	5	2,33
Survivre	12	2,82	Prétexte	5	2,33
Injure	28	2,80	Redemander	5	2,33
Teindre	4	2,76	Retardement	5	2,33
Vouer	4	2,76	Ruisseau	5	2,33
Jurer	54	2,73	Oeil	485	2,32
Assassiner	8	2,70	Regard	75	2,32
Dégager	8	2,70	Pas (adv)	497	2,27
Indifférence	8	2,70	Pied	76	2,26
Noyer (v)	8	2,70	Mon	2722	2,26
Soi	8	2,70	Tour (sm)	47	2,26
Donc	199	2,69	Traîner	27	2,26
Malgré	83	2,67	Tant	275	2,24
Promettre	98	2,65	Attrait	21	2,24
Y	185	2,62	Dissimuler	10	2,21
Temple	84	2,61	Souscrire	10	2,21
Eh (et hé)	153	2,61	Ce (pron)	901	2,21
Tu	469	2,59	Souhaiter	41	2,19
Sauver	85	2,56	Consulter	28	2,15
Menacer	37	2,52	Apprêter	22	2,12
Joie	86	2,51	Autour	22	2,12
Embrasser	44	2,48	Vengeance	57	2,07
Ennui	44	2,48	Conquête	29	2,06
Assez	102	2,47	Disposer	102	2,06

Vocabulaire caractéristique. Positif relatif (F ⟩ 3).

V	F	Ec. réd.
Famille	29	2,06
Hymen	88	2,05
Plutôt	65	2,04
Sien	36	2,04
Agir	11	2,01
Réunir	11	2,01
Mur	23	2,00
Proie	23	2,00
Equité	6	1,99
Modeste	6	1,99
Parjure	6	1,99
Renaître	6	1,99
Représenter	6	1,99
Servile	6	1,99
Expirer	51	1,99
Ou	251	1,97
Cruauté	17	1,97
Défense	17	1,97
Ailleurs	44	1,97
Plaindre	98	1,96

Vocabulaire caractéristique. Négatif relatif (F ⟩ 56).

V	F	Ec. réd.
Ce (adj)	1921	(-) 5,87
Le (art)	9441	(-) 5,35
Ciel	289	(-) 4,10
Roi	384	(-) 4,08
Deux	158	(-) 3,80
Par	571	(-) 3,74
Frère	150	(-) 3,41
Reine	148	(-) 3,38
Oser	191	(-) 3,24
Vain	137	(-) 3,21
Grand	183	(-) 3,12
Prince	154	(-) 2,92
Trône	98	(-) 2,86
Ordre	97	(-) 2,84
Honneur	109	(-) 2,73
Point (adv)	579	(-) 2,69
Temps	167	(-) 2,60
Voix	102	(-) 2,60
Quand	190	(-) 2,48
Empire	125	(-) 2,40
Univers	70	(-) 2,30
De	7990	(-) 2,27
Plein	63	(-) 2,14
Même	675	(-) 2,11
Main	312	(-) 2,05
Trembler	59	(-) 2,04
Vue	59	(-) 2,04
Crainte	58	(-) 2,02
Loi	135	(-) 2,00
Entre	89	(-) 1,97

Vocabulaire caractéristique. Négatif absolu.

a. Mots absents qui ont F ⟩ 56

Dès	90
Soeur	79
Bruit	69
Bonheur	67
Saint	64
Camp	59
Terre	56

b. Mots absents qui ont R = 10

Etonner	53
Souvent	37
Ouvrage	35
Découvrir	34
Puissant	33
Aimable	28
Disgrâce	22
Tendre (v)	22
Seconder	22
Prier	18

BRITANNICUS

Vocabulaire caractéristique. Positif absolu.

Mot	F	Mot	F	Mot	F
Divorce	5	Déférence	1	Nécessité	1
Idolâtrer	3	Déférer	1	Opiniâtre	1
Science	3	Délateur	1	Présider	1
Censeur	2	Dénouer	1	Prévention	1
Contredire	2	Deshériter	1	Publiquement	1
Dépendance	2	Difficulté	1	Rapt	1
Futur (adj)	2	Effusion	1	Ravaler	1
Génie	2	Embellir	1	Réchauffer	1
Mouiller	2	Empoisonnement	1	Reconnoissant	1
Sévérité	2	Emprisonnement	1	Récuser	1
Tramer	2	Équitable	1	Remerciement	1
Abject	1	Exceller	1	Ressource	1
Acheminer	1	Façonner	1	Réunion	1
Apparoître	1	Farder	1	Rumeur	1
Audience	1	Férocité	1	Santé	1
Augure	1	Gouverneur	1	Sénateur	1
Avilir	1	Hardiesse	1	Singulier	1
Commerce	1	Ignorance	1	Surveillant (s)	1
Composer	1	Importunité	1	Timon	1
Corrupteur	1	Incessamment	1	Trafiquer	1
Créance	1	Incrédulité	1	Vestale	1
Créature	1	Indulgence	1	Vieillissant	1
Déchoir	1	Largesse	1	Vierge	1
Déclin l	1	Magistrat	1	Voluptueux	1
Décliner	1	Malignité	1		

Vocabulaire caractéristique. Positif relatif (F > 3).

Mot	F		Mot	F	
Empereur	45	13,91	Son (adj)	2899	5,30
Cour (sf)	60	9,67	Instruire	50	4,84
Madame	484	5,68	Ruine	15	4,83
Soupçon	30	5,60	Sénat	23	4,76
Empire	125	5,40	Distraire	6	4,71
Adopter	5	5,31	Nommer	34	4,46
Affranchi	5	5,31	Expérience	4	4,41
Répudier	5	5,31	Servitude	4	4,41

BRITANNICUS

Vocabulaire caractéristique. Positif relatif (F > 3).

Mot	F		Mot	F	
Vous	3820	4,37	Règne	15	3,09
Regard	75	4,18	Chez	31	3,03
Exciter	38	4,00	Choix	43	3,00
Jeunesse	11	4,00	Obéir	69	2,97
Oeil	485	3,97	Salaire	7	2,96
Attentat	15	3,96	Suspect	7	2,96
Bannir	24	3,91	Ignorer	76	2,95
Eloigner	29	3,88	Maître	83	2,94
Coupe	5	3,80	Secret (sm)	5	2,94
On	644	3,79	Aucun	90	2,92
Liberté	25	3,76	Concevoir	21	2,92
Lit	21	3,66	Choisir	44	2,92
Soit	26	3,63	Appartement	16	2,91
Mère	138	3,62	Changement	16	2,91
Aïeul	42	3,61	Inquiet	16	2,91
Exil	17	3,56	Poison	16	2,91
Favoriser	9	3,52	Confier	33	2,82
Vertu	113	3,50	Longtemps	107	2,81
Ecarter	27	3,50	Conduite	22	2,78
Plainte	18	3,38	Seigneur	579	2,77
Discret	3	3,33	Votre	1524	2,77
Distance	3	3,33	Embrassement	12	2,76
Leçon	3	3,33	Accusateur	4	2,72
Légion	3	3,33	Applaudissement	4	2,72
Nièce	3	3,33	Attenter	4	2,72
Rapprocher	3	3,33	Auspices	4	2,72
Réconcilier	3	3,33	Captiver	4	2,72
Subitement	3	3,33	Caresse	4	2,72
Tandis	46	3,25	Confidence	46	2,72
Fier (v)	10	3,23	Confident	10	2,72
Chaque	19	3,22	Consul	19	2,72
Lien	19	3,22	Curieux	19	2,72
Toujours	234	3,15	Délice	234	2,72
Palais	60	3,13	Errer	60	2,72
Quoi	291	3,12	Exclure	291	2,72
Intelligence	15	3,09	Geste	15	2,72

Vocabulaire caractéristique. Positif relatif (F ≥ 3).

	F	Ec. réd.		F	Ec. réd.
Maxime	4	2,72	Assassinat	5	2,29
Occuper	34	2,72	Conforme	5	2,29
Public (sm)	4	2,72	Détromper	5	2,29
Tranquillité	4	2,72	Epancher	5	2,29
En (adv)	629	2,68	Etablir	5	2,29
Confiance	8	2,65	Fidélité	5	2,29
Gouverner	8	2,65	Ingratitude	5	2,29
Pourvu	8	2,65	Redemander	5	2,29
Tracer	8	2,65	Ressembler	5	2,29
Irriter	54	2,65	Vieillir	5	2,29
Désir	42	2,56	Honorer	39	2,28
Fatiguer	13	2,56	Entre	89	2,28
Flatteur	13	2,56	Présent (adj-subst)	15	2,22
Las	13	2,56	Prétendre	83	2,20
Oser	191	2,55	Commencer	54	2,19
Sien	36	2,54	An	47	2,19
Plaisir	70	2,50	Chacun	21	2,18
Jour	353	2,47	Expier	10	2,17
Jusque	186	2,46	Révérer	10	2,17
Langage	19	2,44	Souscrire	10	2,17
Entretien	31	2,42	Répondre	70	2,10
Feindre	31	2,42	Y	2533	2,08
Appui	44	2,41	Se	986	2,07
Affoiblir	9	2,39	Affranchir	16	2,07
Essayer	9	2,39	Parti	16	2,07
Méditer	9	2,39	Disgrâce	22	2,06
Passé	9	2,39	Quelquefois	22	2,06
Aigrir	14	2,38	Ouvrage	35	2,06
Envier	14	2,38	Ne	2512	2,03
Bonté	73	2,34	Mais	795	2,01
Long	45	2,33	Si (conj)	684	2,01
Contraire	32	2,32	Pouvoir (sm)	57	2,00
Placer	20	2,31	Imiter	11	1,97
Séduire	20	2,31	Impatient	11	1,97
Injustice	26	2,30	Pompe	11	1,97
Art	5	2,29	Celui	65	1,97

Vocabulaire caractéristique. Négatif absolu.

a. Mots absents qui ont F ≥ 55

	F		F		F
Reine	148	Trépas	70	Terre	56
Combat	72	Noble	63		

b. Mots absents qui ont R = 10

	F		F		F
Barbare	43	Pousser	33	Tendre	26
Captif	37	Admirer	32	Accepter	21
Rage	36	Destinée	27	Plonger	19

Vocabulaire caractéristique. Négatif relatif (F ≥ 55).

V	F	Ec. réd.	V	F	Ec. réd.
Roi	384	(-) 6,08	Toi	148	(-) 2,32
Le (art)	9441	(-) 3,78	Haine	132	(-) 2,30
Et	3622	(-) 3,58	Un	2690	(-) 2,29
Enfant	118	(-) 3,25	Mortel	84	(-) 2,27
Nous	586	(-) 3,06	Y	185	(-) 2,23
Tu	469	(-) 3,05	Chercher	238	(-) 2,21
Ton (adj)	423	(-) 2,97	Armer	63	(-) 2,18
Père	286	(-) 2,95	Jamais	196	(-) 2,18
Venger	100	(-) 2,94	Malheureux	111	(-) 2,17
Sang	317	(-) 2,80	Te	299	(-) 2,16
Funeste	121	(-) 2,69	Eh (hé)	153	(-) 2,15
Grand	183	(-) 2,69	Tout	1331	(-) 2,15
Loi	135	(-) 2,65	Flamme	61	(-) 2,13
O	180	(-) 2,64	Venir	445	(-) 2,12
Servir	102	(-) 2,64	Dieu	269	(-) 2,08
Temple	84	(-) 2,64	Espoir	59	(-) 2,08
Victoire	79	(-) 2,54	Fureur	135	(-) 2,07
Vivre	112	(-) 2,51	Si (adv)	404	(-) 2,06
Vainqueur	77	(-) 2,49	Livrer	58	(-) 2,05
Cruel	177	(-) 2,33	Mot	58	(-) 2,05

BERENICE

Vocabulaire caractéristique. Positif absolu.

Cinq	7	Confiner	1	Recommander	1
Deuil	2	Echelle	1	Religieux	1
Longueur	2	Enlacer	1	Renaissant	1
Responsable	2	Figure	1	Sec	1
Bélier	1	Humanité	1	Soir	1
Cabinet	1	Idolâtrie	1	Ton (sm)	1
Citer	1	Incompatible	1	Triple	1
Commandement	1	Indulgent	1		
Compatir	1	Paupière	1		

Vocabulaire caractéristique. Positif relatif (F ≥ 2).

Partir	125	9,56	Appartement	16	4,22
Reine	148	9,41	Cour	60	4,20
Sénat	23	9,11	Aimer	316	4,20
Adieu	70	8,28	Grandeur	42	4,18
Je	4208	7,57	Maintenir	5	4,18
Moment	165	7,38	Prospérité	5	4,18
Huit	9	6,33	Succéder	12	4,17
Pleur	155	6,12	Entretien	31	4,16
Seigneur	579	5,21	Hélas	153	4,16
Impératrice	4	4,82	Quitter	90	4,00
Constant	10	4,76	Cesse	28	3,87
Constance	14	4,67	Charger	52	3,84
Persévérance	7	4,67	Demain	18	3,83
Parler	18	4,63	Renoncer	18	3,83
Taire	233	4,59	Prince	154	3,83
Amoureux	61	4,58	Compter	34	3,82
Pouvoir (v)	23	4,56	Espoir	59	3,80
Univers	997	4,56	Voir	973	3,80
Empire	70	4,39	Entendre	182	3,70
Attendre	125	4,39	Coeur	533	3,68
Vous	244	4,31	Admettre	3	3,65
[illisible]	3820	4,22			

BERENICE

Vocabulaire caractéristique. Positif relatif (F ≥ 2).

Indignité	3	3,65	Excès	20	2,69
Me	2170	3,56	Douleur	136	2,68
Jamais	196	3,52	Ce (adj)	1921	2,61
Rien	163	3,51	Dernier	79	2,61
Elle	546	3,47	Séparer	48	2,61
Examiner	15	3,50	Triste	113	2,57
Demeurer	50	3,49	Expliquer	56	2,57
Mot	58	3,40	Falloir	424	2,57
Empereur	45	3,37	Car	21	2,56
Pas (sm)	112	3,30	Résoudre	21	2,56
Cent	40	3,24	Accoutumer	5	2,56
Aveu	17	3,14	Décider	5	2,56
Départ	17	3,14	Interprète	5	2,56
Nécessaire	12	3,13	Obscurité	5	2,56
Lorsque	77	3,12	Piété	5	2,56
Amour	435	3,07	Sécher	5	2,56
Applaudissement	4	3,01	Surpasser	5	2,56
Consul	4	3,01	Fois	167	2,54
Désunir	4	3,01	Espérer	57	2,51
Siège	4	3,01	Quoi	291	2,48
Ne	2512	2,98	Véritable	10	2,48
Déplaisir	8	2,98	Voile (sm)	10	2,48
Sans	528	2,98	Consoler	22	2,44
Mon	2722	2,97	Changement	16	2,41
Dire (v)	441	2,96	Déclarer	51	2,40
Eclat	38	2,83	Trouble (sm)	67	2,39
Tourment	25	2,83	Mien	68	2,33
Longtemps	107	2,82	Après	120	2,31
Jour	353	2,80	Fortune	45	2,29
Devoir (sm)	46	2,75	Gloire	213	2,29
Témoin	61	2,74	Déplaire	11	2,27
Applaudir	9	2,71	Importuner	11	2,27
Désirer	9	2,71	Négliger	11	2,27
Pourpre	9	2,71	Cruel	177	2,24
Présage	9	2,71	Nom	196	2,23

BÉRÉNICE

Vocabulaire caractéristique. Positif relatif (F ≥ 2).

V	F	Ec. réd.	V	F	Ec. réd.
Chez	31	2,22			
Contempler	6	2,21	Partie	2	2,13
Envisager	6	2,21	Patience	2	2,13
Extrémité	6	2,21	Pente	2	2,13
Sincérité	6	2,21	Pleinement	2	2,13
Soupirer	24	2,21	Rapide	2	2,13
Jurer	54	2,21	Recommencer	2	2,13
Venir	445	2,20	Redevable	2	2,13
Avec	345	2,18	Rehausser	2	2,13
Ingrat	88	2,18	Réjouir	2	2,13
Passer	88	2,18	Remener	2	2,13
Plaire	106	2,16	Risée	2	2,13
Voeu	124	2,16	Saigner	2	2,13
Amusement	2	2,13	Statue	2	2,13
Austérité	2	2,13	Théâtre	2	2,13
Bannissement	2	2,13	Traverse	2	2,13
Désobéir	2	2,13	Tribun	2	2,13
Dignité	18	2,13	Impatience	2	2,13
Ecouler	18	2,13	Journée	2	2,13
Engagement	359	2,11	Encore	2	2,13
Epreuve	56	2,09	Souvenir (v)	2	2,13
Faisceau	12	2,09	Etendre	2	2,13
Flétrir	12	2,09	Froideur	2	2,13
Fortifier	12	2,09	Soulever	2	2,13
Funérailles	12	2,09	Survivre	2	2,13
Honorable	65	2,05	Bouche	2	2,13
Illégitime	312	2,04	Bien (adv)	2	2,13
Lait	49	2,02	Entier	2	2,13
Languissant	1524	2,02	Votre	2	2,13
Majestueux	26	2,01	Beauté	2	2,13
Mari	26	2,01	Charmant	2	2,13
Mélancolie	26	2,01	Soit	2	2,13
Merci (sf)	19	2,00	Blesser	2	2,13
Négligence	19	2,00	Imposer	2	2,13
Parce que	34	1,96	Désespoir	2	2,13

Vocabulaire caractéristique. Négatif absolu.

a. Mots absents qui ont F ≥ 64

Mère	138	Venger	100	Tenir	77
Fille	129	Autel	93	Perfide	66
Enfant	118	Soeur	79		

b. Mots absents qui ont R = 10

Périr	62	Criminel	45	Excuser	25
Jeune	48	Descendre	45	Mur	23
Près	48	Refuser	40	Imputer	18
Tour (sm)	47	Poursuivre	40	Signaler	18
Fier (adj)	46	Eprouver	26	Tourmenter	17

Vocabulaire caractéristique. Négatif relatif (F ≥ 64).

V	F	Ec. réd.	V	F	Ec. réd.
Fils	329	(-) 5,07	Bras	125	(-) 2,40
Le (art)	9441	(-) 3,98	Il	2533	(-) 2,40
Leur (poss)	503	(-) 3,70	Mortel	84	(-) 2,37
Son (adj)	2899	(-) 3,69	Temple	84	(-) 2,37
Roi	384	(-) 3,51	Vain	137	(-) 2,30
Ton (adj)	423	(-) 3,22	Te	299	(-) 2,29
Sang	317	(-) 3,14	Qui	1230	(-) 2,23
Frère	150	(-) 3,11	Contre	199	(-) 2,21
Toi	148	(-) 3,08	Crime	131	(-) 2,19
Etre (v)	2930	(-) 2,84	Sur	467	(-) 2,17
Un	2690	(-) 2,82	Leur (pers)	71	(-) 2,11
Notre	370	(-) 2,80	Dieu	269	(-) 2,08
Ennemi	203	(-) 2,78	Dessein	125	(-) 2,08
Père	286	(-) 2,75	Oser	191	(-) 2,08
On	644	(-) 2,67	Obéir	69	(-) 2,07
Et	3622	(-) 2,66	Tel	68	(-) 2,05
Courroux	119	(-) 2,63	Epoux	87	(-) 2,04
Se	986	(-) 2,57	Esclave	67	(-) 2,03
Main	312	(-) 2,46	Feu (sm)	66	(-) 2,01
Prendre	162	(-) 2,42	Celui	65	(-) 1,98
Paix	86	(-) 2,41	Saint	64	(-) 1,96

BAJAZET

Vocabulaire caractéristique. Positif absolu.

Sultane	29	Evident		Recherche	1
Sultan	18	Fatigue		Répliquer	1
Visir	17	Favori (sm)		Revers	1
Serrail	13	Fixe		Ridicule (adj)	1
Janissaire	4	Flottant		Secourable	1
Exempt	2	Imaginaire		Seing	1
Accessible	1	Imbécile		Serrer	1
Assujettir	1	Infructueux		Sinon	1
Attribuer	1	Irritant		Souci	1
Cercueil	1	Libéral		Suppléer	1
Défaillir	1	Parjurer		Ternir	1
Dépeupler	1	Piquer		Tisser (tistre)	1
Dévotion	1	Proche		Transmettre	1
Ecrit (sm)	1	Raisonner			
Eloquent	1	Récent			

Vocabulaire caractéristique. Positif relatif (F ≥ 3).

Esclave	67	8,50	Brave	15	3,98
Lettre	11	7,08	Soin	255	3,90
Amant	114	6,66	Si (conj)	684	3,88
Prompt	49	5,94	Douloureux	8	3,86
Péril	66	5,68	Déclarer	51	3,83
Epouser	38	5,68	Proscrire	5	3,81
Amour	435	5,20	Informer	16	3,77
Avoir	2631	4,83	Adresse	12	3,76
Vie	170	4,57	Foi	123	3,70
Crédulité	4	4,43	Elle	546	3,67
Pressentir	4	4,43	Mort (sf)	167	3,64
Gage	30	4,39	Le (pron)	2060	3,60
Imprudent	7	4,26	Madame	484	3,59
Discours	105	4,25	Récit	22	3,52
Enfin	265	4,25	Je	4208	3,49
Ordinaire	11	4,02	Moi	762	3,49

BAJAZET

Vocabulaire caractéristique. Positif relatif (F ≥ 2).

Offre	6	3,35	Entrée	17	2,76
Représenter	6	3,35	Bout	28	2,75
Apprentissage	3	3,34	Consulter	28	2,75
Brûlant	3	3,34	Etonner	53	2,74
Manifeste (adj)	3	3,34	Associer	4	2,73
Scrupule	3	3,34	Fixer	4	2,73
Malgré	83	3,34	Siège	4	2,73
Jouir	34	3,32	Soustraire	4	2,73
Récompenser	14	3,30	Trop	326	2,73
Reconnoissance	14	3,30	Palais	60	2,71
Volonté	24	3,24	Indigne	47	2,70
Prononcer	30	3,16	Point (adv)	579	2,69
Soupçon	30	3,16	Par	571	2,68
Jaloux	60	3,15	Désabuser	8	2,67
Grâce	67	3,12	Exercer	8	2,67
Feindre	31	3,05	Infaillible	8	2,67
Même	675	2,98	Signal	8	2,67
Feinte	7	2,98	Finir	29	2,64
Rarement	7	2,98	Désespérer	18	2,60
Transporter	7	2,98	Journée	18	2,60
Répondre	70	2,93	Temps	167	2,59
Mais	795	2,92	Ami	76	2,59
Noeud	27	2,86	Me	2170	2,59
Surprendre	39	2,84	Complaisance	73	2,58
Cependant	79	2,81	Davantage	13	2,58
Montrer	79	2,81	Pardonner	30	2,54
Rival	79	2,81	Sortir	122	2,52
Observer	22	2,80	Assurer	92	2,51
Il	2533	2,80	Sauver	85	2,50
Peut-être	161	2,79	Falloir	424	2,48
Emploi	12	2,78	Entretenir	19	2,46
Nécessaire	12	2,78	Savoir (v)	461	2,45
Reculer	12	2,78	Maîtresse	31	2,44
Laisser	274	2,77	Dépendre	25	2,43

Vocabulaire caractéristique. Positif relatif (F ≥ 3).

Mot	F	Éc. réd.	Mot	F	Éc. réd.
Garde (sm)	25	2,43	Armée	55	2,14
Autoriser	9	2,41	État 1	41	2,14
Mot	58	2,40	Chagrin (sm)	28	2,11
Prochain	14	2,40	Obstacle	28	2,11
Vrai	45	2,35	Dessein	125	2,10
Perfide	66	2,35	Perdre	158	2,09
Exposer	32	2,34	Changement	16	2,08
Incertain	20	2,32	Confirmer	16	2,08
Saisir	20	2,32	Inquiet	16	2,08
Sacrifier	26	2,32	Obtenir	16	2,08
Vivre	112	2,30	Seconder	22	2,08
Accoutumer	5	2,30	Succès	22	2,08
Aisément	102	2,30	Assez	5	2,06
Appliquer	5	2,30	Bienfait	42	2,06
Demeure	5	2,30	Content	42	2,06
Détromper	5	2,30	Vengeance	57	2,02
Embarras	11	2,30	Interdit (adj)	11	1,98
Intimider	5	2,30	Perfidie	11	1,98
Regagner	5	2,30	Persuader	11	1,98
Religion	5	2,30	Unique	11	1,98
Remarquer	5	2,30	Egalement	6	1,96
Vieillir	6	2,28	Vulgaire	6	1,96
Extrême	5	2,28	Ouvrir	73	1,96
Porte	46	2,25	Entourer	6	1,96
Dès	46	2,25	Entrevue	6	1,96
Enfance	90	2,23	Evénement	6	1,96
Intelligence	33	2,23	Nier	6	1,96
Muet	15	2,23	Ombrage	6	1,96
Prendre	15	2,20	Racheter	6	1,96
Attrait	162	2,18	Rapporter	6	1,96
Crédule	21	2,18	Bonté	73	1,96
Proposer	10	2,16	Désormais	23	1,96
Découvrir	10	2,16	Mur	77	1,96
Retenir	34	2,15			

Vocabulaire caractéristique. Négatif absolu.

a. Mots absents qui ont F ≥ 55

Mot	F	Mot	F	Mot	F
Dieu	269	Autel	93	Fer	68
Reine	148	Mortel	84	Partout	68
Fille	129	Soeur	79	Princesse	65

b. Mots absents qui ont R = 10

Mot	F	Mot	F	Mot	F
Cesser	41	Fin (sf)	41	Gémir	32
Exciter	38	Bord	38	Allumer	31
Détourner	35	Humain	35	Honteux	31
Mal (sm)	34	Couler	34	Immortel	30

Vocabulaire caractéristique. Négatif relatif (F ≥ 55).

V	F	Éc. réd.	V	F	Éc. réd.
Roi	384	(-) 6,40	Seul	288	(-) 2,55
Père	286	(-) 5,33	Haïr	94	(-) 2,47
Fils	329	(-) 5,18	Gloire	213	(-) 2,45
Le (art)	9441	(-) 4,57	Nom	196	(-) 2,40
On	644	(-) 4,56	Paix	86	(-) 2,30
Ennemi	203	(-) 3,47	Répandre	66	(-) 2,24
Enfant	118	(-) 3,24	Appeler	64	(-) 2,19
Seigneur	579	(-) 3,22	Bras	125	(-) 2,14
Sang	317	(-) 2,97	Cour	60	(-) 2,09
Mère	138	(-) 2,69	Courage	60	(-) 2,09
Temple	84	(-) 2,63	Front	59	(-) 2,07
Haine	132	(-) 2,58	Courroux	119	(-) 2,01
Ici	163	(-) 2,58	Porter	103	(-) 1,98
			Coup	117	(-) 1,97

MITHRIDATE

Vocabulaire caractéristique. Positif absolu.

Mot	F	Mot	F	Mot	F
Quarante	4	Frêle	1	Propice	1
Trente	2	Gladiateur	1	Rencontre	1
Admirateur	1	Indice	1	Ressouvenir (sm)	1
Amplement	1	Infatigable	1	Revoler	1
Avenir (v)	1	Lutter	1	Susciter	1
Blanc	1	Marais	1	Sympathie	1
Contentement	1	Naguère	1	Tison	1
Déborder	1	Pirate	1	Tissu (sm)	1
Foyer	1	Présomptueux	1	Tyrannique	1

Vocabulaire caractéristique. Positif relatif (F > 3).

Mot	F		Mot	F	
Devoir (subst)	46	5,33	Soigneux	6	3,38
Vaisseau	38	5,18	Apprêt	3	3,37
Me	2170	5,06	Avidement	3	3,37
Malheur	160	4,78	Couchant (sm)	3	3,37
Vous	3820	4,73	Déguisement	3	3,37
Mutin	4	4,46	Rapport	3	3,37
Père	286	4,38	Surcroît	3	3,37
Accroître	7	4,29	Tyranniser	3	3,37
Maintenant	34	3,95	Moindre	35	3,26
Plus	872	3,91	Funeste	121	3,24
Allié (adj-subst)	8	3,90	Soldat	54	3,18
Place	58	3,79	Et	3622	3,16
Prétendre	83	3,77	Retraite	15	3,14
Pourtant	21	3,71	Hymen	88	3,13
Envoyer	31	3,70	Démentir	20	3,12
Amour	435	3,68	Malheureux	111	3,05
Je	4208	3,57	Savoir (v)	461	3,02
Mon	2722	3,56	Aborder	7	3,00
Avantage	13	3,55	Aurore	7	3,00
Digne	74	3,54	Guère	7	3,00
Fils	329	3,50	Penchant (sm)	7	3,00
Dessein	125	3,38	Subir	7	3,00

MITHRIDATE

Vocabulaire caractéristique. Positif relatif (F > 3).

Mot	F		Mot	F	
Ailleurs	44	2,98	Grossir	5	2,32
Tenter	21	2,97	Inonder	5	2,32
Histoire	16	2,96	Inventer	5	2,32
Poison	16	2,96	Nul	5	2,32
Loin	139	2,82	Pardon	5	2,32
Trahir	66	2,81	Séditieux	5	2,32
Accompagner	17	2,79	Balancer	15	2,26
Ici	163	2,79	Furie	15	2,26
Traverser	17	2,79	Persécuter	15	2,26
Rebelle	28	2,79	Souhait	15	2,26
Désespoir	34	2,78	Glorieux	15	2,23
Désavouer	4	2,76	Marquer	21	2,23
Faix	4	2,76	Bruit	69	2,22
Naufrage	4	2,76	Dessus	10	2,20
Désormais	23	2,70	Dissimuler	10	2,20
Sentiment	23	2,70	Estime	10	2,20
Qui	1230	2,70	Justement	10	2,20
Continuer	8	2,69	Proposer	10	2,20
Défier	8	2,69	Révolter	10	2,20
Partout	68	2,69	Quand	190	2,20
Unir	35	2,68	Occuper	34	2,20
Important	18	2,64	Offenser	55	2,18
Opprimer	18	2,64	Trépas	70	2,17
Bannir	24	2,58	Partir	125	2,16
Assurer	92	2,57	Comment	28	2,14
Fidèle	78	2,53	Vaincre	63	2,14
Devoir (v)	375	2,51	Approuver	22	2,11
Revenir	37	2,50	Destiner	22	2,11
Courir	149	2,45	Disgrâce	22	2,11
Contrée	9	2,43	Bandeau	16	2,11
Posséder	14	2,43	Cause	16	2,11
Nouvelle (sf)	20	2,36	Confirmer	16	2,11
Dévouer	5	2,32	Effort	49	2,11
Distinguer	5	2,32	Parti	16	2,11

Vocabulaire caractéristique. Positif relatif (F ⟩ 3).

Rival	79	2,10	Pénible	6	1,99
Tendresse	57	2,06	Semblable	6	1,99
Attacher	50	2,04	Tyrannie	6	1,99
Choix	43	2,03	Roi	384	1,98
Diadème	36	2,03	Guerre	51	1,97
Songer	104	2,03	Intérêt	51	1,97
Mot	58	2,00	Secret (adj)	51	1,97
Autorité	6	1,99	Vers (prép)	66	1,97
Complaire	6	1,99	Aveu	17	1,97
Extrémité	6	1,99	Réduire	17	1,97
Nier	6	1,99	Tourmenter	17	1,97
Pénétrer	6	1,99	Victorieux	17	1,97

Vocabulaire caractéristique. Négatif relatif (F ⟩ 56).

V	F	Ec. réd.	V	F	Ec. réd.
Son (adj)	2899	(-) 4,89	Régner	88	(-) 2,32
Elle	546	(-) 4,52	Loi	135	(-) 2,31
Peuple	166	(-) 3,39	Fer	68	(-) 2,26
Oeil	485	(-) 3,28	Troubler	84	(-) 2,23
Devant	102	(-) 2,94	Craindre	216	(-) 2,22
Voix	102	(-) 2,94	Ton (adj)	423	(-) 2,20
Sur	467	(-) 2,92	On	644	(-) 2,20
Tant	275	(-) 2,92	Soin	255	(-) 2,20
Donc	199	(-) 2,89	Souffrir	97	(-) 2,16
Jour	353	(-) 2,84	Hélas	153	(-) 2,09
Lui	738	(-) 2,80	Cour	60	(-) 2,07
Fille	129	(-) 2,79	Palais	60	(-) 2,07
Enfant	118	(-) 2,59	Le (pron)	2060	(-) 2,05
Votre	1524	(-) 2,55	Dieu	269	(-) 2,00
Il	2533	(-) 2,53	Courroux	119	(-) 1,98
Le (art)	9441	(-) 2,45	Soupir	73	(-) 1,98
Sortir	122	(-) 2,35	Terre	56	(-) 1,97

Vocabulaire caractéristique. Négatif absolu.

a. Mots absents qui ont F ⟩ 56

Temple	84	Bouche	65	Saint	64
Soeur	79				

b. Mots absents qui ont R = 10

Conseil	54	Spectacle	34	Envie	23
Voici	42	Prononcer	30	Charmer	16
Superbe (adj)	40	Vanter	24		

IPHIGENIE

Vocabulaire caractéristique. Positif absolu.

Mot	n	Mot	n	Mot	n
Sentence	3	Citoyen	1	Lenteur	1
Blanchissant	2	Clandestin	1	Manie	1
Rame	2	Complaisant	1	Oppresser	1
Remercier	2	Déposséder	1	Palpitant	1
Voler 2 (dérober)	2	Déshonneur	1	Poil	1
Aiguiser	1	Destructeur	1	Poupe	1
Augurer	1	Divulguer	1	Privilège	1
Auparavant	1	Embrasement	1	Receler	1
Autrement	1	Flotte	1	Sceller	1
Butte	1	Frustrer	1	Sentier	1
Caressant	1	Gorge	1	Sourire (v)	1
Chatouiller	1	Inclémence	1	Trouble (adj)	1
				Voiler	1

Vocabulaire caractéristique. Positif relatif (F ≥ 3).

Mot	n	F	Mot	n	F
Fille	129	17,40	Mère	138	4,34
Dieu	269	10,63	Présenter	51	4,17
Vent	25	9,69	Pleurer	74	4,13
Autel	93	9,29	Prédire	14	4,11
Père	286	7,41	Vaisseau	38	3,91
Oracle	26	6,82	Armée	55	3,84
Bûcher	8	6,14	Retarder	8	3,78
Camp	59	5,71	Demander	118	3,77
Amener	40	5,29	Arroser	5	3,74
Félicité	13	5,29	Offrande	5	3,74
Epoux	87	5,13	Immoler	40	3,71
Qui	1230	4,91	Meurtre	12	3,67
Sacrifice	31	4,75	Sang	317	3,65
Victime	50	4,73	Respect	48	3,48
Hymen	88	4,71	Couteau	9	3,46
Prouver	9	4,57	Pâlir	13	3,43
Votre	1524	4,56	Approuver	22	3,43

IPHIGENIE

Vocabulaire caractéristique. Positif relatif (F ≥ 3).

Mot	n	F	Mot	n	F
Billet	3	3,28	Moisson	4	2,68
Etonnant	3	3,28	Rejaillir	4	2,68
Hérisser	3	3,28	Route	4	2,68
Hier	3	3,28	Elle	546	2,67
Protecteur	3	3,28	Retourner	28	2,66
Tente	3	3,28	Ordonner	66	2,64
Immobile	6	3,27	Course	8	2,60
Nous	586	3,25	Exaucer	8	2,60
Honneur	109	3,22	Guide	8	2,60
Combler	14	3,17	Interroger	8	2,60
Sanguinaire	10	3,15	Tracer	8	2,60
Briller	19	3,15	Tristesse	8	2,60
Prière	19	3,15	Ville	8	2,60
Rivage	19	3,12	Loin	139	2,57
Contre	199	3,05	Serment	41	2,56
Prix	66	3,02	Quel	604	2,55
Ecrire	15	2,99	Conquête	29	2,55
Auteur	20	2,99	Gémir	29	2,53
Bonheur	67	2,95	Flot	18	2,51
Mon	2722	2,93	Ressentir	13	2,51
Pompe	11	2,91	Rive	13	2,51
Rougir	43	2,91	Torrent	13	2,51
Bourreau	7	2,91	Trahison	13	2,50
Menaçant	7	2,91	Nom	196	2,38
Prisonnier	7	2,85	Impuissant	19	2,38
Triomphe	21	2,85	Langage	19	2,37
Hyménée	16	2,77	Menacer	37	2,35
Foule	27	2,71	Cruel	177	2,35
Chef	22	2,70	Sort	115	2,35
Attendrir	12	2,70	Presser	71	2,35
Devancer	12	2,68	Champ	31	2,35
Epouse	17	2,68	Remettre	31	2,35
Dard	4	2,68	Ajouter	9	2,34

Vocabulaire caractéristique. Positif relatif (F > 3).

Mot	F	Valeur	Mot	F	Valeur
Fumer	9	2,34	Homme	21	2,12
Insulter	9	2,34	Crédule	10	2,12
Patrie	14	2,33	Empressement	10	2,12
Accuser	51	2,30	Promettre	98	2,11
Changer	38	2,29	Flamme	61	2,11
Partir	125	2,26	Taire	61	2,11
Abuser	32	2,25	Recevoir	83	2,10
Arriver	32	2,25	Daigner	54	2,10
Avertir	20	2,25	Arracher	76	2,08
Etaler	5	2,24	Spectacle	34	2,07
Evanouir	5	2,24	Déjà	179	2,04
Fortuné	5	2,24	Ici	163	2,03
Inouï	5	2,24	Devoir (v)	375	2,01
Oisif	5	2,24	Gloire	213	2,01
Piété	5	2,24	Air 1	16	2,01
Hâter	26	2,23	Bandeau	16	2,01
Préparer	66	2,23	Furieux	22	2,00
Chemin	53	2,17	Outrage	22	2,00
Heureux	167	2,16	Assembler	35	1,98
Noeud	27	2,13	Ah	316	1,98
Glorieux	21	2,12	Courir	149	1,96

Vocabulaire caractéristique. Négatif relatif (F ≫ 53).

Mot	F	Signe	Valeur	Mot	F	Signe	Valeur
Fils	329	(-)	4,93	Deux	158	(-)	2,59
Son (adj)	2899	(-)	4,38	Perdre	158	(-)	2,59
Il	2533	(-)	3,59	Grand	183	(-)	2,52
Ton (adj)	423	(-)	3,59	Empire	125	(-)	2,52
Enfant	118	(-)	3,30	Cher	164	(-)	2,43
Prince	154	(-)	3,05	Ingrat	88	(-)	2,41
Après	120	(-)	3,03	Régner	88	(-)	2,41
Trône	98	(-)	2,95	Ardeur	64	(-)	2,24
Toi	148	(-)	2,95	Toucher	63	(-)	2,22
Vertu	113	(-)	2,91	Peuple	166	(-)	2,21
Bien (adv)	312	(-)	2,85	Haïr	94	(-)	2,19
Coeur	533	(-)	2,76	Aimer	316	(-)	2,15
Tu	469	(-)	2,73	Trouver	92	(-)	2,14
Frère	150	(-)	2,71	Ami	76	(-)	2,13
Etat 2	84	(-)	2,68	Roi	384	(-)	2,08
Temple	84	(-)	2,68	Te	299	(-)	2,08
Ennemi	203	(-)	2,63	Crime	131	(-)	2,05
Âme	159	(-)	2,60	Temps	167	(-)	1,97

Vocabulaire caractéristique. Négatif absolu.

a. Mots absents qui ont F ≥ 53

Paix	86	Cour	60	Charme	57
Univers	70				

b. Mots absents qui ont R = 10

Revenir	37	Généreux	33	Force	30
Diadème	36	Infidèle	33	Conduite	22

PHEDRE

Vocabulaire caractéristique. Positif absolu.

Mot	Fréq	Mot	Fréq	Mot	Fréq	Mot	Fréq
Forêt	6	Désaveu	1	Indomptable	1	Rouge	1
Purger	3	Dos	1	Infamie	1	Rouler	1
Rêne	3	Dragon	1	Insupportable	1	Sillon	1
Adultère (sm)	2	Ecaille	1	Irréprochable	1	Soupçonneux	1
Engloutir	2	Effronté	1	Jaunissant	1	Tardif	1
Excusable	2	Eluder	1	Lâcher	1		
Gros (adj)	2	Embarquer	1	Liquide (adj)	1		
Humide	2	Enchanter	1	Maternel	1		
Infernal	2	Enclin	1	Mémorable	1		
Labyrinthe	2	Essieu	1	Méprisable	1		
Plaintif	2	Eterniser	1	Morne	1		
Scélérat	2	Excepter	1	Mors	1		
Urne	2	Exhaler	1	Mugir	1		
Abreuver	1	Exprès (adj)	1	Mûr	1		
Adoption	1	Faillir	1	Naturel (adj)	1		
Aiguillon	1	Faussement	1	Nettoyer	1		
Aplanir	1	Forme	1	Nourriture	1		
Apprivoiser	1	Fougue	1	Pâmer	1		
Arc	1	Fracasser	1	Pensif	1		
Bondissant	1	Franchir	1	Pesant	1		
Bouillon	1	Froid (sm)	1	Pesanteur	1		
Brutal	1	Furtif	1	Plaie	1		
Caractère	1	Géant	1	Poudreux	1		
Caverne	1	Gémissant	1	Prévaloir	1		
Chagriner	1	Gêne	1	Principe	1		
Corne	1	Grossier	1	Priser	1		
Crin	1	Gueule	1	Prodigieux	1		
Croupe	1	Hériter	1	Pudique	1		
Croyable	1	Héroïne	1	Rassasier	1		
Curiosité	1	Humecter	1	Rebuter	1		
Décevant	1	Impudence	1	Recourber	1		
Défaillant	1	Impudique	1	Repli	1		
Défigurer	1	Inaccessible	1	Retenue	1		
		Incurable	1	Ronce	1		

PHEDRE

Vocabulaire caractéristique. Positif absolu.

Mot	Fréq	Mot	Fréq
Taureau	1	Tutélaire	1
Tortueux	1	Visiter	1
Transir	1	Voûte	1
Tressaillir	1	Voyageur	1
Tributaire	1		

Vocabulaire caractéristique. Positif relatif (F ⩾ 2).

Mot	F	Coeff.	Mot	F	Coeff.
Monstre	30	9,71	Horrible	20	4,04
Dieu	269	6,71	Exaucer	8	4,03
Fuir	125	6,43	Crime	131	3,99
Chaste	6	6,33	Noircir	5	3,97
Mortel	84	5,84	Veine	5	3,97
Bord	31	5,75	Honteux	26	3,85
Coursier	7	5,74	Odieux	54	3,84
Oser	191	5,46	Ton (adj)	423	3,83
Rivage	19	5,01	Tu	469	3,77
Un	2690	4,97	Remords	27	3,72
Feu (sm)	66	4,72	Epée	9	3,70
Exil	17	4,61	Fol	9	3,70
Te	299	4,61	Sauvage	13	3,69
Cheval	4	4,59	Six	13	3,69
Inceste (sm)	4	4,59	Brûler	45	3,59
Javelot	4	4,59	Superbe (adj)	40	3,51
Volage	4	4,59	Cheveu	6	3,49
Char	10	4,51	Froid (adj)	6	3,49
Innocent	41	4,50	Rocher	6	3,49
Coupable	47	4,44	Adultère (adj)	3	3,47
Avoir	2631	4,43	Augmenter	3	3,47
Flot	18	4,40	Aventure	3	3,47
Flanc	14	4,40	Bâtir	3	3,47
Fils	329	4,25	Brigand	3	3,47
Déplorable	11	4,20	Dédaigneux	3	3,47
Tremblant	15	4,17	Dépeindre	3	3,47

PHEDRE

Vocabulaire caractéristique. Positif relatif (F ≥ 2).

Mot	N	F	Mot	N	F
Fil	3	3,47	Opprobre	7	3,11
Héritage	3	3,47	Paternel	7	3,11
Large	3	3,47	Ranimer	7	3,11
Marâtre	3	3,47	Rougeur	7	3,11
Réciter	3	3,47	Sexe	7	3,11
Remède	3	3,47	Travail	7	3,11
Réprouver	3	3,47	Accuser	51	3,11
Saison	3	3,47	Juste	101	3,06
Voile (sf)	3	3,47	Tremper	12	2,93
Fond	29	3,47	Etouffer	17	2,92
Je	4208	3,45	Offense	17	2,92
Lumière	24	3,43	Flamme	61	2,88
Parvenir	10	3,40	Cesser	41	2,87
Véritable	10	3,40	Accusateur	4	2,85
Epoux	87	3,40	Blessure	4	2,85
Voeu	124	3,36	Déesse	4	2,85
Oeil	485	3,32	Expirant	4	2,85
Toi	148	3,31	Formidable	4	2,85
Père	286	3,31	Inévitable	4	2,85
Implorer	25	3,30	Imposture	4	2,85
Redoutable	25	3,30	Licence	25	2,85
Corps	15	3,27	Mânes	15	2,85
Dompter	15	3,27	Plaine	15	2,85
Inimitié	15	3,27	Rudesse	15	2,85
Ombre	31	3,24	Teindre	4	2,85
Rougir	43	3,24	Tutelle	4	2,85
Souvent	37	3,23	Farouche	23	2,84
Cacher	129	3,16	Crier	8	2,80
Affreux	44	3,15	Insensible	8	2,80
Couleur	11	3,15	Prison	8	2,80
Frein	11	3,15	Séjour	8	2,80
Quel	604	3,15	Trop	326	2,78
Nourrir	32	3,14	Noble	63	2,76
Aborder	7	3,11	Mon	2722	2,74

PHEDRE

Vocabulaire caractéristique. Positif relatif (F ≥ 2).

Mot	N	F	Mot	N	F
Délivrer	13	2,72	Mourant (adj)	10	2,30
Insensé	13	2,72	Nuage	10	2,30
Pâlir	13	2,72	Profaner	10	2,30
Fléchir	30	2,72	Rejeter	10	2,30
Epouvanter	24	2,72	Retentir	10	2,30
Respirer	43	2,71	Vivant	10	2,30
Cri	50	2,69	Rebelle	28	2,28
Eviter	50	2,69	Erreur	35	2,25
Vérité	19	2,62	Chasser	22	2,23
Silence	66	2,58	Soudain	22	2,23
Criminel	45	2,55	Détester	16	2,22
Borner	14	2,54	Poison	16	2,22
Enfer	14	2,54	Orgueil	50	2,20
Face	9	2,53	Gémir	29	2,18
Fumer	9	2,53	Ravir	51	2,13
Nuire	9	2,53	Profond	23	2,12
Pudeur	9	2,53	Front	59	2,11
Depuis	82	2,52	Epargner	44	2,10
Honte	39	2,49	Détestable	11	2,10
Irriter	54	2,42	Interdit (adj)	11	2,10
Art	5	2,41	Voisin	11	2,10
Châtiment	5	2,41	Trouble (sm)	67	2,09
Echauffer	5	2,41	Fatal	75	2,09
Impétueux	5	2,41	Libre	30	2,08
Incestueux	5	2,41	Mort (sm)	30	2,08
Oisif	5	2,41	Aveu	17	2,08
Serein	5	2,41	Départ	17	2,08
Dérober	27	2,38	Parole	17	2,08
Retraite	15	2,37	Partage	17	2,08
Rappeler	55	2,35	Présent (sm)	17	2,08
Outrager	21	2,35	Reproche	17	2,08
Loi	135	2,32	Trace	17	2,08
Austère	10	2,30	Atteindre	6	2,07
Languir	10	2,30	Avare	6	2,07

PHEDRE

Vocabulaire caractéristique. Positif relatif (F ≥ 2).

	F	Ec. réd.		F	Ec. réd.
Borne	6	2,07	Illégitime	2	2,02
Déshonorer	6	2,07	Indompté	2	2,02
Embarrasser	6	2,07	Lait	2	2,02
Entourer	6	2,07	Lèvre	2	2,02
Intrépide	6	2,07	Maintien	2	2,02
Langue	6	2,07	Matière	2	2,02
Moyen (sm)	6	2,07	Meilleur	2	2,02
Neveu	6	2,07	Moeurs	2	2,02
Parjure (sm)	6	2,07	Mugissement	2	2,02
Surprise	6	2,07	Mutiner	2	2,02
Utile	6	2,07	Os	2	2,02
Courage	60	2,05	Pointe	2	2,02
Accès	2	2,02	Pureté	2	2,02
Aversion	2	2,02	Recommencer	2	2,02
But	2	2,02	Recourir	2	2,02
Clair	2	2,02	Refermer	2	2,02
Colonne	2	2,02	Rejeton	2	2,02
Concurrent	2	2,02	Relique	2	2,02
Conformer	2	2,02	Respectueux	2	2,02
Contenir	2	2,02	Saigner	2	2,02
Couche	2	2,02	Sédition	2	2,02
Couper	2	2,02	Signe	2	2,02
Dépendant	2	2,02	Supprimer	2	2,02
Déplorer	2	2,02	Teint	2	2,02
Discerner	2	2,02	Témérité	2	2,02
Dispenser	2	2,02	Terme	2	2,02
Elite	2	2,02	Tige	2	2,02
Encenser	2	2,02	Volontaire	2	2,02
Fièrement	2	2,02	Vomir	2	2,02
Glace	2	2,02	Lever (v)	24	2,01
Glisser	2	2,02	Injuste	53	2,00
Habitant	2	2,02	Prendre	162	2,00
Honorable	2	2,02	Humain	31	1,99

PHEDRE

Vocabulaire caractéristique. Négatif absolu.

a. Mots absents qui ont F ≥ 59

Amitié	67	Princesse	65	Camp	59

b. Mots absents qui ont R = 10

Couronner	47	Grandeur	42	Haut	32
Content	42	Moindre	35	Reprendre	27

Vocabulaire caractéristique. Négatif relatif (F ≥ 59).

V	F	Ec. réd.	V	F	Ec. réd.
Nous	586	(-) 4,63	Bien (adv)	312	(-) 2,43
Que	4584	(-) 4,62	Promettre	98	(-) 2,42
Il	2533	(-) 4,34	Trône	98	(-) 2,42
Leur (poss)	503	(-) 4,13	Victoire	79	(-) 2,42
Attendre	244	(-) 3,37	Sans	528	(-) 2,41
Tant	275	(-) 3,35	Ordre	97	(-) 2,40
Roi	384	(-) 3,35	Ici	163	(-) 2,40
Faire	881	(-) 3,28	Falloir	424	(-) 2,28
Peuple	166	(-) 3,26	Combat	72	(-) 2,27
Ce (adj)	1921	(-) 3,20	Plaisir	70	(-) 2,23
Lui	738	(-) 3,20	Rang	70	(-) 2,23
Vous	3820	(-) 3,13	Aller	590	(-) 2,23
Ce (pron)	901	(-) 2,99	Grand	183	(-) 2,21
Oui	118	(-) 2,79	Saint	64	(-) 2,09
Rien	163	(-) 2,67	Deux	158	(-) 2,03
Joie	86	(-) 2,55	Cour	60	(-) 2,00
Paix	86	(-) 2,55	Palais	60	(-) 2,00
Si (conj)	684	(-) 2,54	Y	185	(-) 1,99
Gloire	213	(-) 2,46	Empire	125	(-) 1,97
			Pour	1136	(-) 1,97

ESTHER

Vocabulaire caractéristique. Positif absolu.

Mot	Fréq.	Mot	Fréq.	Mot	Fréq.
Jeu	3	Couple (sm)	1	Louange	1
Subtil	3	Dédier	1	Maudire	1
Abondance	2	Délivrance	1	Noces	1
Agneau	2	Dérision	1	Odeur	1
Autrui	2	Diviser	1	Oeuvre	1
Calomnie	2	Domestique (subst)	1	Orageux	1
Captivité	2	Eclore	1	Pacifique	1
Clémence	2	Edit	1	Paille	1
Devin	2	Empreindre	1	Pavé (sm)	1
Funèbre	2	Enchaînement	1	Pécher (v)	1
Mets	2	Ennuyer	1	Pierre	1
Opulence	2	Entasser	1	Plier	1
Prospérer	2	Expirer	1	Pratique (sf)	1
Vallée	2	Essaim	1	Prédestiner	1
Vautour	2	Eternité	1	Profanation	1
Vêtement	2	Etude	1	Rebâtir	1
Accourir	1	Fécond	1	Regorger	1
Admirable	1	Fiction	1	Repaire	1
Amateur	1	Foudroyer	1	Reptile	1
Annale	1	Fraude	1	Respectable	1
Atour	1	Glorifier	1	Resserrer	1
Breuvage	1	Goût	1	Riant	1
Bride	1	Habillement	1	Roseau	1
Cabale	1	Habiller	1	Rugissant	1
Calme (adj)	1	Harmonie	1	Salon	1
Châtier	1	Hérésie	1	Sanctifier	1
Cilice	1	Impudent	1	Souffler	1
Colombe	1	Innombrable	1	Ténèbres	1
Comparable	1	Insipide	1	Touchant	1
Comparoître	1	Invariable	1	Trame	1
Concert	1	Jardin	1	Transplanter	1
Condamnable	1	Jeûne	1	Tronc	1
Contre-temps	1	Léopard	1	Vénérable	1
Corriger	1	Libation	1	Vin	1

ESTHER

Vocabulaire caractéristique. Positif relatif ($F \geq 2$).

Mot	Fréq.	F	Mot	Fréq.	F
Le (art)	9441	12,50	Sujet (adj-subst)	27	4,59
Ton (adj)	423	8,04	Front	59	4,51
O	180	7,68	Sacré (adj)	47	4,39
Compagne	7	6,67	Salutaire	9	4,39
Mont	10	6,55	Innocent	41	4,35
Devant	102	6,52	Appeler	64	4,16
Sage	17	6,46	Impur	6	4,12
Agréable	5	6,38	Monarque	6	4,12
Mortel	84	6,02	Bouche	65	4,09
Asseoir	15	6,01	Notre	370	4,07
Nation	16	5,75	Abominable	3	4,04
Eclair	6	5,71	Cèdre	3	4,04
Festin	9	5,69	Courber	3	4,04
Pourpre	9	5,69	Eveiller	3	4,04
Innocence	40	5,68	Exécrable	3	4,04
Impie	21	5,57	Magnifique	3	4,04
Audacieux	13	5,52	Malice	3	4,04
Parer 1	17	5,51	Savant	3	4,04
Aile	4	5,32	Frémir	26	3,97
Pendant	10	5,32	Honneur	109	3,87
Profane	18	5,29	Homme	21	3,86
Fête	14	5,24	Superbe (adj)	40	3,83
Puissant	33	5,23	Carnage	11	3,81
Terrible	19	5,08	Glaive	11	3,81
Ciel	289	4,99	Riche	11	3,81
Orner	11	4,99	Sombre	16	3,79
Chanter	16	4,77	Eternel	63	3,73
Célébrer	8	4,75	Toi	148	3,73
Paisible	8	4,75	Avis	22	3,71
Saint	64	4,65	Chasser	64	3,71
Baiser (v)	5	4,63	Aurore	7	3,71
Fugitif	5	4,63	Dix	7	3,71
Méchant	27	4,59	Fertile	7	3,71

ESTHER

Vocabulaire caractéristique. Positif relatif (F ≥ 2).

Mot	F	Fréq.	Mot	F	Fréq.
Fouler	3,71	7	Nature	3,29	19
Instrument	3,71	7	Disperser	3,15	14
Inviter	3,71	7	Egorger	3,15	14
Mérite	3,71	7	Misérable	3,15	14
Prosterner	3,71	7	Récompenser	3,15	14
Quelqu'un	3,71	7	Insolent	3,14	20
Repasser	3,71	7	Troupe	3,14	20
Revêtir	3,71	7	Ecarter	3,09	27
Vaste	3,71	7	Sceptre	3,09	27
Bienfait	3,65	42	Retracer	3,09	9
Enflammer	3,61	17	Tribu	3,09	9
Victorieux	3,61	17	De	3,04	7990
Douceur	3,47	37	Souverain (adj)	3,01	21
Lire	3,44	24	Ainsi	2,98	94
Lumière	3,44	24	Rassembler	2,98	15
Leur (poss)	3,43	503	Intérêt	2,97	51
Jamais	3,42	196	Jour	2,95	353
Mer	3,39	31	Affreux	2,89	44
Etranger	3,38	38	Ange	2,88	5
Impiété	3,37	8	Démon	2,88	5
Nombreux	3,37	8	Ferme (adj)	2,88	5
Abri	3,36	8	Remporter	2,88	5
Adroit	3,36	4	Séditieux	2,88	5
Cantique	3,36	4	Serein	2,88	5
Chant	3,36	4	Bon (adj-adv)	2,84	10
Culte	3,36	4	Majesté	2,84	10
Endurer	3,36	4	Nuage	2,84	10
Epars	3,36	4	Sanguinaire	2,84	10
Exterminer	3,36	4	Souvent	2,83	37
Jouet	3,36	4	Descendre	2,82	45
Lion	3,36	4	Fameux	2,81	16
Dissiper	3,35	13	Heureux	2,80	167
Eclairer	3,29	19	Ni	2,71	91

ESTHER

Vocabulaire caractéristique. Positif relatif (F ≥ 2).

Mot	F	Fréq.	Mot	F	Fréq.
Doux	2,69	73	Adorable	2,38	2
Humain	2,68	31	Anéantir	2,38	2
Peindre	2,66	17	Aquilon	2,38	2
Environner	2,65	24	Austérité	2,38	2
Comme	2,64	152	Aversion	2,38	2
Couleur	2,63	11	Bassesse	2,38	2
Désoler	2,63	11	But	2,38	2
Frivole	2,63	11	Célèbre	2,38	2
Dans	2,61	884	Comparer	2,38	2
Jeune	2,61	48	Dedans	2,38	2
Etre (v)	2,61	2930	Derrière	2,38	2
Nous	2,55	586	Dessiller	2,38	2
Agiter	2,54	25	Discerner	2,38	2
Implorer	2,54	25	Divinité	2,38	2
Redoutable	2,54	25	Envenimer	2,38	2
Auprès	2,52	18	Epier	2,38	2
Calmer	2,52	18	Epouvantable	2,38	2
Moitié	2,52	18	Etinceler	2,38	2
Airain	2,52	6	Faîte	2,38	2
Borne	2,52	6	Fièrement	2,38	2
Crédit	2,52	6	Flèche	2,38	2
Envi (à l')	2,52	6	Fragile	2,38	2
Langue	2,52	6	Idole	2,38	2
Luire	2,52	6	Impérieux	2,38	2
Tout	2,51	1331	Incapable	2,38	2
Ce (adj)	2,50	1921	Indompté	2,38	2
Bénir	2,44	12	Intention	2,38	2
Léger	2,44	12	Ivre	2,38	2
Mêler	2,44	12	Lambeau	2,38	2
Pressant	2,44	12	Ligue	2,38	2
Allumer	2,43	26	Limite	2,38	2
Beauté	2,43	26	Loup	2,38	2
Trône	2,42	98	Malédiction	2,38	2

ESTHER

Vocabulaire caractéristique. Positif relatif (F > 2).

Merci (sf)	2	2,38	Humble	7	2,23
Nager	2	2,38	Humilier	7	2,23
Néant	2	2,38	Inconstance	7	2,23
Peupler	2	2,38	Rompre	46	2,17
Ployer	2	2,38	Traître	46	2,17
Pompeusement	2	2,38	Triomphe	21	2,15
Prospère	2	2,38	Chute	14	2,11
Puiser	2	2,38	Combler	14	2,11
Réjouir	2	2,38	Pur	14	2,11
Signer	2	2,38	Régler	14	2,11
Sommeiller	2	2,38	Tirer	14	2,11
Tumultueux	2	2,38	Perfide	66	2,10
Barbare	43	2,37	Marcher	57	2,07
Autrefois	27	2,34	Arrêt	22	2,05
Périr	62	2,31	Sous	129	2,04
Soumettre	44	2,30	Absent	8	1,99
Nom	196	2,30	Balance	8	1,99
Chérir	20	2,27	Brigue	8	1,99
Horrible	20	2,27	Climat	8	1,99
Dépouille	13	2,26	Empoisonner	8	1,99
Dicter	13	2,26	Gouverner	8	1,99
Félicité	13	2,26	Habiter	8	1,99
Confondre	36	2,26	Pompeux	8	1,99
Aimable	28	2,24	Public (adj)	8	1,99
Conseil	54	2,24	Rare	8	1,99
Couvrir	45	2,24	Tristesse	8	1,99
Assidu	7	2,23	Trompeur	8	1,99
Astre	7	2,23	Propre	49	1,99
Barrière	7	2,23	Attentat	15	1,97
Coursier	7	2,23	Briser	15	1,97
Delà	7	2,23	Relever	15	1,97
Eau	7	2,23	Esprit	59	1,96
Effroyable	7	2,23	Trembler	59	1,96
Exiler	7	2,23			

ESTHER

Vocabulaire caractéristique. Négatif absolu.

a. Mots absents qui ont F > 77

Amant	114
Hymen	88

b. Mots absents qui ont R = 10

Raison	69	Satisfaire	40
Mien	68	Epouvanter	38
Ardeur	64	Consoler	35
Flamme	61	Saisir	31
Charger	52	Redoubler	30
Accuser	51	Renoncer	30
Brûler	45	Ramener	28
Fruit	45	Trace	28
Epargner	44	Emouvoir	28

ESTHER

Vocabulaire caractéristique. Négatif relatif (F > 77).

V	F	Ec. réd.	V	F	Ec. réd.
Vous	3820	(-) 8,51	Voir	973	(-) 2,56
Je	4208	(-) 8,07	Suivre	160	(-) 2,55
Madame	484	(-) 5,87	Aller	590	(-) 2,49
Me	2170	(-) 5,59	Assez	102	(-) 2,39
Le (pron)	2060	(-) 5,33	Partir	125	(-) 2,37
Ne	2512	(-) 5,04	Trop	326	(-) 2,36
Si (conj)	684	(-) 4,05	Votre	1524	(-) 2,32
Mon	2722	(-) 3,92	Rien	163	(-) 2,28
Amour	435	(-) 3,86	Mère	138	(-) 2,23
Que	4584	(-) 3,83	Deux	158	(-) 2,21
Avoir	2631	(-) 3,81	Encore	359	(-) 2,21
Aimer	316	(-) 3,79	Moi	762	(-) 2,21
Fils	329	(-) 3,69	Cruel	177	(-) 2,19
Bien (adv)	312	(-) 3,53	Non	214	(-) 2,15
Mais	795	(-) 3,45	Faire	881	(-) 2,10
Mourir	180	(-) 3,40	Devoir (v)	375	(-) 2,09
Point (adv)	579	(-) 3,36	Venir	445	(-) 2,09
Pouvoir (v)	997	(-) 3,35	Croire	374	(-) 2,08
Vouloir (v)	672	(-) 3,20	Malgré	83	(-) 2,08
En (adv)	629	(-) 3,15	Prétendre	83	(-) 2,08
Ou	251	(-) 3,12	Songer	104	(-) 2,04
Elle	546	(-) 3,08	Pourquoi	103	(-) 2,02
Quoi	291	(-) 2,86	Rival	79	(-) 2,00
Ah	316	(-) 2,69	Ce (pron)	901	(-) 2,00
Arrêter	120	(-) 2,65	Retentir	77	(-) 1,97
Laisser	274	(-) 2,66	Tant	275	(-) 1,96

ATHALIE

Vocabulaire caractéristique. Positif absolu.

Mot	F	Mot	F	Mot	F	Mot	F
Lévite	15	Visible	2	Emmener	2	Issue (sf)	1
Invoquer	7	Acier	1	Empester	1	Ivresse	1
Trompette (sf)	6	Affable	1	Enceinte (sf)	1	Jugement	1
Arche	4	Affliction	1	Encensoir	1	Lentement	1
Nourrice	4	Arbre	1	Enfreindre	1	Lis	1
Chair	3	Aride	1	Eriger	1	Machine	1
Chien	3	Assemblage	1	Exercice	1	Mamelle	1
Debout	3	Assemblée	1	Exterminateur	1	Merveilleux	1
Lin	3	Attache	1	Factieux	1	Métier	1
Ministère	3	Attachement	1	Fange	1	Midi	1
Parvis	3	Aube	1	Fantôme	1	Miséricorde	1
Sanctuaire	3	Avant-coureur	1	Faste	1	Mitre	1
Contagieux	2	Blanchir	1	Fermeté	1	Mûrir	1
Déserteur	2	Blasphème	1	Ferveur	1	Oiseau	1
Dévoiler	2	Bouc	1	Génisse	1	Pacte	1
Fourbe (sf)	2	Bouclier	1	Gouffre	1	Parfum	1
Fraîcheur	2	Cachot	1	Goutte	1	Passe-temps	1
Homicide (sm)	2	Chaire	1	Guérir	1	Peinture	1
Huile	2	Chancelant	1	Haleine	1	Plomb	1
Lance	2	Chérubin	1	Hésiter	1		
Meurtrir	2	Concours	1	Hideux	1		
Pain	2	Construire	1	Horizon	1		
Pêcheur	2	Creuser	1	Hurlement	1		
Périlleux	2	Crever	1	Indocile	1		
Petit	2	Débarrasser	1	Ineffable	1		
Pillage	2	Délicieux	1	Ingénuité	1		
Pontife	2	Désaltérer	1	Iniquité	1		
Précepte	2	Dévorant	1	Initier	1		
Refuge	2	Dextérité	1	Insatiable	1		
Rosée	2	Domination	1	Instinct	1		
Sauveur	2	Droit (adj)	1	Inventeur	1		
Sonner	2	Ecraser	1	Investir	1		
Tiare	2	Egard	1	Irréparable	1		
Usurper	2	Embarrassant	1				

ATHALIE

Vocabulaire caractéristique. Positif absolu.

Mot	F	Mot	F
Pluie	1	Sel	1
Poste (sm)	1	Seuil	1
Prêtrise	1	Société	1
Prévoyant	1	Solenniser	1
Printemps	1	Sommet	1
Promener	1	Souterrain (adj)	1
Racine	1	Stable	1
Ramas	1	Substituer	1
Rebrousser	1	Suggérer	1
Reluire	1	Superbe (sf)	1
Rengager	1	Superstition	1
Replonger	1	Tabernacle	1
Réprimer	1	Tiers (sm)	1
Résider	1	Transgresseur	1
Robe	1	Troisième	1
Ronger	1	Vallon	1
Sainteté	1	Vanité	1
Satellite	1	Ver	1
Séducteur	1	Vol (dérober)	1

Vocabulaire caractéristique. Positif relatif (F $\geqslant$ 3).

Mot	F		Mot	F	
Enfant	118	21,87	Cité	6	6,07
Temple	84	16,84	Mesure	6	6,07
Prêtre	34	16,00	Antique	11	6,02
Saint	64	14,64	Glaive	11	6,02
Roi	384	8,86	De	7990	6,01
Songe	23	8,26	Sur	467	5,99
Chanter	16	7,11	Trésor	18	5,75
Le (art)	9441	6,82	Ton (adj)	423	5,69
Blasphémer	7	6,77	Héritier	15	5,69
Livre (sm)	7	6,77	Parent	15	5,67
Méchant	27	6,72	Consacrer	12	5,67
Impie	21	6,58	Sacré	47	5,61
O	180	6,39	Vengeur	19	5,52

ATHALIE

Vocabulaire caractéristique. Positif relatif (F > 3).

Mot			Mot		
Maison	7	5,50	Riche	11	3,99
Orphelin	7	5,50	Vérité	19	3,98
Divin	16	5,42	Naissance	24	3,89
Fleur	16	5,42	Troupe	20	3,80
Autel	93	5,22	Air 2	5	3,79
Etranger	38	5,08	Ange	5	3,79
Garde (sf)	14	5,07	Habit	5	3,79
Impiété	8	5,03	Magnificence	5	3,79
Prophète	8	5,03	Menteur	5	3,79
Femme	30	4,97	Prodige	5	3,79
Ce (adj)	1921	4,96	Ravage	5	3,79
Ministre	18	4,96	Révéler	16	3,74
Horreur	75	4,93	Vil	16	3,74
Notre	370	4,89	Porte	46	3,73
Nourrir	32	4,69	Encens	12	3,72
Zèle	52	4,64	Louer 2	12	3,72
Instant (sm)	9	4,63	Poignard	12	3,72
Tribu	9	4,63	Bienfait	42	3,59
Race	34	4,44	Heure	42	3,59
Homicide (adj-subst)	13	4,42	Naître	42	3,59
Massacrer	4	4,40	Don (sm)	17	3,55
Merveille	4	4,40	Grand	183	3,52
Pauvre	4	4,40	Couteau	9	3,51
Loi	135	4,30	Implacable	9	3,51
Désert (sm)	10	4,29	Frapper	49	3,48
Profaner	10	4,29	Profane	18	3,37
Publier	10	4,29	Peuple	166	3,35
Sagesse	7	4,22	Eux	63	3,33
Son (adj)	2899	4,20	Comme	152	3,33
Egorger	14	4,17	Airain	6	3,32
Profond	23	4,04	Amasser	6	3,32
Reine	148	4,03	Bizarre	6	3,32
Carnage	11	3,99	Luire	6	3,32
Orner	11	3,99	Poser	6	3,32

ATHALIE

Vocabulaire caractéristique. Positif relatif (F > 3).

Mot			Mot		
Racheter	6	3,32	Conserver	31	3,01
Réveil	6	3,32	Remettre	31	3,01
Semblable	6	3,32	Dépouiller	11	2,97
Cohorte	3	3,32	Disparoître	11	2,97
Cultiver	3	3,32	Eclatant	11	2,97
Edifice	3	3,32	Or (sm)	11	2,97
Elément	3	3,32	Solennel	11	2,97
Emparer	3	3,32	Clarté	7	2,95
Etroit	3	3,32	Lancer	7	2,95
Fiel	3	3,32	Prosterner	7	2,95
Fumée	3	3,32	Ranimer	7	2,95
Hors	3	3,32	Soit	26	2,95
Membre	3	3,32	Trait	21	2,91
Ours	3	3,32	Bandeau	16	2,90
Ressusciter	3	3,32	Fameux	16	2,90
Rétablir	3	3,32	Nation	16	2,90
Saintement	3	3,32	Querelle	16	2,90
Ténébreux	3	3,32	Avis	22	2,77
Troupeau	3	3,32	Bénir	12	2,75
Vigilant	3	3,32	Menace	12	2,75
Zélé	3	3,32	Peindre	17	2,73
Temps	167	3,31	Sage	17	2,73
Pur	14	3,27	Altier	4	2,71
Mensonge	10	3,22	Amas	4	2,71
Mont	10	3,22	Berceau	4	2,71
Pendant	10	3,22	Cantique	4	2,71
Peur	10	3,22	Ceindre	4	2,71
Traiter	19	3,21	Délibérer	4	2,71
Prêter	24	3,20	Docile	4	2,71
Promesse	24	3,20	Effrayant	4	2,71
Oh	336	3,16	Entrailles	4	2,71
Complot	15	3,08	Entr'ouvrir	4	2,71
Côté (sm)	25	3,07	Exterminer	4	2,71
Aspect	20	3,05	Feston	4	2,71

AIRALIE

Vocabulaire caractéristique. Positif relatif (F > 3).

Vocable	F	Ec. réd.	Vocable	F	Ec. réd.
Formidable	4	2,71	Mère	138	2,45
Herbe	4	2,71	Plonger	19	2,43
Idolâtre	4	2,71	Prière	19	2,43
Infecter	4	2,71	Terrible	19	2,43
Insigne (adj)	4	2,71	Douceur	37	2,43
Introduire	4	2,71	Rester	37	2,43
Seoir	4	2,71	Leur (pers)	71	2,43
Subit	4	2,71	Jeter	57	2,43
Terrasser	4	2,71	Redoutable	25	2,40
Redoutable	25	2,71	Leur (poss)	503	2,39
Tour (sm)	47	2,66	Montrer	79	2,39
Déjà	179	2,65	Assiéger	9	2,38
Abîme	8	2,64	Retracer	9	2,38
Altérer	8	2,64	Assassin	14	2,37
Indiscret	8	2,64	Piège	14	2,37
Meurtrier	8	2,64	Princesse	65	2,36
Nombreux	8	2,64	Devant	102	2,35
Rare	8	2,64	Voix	102	2,35
Table	8	2,64	Avancer	32	2,31
Oreille	23	2,64	Esprit	59	2,30
Suprême	23	2,64	En (prép)	1082	2,30
Nous	586	2,62	Connoissance	61	2,28
Elever	61	2,61	Demeure	5	2,28
Près	48	2,59	Dépôt	5	2,28
Fils	329	2,58	Etablir	5	2,28
Dans	884	2,58	Imprévu	5	2,28
Nombre	18	2,58	Origine	5	2,28
Précieux	18	2,58	Ressembler	5	2,28
Prier	18	2,58	Sanglot	5	2,28
Téméraire	18	2,58	Sécher	5	2,28
Employer	13	2,55	Selon	5	2,28
Envelopper	13	2,55	On	644	2,28
Juge	13	2,55	Tantôt	39	2,26
Lever (v)	24	2,52	Trouble (sm)	67	2,50
Voilà	70	2,48			

Vocabulaire caractéristique. Positif relatif (F > 3).

Vocable	F	Ec. réd.	Vocable	F	Ec. réd.
Asseoir	15	2,21	Fidèle	78	2,06
Protéger	15	2,21	Point (sm)	16	2,05
Terreur	21	2,17	Renfermer	16	2,05
Bon (adj-adv)	10	2,16	Semer	16	2,05
Hasard	10	2,16	Eteindre	22	2,05
Vivant	10	2,16	Terre	56	2,04
Innocent	41	2,10	Détourner	35	2,04
Cher	164	2,10	Part	49	2,03
Jeune	48	2,10	Parmi	42	2,03
Aimable	28	2,08	Voici	42	2,03
Voici	28	2,08	Fureur	135	1,98
Comment	604	2,07			
Quel					

Vocabulaire caractéristique. Négatif absolu.

a. Mots absents qui ont F > 55

Vocable	F	Vocable	F	Vocable	F
Amant	114	Hymen	88	Héros	56

b. Mots absents qui ont R = 10

Vocable	F	Vocable	F	Vocable	F
Expirer	51	Rigueur	39	Tourment	25
Effort	49	Perte	38	Soupirer	24
Regret	46	Exposer	32	Tourner	21
Ennui	44	Noeud	27	Triomphe	21
Choix	43	Mal (adv)	26	Reprocher	19
Cent	40	Beauté	26		

Vocabulaire caractéristique. Négatif relatif (F > 55).

V	F	Ec. réd.	V	F	Ec. réd.
Me	2170	(-) 8,59	Aller	590	(-) 4,10
Je	4208	(-) 8,24	Le (pron)	2060	(-) 4,08
Madame	484	(-) 6,01	Trop	326	(-) 4,07
Mon	2722	(-) 5,14	Coeur	533	(-) 3,94
Ne	2512	(-) 4,71	Vous	3820	(-) 3,91
En (adv)	629	(-) 4,48	Amour	435	(-) 3,63
Ah	316	(-) 4,33	Que	4584	(-) 3,60

ATHALIE

Vocabulaire caractéristique. Négatif relatif (F > 55).

V	F		Ec. réd.	V	F		Ec. réd.
Aimer	316	(-)	3,57	Voeu	124	(-)	2,45
Dieu	269	(-)	3,54	Soupir	73	(-)	2,42
Y	185	(-)	3,48	Plaire	106	(-)	2,40
Non	214	(-)	3,43	Mourir	180	(-)	2,40
Croire	374	(-)	3,40	Après	120	(-)	2,37
Malheur	160	(-)	3,36	Trépas	70	(-)	2,35
Il	2533	(-)	3,22	Demander	118	(-)	2,33
Plus	872	(-)	3,09	Haine	132	(-)	2,31
Empire	125	(-)	3,07	Mien	68	(-)	2,30
Moi	762	(-)	2,97	Crime	131	(-)	2,29
Bien (adv)	312	(-)	2,95	Amitié	67	(-)	2,28
Pas (adv)	497	(-)	2,95	Etat 2	84	(-)	2,28
Vouloir (v)	672	(-)	2,93	Ame	159	(-)	2,28
Moment	165	(-)	2,91	Gloire	213	(-)	2,26
Pouvoir (v)	997	(-)	2,91	Trahir	66	(-)	2,26
Ou	251	(-)	2,87	Prétendre	83	(-)	2,26
Toujours	234	(-)	2,83	Plutôt	65	(-)	2,23
Attendre	244	(-)	2,76	Mais	795	(-)	2,22
Votre	1524	(-)	2,74	Avoir	2631	(-)	2,19
Discours	105	(-)	2,71	Mieux	63	(-)	2,19
Epoux	87	(-)	2,71	Vaincre	63	(-)	2,19
Mort (sf)	167	(-)	2,68	Prince	154	(-)	2,18
Douleur	136	(-)	2,68	Loin	139	(-)	2,16
Si (conj)	684	(-)	2,67	Beau	94	(-)	2,15
Puisque	85	(-)	2,67	Oser	191	(-)	2,11
Courir	149	(-)	2,63	Arrêter	120	(-)	2,06
Malgré	83	(-)	2,63	Oeil	485	(-)	2,04
Seigneur	579	(-)	2,59	Falloir	424	(-)	2,02
Rival	79	(-)	2,54	Ingrat	88	(-)	2,01
Victoire	79	(-)	2,54	Tant	275	(-)	2,00
Retenir	77	(-)	2,50	Perdre	158	(-)	1,99
Vainqueur	77	(-)	2,50	Assez	102	(-)	1,99

Vocabulaire caractéristique. Positif absolu.

Mot	N	Mot	N	Mot	N
Amant	144	Légitime	18	Estime	14
Hymen	88	Sultan	18	Mourant (adj)	14
Céder	51	Aveu	17	Obstiner	14
Empereur	45	Exil	17	Parvenir	14
Rougir	43	Visir	17	Repousser	14
Consentir	41	Affermir	16	Souscrire	13
Epouser	38	Attendrir	16	Cela	13
Vaisseau	36	Changement	16	Davantage	13
Sien	36	Embrassement	16	Murmure	13
Mépris	33	Facile	16	Repentir (v)	13
Entretien	31	Froideur	16	Serrail	13
Conquête	29	Hyménée	16	Adresse	13
Disposer	29	Conquérir	16		
Sultane	29	Informer	16		
Oter	24	Déplaire	16		
Amoureux	23	Inquiet	16		
Misère	23	Endurcir	16		
Sénat	23	Invincible	16		
Renommée	22	Lettre	16		
Car	21	Négliger	16		
Avertir	20	Nôtre	15		
Démentir	20	Ouïr	15		
Nouvelle (sf)	20	Réunir	15		
Titre	20	Tâcher	15		
Lien	19	Apparence	15		
Désarmer	18	Char	15		
Désespérer	18	Constant	15		
Détour	18	Contrainte	14		
Entreprendre	18	Empressement	14		

Vocabulaire caractéristique. Positif relatif.

Mot	N	Indice	Mot	N	Indice
Je	4208	12,06	Malheur	160	3,78
Me	2170	10,64	Pas (adv)	497	3,65
Vous	3820	8,93	Point (adv)	579	3,60
Madame	484	8,79	Partir	125	3,59
Ne	2512	7,19	Coeur	533	3,53
Mon	2722	6,77	Malgré	83	3,50
Amour	435	5,52	Arrêter	120	3,45
Que	4584	5,47	Attendre	244	3,42
Aimer	316	5,43	Douleur	136	3,40
Ah	316	5,27	Rival	79	3,39
Aller	590	4,96	Mien	68	3,38
Si	1088	4,92	Y	185	3,36
Trop	326	4,85	Epoux	87	3,33
Bien (adv)	312	4,75	Retenir	77	3,33
Pouvoir (v)	997	4,61	Voir	973	3,29
Vouloir (v)	672	4,52	Quoi	291	3,27
Ou	251	4,41	Après	120	3,21
Avoir	2631	4,36	Assez	102	3,21
Mourir	180	4,23	Toujours	234	3,20
Non	214	4,19	Seigneur	579	3,14
Croire	374	4,12	Dieu	269	3,13
Mais	795	4,12	Loin	139	3,03
Moi	762	3,87	Héros	56	3,00

TRAGEDIES SACREES

Vocabulaire caractéristique. Positif absolu.

Chanter	16	Nourrice	4
Lévite	15	Pauvre	4
Glaive	11	Vieillard	4
Mont	10	Amasser	3
Impiété	8	Cèdre	3
Table	8	Chair	3
Blasphémer	7	Chien	3
Invoquer	7	Debout	3
Livre	7	Edifice	3
Orphelin	7	Jeu	3
Sagesse	7	Lin	3
Cité	6	Magnifique	3
Son (sm)	6	Membre	3
Trompette	6	Ministère	3
Ange	5	Parvis	3
Aile	4	Sanctuaire	3
Arche	4	Soutien	3
Cantique	4	Subtil	3
Exterminer	4	Troupeau	3
Massacrer	4	Vigilant	3
Merveille	4	Zélé	3

Vocabulaire caractéristique. Positif relatif.

Enfant	118	18,27
Saint	64	14,80
Temple	84	13,40
Roi	384	12,36
Prêtre	34	12,06
O	180	10,33
Ton (adj)	423	10,02
Le	11501	9,74
Impie	21	9,04
Méchant	27	8,48
Songe (sm)	23	7,89
Race	34	7,48
Sacré (adj)	47	7,46
De	7990	6,85
Porte (sf)	46	6,82
Peuple	166	6,67
Notre	370	6,66
Orner	11	6,58
Sage	17	6,58
Etranger	38	6,35
Devant	102	6,33
Profane	18	6,29
Nation	16	6,23
Pendant (prép)	10	6,19
Zèle	52	6,04
Terre	56	5,93
Asseoir	15	5,86
Tribu	9	5,79
Antique	11	5,77
Carnage	11	5,77
Riche	11	5,77
Trésor	18	5,66
Sur	467	5,65
Fleur	16	5,56
Egorger	14	5,47

Terrible	19	5,41
Bienfait	42	5,35
Prophète	8	5,35
Troupe	20	5,17
Oreille	23	5,10
Horreur	75	5,07
Ministre	18	5,03
Or (sm)	11	4,96
Instant (sm)	9	4,90
Divin	16	4,89
Prosterner	7	4,88
Vengeur	19	4,79
Fête	14	4,76
Avis	22	4,74
Innocent	41	4,65
Consacrer	12	4,62
Héritier	15	4,48
Comme	152	4,45
Célébrer	8	4,41
Nombreux	8	4,41
Puissant	33	4,41
Airain	6	4,36
Eclair	6	4,36
Impur	6	4,36
Luire	6	4,36
Mesure	6	4,36
Postérité	15	4,36
Innocence	6	4,36
Ciel	289	4,35
Homicide (adj + s)	13	4,33
Douceur	37	4,32
Leur (poss)	503	4,31
Son (adj)	2899	4,24
Fameux	16	4,24
Vil	16	4,22

Vocabulaire caractéristique. Positif relatif.

Vérité	19	4,18
Mortel	84	4,06
Pur	14	4,04
Retracer	9	4,00
Salutaire	9	4,00
Parer 1	17	3,99
Peindre	17	3,99
Voix	102	3,94
Compagne	7	3,87
Front	59	3,87
Maison	7	3,87
Richesse	7	3,87
Vaste	7	3,87
Bénir	12	3,85
Eternel	63	3,85
Dans	884	3,83
Nous	586	3,83
Grand	183	3,81

Lumière	19	3,81
Prêter	84	3,81
Agréable	5	3,78
Baiser	5	3,78
Habit	5	3,78
Magnificence	5	3,78
Menteur	5	3,78
Heure	42	3,69
Bon	10	3,66
Désert (sm)	10	3,66
Publier	10	3,66
Tonnerre	10	3,66
Redoutable	25	3,64
Audacieux	13	3,58
Dissiper	13	3,58
Reine	158	3,55
Eux	63	3,51
Superbe (adj)	40	3,51

CHOEURS D'ESTHER

Vocabulaire caractéristique. Positif absolu.

Mot	N	Mot	N	Mot	N
Abaisser	2	Chant	2	Eteindre	2
Abattre	1	Chanter	6	Eternité	6
Accord	1	Charmant	2	Evanouir	2
Accourir	1	Combat	2	Eveiller	2
Admirer	3	Comment	2	Excuser	2
Adorable	1	Comparable	1	Exiler	1
Adoucir	1	Confiance	1	Faîte	1
Agneau	2	Conforme	1	Feindre	1
Air	1	Consumer	1	Fertile	1
Alarme	4	Contenter	4	Flèche	1
Allégresse	1	Couler	2	Florissant	2
Amertume	1	Coupe	1	Foiblesse	1
Aquilon	1	Courage	1	Force	2
Arbitre	1	Croître	1	Foule	1
Assez	1	Danger	2	Fraude	2
Assurance	1	Déceler	1	Gémissement	1
Attaquer	1	Dédain	1	Glorifier	1
Autorité	1	Dedans	1	Gré	1
Autrui	2	Défense	2	Habillement	2
Aveugler	1	Dehors	1	Harmonie	1
Avide	1	Delà	2	Homicide (adj + s)	2
Bas	1	Détourner	5	Hommage	5
Bassesse	1	Docile	1	Idole	1
Blasphémer	1	Eau	2	Illustre	2
Boire	1	Eblouir	1	Impérieux	1
Bout	3	Eclore	3	Imposteur	1
Breuvage	1	Emporter	1	Inanimé	1
Brillant (adj)	1	Encens	1	Incapable	1
Camp	1	Endormir	1	Inflexible	1
Campagne	1	Entasser	1	Inutile	2
Cantique	2	Envi (à l')	2	Jaloux	3
Cèdre	2	Envie	2	Langage	1
Chambre	1	Eprendre	1	Léopard	1
Champ	3	Errer	3	Libre	1
Chanceler	1	Essaim	1	Louange	1

CHOEURS D'ESTHER

Vocabulaire caractéristique. Positif absolu.

Mot	N	Mot	N	Mot	N
Marbre	1	Pêcher (v)	1	Signaler	2
Membre	1	Piège	1	Simple	1
Menacer	1	Portique	1	Soeur	12
Mensonger	1	Prêtre	2	Soldat	1
Menteur	2	Privé	1	Sommeiller	1
Merci (s)	1	Prochain	1	Souffle	1
Mériter	1	Prospère	2	Soupçonner	1
Mets	2	Prospérité	2	Superflu	1
Milieu	1	Ranger	1	Surprendre	1
Mollesse	1	Regret	1	Tendresse	2
Mont	6	Rejoindre	6	Tombeau	1
Montagne	1	Réjouir	1	Tomber	1
Muet	1	Relever	3	Torrent	1
Nager	1	Renaître	1	Touchant (a)	1
Nuage	3	Renverser	3	Tour (s)	3
Nul	1	Repasser	1	Tout-puissant	1
Obscurcir	1	Repentir (s)	1	Tranquillité	1
Odeur	1	Reprendre	1	Triomphant	1
Oeuvre	1	Resserrer	1	Triompher	3
Oppresseur	2	Révéler	1	Tronc	1
Orphelin	1	Revivre	2	Vaincre	1
Ouvrir	1	Riant	1	Vainement	1
Pacifique	1	Rudesse	1	Valeur	2
Paille	1	Rugissant	1	Vallée	2
Pardonner	1	Ruisseau	1	Verser	2
Parfait	1	Sanglot	1	Vêtement	2
Partager	3	Sauvage	3	Veuve	1
Pâture	1	Semer	1	Vin	1
Pauvre	1	Sépulture	1		

Vocabulaire caractéristique. Positif relatif.

Adorer	8	2,85	Impie	8	3,66
Agréable	4	2,59	Innocent	10	3,00
Aimable	5	3,15	Jamais	26	3,66
Aimer	5	3,15	Le (art)	974	8,02
Ainsi	14	2,69	Lumière	6	2,70
Auprès	4	2,59	Notre (adj)	46	4,53
Beauté	5	3,15	Nous	57	5,88
Célébrer	4	2,59	O	39	5,04
Charme	4	2,59	Paix	12	3,15
Chasser	6	2,70	Pleurer	4	2,59
Chemin	4	2,59	Rassembler	4	2,59
Ciel	42	3,23	Sembler	8	2,85
Coeur	34	4,98	Souffrir	9	2,54
Douceur	8	2,85	Ton (adj)	72	4,46
Doux	11	4,12	Toujours	11	2,73
Egorger	4	2,59	Troupe	5	3,15
Heureux	21	4,05	Vent	4	2,59

CHOEURS D'ATHALIE

Vocabulaire caractéristique. Positif absolu.

Abaissement	1	Encenser	1	Parfum	1
Abri	1	Enfanter	1	Partir	4
Accorder	1	Enflammer	1	Passager (adj)	1
Aquilon	3	Engager	1	Pécheur	2
Aride	1	Envi (à l')	1	Peinture	1
Attrait	1	Epais	1	Pénible	1
Avenir (s)	1	Exprimer	1	Plomb	1
Baiser (v)	1	Extrême	4	Poussière	1
Bas (adj + adv)	4	Faste	1	Précéder	1
Bienheureux	1	Ferveur	1	Printemps	1
Boire	1	Fier (v)	1	Promener	1
Brillant (adj)	1	Flèche	1	Ravissement	1
Briller	1	Fondement	2	Rayon	2
Captif	2	Fraîcheur	2	Renaître	2
Cèdre	1	Frissonner	1	Renommer	1
Chant	1	Gouffre	1	Réveil	3
Charmant	5	Immortel	4	Révolter	1
Clarté	3	Imputer	1	Rocher	1
Combien	4	Indifférence	1	Ruisseau	1
Consoler	1	Ineffable	1	Séduire	1
Contagieux	2	Inépuisable	1	Servile	1
Coupe	1	Iniquité	1	Solennité	1
Courageux	1	Insensé	2	Sommeiller	1
Croftre	2	Lis	2	Sommet	1
Danger	1	Magnificence	3	Tabernacle	1
Délicieux	1	Merveilleux	1	Tige	1
Désir	2	Monde	2	Tonnerre	1
Difficile	1	Mûrir	1	Tranquille	1
Dispenser	1	Obstacle	1	Usure	1
Durable	1	Onde	1	Vallon	1
Eau	1	Ornement	1	Victoire	1
Eclair	1				

CHOEURS D'ATHALIE

Vocabulaire caractéristique. Positif relatif.

Mot	N	Valeur	Mot	N	Valeur
Abord	4	2,10	Guerre	4	2,10
Adorer	7	2,23	Heureux	13	3,38
Aïeul	7	2,23	Il	199	2,58
Aimable	6	2,57	Impie	11	2,17
Aimer	12	5,31	Incertain	3	2,66
Altérer	3	2,66	Innocence	5	3,00
Amener	4	3,55	Jaloux	4	2,10
Amour	20	4,05	Jamais	17	3,28
Antique	7	4,42	Justice	5	3,00
Asseoir	4	2,10	Lancer	3	2,66
Beau	3	2,66	Le (art)	1118	2,07
Bien (sm)	4	3,55	Loi	28	2,82
Bienfait	11	2,17	Luire	3	2,66
Bon	3	2,66	Lumière	3	3,00
Bonté	9	5,57	Méchant	13	2,58
Chanter	10	5,16	Mille (adj)	3	2,66
Cher	24	2,18	Mont	4	2,10
Cité	5	4,29	Mystère	4	2,10
Commander	6	2,57	Naissance	8	2,97
Comment	6	2,57	Nature	3	2,66
Crainte	7	2,23	Nous	76	3,83
Cruel	11	2,17	O	43	8,88
Disparoître	4	2,10	Où	50	2,91
Divin	8	4,00	Paix	12	1,96
Don (sm)	6	4,94	Pardonner	4	2,10
Donner	15	2,20	Pendant	4	2,10
Douceur	8	2,97	Plaisir	6	3,76
Douleur	4	2,10	Plein	10	4,24
Elever	12	2,80	Pleurer	8	2,97
Entendre	17	3,28	Plus	58	2,67
Eternel	10	2,40	Prophète	5	3,00
Fleur	8	2,97	Protéger	4	2,10
Gloire	11	3,05	Publier	5	4,29

CHOEURS D'ATHALIE

Vocabulaire caractéristique. Positif relatif.

Mot	N	Valeur	Mot	N	Valeur
Pur	5	3,00	Suprême	6	3,76
Qui	115	3,01	Tant	17	2,57
Raison	6	2,57	Te	20	4,05
Renverser	4	3,55	Terre	10	5,16
Révéler	6	3,76	Toi	13	4,19
Saint	41	2,42	Ton (adj)	76	8,83
Seigneur	38	3,18	Tu	49	5,49
Soeur	12	1,96	Univers	5	3,00
Son (adj)	350	2,44	Voix	17	2,57

RACINE

Vocabulaire caractéristique par rapport à l'ensemble des 29 pièces

Par ordre alphabétique

Le signe ° précédant un vocable indique qu'il est présent chez Corneille en-dehors des tragédies.

Les chiffres entre parenthèses indiquent que le vocable appartient au vocabulaire caractéristique d'une (ou de plusieurs) pièce(s) :

(1) La Thébaïde
(2) Alexandre
(3) Andromaque
(4) Britannicus
(5) Bérénice
(6) Bajazet
(7) Mithridate
(8) Iphigénie
(9) Phèdre
(10) Esther
(11) Athalie

RACINE

Vocabulaire caractéristique. Positif absolu.

3	°Abréger
1	Abreuver (9)
1	Admirateur (7)
3	°Adultère (adj) (9)
2	Affamer
1	°Aiguillon (9)
1	Aiguiser (8)
6	Airain (10-11)
1	Amateur (10)
1	Annale (10)
1	Apparoître (4)
4	Applaudissement (4-5)
2	Aquilon (10)
1	°Arbre (11)
1	Arc (9)
4	Arche (11)
1	Aride (11)
1	Atour (10)
2	°Attaque (3)
1	Attiser (8)
1	°Aube (11)
1	Austérité (5-10)
2	°Avant-coureur (11)
1	Bondissant (9)
1	Bouc (11)
1	°Bouclier (11)
1	Breuvage (10)
1	°Bride (10)
4	Cantique (10-11)
1	Caressant (8)
1	Caverne (9)
3	Cèdre (10)

8	°Célébrer (10)
2	°Censeur (4)
1	Chagriner (9)
1	Chaire (11)
16	°Chanter (10-11)
1	Chérubin (11)
3	°Chien (11)
1	Choc (1)
1	Cilice (10)
6	Cité (11)
1	Citer (5)
4	Clandestin (8)
2	Colombe (10)
7	°Compagne (10)
1	Comparoître (10)
6	°Complaire (7)
1	°Composer (4)
1	Concours (11)
1	Confiner (5)
2	Congédier
3	Consterner
1	Construire (11)
4	°Convenir
1	Corne (9)
1	Corrupteur (4)
3	°Couchant (sm) (7)
3	°Courber (10)
7	Coursier (9-10)
1	Créance (4)
1	Crin (9)
1	Croupe (9)
3	Cruellement (1)

R A C I N E

Vocabulaire caractéristique. Positif absolu (suite).

Mot	Fréq.	Mot	Fréq.
°Cultiver (11)	3	Edifice (11)	3
°Debout (11)	3	Edit (10)	1
Déceler	3	Effrayant (11)	4
Décliner (4)	1	Effusion (4)	1
Découler (1)	1	°Elite (9)	2
Dédier (10)	1	°Embellir (4)	1
Défaillant (9)	1	Eminent (10)	1
°Défaillir (6)	1	Empoisonnement (4)	1
Défigurer (9)	1	Emprisonnement (4)	1
Dégât (1)	1	Emprisonner (2)	1
Délateur (4)	1	Enceinte (sf) (11)	1
°Dénouer (4)	1	Encenser (9)	1
Dépendant (9)	2	Encensoir (11)	2
°Dérégler (2)	1	Enchaînement (10)	1
Dérision (10)	1	°Enchanter (9)	1
Désaltérer (11)	1	°Enchanteur	1
°Désert (sm) (11)	10	Enclin (9)	2
°Désert (adj) (3)	3	Engagement (5)	2
Déserteur (11)	2	°Enlacer (5)	1
Destructeur (8)	1	Entourer (6-9)	6
Développer	3	°Entrevoir	7
°Dévorant (11)	1	°Epier (10)	2
Dévotion (6)	4	Errer (4)	4
Dévouer (7)	5	°Espace (1)	2
°Distance (4)	3	Essaim (9)	1
°Divulguer (8)	1	Essieu (9)	1
°Docile (11)	4	°Eterniser (9)	4
Domination (11)	1	°Eveiller (10)	1
Droit (adj) (11)	1	°Exercice (11)	1
Ecaille (9)	1	Exterminateur (11)	1
Echelle (5)	1	°Exterminer (10-11)	4
Eclore (10)	1	Factieux (11)	1
°Ecrit (sm) (6)	1	°Faim (1)	1
°Ecume (9)	3	°Fange (11)	3

R A C I N E

Vocabulaire caractéristique. Positif absolu (suite).

Mot	Fréq.	Mot	Fréq.
Fatigue (6)	3	Homicide (adj + s) (11)	13
Faussement (9)	1	Homicide (sm) (11)	2
Férocité (4)	4	°Hormis (1)	2
°Ferveur (11)	1	Huile (11)	2
Feston (11)	2	°Huit (5)	9
°Fiction (10)	1	Humecter (9)	1
Fiel (11)	1	°Humide (9)	2
°Figure (5)	1	°Hurlement (11)	1
Fil (9)	1	°Ile (3)	1
Fixe (6)	2	Inanimé	3
Fougue (9)	1	°Inclémence (8)	1
Foyer (7)	1	°Incrédulité (4)	1
°Fracasser (9)	1	°Incurable (9)	1
Fragile (10)	1	°Indocile (11)	2
Fraîcheur (11)	1	°Indulgent (5)	1
°Fraude (10)	2	Ineffable (11)	2
°Frein (9)	11	°Infatiguable (7)	1
°Frêle (7)	2	°Infernal (9)	2
Frémissement	1	Infructueux (6)	1
°Fruster (8)	3	Ingénuité (11)	1
Géant (9)	1	Iniquité (11)	1
°Gémissant (9)	6	Initier (11)	1
Génisse (11)	7	Innombrable (10)	1
Glorifier (10)	2	Inonder (7)	5
Gueule (9)	1	Insipide (10)	1
Habillement (10)	2	Instrument (10)	7
°Habiller (10)	1	°Invariable (10)	1
°Habiter (10)	8	°Inventeur (11)	8
°Harmonie (10)	1	Investir (11)	1
Héraut	3	Involontaire (1)	3
Hérésie (10)	4	Irréprochable (9)	1
°Hideux (11)	1	Irritant (6)	1
Holà	3	Issu	4
Holocauste (11)	1	Ivre (10)	2

R A C I N E

Vocabulaire caractéristique. Positif absolu (suite).

Périssant (2)	1		°Réciter (9)	3
°Persévérer	2		Recommander (5)	1
°Peupler (10)	1		Recourber (9)	1
Pirate (7)	1		°Récuser (4)	1
Plier (10)	1		Refermer (9)	2
°Plomb (11)	1		Rejeton (9)	2
°Poil (8)	1		Reléguer	2
Pontife (11)	2		Religieux (5)	1
Portique	2		Religion (6)	5
Poudreux (9)	1		Relique (9)	1
Précepte (11)	2		Repaire (10)	3
Prédestiner (10)	1		Réprouver (9)	1
Prémices	7		Reptile (10)	1
Présager	7		°Résider (11)	1
°Presse (sf)	2		Respectable (10)	1
Prêtrise (11)	1		Responsable (5)	2
Prévention (4)	1		°Resserrer (10)	1
Profanation (10)	1		°Ressource (4)	1
°Promener (11)	1		°Ressouvenir (s) (7)	1
Prophète (11)	8		Retranchement (2)	1
Prospérer (10)	2		Réunion (4)	1
Prouver (8)	9		Revoler (7)	1
Puiser (10)	2		°Riant (10)	1
°Quarante (7)	4		°Risée (5)	2
Rabaisser	3		Ronce (9)	1
Ramas (11)	1		°Ronger (11)	1
Rame (8)	2		Roseau (10)	1
°Rapprocher (4)	3		°Rosée (11)	2
°Rassasier (9)	1		°Rouvrir	2
Rebâtir (10)	1		Rugissant (10)	1
°Rebrousser (11)	3		°Rumeur (4)	1
Receler (8)	1		Sacrilège	9
Réchauffer (4)	1		°Saisissement	2
Recherche (6)	2		Salon (10)	1

R A C I N E

Vocabulaire caractéristique. Positif absolu (suite).

Ivresse (11)	1		Moisson (8)	4
Janissaire (6)	4		Mors (9)	1
°Jardin (10)	1		Mortellement (1)	1
Jeûne (sm) (10)	1		Mouiller (4)	2
Joncher (2)	1		Mugir (9)	1
Labyrinthe (9)	2		Mugissement (9)	2
Léopard (10)	2		°Mûr (adj) (9)	1
Lévite (11)	15		°Néant (10)	2
Lèvre (9)	2		°Nettoyer (9)	1
Libation (10)	1		Noirceur	3
°Limite (10)	2		°Nourrice (11)	4
Lin (11)	3		Océan (2)	2
°Liquide (adj) (9)	1		Octroyer (2)	1
°Lis (11)	2		Odeur (10)	3
°Loup (10)	2		Oisiveté	2
Lueur (3)	1		Oppresser (8)	1
Lutter (7)	1		Oppression (10)	1
°Magistrat (4)	1		Opulence (10)	2
°Magnificence (11)	5		Orphelin (11)	7
Malédiction (10)	2		Ours (11)	3
Malignité (4)	1		Pacifique (10)	1
Mamelle (11)	1		Pacte (11)	1
Marais (7)	1		Paille (10)	1
°Matelot	2		°Pain (11)	2
°Matin	7		Palpitant (8)	1
Mémorable (9)	1		Parcourir	2
Mensonger (10)	5		Parfumer (2)	2
°Menteur (11)	2		°Parjurer (6)	5
°Merci (sf) (5-10)	2		Parvis (11)	3
°Mets (10)	2		°Passe-temps (11)	1
Meurtrir (11)	2		Pâture	3
°Midi (Sud) (11)	1		°Pavé (sm) (10)	1
Miséricorde (11)	1		°Pêcher (v) (10)	1
Mite (11)	1		°Pêcheur (11)	2

R A C I N E

Vocabulaire caractéristique. Positif absolu (suite et fin).

Mot	Fréq.
Sanctifier (10)	1
Sanctuaire (11)	3
°Sanguinaire (8-10)	10
Sauveur (11)	2
Sceller (8)	1
°Sec (5)	3
°Secrètement	1
Séducteur (11)	1
°Seing (6)	1
Sel (11)	1
°Semence (2)	2
Sentence (8)	3
Sentier (8)	1
Serein (9-10)	5
°Serrail (6)	13
Seuil (11)	1
Siffler (3)	1
Société (11)	1
Solenniser (11)	1
Solennité	2
°Solitaire (adj)	4
Sommeiller (10)	2
Sommet (11)	6
°Son (sm)	2
°Souffle	1
Souffler (10)	1
Souterrain (adj) (11)	3
Spectateur	1
Stable (11)	1
Subitement (4)	3
Substituer (11)	1
Sultan (6)	18
°Sultane (6)	29
Superstition (11)	1
Suppliant	4
°Supprimer (9)	2
°Sur-le-champ	2
Surveillant (s) (4)	1
Tabernacle (11)	2
Tendrement (2)	1
°Ténébreux (11)	3
Tiare (11)	2
Tige (9)	2
Timon (4)	1
Tisser (6)	1
Tortueux (9)	1
Touchant (adj) (10)	1
°Trafiquer (4)	3
°Tramer (4)	1
Tranquillement (3)	2
Transgresseur (11)	5
°Transir (9)	2
Transplanter (10)	13
°Tressaillir (9)	1
Tribu (10-11)	1
Tributaire (9)	1
Usure	1
Vallée (10)	1
Vallon (11)	2
°Ver (11)	1
°Vestale (4)	4
Vestige (2)	1
°Vieillir (4-6)	2
Vieillissant (4)	1
Vigilant (11)	1
Voluptueux (4)	1
Vouer (6)	1
°Voûte (9)	3
°Voyageur (9)	1

R A C I N E

Vocabulaire caractéristique. Positif relatif (F ⩾ 3).

Mot	Fréq.	F
Abandonner	155	4,86
Abhorrer (1)	9	2,74
Abord	60	2,28
Aborder (7-9)	11	2,04
Absence (1)	36	4,78
Absent (10)	11	2,68
Accabler (2)	124	2,34
Accompagner (7)	33	2,07
Accomplir	21	4,49
Accroître	11	2,04
Accusateur (4-9)	5	2,15
Accuser (8-9)	108	2,81
Adorateur (2)	6	2,52
Adresser	18	3,88
Affecter	18	2,88
Affliger	49	3,05
Affreux (9-10)	74	4,54
Affronter	8	3,16
Agiter (10)	32	5,21
Ah (8)	569	10,63
Aïeul (4)	63	5,40
Aile (10)	5	2,15
Alarme	93	3,72
Aller (3)	1277	8,90
Altérer (11)	11	2,68
Amener (8)	82	2,75
Amoureux (5)	48	1,98
An (4)	98	2,83
Annoncer	26	6,63
Antique (11)	12	4,18
Appartement (4-5)	24	3,33
Appeler (1-10)	101	6,13
Approche	9	2,74
Approcher	71	4,15
Approuver (7-8)	36	3,38
Appuyer	29	4,31
Ardent	43	2,96
Arme (1-2)	118	3,96
Armée (2-6-8)	116	2,96
Armer (2)	129	3,46
Arracher (8)	162	3,36
Arrêter (2)	197	7,84
Assembler (8)	45	6,13
Asseoir (10-11)	19	4,09
Assidu (10)	10	2,37
Assiéger (11)	15	2,09
Attaquer (2)	59	2,66
Attendre (5)	519	6,06
Attendrir (1-8)	17	3,14
Attentif	8	3,16
Attester	22	3,34
Attirer	65	2,26
Audace	94	2,32
Audacieux (10)	17	3,65
Auguste (adj)	20	4,77
Aurore (7-10)	8	3,16
Austère (9)	11	3,95
Autel (8-11)	126	9,32
Autour (3)	31	4,29
Autrefois (10)	37	4,94
Avance	11	2,68
Avancer (1-11)	69	2,10
Avertir (8)	38	2,37
Baigner	21	2,20
Bandeau (7-8-11)	20	4,30
Barbare (8-10)	86	3,05
Barrière (10)	8	3,16
Beauté (5-10)	50	2,62
Bienfait (6-10-11)	67	4,88
Bientôt (2)	189	4,75

R A C I N E

Vocabulaire caractéristique. Positif relatif (F ⩾ 3).

Mot			Mot		
Blasphémer (11)	9	2,74	Complaisance (6)	23	2,24
Bonté (4-6)	168	2,48	Complot (11)	20	3,83
Bord (9)	60	2,82	Condamner	114	3,91
Bouche (5-10)	98	6,66	Conduire (3)	114	6,47
Brigue (10)	12	2,36	Conduite (4)	41	2,60
Briguer (2)	17	2,12	Confesser	24	2,47
Briller (8)	32	2,98	Confier (4)	42	6,03
Bruit (2-7)	145	3,35	Confirmer (6-7)	17	5,19
Brûler (2-9)	78	4,34	Confondre (10)	69	3,11
Bûcher (8)	11	2,68	Conforme (4)	6	2,52
Cacher (9)	233	6,75	Consacrer (11)	18	2,88
Calme (sm) (2)	27	3,13	Constant (5)	15	2,63
Camp (2-8)	99	5,28	Content (6)	74	4,05
Campagne	11	2,04	Contenter	24	2,04
Captif (2)	74	2,83	Contre (2-8)	506	2,35
Carnage (10-11)	19	2,16	Contrée (7)	15	2,09
Carrière	10	2,37	Convenir	4	2,76
Causer 2 (2)	12	4,79	Couler	55	3,15
Cendre (3)	43	2,96	Coupable (9)	101	2,57
Cent (2-5)	85	2,46	Courir (7-8)	267	7,37
Certain	47	3,02	Courroux (1-2-3)	251	4,35
Cesse (5)	49	3,36	Cours (1)	84	5,54
Champ (2-8)	50	4,11	Course (8)	11	2,68
Chant (10)	5	2,15	Court (adj)	6	2,52
Charger (5)	72	6,76	Couteau (8-11)	12	2,96
Charme (5)	119	3,11	Couvrir (10)	86	3,50
Chemin (8)	83	5,65	Cri (9)	73	6,14
Cher (1-11)	346	5,10	Criminel (1-9)	102	2,07
Chercher (2)	404	10,38	Croire (3)	912	4,22
Chien (11)	3	2,39	Cruel (1-5-8)	294	9,32
Ciel (10)	639	5,78	Culte (10)	5	2,15
Combat (1-2)	171	2,13	Dans (10-11)	1816	12,83
Combien	104	5,21	Débris	20	2,41
Commencer (1-4)	114	2,92	Déclarer (5-6)	74	6,26
Comment (7-11)	55	2,58	Découvrir (6)	75	2,00

R A C I N E

Vocabulaire caractéristique. Positif relatif (F ⩾ 3).

Mot			Mot		
Déesse (8-9)	5	2,15	Eclair (10)	9	2,04
Défenseur (2)	15	3,72	Eclaircir	48	2,58
Déjà (8-11)	376	5,40	Eclairer (10)	28	3,73
Démarche	5	2,15	Eclater (2)	112	2,88
Démentir (7)	39	2,22	Effrayer	26	3,74
Demeurer (5)	111	2,37	Egarement	5	2,15
Départ (5-9)	33	2,07	Egarer (9)	36	2,68
Dépositaire	13	2,06	Egorger (10-11)	22	2,89
Dépouille (10)	15	4,26	Eh (et Hé) (3-5)	213	11,51
Depuis (9)	150	5,23	Elever (11)	131	2,94
Dès (6)	186	4,02	Embraser	20	3,83
Désarmer (1-2)	27	3,53	Embrassement (4)	15	3,72
Descendre (10)	86	3,50	Embrasser (3)	84	3,47
Désirer (5)	15	2,09	Empoisonner (10)	12	2,36
Dessein (6-7)	256	4,87	Empressement (4)	17	2,12
Détour	22	4,69	Empresser	24	4,19
Détourner (11)	46	5,96	Endroit	5	2,15
Devancer (8)	13	4,40	Endurcir (1)	18	2,39
Devant (10-11)	134	10,17	Enfance (6)	48	5,01
Dévorer	24	4,62	Enfant (11)	169	9,70
Dicter (10)	14	4,61	Enfermer (2)	32	2,23
Dieu (1-8-9)	575	6,26	Enfin (3-6)	628	4,13
Diligence	14	2,36	Engager (2)	91	2,37
Discours (6)	181	6,70	Ennemi (1-2)	398	6,99
Disgrâce (4-7)	39	2,90	Ensanglanter (2)	14	2,36
Disparaître (11)	19	2,16	Ensevelir	22	2,89
Disperser (10)	20	3,35	Entendre (5)	303	9,42
Disputer (2)	46	4,40	Entr'ouvrir (11)	5	2,15
Distinguer (7)	7	2,06	Entraîner (2)	30	5,65
Distraire (4)	9	2,04	Entrée (6)	22	4,24
Divin (11)	27	2,72	Entrevue (1-6)	8	2,42
Douleur (5)	310	3,52	Environner (10)	33	4,64
Douloureux (6)	11	2,68	Epancher (4)	6	2,52
Doute	128	2,79	Eperdu	22	4,24
Ecarter (4-10)	32	5,96	Epouse (8)	29	2,75

R A C I N E

Vocabulaire caractéristique. Positif relatif (F ≥ 3).

R A C I N E

Vocabulaire caractéristique. Positif relatif (F ≥ 3).

R A C I N E

Vocabulaire caractéristique. Positif relatif (F ≥ 3).

Mot	F	Pos	Mot	F	Pos	Mot	F	Pos	Mot	F	Pos
Epouvanter (9)	39	3,57	Forêt (9)	7	2,86	Impie (10-11)	39	2,56	Joug	60	3,36
Eprouver	41	3,91	Formidable (9-11)	5	2,15	Implorer (9-10)	33	5,01	Jour (4-5-10)	732	7,89
Esclave (2-6)	138	3,51	Foule (8)	35	5,33	Important (7)	28	3,33	Jurer (3-5)	98	4,32
Essuyer (3)	13	2,65	Fouler (10)	10	2,37	Impur (10)	7	2,86	Langage (4-8)	30	3,34
Etendard	13	2,06	Frapper (11)	86	4,41	Incestueux (1-9)	7	2,06	Languir (2-9)	15	2,63
Etendre (2-3-5)	22	1,99	Frémir (10)	47	3,02	Inconnu	42	3,11	Larme	170	6,23
Eternel (10)	108	5,24	Frissonner	7	2,06	Inconstance (10)	11	2,04	Lasser	47	3,33
Etranger (10-11)	46	6,89	Front (9-10)	123	3,17	Infidèle (3)	61	3,24	Le (pron + art)	32017	5,83
Eviter (9)	107	2,69	Frontière (2)	5	2,15	Inflexible (1)	16	2,89	Lettre (6)	19	2,16
Exciter (4)	56	5,28	Fruit	103	1,99	Informer (6)	17	5,19	Leur (poss) (1-10-11)	1318	2,90
Exercer (6)	13	2,06	Fuir (9)	248	5,31	Infortuné	51	6,62	Lever (v) (9-11)	46	2,54
Expier (4)	14	2,92	Fumer (8-9)	13	2,65	Ingrat (3-5)	187	3,65	Libre (9)	61	2,43
Expirer (3-10)	70	6,78	Funeste (7)	207	7,29	Inhumain (1)	45	3,31	Lier	26	4,98
Expliquer (5)	129	2,16	Fureur (11)	275	5,14	Inimitié (9)	24	2,90	Lieu	505	2,19
Extrême (1-6)	84	3,93	Furieux (8)	35	3,55	Injurieux	16	2,89	Livre (sm) (11)	8	3,16
Faix (2-7)	5	2,15	Gage (6)	56	3,02	Injuste (9)	95	4,39	Loin (7-8)	222	8,86
Farouche (1-9)	35	3,90	Garde (sm) (6)	36	4,43	Innocence (10)	63	4,87	Long (4)	102	2,07
Fatal (9)	139	4,86	Gémir (8-9)	40	5,08	Innocent (9-10-11)	89	2,32	Longtemps (4-5)	166	8,16
Fatiguer (4)	14	4,61	Gémissement	8	3,16	Inouï (8)	6	2,52	Lorsque (5)	176	2,62
Fer (2)	156	2,42	Genou	52	4,12	Inquiet (4-6)	26	2,92	Luire (10-11)	9	2,04
Fermer	77	3,97	Geste (4)	5	2,15	Insensé (9)	20	2,88	Lumière (9-10)	50	2,03
Fertile (10)	11	2,04	Glacer	25	5,22	Inspirer (2)	62	2,32	Madame (4-6)	1045	8,13
Fête (10)	16	4,47	Glaive (10-11)	12	4,18	Instruire (4)	91	4,13	Maintenant (7)	60	3,64
Fidèle (7-11)	162	3,69	Guère (1-7)	11	2,04	Insulter (8)	14	2,36	Malheur (7)	396	2,53
Fier (adj) (1-2)	88	3,53	Hardi	20	2,88	Interdit (adj) (6-9)	15	3,18	Malheureux (7)	208	5,77
Fier (v) (4)	16	2,37	Hélas (5)	244	9,32	Interroger (8)	10	3,04	Marcher (2-10)	83	6,58
Fille (8)	255	5,45	Héritier (11)	28	2,14	Interrompre	14	4,04	Marquer (7)	39	2,56
Fin (1-3-7-9-11)	619	9,84	Heureux (8-10)	374	4,18	Inutile (2)	72	3,29	Méchant (10-11)	53	2,54
Fléchir (9)	59	3,21	Histoire (7)	31	2,02	Invincible (2)	30	2,19	Méditer (4)	10	3,70
Fleur (11)	21	4,03	Honorer (4)	81	2,61	Invoquer (11)	10	2,37	Même (6)	1559	7,42
Flot (8-9)	27	3,53	Horrible (9-10)	29	3,92	Jamais (5-10)	488	2,69	Mémoire	99	2,53
Flotter	11	2,68	Humain (9-10)	60	2,82	Javelot (9)	5	2,15	Menaçant (8)	8	3,16
Foible (10)	120	2,26	Humble (10)	10	2,37	Je (3-5-6-7-9)	11366	5,94	Menacer (3-8)	77	2,53
Fois (5)	304	7,55	Ignorer (4)	131	5,70	Jeune (adj) (10-11)	87	4,08	Mensonge (11)	15	2,63
			Image	57	2,62	Jouet (10)	57	2,62	Mentir	5	2,15

R A C I N E.
Vocabulaire caractéristique. Positif relatif (F ≥ 3).

Mot		
Mer (10)	49	4,26
Mère (4-8-11)	225	8,51
Meurtre (8)	20	2,41
Mille (adj)	161	4,26
Ministre (11)	31	2,78
Misérable (10)	24	2,47
Modeste (3)	8	2,42
Mois	22	4,69
Moment (5)	362	4,49
Mon (3-5-7-8-9)	7402	4,35
Monstre (9)	41	5,23
Mort (sm) (2-9)	56	3,02
Mortel (9-10)	142	6,22
Muet (6)	27	2,32
Mystère	42	2,13
Naissant	16	3,42
Nation (10-11)	28	2,54
Noblement	5	2,15
Nom (5-8-10)	491	2,59
Nombreux (10-11)	9	3,44
Nourrir (9-11)	49	4,56
Nuage (9-10)	15	2,63
Nuit	84	5,08
O (10-11)	312	8,67
Observer (6)	34	3,72
Occuper (4-7)	52	4,71
Odieux (9)	90	5,12
Oeil (3-4-9)	968	10,30
Offenser (7)	114	3,12
Offrande (8)	7	2,06
Oisif (8-9)	6	2,52
Opprimer (7)	34	2,28
Or (sm) (11)	17	2,63
Oracle (1-8)	47	3,02
Oreille (11)	43	2,64
Origine (11)	7	2,06
Orner (10-11)	13	3,81
Où (11)	879	2,40
Oublier (3)	151	3,79
Oui (1-2)	279	2,78
Outrager	43	2,00
Ouvrage (4)	72	2,54
Paisible (10)	13	2,06
Paix (1-2)	169	4,52
Palais (4-6)	104	5,01
Parer 1 (10)	29	2,75
Parmi (11)	90	2,46
Paroître	227	2,93
Partir (5-7-8)	183	9,66
Partout (2-7)	116	5,50
Parvenir (9)	14	2,92
Pas (sm) (5)	175	8,25
Passage (2)	34	2,64
Pendant (10-11)	11	3,95
Pensée	103	4,89
Père (7-8-9)	712	3,25
Perfide (6-10)	107	5,95
Persécuteur	10	3,04
Persévérance (5)	10	2,37
Peuple (1-11)	353	5,00
Peut-être (6)	350	4,58
Pied (3)	142	4,80
Piège (11)	19	3,61
Piété (5-8)	7	2,06
Placer (4)	28	4,13
Plaisir (4)	127	4,92
Pleur (5)	271	7,91
Pleurer (8)	133	5,16
Plutôt (3)	144	2,72
Point (adv) (6)	1549	2,49

R A C I N E.
Vocabulaire caractéristique. Positif relatif (F ≥ 3).

Mot		
Porte (sf) (6-11)	93	3,06
Poser (11)	7	2,86
Pourpre (5-10)	12	2,96
Pourquoi	138	9,96
Poursuivre	70	4,01
Poussière	14	2,92
Précéder	6	2,52
Précipiter (2)	58	2,51
Préparer (8)	152	2,35
Près (11)	108	2,20
Présenter (8)	74	6,26
Presser (8)	169	2,09
Prêt (adj)	205	6,84
Prétendre (4-7)	166	4,24
Prêtre (11)	38	7,15
Prévenir	102	2,28
Prochain (6)	20	3,35
Prodiguer (3)	17	3,14
Profane (10-11)	19	5,54
Profaner (9-11)	16	2,37
Profiter	14	2,92
Profond (9-11)	46	2,23
Proie (3)	34	4,08
Prolonger	9	2,04
Promesse	50	2,03
Prononcer (6)	56	3,02
Prosterner (10-11)	8	3,16
Protéger (11)	26	2,50
Quel (8-9-11)	1195	11,77
Quelquefois (4)	45	2,05
Quitter (1-5)	221	1,99
Quoi (4-5)	713	3,62
Race (11)	66	2,93
Ramener	29	2,75
Ranimer (9-11)	10	2,37
Rappeler (9)	94	4,93
Rassembler (10)	16	5,00
Rassurer	29	4,70
Ravisseur	12	2,36
Rechercher	16	2,37
Récit (6)	44	2,18
Reconnoître	123	6,02
Redemander (3-4)	6	2,52
Redire	17	2,12
Redoutable (9-10-11)	38	4,08
Regard (3-4)	120	6,49
Règne (1-4)	19	4,09
Remords (9)	54	2,42
Rempart	23	4,43
Renfermer (11)	25	3,12
Répandre (1)	107	5,95
Repentir (v)	24	2,04
Repos	77	3,01
Reposer	29	4,31
Représenter (3-6)	8	2,42
Réserver	48	2,28
Respecter	63	3,54
Respirer (9)	71	4,65
Ressentir (7)	19	3,12
Ressort	7	2,86
Reste	246	2,74
Retenir (6)	139	5,22
Retentir (9)	11	3,95
Retourner (7)	44	4,09
Retracer (10-11)	10	3,70
Retrouver	23	4,43
Réveil (11)	7	2,86
Réveiller	13	3,81
Révéler (11)	31	2,02
Revenir (7)	72	3,04

RACINE

Vocabulaire caractéristique. Positif relatif (F ⟩ 3).

Mot	N	F	Mot	N	F
Révérer (4)	17	2,12	Soigneux (7)	7	2,86
Revoir	77	2,53	Soin (2-6)	428	10,98
Révoquer	12	2,36	Soldat (2-7)	108	3,42
Riche (10-11)	14	3,48	Solennel (11)	14	3,48
Richesse	9	2,74	Solitude	10	3,04
Rivage (8-9)	23	4,87	Sombre (10)	24	3,33
Rive (7)	17	3,65	Sommeil	11	2,68
Rocher (9)	8	2,42	Son (adj) (2-4-11)	7176	10,74
Rougir (8-9)	98	1,98	Songe (11)	42	2,78
Rudesse (9)	5	2,15	Songer (3-7)	160	8,16
Sacré (adj)	74	5,28	Sortir (6)	250	4,80
Sacrifier (6)	54	2,13	Soumettre (10)	77	4,21
Sage (10-11)	24	3,76	Sourd	22	1,99
Sagesse (11)	8	3,16	Spectacle (8)	55	4,29
Saint (10-11)	93	6,99	Suffire	95	2,45
Sang (1-8)	829	2,34	Superbe (adj) (9-10)	46	7,51
Sanglant	58	3,33	Sur (11)	1213	3,02
Sauvage (9)	14	4,61	Surtout	79	3,99
Se (1-4)	2713	2,16	Survivre (3-5)	17	3,14
Seconder (6)	34	3,72	Suspendre (2)	26	3,74
Secours	154	2,05	Table (11)	10	3,04
Secret (sm) (4)	208	2,70	Taire (5-8)	133	2,79
Séditieux (7-10)	7	2,06	Tandis (4)	80	4,35
Seigneur (4-5)	1374	6,06	Tard	55	2,30
Sein	85	6,06	Téméraire (11)	34	2,28
Sembler	229	3,80	Témoin (5)	104	5,21
Séparer (5)	85	4,29	Temple (3-11)	114	8,84
Serment (8)	74	3,81	Temps (6-11)	420	2,32
Seul (2)	715	3,32	Tendre (v)	37	3,21
Sévère	65	4,09	Tendre (adj)	55	2,01
Signal (6)	13	2,01	Tendresse (7)	114	3,51
Signaler	27	3,53	Tenter (7)	29	4,31
Silence (9)	107	5,95	Terrible (10-11)	22	5,13
Sincère	52	2,08	Timide	44	5,36

RACINE

Vocabulaire caractéristique. Positif relatif (F ⟩ 3).

Mot	N	F	Mot	N	F
Tombeau (1-2)	81	2,84	Tutelle (9)	5	2,15
Torrent (8)	18	3,38	Univers (2-5)	113	6,17
Toucher (1)	140	2,65	Vainement	18	5,37
Toujours (1-4)	460	7,45	Vaisseau (3-7-8)	53	5,72
Tour (sf)	6	2,52	Veiller	16	4,47
Tourmenter (7)	22	4,24	Vengeur (11)	33	2,81
Tout (10)	3698	2,07	Venin	5	2,15
Trace (9)	19	5,06	Venir (5)	877	10,20
Tracer (4-8)	12	2,36	Vent (8)	31	5,42
Traîner (2-3)	49	3,05	Vers (prép) (7)	140	3,18
Tranquille	42	4,08	Victorieux (7-10)	25	3,54
Transport (3)	99	6,55	Vil (11)	21	4,03
Transporter (6)	9	2,74	Vingt	22	2,44
Travers	16	3,95	Visir (6)	17	5,70
Traverser (7)	21	4,49	Voici (1-11)	94	2,10
Tremblant (9)	22	3,34	Voilà (3-11)	149	3,24
Trésor (11)	36	1,97	Voile (sm) (5)	12	3,57
Triste (5)	236	4,37	Voix (11)	165	7,42
Tromper	140	3,36	Voler l (air) (2)	40	4,08
Trompette (sf) (11)	7	2,86	Votre (2-4-5-8)	3746	8,13
Trompeur (10)	11	2,68	Vous (4-5-7-8)	10628	3,40
Trouble (sm) (5-9-11)	142	3,21	Vue (3)	121	3,33
Troubler	156	5,12			

C O R N E I L L E

Vocabulaire caractéristique par rapport à l'ensemble des 29 pièces

Par ordre alphabétique

Le signe ° précédant un vocable indique qu'il apparaît dans *Les Plaideurs*.

Les chiffres entre parenthèses indiquent que le vocable appartient au vocabulaire caractéristique d'une (ou de plusieurs) pièce(s) tel que Ch. Muller l'a établi dans son *Etude* :

(1) Médée
(2) Le Cid
(3) Horace
(4) Cinna
(5) Polyeucte
(6) Pompée
(7) Rodogune
(8) Théodore
(9) Héraclius
(10) Nicomède
(11) Pertharite
(12) Oedipe
(13) Sertorius
(14) Sophonisbe
(15) Othon
(16) Agésilas
(17) Attila
(18) Suréna

Vocabulaire caractéristique. Positif absolu.

Mot	N	Mot	N
Abandon	6	Aguerrir (13)	1
Abattement (12)	1	Aide (sf) (12)	14
Abîmer	8	Aigreur	9
Aboi (8)	14	Aigu (6)	1
Abondant (4)	1	Ailé (adj)	1
Abonder (4-18)	2	Aîné (7-10-16)	23
Absoudre (4)	1	Aînesse (7)	13
Abus	5	°Aise	3
Accablant (12)	1	Ajuster	2
Accablement	3	Alentir (13)	1
Accent	1	Alfange (2)	1
Accident	3	Allée	1
°Accommodement (2)	2	°Allégeance (1)	5
Accort	2	Allégement	3
Accortement	1	Ambigu (15)	1
Accoucher (13)	1	Amer	6
Acharner (10)	1	Amollir (11)	7
Acte (3-11)	2	Amorce	17
Adjuger (8)	1	Amorcer (10)	1
Admiration (10)	1	Amortir	2
Adoptif (13)	1	Amour-propre (13)	1
Adroitement	4	Ample	2
Adversaire	10	Amuser	17
Adversité (1)	1	Ancien	2
°Affaire	19	Ancrer (2)	19
Affection	11	Angoisse (3)	11
Affété	1	Animosité (1)	1
Agent (8)	10	Anneau	10
Agissant (15)	1	Antipathie	1
Agitation (4-5)	2	Antre	5
Agrandir (13)	8	Apothéose (5)	2
Agréer (8)	13	Apparement (15-16)	2
Agresseur (2-3)	2	Appréhender (10)	35

Vocabulaire caractéristique. Positif absolu (suite).

Mot	N	Mot	N
Appréhension	2	Avorton (8)	1
Approfondir	4	Bagatelle	1
Arborer	2	Bain (1)	1
Ardement	4	Balcon (10-15)	2
°Argent	4	Banc (6)	1
Arrivée	5	Bande	2
Arrogamment	4	Bandolier (17)	1
Arrogance	5	Baptême (5)	5
Arrogant	5	Baptiser (5)	1
Articuler (12)	1	Barque	3
Artisan (17)	1	Barre (17)	1
Ascendant	5	Beau-frère (3)	8
Assaillant (2)	2	Belle (s)	1
Assiduité	3	Belle-mère (10)	1
Assistance	1	Belliqueux (17)	1
Assortir	4	Bénignité (1)	1
Assoupir	3	Bénin (8)	1
Assurément	2	Berger (5)	1
Atome (17)	1	Bergerie (1)	1
Atterrer (1-17)	2	Bienséance (16)	1
Attiédir (4)	1	Bienveillance (15)	1
Attitré (11)	2	Bienvenu (15)	1
Aucunement	17	Bizarrerie (16)	1
Avantageux	2	Blâme (1)	5
Aventurier (17)	3	Blocus (14)	1
Avenue (9-15)	1	Bonace	2
Avéré (8)	2	°Boue	2
Avertissement (7)	1	Bouillonner	1
°Aveuglément	6	Bouleverser (17)	1
Avidité (15)	7	Bourgeois (10)	1
Avisé (adj)	2	Bourgeoisie (13)	2
Aviser	3	°Bourse (6)	1
Avorter	16	Brandon (1)	1

C O R N E I L L E

Vocabulaire caractéristique. Positif absolu (suite).

Mot	Fréq.
Brasier	2
Bravade	6
Brèche	1
Brigade (2)	1
Brillant (s)	3
Brutalement	3
Brutalité	5
Butin	4
Câble (2)	1
Caduc (1)	1
Cajoler	3
Calamité (5)	1
Calomniateur (10)	1
Calomnier	4
Camper (12-13)	2
Canaille	1
Canal (17)	2
Candeur (1)	1
Capitaine (2)	6
Capital (adj)	5
Capricieux (2)	1
Captieux (7)	1
Carreau (18)	8
°Cas	4
Cassé	7
Cavalier (2)	7
Celui-ci	7
°Celui-là	1
Centenier (9)	1
Centuple (5)	1
Certitude	1
Cerveau	1
Chagrin (adj)	1
Champêtre (12)	2
Change	17
Chapitre (16)	1
Charge	7
Charitable (10)	1
Chasseur (11)	1
Château	5
Chatouillement (8)	4
Chatouilleux (16)	1
°Chaud	2
Chaudement (10)	3
Chauve (12)	1
Chef-d'oeuvre	1
Chèrement	4
Chétif	2
Chevalier (5)	3
Chimérique	2
Choir	1
°Choquer	6
Chrétien (5-8)	5
Ci	1
Cicatriser (12)	1
Cimeterre (2)	1
°Cinquante	8
°Civil	4
Civilité (16)	7
Clairement	7
Clairvoyant (10)	1
Clameur	2
Cloître (2)	1
Clore	1
Colosse (16)	1
Commandant (13)	1

C O R N E I L L E

Vocabulaire caractéristique. Positif absolu (suite).

Mot	Fréq.
°Commencement	2
Communiquer	17
Compagnie	1
Comparaison	7
°Compassion	1
Compatible (14-17)	1
Compliment	1
Comploter (1)	1
Comptable	2
Concerter	2
Concevable (9)	3
Concitoyen (13)	1
Concorde (4)	2
Concurrence	3
Conduit (sm) (6)	3
Conférence	2
Conférer	20
Confidemment	9
Confisquer (8)	80
Confort (1)	3
Confusément	1
Congé	1
Conjecture	1
Conjoncture (4)	9
Conjuration (4)	17
Conjuré (4-9)	9
Conniver (9)	1
Conscience	2
°Conseiller (v)	1
Conseiller (s)	3
Conséquence	1
Conséquent	1
Considérable	5
Consister	5
Consolation (3)	1
Conspirateur (4)	1
Constamment	2
Consternation (15)	1
Consulat	6
Contestation (1)	1
Contester	6
Contrariété (15-17)	2
Contrefaire	2
Contrepoids	1
Contribuer	4
Convertir	1
°Copie (16)	1
Côte (sf) (6)	2
Couronnement	1
Courrier (6)	1
Courtiser (4)	1
°Cousin	1
Coutelas (6)	1
Coutumier (5)	1
Crayon (4)	1
Crêpe (2)	1
Creux	1
Croiser	1
Croyance (5-9)	15
Cueillir	3
Cuisant	8
Cure (5)	1
Curée (6)	1
Cyprès (2)	1

C O R N E I L L E

Vocabulaire caractéristique. Positif absolu (suite).

Mot	Fréq.	Mot	Fréq.
°Dame	2	Démenti	2
Damnable	3	Démettre (4)	3
Débat (13)	9	Demi-Dieu	9
Débile (1)	6	Demi-mot	1
Débonnaire (4)	1	Dent	1
Débordement	3	Dénué (3)	3
Décamper (7)	1	Départir	1
Déceptif (1)	1	°Dépêcher (1)	1
Déchaîner	2	Député (6)	2
Décision (10)	1	Déraciner	1
Déconcerter (15)	1	Derechef	1
Décourager (5)	1	Dérèglement (6)	1
Découvert (10)	1	Déroute (14)	1
Décret	3	Désapprouver (6)	3
Décroître (1)	1	Désastre	1
Dédire	42	Désavantage	3
Déduire (11)	1	Descente (10)	1
Défiant (17)	1	Désigner (15)	1
Dégénérer	4	Désobéissance	4
Dégoût	4	Desservir (16)	4
Dégoûter	1	Détrôner	1
Dégrader	2	Dette	2
Délai	3	Dévaler (7)	1
Délassement (17)	1	Devers	3
Délasser	1	Deviner (18)	24
Délicat	4	Dextrement	1
Délicatesse (15)	1	Diamant (10)	4
Déloyal	8	Dictateur (3-13)	1
Déloyauté (14)	4	Dictature (10-13)	8
°Déluge (17)	6	Diffamer	4
Demande	7	Discernement	6
Démêlé (16)	6	Disciple (10)	7
		Discipline	6

Vocabulaire caractéristique. Positif absolu (suite).

Mot	Fréq.	Mot	Fréq.
Discourir	4	Edile (10)	1
Discrétion	1	Effectif (6-11)	2
Dispute (3-9)	2	Efficace (s)	2
Dissension	2	Egalité (7)	13
Distiller	3	Elancement (17)	1
Distribuer (15)	1	Election	4
Diversement (4-7)	2	Elire	6
Diversité	1	Eloge (13)	1
°Divertir	6	Embûche	3
Docte (16)	1	Embuscade	2
Docteur (5)	1	Emotion	7
°Domestique (adj)	7	Empêchement	1
Dominant (17)	1	Emprunt (17)	1
Dominer	11	Enclos (13)	1
Don (Esp.)	26	Endurcissement (5)	1
Doré	2	Enhardir	15
Dorénavant	6	Enigme (12)	7
Dot (17)	11	Enjoué	1
Doter (18)	1	Enjouement (16)	1
Doublement (1)	1	Ennoblir	6
Doubler	4	Enorgueillir	4
°Doucement	8	°Enorme (3)	5
Douze	2	Enormité (13)	1
Duc (11)	10	Enraciner (4)	2
Duel	1	°Enrager	2
		Enseigne (13)	1
		Ensemencer (1)	1
		Ensouffrir (1)	1
		Entièrement	3
		Entr'aimer (17)	1
		Entr'éclaircir (12)	1
		Entr'immoler (17)	1
		Entre-demander (17)	1

CORNEILLE

Vocabulaire caractéristique. Positif absolu (suite).

Mot		Mot	
Entre-regarder (6)	1	Evitable (6)	1
Entre-soutenir (15)	1	Evoquer (12)	1
Entreprenant (13)	1	Exact (17)	1
Envahir (14-17)	1	Exactement (4)	2
°Environ	3	°Exactitude	3
Envoler	1	°Excéder	1
Epaissir (17)	3	Excessif	3
Epandre (7)	13	Exhorter (6)	1
Epargne	4	Exorable	2
Epaule (6)	1	Exquis	1
Ephore (16)	4	Exténuer (5-16)	2
Eponge (7)	1	Extravagance	2
Epurement (15)	1	Fabuleux (2)	1
°Equipage	1	Facilement	1
Escalier	2	Faction (13)	2
Espèce	1	Fallacieux (7)	1
Esquif (6-10)	4	Fantaisie	4
Estimable (11)	1	Fard (5)	1
Estomac	2	Fast (6)	2
Etablissement (1-13)	2	Fastueux (14)	2
Etage (3)	4	Fatalité	4
Eternellement (18)	1	°Fausseté (8)	1
Etincelle	31	Faute	31
°Etoile	2	Féliciter (1)	1
Etourdir	2	°Feu (adj) (6)	2
Etre (s)	3	Fin (adj)	3
Etrécir (17)	2	Finance (6)	1
Etreindre	2	Flatterie	2
Evader	2	Fléau (17)	2
Evaporer	2	Flux (2)	2
Eventer	2	°Folie	2
°Evertuer (3)	1	Fonction	1
Evidence	1	Fontaine (17)	1

CORNEILLE

Vocabulaire caractéristique. Positif absolu (suite).

Mot		Mot	
Forcené (9)	1	Genre	8
Forcénement (1)	1	Gensdarmes (1)	1
Fortement	7	°Gentilhomme	1
Fourbe (adj) (11)	9	Germain (6)	1
Fourber (11)	2	Gonfler	2
°Fournir	8	Gouvernante (9)	1
Fragilité (5)	1	Gouvernement	4
Frais (adj)	1	Gracieux	1
°Franc	2	Grade	3
Franchement	1	Gratitude	3
Franchise (14-16-17)	21	Griffe (12)	1
Fraternel	3	Grille (1)	1
Fratricide (3)	1	Gris	4
Frayer (17)	1	Guérison	6
Frénésie	4	Hache (6-13)	1
Froidement (14)	1	Haïssable (17)	1
Fulminer	2	Harangue (16)	5
Fuyard (6)	1	Haranguer (15)	1
Gain	3	Hardiment	2
°Galant	1	Harnois (2)	1
Galanterie	2	Hasardeux	6
°Galère (6-10)	6	Hâte	1
Galerie (2)	1	Hausser	1
Gardien (10)	1	°Hautement (14-16-17)	50
Garnison (13)	8	Hauteur (17)	13
Gauchir	1	Hécatombe	3
Gazon (7)	2	Héréditaire	1
Gemeau (7)	1	Heur (7)	39
Général (adj)	9	°Honnêteté (18)	1
Général (s) (13-16)	17	Hospitalité (10)	9
Généralat (16)	1	Hostie (3-5)	17
Généreusement (10)	1	Hôte	2
Générosité (9)	31	Hôtesse (1)	1

C O R N E I L L E

Vocabulaire caractéristique. Positif absolu (suite).

Mot	
Hydre (1-4)	2
°Ignorant	3
Illuminer (4)	1
Illusion (8-11)	25
Imagination (5)	1
Immense (5-15)	2
Immortaliser	4
Immortalité	3
Immuable	6
Impénétrable	2
Impétuosité	5
Impollu (8)	1
Importance	16
Impossibilité (8)	1
Imprécation (5)	1
Impression	10
Imprudemment	1
Impudicité (8)	1
Impunité (8)	9
Inceste (adj) (12)	10
Incivilité	1
Inclination	10
Incliner (2)	1
Incomparable	3
Inconsolable (5)	1
Incontinent (adv)	1
Incorruptible (9)	1
Incrédule	1
Indépendance	1
Indépendant	4
Indifféremment (16)	8
Indignation	3
Indispensable (18)	1

Mot	
Indivisible (11)	1
Indubitable	1
Inébranlable	5
Inégal	8
Inégalité (16-18)	11
Inespéré (3)	2
Inestimable (4-9)	3
Inexcusable	1
Infante (2)	2
Infiniment	1
Influence	5
Informe (9-14)	1
Inhumanité (1-17)	2
Innocemment	4
Insensibilité (16)	1
Inséparable	2
Insolemment	7
Instabilité (5)	2
Instruction	2
Insuffisance	2
Insulte (17)	2
Interpréter (3)	1
Intraitable (18)	1
Intrépidité (18)	3
°Intrigue	1
Inutilement (adv)	2
Invaincu	1
Inventif (1)	1
Invention	4
Inviolable	8
Irrémissible (5)	1
Irrévérence (5)	3
Irrévocable	1

C O R N E I L L E

Vocabulaire caractéristique. Positif absolu (suite).

Mot	
Isthme (1)	1
°Joue (2)	1
Jouissance (8)	5
Journalier	8
Justesse	11
Labourer (1)	2
Lac (10)	1
Lacs (1)	3
°Laid	1
Languissamment (7)	2
Largement (4)	2
Larve	2
Légalité (10)	2
Légèreté	4
°Lequel	1
Levant (s) (7)	2
Lever (s) (14)	7
Liaison (7)	1
Libéralité	2
Librement	2
Lice (2)	2
Lieutenant (13)	1
Liguer	1
Liqueur (1)	3
Louable	1
Louche (12)	2
Lourd	2
Loyauté (1)	1
Lugubre (2)	1
°Lune	7
Lustre A	1
Lustre B	3
Luxe (15)	1

Mot	
Macule (8)	1
Magie (8)	1
Magnanimité	5
°Main-forte (8)	6
°Malade (8)	6
°Maladie	1
Maladroit	6
Malaisé	2
Malaisément	3
Malin	4
Maltraiter	6
Manière	19
Manque (18)	4
Manquement	1
Marchander (10)	1
Marche	3
°Mariage	4
Marier	2
Marine (15)	3
Marri	7
Martyr (5-8)	1
Martyre	4
Masque	1
Masquer	3
°Masse (15)	2
Mauvais	62
°Méchanceté (1)	1
Mécontent (16)	11
Mécontentement	2
Mécontenter (16)	1
Médecine (1)	3
Médisance	6
Médisant	1

C O R N E I L L E

Vocabulaire caractéristique. Positif absolu (suite).

Mot		Mot	
Mégarde (16)	1	Natal	1
Mêlée (3)	1	Naturaliser (14)	1
Ménager (adj) (2)	1	Naturel (s)	4
Menée (9)	1	Nef (6)	1
Mercenaire	4	°Nerf	4
Mésestimer (3)	1	°Net (13)	1
Mésintelligence (16)	1	Nettement (10)	1
Métal (5)	1	Neutre	1
°Métamorphose	1	Nonchalance (15)	1
Milice (9)	1	Nouer (17)	1
Militaire	3	Nouveauté	3
Mille (s) (6-13)	3	Nuisible (4)	3
Millier (6)	1	Nuptial (7)	1
Million	2	°Obligeant	2
°Mine	2	Obscurément (12)	2
Miroir	4	Obséder (14)	4
°Mode	3	Obstination	3
Monarchie (4)	2	Obstinément	7
°Monarchique (4)	2	Oeillade	2
°Monceau	1	Offusquer	1
°Monsieur	4	°Oh (6-7)	4
Moquer	4	Oncle	4
°Morceau	3	Ongle (12)	3
Moteur	2	Onzième (4)	2
Motif	12	°Opérer (5)	12
Mouvoir	2	Opinion	2
Multitude (13)	1	Orateur (16)	1
Munir (10-14)	2	Ordonnance (6)	2
Mûrement (10)	1	Organe	1
Mutiler (5)	1	Outrageux	2
Mutinerie (9)	1	°Outre (prép)	8
Myrte	1	Outrer	3
Mystérieux	3	Page (sm)	2

C O R N E I L L E

Vocabulaire caractéristique. Positif absolu (suite).

Mot		Mot	
Païen (5)	1	Pique B (13-14)	3
Paisiblement	1	Piteusement (6)	1
Pamoison	4	Piteux	2
Pan (6)	1	Pitoyable	8
Panique	6	Plausible	2
Paquet	1	Pleurant (14)	1
Parade	2	Pleuvoir	1
Pardonnable	4	Plumage (1)	1
Participer (3)	3	Plupart	4
Partisan	7	Plusieurs (4)	1
Parure (1)	1	Poignarder (10)	1
Passant (12)	1	Poing	1
Patricien (9)	8	Politique (adj) (16-17)	11
Patrimoine (4)	4	Politique (s) (10-13-15)	31
Pavillon	2	Populaire (16)	2
°Peau	1	Portée	2
Péché (sm)	2	Porteur	1
Pendre (5)	7	°Portrait	3
Pénétrant (7)	1	Possession (7)	7
Perçant	4	Poster (14)	1
Périssable (17)	8	Posthume (15)	1
Perle	3	Postillon (1)	1
Perplexité	6	Posture	1
Perron (8)	1	Potentat	7
Persécution (5)	1	Pourri (5-6)	2
Persister	3	Pourvoir	8
Personnage	1	Pratiquer	7
°Peste (1)	16	Précis	2
Pester (16)	1	Prédominant (13)	1
Phénix (1)	2	Préfecture (15)	1
°Pièce	8	Préférable	3
Pierreux (1)	3	Préférence (12-17)	10
Pieux (6)	2	Préfet (15)	3

CORNEILLE

Vocabulaire caractéristique. Positif absolu (suite).

Mot	n	Mot	n
Préjudice	1	Punissable	1
Prélude (12-17)	2	Punition (3-9)	6
Préméditer	2	Purifier (3-9)	2
Preneur (10)	1	°Qualité (10-16)	22
Préparatif	3	Quartier	1
Prérogative (13)	2	Quérir	1
Présomption (7)	1	°Question	1
Prestige (12)	1	°Quinze	4
Présumer (10)	42	Quitte	13
Prêteur (10-13)	2	Rabattre	5
Prétexter (12)	2	Raccommoder (18)	2
Prétoire (15)	2	Rade (6)	1
Prétorien (15)	2	Rafraîchir (1)	2
Preuve (12-15)	21	°Railler	4
Principal	1	Raillerie	8
Prise	2	Raisonnable (11)	2
Probité (15)	2	Rajeunir	1
Procédé	1	Rallier (2)	6
Proférer (15)	6	Ramasser	1
Profit	1	Rameau	2
Profusion	2	Ramer (6-10)	1
Projeter	1	Rampant (13)	2
Promptitude	3	Rançon (1-8)	3
Prophétique (4)	2	Rassis (2)	1
Proprement (10)	1	Rattacher	1
Proscription (4-13)	4	Rebattre (13)	5
Prostituer (8)	5	Rebeller	1
Prostitution (5-8)	1	Réception (6)	2
Protection	2	Réciproque	7
Provenir	7	Réclamer (5-12)	1
Prudemment	1	Reconquérir (14)	2
Puis (1-6)	2	Redoublement (5)	13
Puissamment	13	Réfléchir (14)	11

CORNEILLE

Vocabulaire caractéristique. Positif absolu (suite).

Mot	n	Mot	n
Refleurir (13)	1	Restituer (18)	2
Reflux	6	Résulter (18)	1
Refroidir	2	Rétablissement (15)	1
Réfugier (13)	1	Rétracter (7-15)	2
Régir	5	Revanche	1
Remarquable (9)	1	Revancher	3
Remédier	1	°Rêver	7
Remise (14)	4	Rêverie	2
Remuement (6)	13	Rêveur	2
Renom	5	°Ride (2-12)	2
Renouement (16)	2	Ridé	2
Renouer	1	Rideau (7)	3
Renversement (7)	2	Roc (1-12)	2
Réparable (14)	4	Roche	1
Répartie	8	Roidir	1
Repartir (7)	2	Roue	10
Répartir	1	Royaume	1
Repeupler (13)	2	Royauté (16)	1
Replacer (18)	6	Rudement	4
Réplique	1	°Rue	1
Reporter	2	°Ruiner	1
Reproduire	1	Ruisselant (6)	2
République (5-13)	2	Rupture	3
Répugnance (13-17)	4	Sable	2
Réputer (2)	1	°Sac (4)	1
°Requête (6)	2	Saccager	7
Réserve	7	Saignant (1)	2
Résigner (5)	1	Sain	1
Résolution	4	Sainement (3-8)	1
Résonner	2	Sale	5
Ressaisir	8	°Salle	3
Ressemblance	5	Saper	1
Ressouvenir (v)	3	Satisfaction	1

CORNEILLE

Vocabulaire caractéristique. Positif absolu (suite).

Mot	Nombre	Mot	Nombre
°Sauter (6)	1	Stupide	6
Savoir (s) (1)	5	Stupidité	2
Scorpion (1)	1	Style	1
Scrupuleux	4	Suborner (10)	6
Second (s)	2	Suborneur	4
Secouer	4	Subsister	3
°Secrétaire	1	Subtilité	1
Secte (5-8)	7	Sucre (5)	1
Sucre (5)	1	Sueur (7-14)	2
Seize (12)	3	Suffisamment	3
Semblant	3	Suffisant	2
°Sensé (10)	1	Suivant (adj)	20
Sensiblement (11)	2	Suivant (s)	2
Sept	1	Supercherie	1
Sépulcre (6)	7	Supplanter	7
°Serviteur	1	Supplier	1
Simplement (16)	2	Supportable (7)	1
Simplicité	58	Supporter	2
Sire	18	Supposer (9)	4
°Solliciter (1)	6	Sûrement	9
°Sorcier (1)	1	Surplus	6
Sortable	1	Surprenant (13)	3
Sortilège (5)	1	Survenir	1
°Sot	1	Sus	8
°Soufflet (2)	3	Suspens (7)	7
Souffrance	1	Tableau	3
Souillure (10)	3	Tacher	3
Soûler	3	Taille	1
Soulèvement (7-12)	2	°Talent B (6)	4
Sourdement (11)	2	°Tas (4)	2
Souris (sm)	1	°Tâter	1
Souveraineté (15-18)	2	Teinture	2
Spectre (3)	1	Tellement	5
Stérilité (1)	4		

CORNEILLE

Vocabulaire caractéristique. Positif absolu (suite et fin).

Mot	Nombre	Mot	Nombre
°Tempêter	1	°Valet	1
Terroir (4)	1	Valeureux (2)	7
Testament (6)	5	Vase (sm)	3
Tigresse	3	Vassal (18)	1
Timidité	3	Véhément (5-7)	3
Tissu (adj)	2	Véritablement	2
Toison (1)	4	°Verre	1
Tombant (6-7)	2	Verrou (1)	1
Tonner	6	Vers (sm)	6
Touchant (prép) (14)	10	Vert	10
Tourbillon (1)	1	°Vêtir (1)	1
Toute-puissance	7	Veuvage (1)	7
Tragédie (1)	1	Vice (15)	1
Train (18)	1	Vicieux (12)	3
Trafiquant	3	Vicissitude (14)	3
Traitable	3	Vigilance (1)	1
Transpercer (1)	1	Violenter	9
Trébucher (17)	9	Virginité (8)	6
Triumvirat (4)	6	Vision	10
Tromperie	3	Visite	1
Truchement	1	Vitesse (6)	2
Turbulent	2	Vivement	2
Tuteur (4-11)	2	Volant (adj) (1-14)	4
Usité (7)	4	°Voleur	1
Utilement (8)	1	Volupté (5)	2
Vague (sf) (6)	2	Vouloir (s)	1
Vaillamment (2)	1	°Vraiment	10
Valable (2)	1	Vraisemblable	1
		Vu	1

CORNEILLE

Vocabulaire caractéristique. Positif relatif (F ≥ 8).

Mot	F	Positif
A	10612	6,07
Abattre (4)	68	2,39
Absolu (13)	55	1,96
Accepter (15)	120	3,89
Accord (16)	44	3,21
Acquérir (4)	58	4,68
Action (3)	58	3,58
Affront (1-2)	66	1,99
Afin (7)	75	2,86
Age (2-12)	59	2,00
Agir (5-10-11-12)	135	6,42
Aimer (11-15-16-18)	1208	6,01
Ainsi	331	2,29
Aisé	35	2,50
Aisément	67	4,64
Allégresse	29	2,33
Ambition (4-7-10-11)	84	3,19
Ame	767	7,96
Appas	72	2,92
Après (1-2-4)	497	4,80
Art (11-13)	51	3,69
Aspirer	81	3,24
Assassiner (4-7-12-17)	55	3,10
Assez (16)	439	4,91
Assouvir (1)	17	1,96
Assurance	32	2,61
Attentat (6-7)	76	2,69
Attente	31	2,14
Aucun (13-16-18)	193	6,87
Augmenter	23	2,15
Auprès	85	2,56
Autorité (8)	43	2,82
Autre (3-7-16)	1008	5,47

Mot	F	Positif
Autrement	21	2,86
Autrui	21	2,40
Avantage	60	2,07
Avec (6-7)	1143	2,98
Aversion	19	2,19
Aveu (14-16)	74	2,07
Avoir	8209	4,43
Bas (adj-adv) (6-8)	88	3,87
Bassesse	20	2,30
Bataille (3-14)	41	2,00
Beau	333	2,36
Beaucoup (3)	116	4,86
Besoin (10)	94	3,98
Bien (adv) (10)	1099	4,18
Bien (sm)	209	2,61
Blâmer (3-8)	32	2,61
Bon (adj-adv) (3)	170	7,82
Bonheur (18)	252	2,60
Braver (8-17)	113	2,74
Briser (5-13-14)	75	2,62
Caractère (11)	17	2,47
Cause (sf) (4-12-16)	88	3,20
Causer A (12)	27	3,76
Ce (adj-pron)	9144	7,07
Celui	381	7,17
Certes (6)	20	2,30
Chacun (4-17)	93	2,39
Changer	146	2,12
Chaque (17)	82	2,14
Charmer (15)	93	3,49
Châtiment (6-8)	45	3,29
Chez (13)	134	2,74
Choisir (12-15-16-17)	209	4,06

CORNEILLE

Vocabulaire caractéristique. Positif relatif (F ≥ 8).

Mot	F	Positif
Choix (12-13-15-16-17)	318	7,83
Chose (14)	118	6,70
Combattant (2-3)	14	2,15
Commandement (1)	26	3,28
Comme	774	8,63
Confidence (18)	30	2,43
Conserver (4-8)	154	3,72
Considérer (5)	78	4,96
Contentement	17	2,47
Côté (2-17)	105	2,28
Couper	17	1,96
Courage (1)	250	3,45
Couronne (6-7-11-12-16)	130	5,30
Craindre (5-7-8-9-10-18)	703	2,04
Crime (3-4-12-18)	481	3,30
Dédaigner (8-11-17)	102	3,35
Dedans (9)	51	4,58
Défaire (10)	29	3,51
Défaut (5)	24	2,26
Déférence	14	2,15
Déférer (16)	16	2,37
Déguiser (11)	48	1,98
Demain (12-13-18)	96	3,22
Dépit (14-18)	66	3,29
Déplaire (16)	64	2,89
Déplaisir (2)	82	4,69
Désavouer	30	2,43
Désir (1-16)	169	2,61
Dessous (3-6-8)	29	2,72
Dessus (14)	78	4,01
Destin (6-12-14)	228	3,68

Mot	F	Positif
Deux (3-7-9-17)	746	7,59
Devoir (v) (7-8-10-18)	1265	3,54
Devoir (sm) (2-5-16-18)	255	5,49
Digne (2-3-9-15)	349	5,18
Dignité (8-13)	34	3,50
Dispenser	24	2,69
Dissimuler	49	2,06
Divorce (6-13-14)	30	2,04
Don (sm) (14-18)	74	2,07
Donner (4-16)	853	8,67
Douteux (12)	41	3,65
Doux (15-17)	317	4,25
Droit (sm) (7-12)	229	4,83
Dur (14)	46	2,43
Durer	37	1,98
Eclat	157	2,68
Effet (8)	312	5,75
Effort (5-9-11)	243	4,66
Egal (14-17)	103	3,61
Egalement (7-8)	37	2,33
Elle	1890	5,02
Empêcher (1)	88	4,54
Emporter	125	2,07
En (prép + adv)	6821	16,16
Enfler (6-17)	36	3,29
Ensemble (5-15)	72	4,90
Ensuite (13)	13	2,43
Envers (4-7)	26	2,04
Epoux (5-7-11-13-15)	313	2,45
Epreuve	19	2,19
Espérer (2-8-9)	225	2,86

CORNEILLE

Vocabulaire caractéristique. Positif relatif (F ≥ 8).

Mot			Mot		
Espoir (1-2-11-13)	235	2,99	Gagner	91	2,71
Esprit	269	4,30	Garantir (1-3-8)	39	3,51
Estime (10)	71	3,60	Gendre (5-15)	67	4,12
Estimer	67	3,61	Gêne	21	2,86
Et	12473	12,55	Gêner (18)	42	2,09
Etaler (13)	31	2,14	Généreux (2-4-5-6-8-18)	179	4,49
Etat 2 (3-4-6-10-14-15-16-18)	299	2,29	Gens	34	3,86
Eteindre (11-14)	95	2,30	Gouverneur (2-8)	13	2,03
Etre (v)	9505	7,29	Grâce (8-10)	295	4,22
Eux (3-6)	288	4,47	Grand (6-10-13-15-17)	985	10,44
Excuse	27	2,95	Guérir	28	3,43
Exécuter (4-11-18)	41	2,00	Haine (4-6-7-8-9-11)	468	2,81
Exemple (4-11-12)	151	2,73	Hasard (16)	58	2,75
Exprès (adj)	13	2,03	Hasarder	76	5,10
Exprès (adv) (14)	20	2,30	Haut (2-10)	244	6,99
Fâcher (3-10)	21	2,40	Hommage (6-15)	59	2,54
Façon	20	2,77	Homme (3-10)	165	5,85
Faire (12)	3658	13,10	Honneur (2-3-8)	427	3,85
Fantôme (11)	13	2,03	Honte (2-3-8)	161	2,71
Faux (9-11)	125	4,33	Hors (3-9-10)	48	4,10
Faveur	220	4,49	Humeur	34	3,50
Femme (1-3-5)	162	4,25	Hyménée (9)	108	4,28
Ferme (adj) (5)	34	2,41	Idée (16)	34	2,41
Fermeté (3)	17	2,47	Il	7797	3,51
Feu (sm)	255	2,86	Illustre (13-16)	169	4,87
Flamme (16)	253	3,44	Imaginer (7)	26	2,86
Force (14)	158	4,24	Immoler (4-8-9-11-17)	154	2,19
Forcer (6-11)	230	3,34	Imprimer	23	2,59
Forfait (1-12)	71	2,85	Impuni (12)	20	2,30
Fort (adj + adv)	193	8,08	Imputer (1-7-10-14)	76	1,96
			Inconstant (14)	22	2,05

CORNEILLE

Vocabulaire caractéristique. Positif relatif (F ≥ 8).

Mot			Mot		
Indigner	20	2,30	Mettre (11-16-17)	495	4,56
Indignité (6)	23	2,15	Mien	289	3,88
Infâme (8-9)	70	4,55	Mieux	399	7,82
Infamie (8)	49	4,77	Milieu (2)	76	1,96
Intérêt (3-10-15-16)	200	2,64	Monarque (11-12)	67	4,38
Issue (sf)	17	2,47	Mort (sf) (1-2-3-4-5-6-8-9-11-12)	574	2,66
Jalousie	36	2,24	Mourir (2-4-5-8-9-12)	625	2,93
Juger (6-8)	167	2,67	Mouvement (3-9)	31	2,52
Juste (4-5-6-9)	370	2,87	Moyen (sm) (9-11)	86	5,35
Justice (2-6-11-16)	153	2,99	Murmurer (12-18)	46	2,11
La	305	4,44	Mutin (9)	28	2,24
Lâcheté (4)	35	3,21	Mutiner	19	2,19
Liberté (4-13-14)	114	2,80	Naissance (9-12)	120	3,32
Lors	45	2,97	Nature (7-9-10)	86	2,40
Mais (12-13)	2536	3,21	Ne	7888	4,73
Maison (3)	39	2,16	Nécessité	15	2,26
Maître (4-15)	323	3,28	Ni (10)	383	4,37
Mal (adv) (10-12-16)	240	7,68	Nommer (7-12)	153	3,16
Mal (sm) (7-12-18)	197	5,06	Objet (16)	220	3,50
Mander (4-8-10)	30	2,81	Obliger.	59	4,74
Manquer	66	3,55	Obstiner	65	3,22
Mari (3-11-15)	51	4,58	Obtenir (14-16)	139	5,68
Marque (11)	62	2,49	Occasion	71	4,35
Matière	21	2,40	Offre (11-13)	43	2,82
Maudire (3)	16	2,37	On (3-12-14-15-18)	2027	2,47
Meilleur	33	3,42	Oser	627	2,06
Mêler (1)	73	3,23	Otage (10-13)	24	2,69
Mépris (8-11)	134	2,38	Oter (9)	148	4,65
Mérite	98	5,68	Ou (7-11-16-17)	1121	8,45
Mériter (2-11)	195	3,92	Par (6)	1806	2,47

C O R N E I L L E

Vocabulaire caractéristique. Positif relatif (F ≥ 8).

Mot	F	F rel.	Mot	F	F rel.	Mot	F	F rel.	Mot	F	F rel.
Parce que	20	2,30	Public	51	2,81	Servir (13-14-16)	410	4,05	Traité	25	2,78
Pareil (1)	130	6,59	Puisque (2)	355	4,14	Si (adv + conj)	4222	11,77	Traiter (17)	129	4,70
Parfait (2)	48	2,89	Punir (1-2-4-11-12-17)	285	4,36	Sitôt	65	2,44	Trancher (6-8)	43	2,50
Parole (14-16)	92	3,21	Quand (18)	768	5,62	Soi (15)	56	3,17	Trois (3-10-12-15)	125	3,20
Part (16)	193	2,63	Quant	17	1,96	Soir	13	2,03	Trop (2-5-9)	1135	4,01
Parti (3-13)	76	2,45	Quatre (9)	29	3,12	Sorte	25	3,20	Trouver	368	3,79
Partie	18	2,08	Que	14568	7,39	Souci (14)	49	4,77	Tuer (2-12)	51	2,52
Pas (adv)	1612	3,00	Quelque	785	2,84	Souffrir	435	5,81	Tyran (4-9-11-13-17)	243	6,42
Passion (4-16)	65	4,79	Quiconque (11)	32	2,61	Souhait (15-17)	66	1,99	Tyrannie (4-16)	34	2,05
Peine (2)	307	4,15	Rapport (12)	30	2,81	Soupirer (16)	105	2,48	Tyrannique	14	2,15
Penser (sm) (5)	17	2,47	Rare	75	4,32	Souverain (s) (4-10-13-15-16)	65	2,96	Un	8624	6,22
Perdre (2)	585	3,75	Ravaler	18	2,57	Sujet (adj + s) (10-18)	160	4,66	Union (14)	24	2,26
Permettre (10-11)	171	3,02	Recevoir (3-6-14)	321	3,21	Supplice (9)	167	3,81	Unique (2)	63	2,83
Personne (sf) (9-14)	75	5,05	Réduire	106	3,97	Sûr (9-16)	84	4,34	User	51	4,28
Perte (4)	207	4,85	Refus (9-16-17)	106	2,95	Sûreté (1-15-18)	67	3,35	Usurper	23	2,59
Petit (1)	23	2,59	Régner (9-10-11-14-15)	356	3,84	Suspect (12-18)	37	1,98	Vaillance (2)	24	2,69
Peu	600	10,42	Remède	46	3,98	Tâcher (7-8-11)	83	4,05	Vaillant (2)	26	2,45
Peur	90	4,65	Remerciement	16	2,37	Te	1022	3,45	Valoir	86	3,76
Piquer (7)	16	2,37	Remettre	126	2,31	Tel (3)	395	7,18	Vanité	16	2,37
Pleinement (7-8)	20	2,30	Rendre (9-11-13)	953	5,22	Témoigner	28	3,43	Venger (2-4-6-7-8)	382	3,38
Plus	2903	4,92	Résoudre (17)	136	4,65	Tenir	361	5,22	Véritable	48	1,98
Point (sm) (3)	124	5,03	Ressentiment (1-2-13)	77	3,71	Tête (2-10-11-17)	208	3,58	Vertu (3-4-5-6-10-11-12)	460	4,43
Possible (16)	19	2,19	Revers (16)	16	2,37	Tien	37	3,12	Vieux	38	4,12
Pour	4329	11,27	Ridicule (adj)	17	2,47	Tirer	79	3,12	Vif	32	2,23
Pouvoir (sm) (4-13-16)	281	4,97	Rien (16-18)	731	6,87	Titre (9-10-11-13)	105	3,31	Ville (2-6)	50	2,74
Préférer	79	3,12	Rude (3-18)	54	3,03	Ton (adj)	1422	3,67	Voler 2 (dérober)	25	2,78
Prendre (14)	732	6,97	Satisfaire	104	2,01	Tort	25	2,36	Vôtre	169	2,61
Prison	41	2,00	Savoir (v) (12-13-15-18)	1470	2,43	Toutefois (4)	114	2,99	Vrai (9-11-16)	191	3,15
Proche	14	2,15	Sceptre (1-6-7-9-10-14)	136	3,57				Y	881	8,36
Produire (1)	51	3,10	Scrupule	27	2,55						
Propice (5)	28	3,43	Sentiment (3-6)	133	4,15						
Propos	20	2,77	Seoir	27	2,14						
Prudence	41	2,33	Service (16)	89	4,82						

B I B L I O G R A P H I E

----

1. Oeuvres

RACINE, J. *Oeuvres complètes*, ed. P. Mesnard. "Nouvelle édition, revue sur
les plus anciennes éditions et les autographes, et augmentée de mor-
ceaux inédits, des variantes, de notices, de notes, d'un lexique des
mots et locutions remarquables, d'un portrait, de fac-similé, etc."
Paris, Hachette ("Les grands écrivains de la France"), 1865-1873.
8 vol. + 1 album et un vol. de musique. 2e éd. 1887.

CORNEILLE, P. *Oeuvres*, ed. Ch. Marty-Laveaux. "Nouvelle édition, revue sur
les plus anciennes impressions et les autographes et augmentée de mor-
ceaux inédits, des variantes, de notices, de notes, d'un lexique des
mots et locutions remarquables, etc." Paris, Hachette ("Les grands
écrivains de la France"), 1862-1868. 12 vol. et un album.

2. Index et concordances

FREEMAN, B. C., BATSON, A. *Concordance du Théâtre et des Poésies de Jean
Racine*. Ithaca, Cornell University press, 1968. 2 vol. 1483 p.

QUEMADA, B. (sous la dir. de). *Index des mots de textes littéraires français*.
Besançon, Centre d'étude du vocabulaire français - Faculté des Lettres
et Sciences Humaines, s.d. Pièces de Racine (d'après l'édition des
Grands écrivains de la France) : *Alexandre le Grand*. 273 p. *Andromaque*. 297 p. *Athalie*. 303 p. *Bajazet*. 303 p. *Bérénice*. 263 p. *Britannicus*. 305 p. *Esther*. 207 p. *Iphigénie*. 312 p. *Mithridate*. 298 p.
Phèdre. 284 p. *Les Plaideurs*. 159 p. *La Thébaïde*. 272 p.

QUEMADA, B. (sous la dir. de). *Concordances, index et relevés statistiques
de J. Racine, Phèdre,* établis d'après l'édition P. Mesnard par le
Centre d'étude du vocabulaire français - Faculté des Lettres et
Sciences Humaines de Besançon. Paris, Larousse ("Documents pour l'é-
tude de la langue littéraire"), s.d. 114 p. *Racine. Andromaque,
concordances, index et relevés statistiques,* établis d'après l'édition P. Mesnard par le laboratoire d'analyse lexicologique - Faculté
des Lettres et Sciences Humaines de Besançon. /Préface par Bernard
Quemada/. Paris, Larousse, 1970. XI - 130 p.

WAGNER, R. L., GUIRAUD, P. (sous la dir. de). *Recherches et documents pour
servir à l'histoire du vocabulaire poétique en français. Index du
vocabulaire du Théâtre Classique.* Paris, Klincksieck. *Racine* (d'a-
près l'éd. des Grands écrivains de la France) : *Index des mots de
Phèdre* par P. GUIRAUD, 1955. 36 p. *Index des mots d'Athalie* par W. T.
BANDY, 1955. 36-4 p. *Index des mots de Britannicus* par R. W. HARTLE,
1956. 42 p. *Index des mots de La Thébaïde* par R. W. HARTLE, 1957.

46 p.   *Index des mots d'Alexandre le Grand* par R. W. HARTLE, 1959.
44 p.   *Index des mots d'Andromaque* par P. GUIRAUD, 1960. 27 p.
Index des mots de Bérénice par R. W. HARTLE, 1960. 44 p.   *Index des
mots de Bajazet* par R. W. HARTLE, 1960. 52 p.   *Index des mots de
Mithridate* par R. W. HARTLE, 1964. 48 p.   *Index des mots d'Iphigénie* par R. W. HARTLE, 1964. 48 p.   *Index des mots d'Esther* par R.
W. HARTLE, 1964. 40 p.

3. Dictionnaire de référence

HATZFELD, A., DARMESTETER, A. *Dictionnaire général de la langue française
du commencement du XVIIe siècle jusqu'à nos jours. Précédé d'un traité de la formation de la langue..., avec le concours d'A. Thomas.*
Paris, Delagrave, réimpr. intégrale, 1964 (1ère éd. : 1889-1901).
2 vol.

4. Articles et ouvrages cités

ADAM, A. *Histoire de la littérature française au XVIIe siècle.* Paris,
Domat/Del Duca, 1948-1956 et 1964-1966. 5 vol.

ANTOSCH, F. "The diagnosis of literary style with the verb-adjective ratio",
pp. 57-65, in DOLEŽEL, L., BAILEY, R. W. (eds). *Statistics and style.*
New-York, American Elsevier Publishing Company, inc., 1969. 245 p.

ARON, Th. "Racine, Thomas Corneille, Pradon : remarques sur le vocabulaire
de la tragédie classique", *Cahiers de Lexicologie,* 11, II, 1967,
pp. 57-74.

BARDY, Y. "A propos des enquêtes statistiques en stylistique", *Revue des
langues romanes,* LXXXI, 1, 1975, pp. 234-241.

BARRIERE, P. "Le lyrisme dans la tragédie cornélienne", *Revue d'histoire
littéraire de la France,* 35, 1928, pp. 23-38.

BARTH, G. *Recherches sur la fréquence et la valeur des parties du discours
en français, en anglais et en espagnol.* Paris, Didier, 1961. 135 p.

BARTHES, R. *Sur Racine.* Paris, Ed. du Seuil, 1963. 173 p.

BERNET, Ch. *Etude statistique du vocabulaire des tragédies de Racine.* Thèse
de 3e cycle, Strasbourg, 1977. 3 vol. 310 p., 310 p. et 126 p.

BERNET, Ch. "La richesse lexicale de la tragédie classique : Corneille et
Racine", *Le Français Moderne,* t. XLVI, n° 1, 1978, pp. 44-53.

BRUNET, E. "Accroissement théorique du vocabulaire", *Cahiers des utilisa-
teurs de machines à des fins d'information et de documentation,* 4,
1971, pp. 65-119.

BRUNET, E. "Le traitement des faits linguistiques et stylistiques sur ordinateur", pp. 105-137, in DAVID, J., MARTIN, R. (eds). *Statistique
et linguistique.* (Colloque organisé par le Centre d'analyse syntaxique de l'Université de Metz, 2-3 mars 1973). Paris, Klincksieck,
1974. 164 p.

BRUNET, E. *Le vocabulaire de Jean Giraudoux. Structure et évolution.*
Genève, Slatkine, 1978. 681 p. *[*Thèse dactylographiée, Nice, 1976.
2 vol., 1178 p.*]*

BRUNOT, F. *Histoire de la langue française des origines à nos jours.*
*[*Nouv. éd. sous la dir. de G. Antoine, G. Gougenheim et R. L. Wagner*]*
Paris, A. Colin, 1966 et suiv. t. III. La formation de la langue
classique (1600-1660). t. IV. La langue classique (1660-1715).

BUTLER, Ph. *Classicisme et baroque dans l'oeuvre de Racine.* Paris, Nizet,
1959. 351 p.

BUYSSENS, E. *Les catégories grammaticales du français.* Bruxelles, Ed. de
l'Université, 1975. 94 p.

CAHEN, J. G. "Le vocabulaire de Racine", *Revue de linguistique romane,*
XVI, n°s 59-64, *[*1940-45*]*, 1946. 253 p.

COHEN, J. *Structure du langage poétique.* Paris, Flammarion, 1966. 237 p.

COTTERET, J. M., MOREAU, R. *Le vocabulaire du Général de Gaulle.* Paris,
A. Colin, 1969. 250 p.

CRESSOT, M. "Une langue d'art : la langue de Phèdre", *Le Français Moderne,*
X, 3, 1942, pp. 169-182.

DAVID, J., MARTIN, R. (eds). *Statistique et linguistique.* (Colloque organisé par le Centre d'analyse syntaxique de l'Université de Metz,
2-3 mars 1973). Paris, Klincksieck, 1974. 164 p.

DELBOUILLE, P. "A propos de la définition du fait de style", *Cahiers d'analyse textuelle,* 2, 1960, pp. 94-104.

DESCOTES, M. "L'intrigue politique dans *Bajazet*", *Revue d'histoire littéraire de la France,* 3, 1971, pp. 400-424.

DOLEŽEL, L., BAILEY, R. W. (eds). *Statistics and style.* New-York, American Elsevier Publishing Company, inc., 1969. 245 p.

DOLPHIN, B. *Vocabulaire et lexique. Modèles mathématiques pour une linguistique quantitative.* Genève, Slatkine, 1979. 156 p.

DUBROCARD, M. "Calcul d'un vocabulaire théorique et distribution de
Waring-Herdan", *Et. de Ling. Appliquée,* Nouvelle série, n° 6, 1972,
pp. 5-18.

DUGAST, D. *Vocabulaire et discours. Essai de lexicométrie organisationnelle.* Genève, Slatkine, 1979. XVIII - 137 p.

EIDELDINGER, M. *La mythologie solaire dans l'oeuvre de Racine.* Neuchâtel,
Faculté des Lettres/Genève, Droz, 1969. 157 p.

EVRARD, E. "Deux programmes d'ordinateur pour l'étude quantitative du
vocabulaire", *Revue de l'organisation internationale pour l'étude
des langues anciennes par ordinateur,* 3, 1967, pp. 81-92.

FAIK, S. "Neutralisation des phénomènes parasites dans les calculs de
fréquence", *Et. de Ling. Appliquée,* Nouvelle série, n° 6, 1972,
pp. 19-36.

FENNINGER, Ch. *Analyse statistique du vocabulaire d'"Andromaque".* Mémoire
dactylographié, Strasbourg, 1970. 57 p.

FLESCH, R. *The art of plain talk*. New York, Harper, 1946.

FOUCHE, P. *Phonétique historique du français*. Paris, Klincksieck.
1. Introduction. 1952. 108 p., 1 carte. 2. Les voyelles. 1958.
pp. 109-540. (2e éd. revue et corrigée. 1969). 3. Les consonnes
et index général. 1961. pp. 541-1112. (2e éd. revue et corrigée.
1966).

FRANCE, P. *Racine's rhetoric*. Oxford, Clarendon press, 1965. 256 p.

GAECHNER, R. *Etude de statistique lexicale. Comparaison entre le vocabulaire de "Tite et Bérénice" (P. Corneille) et celui de "Bérénice"
(J. Racine)*. Mémoire dactylographié, Strasbourg, s.d. 41 + 23 p.

GOLDMANN, L. *Racine. Essai*. Paris, L'Arche, 1970 (1ère éd. : 1956). 136 p.

GOVAERTS, S. *Le Corpus Tibullianum. Index Verborum et relevés statistiques. Essai de méthodologie statistique*. La Haye, Mouton (Travaux publiés par le Laboratoire d'analyse statistique des langues,
dir. Louis Delatte), 1966. XVI - 337 p.

GUIRAUD, P. *Les caractères statistiques du vocabulaire. Essai de méthodologie*. Paris, P.U.F., 1954. 116 p.

GUIRAUD, P. *Problèmes et méthodes de la statistique linguistique*. Paris,
P.U.F., 1960. 146 p.

HEGER, K. "L'analyse sémantique du signe linguistique", *Langue Française*,
4, déc. 1969, pp. 44-66.

HENMON, V. A. C. "A french book based on the count of 400.000 running
words", *Bureau of educational research bulletin*, 3. University of
Wisconsin, 1924.

HERDAN, G. *Quantitative linguistics*. Londres, Buttherworths, 1964. 284 p.

HERDAN, G. *The advanced theory of language as choice and chance*. Berlin/
Heidelberg/New York, Springer, 1966. 460 p.

IRWIN, J. O. "The generalized Waring distribution", *Journal of the Royal
statistical society*, A 138, 1975, part I, pp. 18-31, part II,
pp. 204-227 et part III, pp. 374-384.

JAKOBSON, R. *Essais de linguistique générale*. Trad. de l'anglais et
préfacé par N. Ruwet. Paris, Ed. de Minuit, 1963. 262 p.

KNIGHT, R. C. *Racine et la Grèce*. Paris, Nizet, 2e éd., 1974. 467 p.

KYLANDER, B. M. "Indices stylistiques chez Molière", *Le Français Moderne*, t. XLVI, n° 1, 1978, pp. 67-74.

LATHUILLERE, R. *La Préciosité. Etude historique et linguistique*. t. 1.
Position du problème-Les origines. Genève, Droz, 1966. 687 p.

LIEM, Gh. *Analyse statistique du vocabulaire de "Mithridate"*. Mémoire
dactylographié, Strasbourg, 1975. 50 p.

LYONS, J. *Linguistique générale. Introduction à la linguistique théorique*.
Paris, Larousse, 1970. 384 p.

MARTY-LAVEAUX, Ch. *Lexique de la langue de Racine*, in vol. VIII de l'éd.
des *Oeuvres complètes* de Racine par P. Mesnard [v. supra 1. *Oeuvres*].

MASSON-FORESTIER, A. *Autour d'un Racine ignoré.* Paris, Mercure de France, 1910 (2ᵉ éd.). 442 p.

MAULNIER, Th. *Racine.* Paris, Gallimard, 1935. 317 p.

MAURIAC, F. *La vie de Jean Racine.* Paris, Plon, 1928. 255 p.

MAY, G. "L'unité de sang chez Racine", *Revue d'histoire littéraire de la France,* LXXII, 2, 1972, pp. 209-233.

MENARD, N. *Analyse statistique du vocabulaire de "Phèdre".* Mémoire dactylographié, Strasbourg, 1970. 77 p.

MENARD, N. *Etude théorique et expérimentale de la richesse lexicale.* Thèse dactylographiée, Strasbourg, 1972. 182 p. (à paraître en 1982 : Genève, Slatkine).

MOERCK, E. L. "An objective, statistical description of style", *Linguistics,* 108, 1973, pp. 50-59.

MOLES, A. (sous la dir. de), assisté de Cl. ZELTMANN. *La communication. Les images, les sons, les signes, théories et techniques de N. Wiener et C. Shannon à M. Mc Luhan.* Paris, Denoël, 1971. 576 p.

MOUNIN, G. "Stylistique", *Encyclopaedia Universalis,* t. 15, Paris, 1973, pp. 466-468.

MOURGUES, O. de. *Autonomie de Racine.* Paris, José Corti, 1967. 221 p.

MULLER, Ch. "Sur quelques scènes de Molière ; essai d'un indice de style familier", *Le Français Moderne,* 2, 1962, pp. 99-108.

MULLER, Ch. "La longueur moyenne du mot dans le théâtre classique", *Cahiers de Lexicologie,* 5, II, 1964, pp. 29-44.

MULLER, Ch. *Essai de statistique lexicale. "L'Illusion Comique" de P. Corneille.* Paris, Klincksieck, 1964. 204 p.

MULLER, Ch. "Du nouveau sur les distributions lexicales. La formule de Waring-Herdan", *Cahiers de Lexicologie,* 6, I, 1965, pp. 35-53.

MULLER, Ch. *Etude de statistique lexicale. Le vocabulaire du théâtre de Corneille.* Paris, Larousse, 1967. 379 p. (Réimpression Genève, Slatkine, 1979. 379 p.).

MULLER, Ch. *Initiation à la statistique linguistique.* Paris, Larousse, 1968. 248 p. [Ouvrage de synthèse épuisé. Remplacé par MULLER, Ch. *Initiation aux méthodes de la Statistique Linguistique.* Paris, Hachette-Université. 187 p. et MULLER, Ch. *Principes et méthodes de Statistique Lexicale.* Paris, Hachette-Université, 206 p.].

MULLER, Ch. "Sur la mesure de la richesse lexicale. Théorie et expérience", *Et. de Ling. Appliquée,* Nouvelle série, n° 1, 1971, pp. 20-46.

MULLER, Ch. "Peut-on estimer l'étendue d'un lexique ?", *Cahiers de Lexicologie,* XXVII, II, 1975, pp. 3-29. [Les articles cités figurent en outre ds MULLER, Ch. *Langue française et linguistique quantitative.* Genève, Slatkine, 1979. 472 p.].

MUSSO, N. *Etude statistique du vocabulaire du "Mariage de Figaro" de Beaumarchais.* Thèse dactylographiée, Strasbourg, 1970. 248 p.

NIDERST, A. *Les Tragédies de Racine. Diversité et unité.* Paris, Nizet, 1975. 191 p.

NYROP, K. *Grammaire historique de la langue française.* 2. Morphologie. 4e éd. revue par Pierre Laurent. Copenhague, Gyldendal, 1968. VIII, 483 p. 4. Sémantique. /Copenhague/, Gyldendalske Boghandel, 1913. VIII, 496 p.

PEGUY, Ch. *Victor-Marie, Comte Hugo.* Paris, Gallimard, 1934. 243 p.

PICARD, R. *Corpus Racinianum ; Recueil-Inventaire des textes et documents du XVIIe siècle concernant Jean Racine.* Paris, Belles-Lettres, 1956. 395 p. Supplément, 1961. 55 p.

POCOCK, G. *Corneille and Racine. Problems of tragic form.* Cambridge, The University Press, 1973. 327 p.

POMMIER, J. *Aspects de Racine. Suivi de l'histoire littéraire d'un couple tragique.* Paris, Nizet, 1954. XXXVIII - 465 p.

POTTIER, B. *Systématique des éléments de relation. Etude de morphosyntaxe structurale romane.* Paris, Klincksieck, 1962 (thèse : 1955). VIII - 376 p.

POTTIER, B. *Présentation de la linguistique. Fondements d'une théorie.* Paris, Klincksieck, 1967. 80 p.

PROST, A. *Vocabulaire des proclamations électorales de 1881, 1885 et 1889.* Paris, P.U.F., 1974. 197 p.

RATERMANIS, J. B. *Essai sur les formes verbales dans les tragédies de Racine. Etude stylistique.* Paris, Nizet, 1972. 416 p.

RATKOWSKY, D. A. "Une nouvelle approche concernant l'application de la distribution de Waring aux fréquences des vocables dans les textes littéraires", *Cahiers de Lexicologie,* XXXIV, 1, 1979, pp. 3-18.

REY, A. "Les bases théoriques de la description lexicographique du français : tendances actuelles", *Travaux de Linguistique et de Littérature,* VI, 1, 1968, pp. 55-72.

REY-DEBOVE, J. *Etude linguistique et sémiotique des dictionnaires français contemporains.* The Hague/Paris, Mouton, 1971. 329 p., fig.

REY-DEBOVE, J. "Structure du lexique", *Méta,* 18, 1-2, 1973, pp. 53-60.

ROCHON, L. "Le vocabulaire de Racine : est-il riche ? est-il pauvre ?", *Europe,* 453, 1967, pp. 133-154.

ROUBINE, J. J. *Lectures de Racine.* Paris, A. Colin, 1971. 319 p.

ROY, G. R. *Contribution à l'analyse du syntagme verbal : Etude théorique et statistique.* Paris, Klincksieck, 1977. 304 p.

SCHERER, J. *La dramaturgie classique en France.* Paris, Nizet, s.d. (1950). 488 p.

SCHERER, J. "La littérature dramatique sous Louis XIV", pp. 299-336, in *Histoire des Littératures,* vol. III. Paris, Gallimard, 1958.

SEDELOW, S. Y. "Stylistic Analysis", *Automated Language Processing,* V, 1967.

SEZNEC, A. "Notes on a concordance of Racine", *French Studies*, XXVI, 1, 1972, pp. 9-26.

SICHEL, H. S. "On a distribution law for word frequencies", *Journal of the American statistical association*, vol. 70, 351, 1975, pp. 542-547.

SPILLEBOUT, G. *Le vocabulaire biblique dans les tragédies sacrées de Racine*. Genève, Droz, 1968. 441 p., 4 pl. h. t.

SWEETSER, M. O. "Racine rival de Corneille : "Innutrition" et innovations dans *Britannicus*", *Romanic Review*, LXVI, 1, 1975, pp. 13-31.

TĚŠITELOVÀ, M. "On the role of nouns in lexical statistics", *Prague studies in mathematical linguistics*, 2, 1967, pp. 121-129.

UBERSFELD, A. "Racine", *Histoire littéraire de la France*, vol. 4 (1660-1715). Paris, Ed. sociales, 1975, pp. 127-153.

VALERY, P. *Variété III*. Paris, Gallimard, 1936. 291 p.

VANDER BEKE, G. E. *French word book*. New York, Macmillan co, 1929.

VINAVER, E. *Racine et la poésie tragique*, Paris, Nizet, 2e éd. revue et augmentée, 1963. 255 p.

T A B L E   D E S   M A T I E R E S

PRINCIPAUX TABLEAUX ET GRAPHIQUES

Achevé d'imprimer en 1993
à Genève - Suisse

*Achevé d'imprimer en 1983
à Genève - Suisse*